PALIMPSESTES

DU MÊME AUTEUR

GÉRARD GENETTE

PALIMPSESTES

LA LITTÉRATURE
AU SECOND DEGRÉ

ÉDITIONS DU SEUIL
27, rue Jacob, Paris VI

CE LIVRE
EST PUBLIÉ DANS LA COLLECTION
POÉTIQUE
DIRIGÉE PAR GÉRARD GENETTE
ET TZVETAN TODOROV

ISBN 2-02-006116-3

I

L'objet de ce travail est ce que j'appelais ailleurs [1], « faute de mieux », la *paratextualité*. J'ai, depuis, trouvé mieux — ou pire : on en jugera. Et mobilisé « paratextualité » pour désigner tout autre chose. L'ensemble de cet imprudent programme est donc à reprendre.

Reprenons donc. L'objet de la poétique, disais-je à peu près, n'est pas le texte, considéré dans sa singularité (ceci est plutôt l'affaire de la critique), mais l'*architexte*, ou si l'on préfère l'architextualité du texte (comme on dit, et c'est un peu la même chose, « la littérarité de la littérature »), c'est-à-dire l'ensemble des catégories générales, ou transcendantes — types de discours, modes d'énonciation, genres littéraires, etc. — dont relève chaque texte singulier [2]. Je dirais plutôt aujourd'hui, plus largement, que cet objet est la *transtextualité*, ou transcendance textuelle du texte, que je définissais déjà, grossièrement, par « tout ce qui le met en relation, manifeste ou secrète, avec d'autres textes ». La transtextualité dépasse donc et inclut l'architextualité, et quelques autres types de relations transtextuelles, dont une seule nous occupera directement ici, mais dont il me faut d'abord, ne serait-ce que pour cerner et baliser le champ, établir une (nouvelle) liste, qui risque fort, à son tour, de n'être ni exhaustive ni définitive. L'inconvénient de la

---

1. *Introduction à l'architexte*, Seuil, 1979, p. 87.
2. Le terme d'*architexte*, je m'en avise un peu tard, a été proposé par Louis Marin (« Pour une théorie du texte parabolique », in *le Récit évangélique*, Bibliothèque des sciences religieuses, 1974...) pour désigner « le texte d'origine de tout discours possible, son " origine " et son milieu d'instauration ». Plus près, en somme, de ce que je vais nommer *hypotexte*. Il serait temps qu'un Commissaire de la République des Lettres nous imposât une terminologie cohérente.

« recherche », c'est qu'à force de chercher, il arrive qu'on trouve...
ce qu'on ne cherchait pas.

Il me semble aujourd'hui (13 octobre 1981) percevoir cinq types de relations transtextuelles, que j'énumérerai dans un ordre approximativement croissant d'abstraction, d'implicitation et de globalité. Le premier a été, voici quelques années, exploré par Julia Kristeva [1], sous le nom d'*intertextualité,* et cette nomination nous fournit évidemment notre paradigme terminologique. Je le définis pour ma part, d'une manière sans doute restrictive, par une relation de coprésence entre deux ou plusieurs textes, c'est-à-dire, eidétiquement et le plus souvent, par la présence effective d'un texte dans un autre. Sous sa forme la plus explicite et la plus littérale, c'est la pratique traditionnelle de la *citation* [2] (avec guillemets, avec ou sans référence précise) ; sous une forme moins explicite et moins canonique, celle du *plagiat* (chez Lautréamont, par exemple), qui est un emprunt non déclaré, mais encore littéral ; sous forme encore moins explicite et moins littérale, celle de l'*allusion,* c'est-à-dire d'un énoncé dont la pleine intelligence suppose la perception d'un rapport entre lui et un autre auquel renvoie nécessairement telle ou telle de ses inflexions, autrement non recevable : ainsi, lorsque Mme des Loges, jouant aux proverbes avec Voiture, lui déclare : « Celui-ci ne vaut rien, percez-nous-en d'un autre », le verbe *percer* (pour « proposer ») ne se justifie et ne se comprend que par le fait que Voiture était fils d'un marchand de vin. Dans un registre plus académique, lorsque Boileau écrit à Louis XIV :

> *Au récit que pour toi je suis prêt d'entreprendre,*
> *Je crois voir les rochers accourir pour m'entendre* [3],

ces rochers mobiles et attentifs paraîtront sans doute absurdes à qui ignore les légendes d'Orphée et d'Amphion. Cet état implicite (et parfois tout hypothétique) de l'intertexte est depuis quelques années le champ d'étude privilégié de Michael Riffaterre, qui définit, en principe, l'intertextualité d'une manière beaucoup plus vaste que je ne le fais ici, et extensive en apparence à tout ce que je nomme transtextualité : « L'intertexte, écrit-il par exemple, est la perception, par le lecteur, de rapports entre une œuvre et d'autres qui l'ont précédée ou suivie », allant jusqu'à identifier dans sa visée l'inter-

---

1. *Sèméiôtikè,* Seuil, 1969.
2. Sur l'histoire de cette pratique, voir l'étude inaugurale d'A. Compagnon, *La Seconde Main,* Seuil, 1979.
3. J'emprunte le premier exemple à l'article *allusion* du traité des *Tropes* de Dumarsais, le second à celui des *Figures du Discours* de Fontanier.

textualité (comme je fais la transtextualité) à la littérarité elle-même : « L'intertextualité est (...) le mécanisme propre à la lecture littéraire. Elle seule, en effet, produit la signifiance, alors que la lecture linéaire, commune aux textes littéraire et non littéraire, ne produit que le sens[1]. » Mais cette extension de principe s'accompagne d'une restriction de fait, car les rapports étudiés par Riffaterre sont toujours de l'ordre des microstructures sémantico-stylistiques, à l'échelle de la phrase, du fragment ou du texte bref, généralement poétique. La « trace » intertextuelle selon Riffaterre est donc davantage (comme l'allusion) de l'ordre de la figure ponctuelle (du détail) que de l'œuvre considérée dans sa structure d'ensemble, champ de pertinence des relations que j'étudierai ici. Les recherches de H. Bloom sur les mécanismes de l'influence[2], quoique menées dans un tout autre esprit, portent sur le même type d'interférences, plus intertextuelles qu'hypertextuelles.

Le second type est constitué par la relation, généralement moins explicite et plus distante, que, dans l'ensemble formé par une œuvre littéraire, le texte proprement dit entretient avec ce que l'on ne peut guère nommer que son *paratexte*[3] : titre, sous-titre, intertitres ; préfaces, postfaces, avertissements, avant-propos, etc. ; notes marginales, infrapaginales, terminales ; épigraphes ; illustrations ; prière d'insérer, bande, jaquette, et bien d'autres types de signaux accessoires, autographes ou allographes, qui procurent au texte un entourage (variable) et parfois un commentaire, officiel ou officieux, dont le lecteur le plus puriste et le moins porté à l'érudition externe ne peut pas toujours disposer aussi facilement qu'il le voudrait et le prétend. Je ne veux pas entamer ou déflorer ici l'étude, peut-être à venir, de ce champ de relations, que nous aurons d'ailleurs maintes occasions de rencontrer, et qui est sans doute un des lieux privilégiés de la dimension pragmatique de l'œuvre, c'est-à-dire de son action sur le lecteur — lieu en particulier de ce que l'on nomme volontiers, depuis les études de Philippe Lejeune sur l'autobiographie, le *contrat* (ou *pacte*) générique[4]. J'évoquerai simplement, à titre d'exemple (et d'anticipation sur un chapitre à

1. « La trace de l'intertexte », *la Pensée*, octobre 1980 ; « La syllepse intertextuelle », *Poétique* 40, novembre 1979. Cf. *la Production du texte*, Seuil, 1979, et *Sémiotique de la poésie*, Seuil, 1982.
2. *The Anxiety of Influence*, Oxford U.P., 1973, et la suite.
3. Il faut l'entendre au sens ambigu, voire hypocrite, qui fonctionne dans des adjectifs comme *parafiscal* ou *paramilitaire*.
4. Le terme est évidemment fort optimiste quant au rôle du lecteur, qui n'a rien signé et pour qui c'est à prendre ou à laisser. Mais il reste que les indices génériques ou autres *engagent* l'auteur, qui — sous peine de mauvaise réception — les respecte plus souvent qu'on ne s'y attendrait : nous en rencontrerons plusieurs témoignages.

venir) le cas de l'*Ulysse* de Joyce. On sait que, lors de sa prépublication en livraisons, ce roman était pourvu de titres de chapitres évoquant la relation de chacun de ces chapitres à un épisode de l'*Odyssée :* « Sirènes », « Nausicaa », « Pénélope », etc. Lorsqu'il paraît en volume, Joyce lui enlève ces intertitres, d'une signification pourtant « capitalissime ». Ces sous-titres supprimés, mais non oubliés par les critiques, font-ils ou non partie du texte d'*Ulysse ?* Cette question embarrassante, que je dédie aux tenants de la clôture du texte, est typiquement d'ordre paratextuel. À cet égard, l' « avant-texte » des brouillons, esquisses et projets divers, peut lui aussi fonctionner comme un paratexte : les retrouvailles finales de Lucien et de Mme de Chasteller ne sont pas à proprement parler dans le texte de *Leuwen ;* seul en témoigne un projet de dénouement abandonné, avec le reste, par Stendhal ; devons-nous en tenir compte dans notre appréciation de l'histoire, et du caractère des personnages ? (Plus radicalement : devons-nous lire un texte posthume dont rien ne nous dit si et comment l'auteur l'aurait publié s'il avait vécu ?) Il arrive aussi qu'une œuvre fasse paratexte à une autre : le lecteur du *Bonheur fou* (1957), voyant à la dernière page que le retour d'Angelo vers Pauline est fort compromis, doit-il ou non se souvenir de *Mort d'un personnage* (1949), où l'on rencontre leurs fils et petit-fils, ce qui annule *d'avance* cette savante incertitude ? La paratextualité, on le voit, est surtout une mine de questions sans réponses.

Le troisième type de transcendance textuelle [1], que je nomme *métatextualité,* est la relation, on dit plus couramment de « commentaire », qui unit un texte à un autre texte dont il parle, sans nécessairement le citer (le convoquer), voire, à la limite, sans le nommer : c'est ainsi que Hegel, dans la *Phénoménologie de l'esprit,* évoque, allusivement et comme silencieusement, *le Neveu de Rameau.* C'est, par excellence, la relation *critique.* On a, naturellement, beaucoup étudié (méta-métatexte) certains métatextes critiques, et l'histoire de la critique comme genre ; mais je ne suis pas sûr que l'on ait considéré avec toute l'attention qu'il mérite le fait même et le statut de la relation métatextuelle. Cela pourrait venir [2].

---

1. J'aurais peut-être dû préciser que la transtextualité n'est qu'une transcendance parmi d'autres ; du moins se distingue-t-elle de cette autre transcendance qui unit le texte à la réalité extratextuelle, et qui ne m'intéresse pas (directement) pour l'instant — mais je sais que ça existe : il m'arrive de sortir de ma bibliothèque (je n'ai pas de bibliothèque). Quant au mot *transcendance,* qui m'a été imputé à conversion mystique, il est ici purement technique : c'est le contraire de l'immanence, je crois.
2. J'en trouve une première amorce dans M. Charles, « La lecture critique », *Poétique* 34, avril 1978.

Le cinquième type (je sais), le plus abstrait et le plus implicite, est l'*architextualité*, définie plus haut. Il s'agit ici d'une relation tout à fait muette, que n'articule, au plus, qu'une mention paratextuelle (titulaire, comme dans *Poésies, Essais, le Roman de la Rose*, etc., ou, le plus souvent, infratitulaire : l'indication *Roman, Récit, Poèmes*, etc., qui accompagne le titre sur la couverture), de pure appartenance taxinomique. Quand elle est muette, ce peut être par refus de souligner une évidence, ou au contraire pour récuser ou éluder toute appartenance. Dans tous les cas, le texte lui-même n'est pas censé connaître, et par conséquent déclarer, sa qualité générique : le roman ne se désigne pas explicitement comme roman, ni le poème comme poème. Encore moins peut-être (car le genre n'est qu'un aspect de l'architexte) le vers comme vers, la prose comme prose, le récit comme récit, etc. À la limite, la détermination du statut générique d'un texte n'est pas son affaire, mais celle du lecteur, du critique, du public, qui peuvent fort bien récuser le statut revendiqué par voie de paratexte : ainsi dit-on couramment que telle « tragédie » de Corneille n'est pas une vraie tragédie, ou que le *Roman de la Rose* n'est pas un roman. Mais le fait que cette relation soit implicite et sujette à discussion (par exemple : à quel genre appartient *la Divine Comédie ?*) ou à fluctuations historiques (les longs poèmes narratifs comme l'épopée ne sont plus guère perçus aujourd'hui comme relevant de la « poésie », dont le concept s'est peu à peu restreint jusqu'à s'identifier à celui de poésie lyrique) ne diminue en rien son importance : la perception générique, on le sait, oriente et détermine dans une large mesure l' « horizon d'attente » du lecteur, et donc la réception de l'œuvre.

J'ai délibérément différé la mention du quatrième type de transtextualité parce que c'est lui et lui seul qui nous occupera directement ici. C'est donc lui que je rebaptise désormais *hypertextualité*. J'entends par là toute relation unissant un texte B (que j'appellerai *hypertexte*) à un texte antérieur A (que j'appellerai, bien sûr, *hypotexte*[1]) sur lequel il se greffe d'une manière qui n'est pas

---

1. Ce terme est employé par Mieke Bal, « Notes on narrative embedding », *Poetics Today*, hiver 1981, dans un sens tout autre, bien sûr : à peu près celui que je donnais jadis à *récit métadiégétique*. Décidément, rien ne s'arrange du côté de la terminologie. D'aucuns en concluront : « Vous n'avez qu'à parler comme tout le monde. » Mauvais conseil : de ce côté-là, c'est encore pis, car l'usage est pavé de mots si familiers, si faussement transparents, qu'on les emploie souvent, pour théoriser à longueur de volumes ou de colloques, sans même songer à se demander de quoi l'on parle. Nous rencontrerons très bientôt un exemple typique de ce psittacisme avec la notion, si l'on peut dire, de *parodie*. Le « jargon » technique a du moins cet avantage qu'en général chacun de ses utilisateurs sait et indique quel sens il donne à chacun de ses termes.

celle du commentaire. Comme on le voit à la métaphore *se greffe* et à la détermination négative, cette définition est toute provisoire. Pour le prendre autrement, posons une notion générale de texte au second degré (je renonce à chercher, pour un usage aussi transitoire, un préfixe qui subsumerait à la fois l'*hyper-* et le *méta-*) ou texte dérivé d'un autre texte préexistant. Cette dérivation peut être soit de l'ordre, descriptif et intellectuel, où un métatexte (disons telle page de la *Poétique* d'Aristote) « parle » d'un texte (*Œdipe Roi*). Elle peut être d'un autre ordre, tel que B ne parle nullement de A, mais ne pourrait cependant exister tel quel sans A, dont il résulte au terme d'une opération que je qualifierai, provisoirement encore, de *transformation,* et qu'en conséquence il évoque plus ou moins manifestement, sans nécessairement parler de lui et le citer. L'*Énéide* et *Ulysse* sont sans doute, à des degrés et certainement à des titres divers, deux (parmi d'autres) hypertextes d'un même hypotexte : l'*Odyssée,* bien sûr. Comme on le voit par ces exemples, l'hypertexte est plus couramment que le métatexte considéré comme une œuvre « proprement littéraire » — pour cette raison simple, entre autres, que, généralement dérivé d'une œuvre de fiction (narrative ou dramatique), il reste œuvre de fiction, et à ce titre tombe pour ainsi dire automatiquement, aux yeux du public, dans le champ de la littérature ; mais cette détermination ne lui est pas essentielle, et nous lui trouverons sans doute quelques exceptions.

J'ai choisi ces deux exemples pour une autre raison, plus décisive : si l'*Énéide* et *Ulysse* ont en commun de ne pas dériver de l'*Odyssée* comme telle page de la *Poétique* dérive d'*Œdipe Roi,* c'est-à-dire en la commentant, mais par une opération transformative, ces deux œuvres se distinguent entre elles par le fait qu'il ne s'agit pas dans les deux cas du même type de transformation. La transformation qui conduit de l'*Odyssée* à *Ulysse* peut être décrite (très grossièrement) comme une transformation *simple,* ou *directe :* celle qui consiste à transposer l'action de l'*Odyssée* dans le Dublin du xxe siècle. La transformation qui conduit de la même *Odyssée* à l'*Énéide* est plus complexe et plus indirecte, malgré les apparences (et la plus grande proximité historique), car Virgile ne transpose pas, d'Ogygie à Carthage et d'Ithaque au Latium, l'action de l'*Odyssée :* il raconte une tout autre histoire (les aventures d'Énée, et non plus d'Ulysse), mais en s'inspirant pour le faire du type (générique, c'est-à-dire à la fois formel et thématique) établi par Homère[1]

---

1. Bien entendu, *Ulysse* et l'*Énéide* ne se *réduisent* nullement (j'aurai l'occasion d'y revenir) à une transformation directe ou indirecte de l'*Odyssée.* Mais ce caractère est le seul qui ait à nous retenir ici.

dans l'*Odyssée* (et, en fait, également dans l'*Iliade*), ou, comme on l'a bien dit pendant des siècles, en *imitant* Homère. L'imitation est sans doute elle aussi une transformation, mais d'un procédé plus complexe, car — pour le dire ici d'une manière encore très sommaire — il exige la constitution préalable d'un modèle de compétence générique (appelons-le épique) extrait de cette performance singulière qu'est l'*Odyssée* (et éventuellement de quelques autres), et capable d'engendrer un nombre indéfini de performances mimétiques. Ce modèle constitue donc, entre le texte imité et le texte imitatif, une étape et une médiation indispensable, que l'on ne retrouve pas dans la transformation simple ou directe. Pour transformer un texte, il peut suffire d'un geste simple et mécanique (à la limite, en arracher simplement quelques pages : c'est une transformation réductrice) ; pour l'imiter, il faut nécessairement en acquérir une maîtrise au moins partielle : la maîtrise de tel de ses caractères que l'on a choisi d'imiter ; il va de soi, par exemple, que Virgile laisse hors de son geste mimétique tout ce qui, chez Homère, est inséparable de la langue grecque.

On pourrait assez justement m'objecter que le second exemple n'est pas plus complexe que le premier, et que simplement Joyce et Virgile ne retiennent pas de l'*Odyssée,* pour y conformer leurs œuvres respectives, les mêmes traits caractéristiques : Joyce en extrait un schéma d'action et de relation entre personnages, qu'il traite dans un tout autre style, Virgile en extrait un certain style, qu'il applique à une autre action. Ou plus brutalement : Joyce raconte l'histoire d'Ulysse d'une autre manière qu'Homère, Virgile raconte l'histoire d'Énée à la manière d'Homère ; transformations symétriques et inverses. Cette opposition schématique (dire la même chose autrement / dire autre chose semblablement) n'est pas fausse en l'occurrence (encore qu'elle néglige un peu trop l'analogie partielle entre les actions d'Ulysse et d'Énée), et nous en retrouverons l'efficacité en bien d'autres occasions. Mais elle n'est pas d'une pertinence universelle, nous le verrons aussi, et surtout elle dissimule la différence de complexité qui sépare ces deux types d'opération.

Pour mieux faire apparaître cette différence, je dois recourir, paradoxalement, à des exemples plus élémentaires. Soit un texte littéraire (ou paralittéraire) minimal, tel que ce proverbe : *Le temps est un grand maître.* Pour le transformer, il suffit que je modifie, n'importe comment, l'un quelconque de ses composants ; si, supprimant une lettre, j'écris : *Le temps est un gran maître,* le texte « correct » en est transformé, d'une manière purement formelle, en un texte « incorrect » (faute d'orthographe) ; si, substituant une

13

lettre, j'écris, comme Balzac par la bouche de Mistigris[1]. *Le temps est un grand maigre,* cette substitution de lettre opère une substitution de mot, et produit un nouveau sens ; et ainsi de suite. L'imiter est une tout autre affaire : elle suppose que j'identifie dans cet énoncé une certaine manière (celle du proverbe) caractérisée, par exemple et pour aller vite, par la brièveté, l'affirmation péremptoire et la métaphoricité ; puis, que j'exprime de cette manière (dans ce style) une autre opinion, courante ou non : par exemple, qu'il faut du temps pour tout, d'où ce nouveau proverbe[2] : *Paris n'a pas été bâti en un jour.* On voit mieux ici, j'espère, en quoi la seconde opération est plus complexe et plus médiate que la première. Je l'espère, car je ne puis me permettre pour l'instant de pousser plus loin l'analyse de ces opérations, que nous retrouverons en leur temps et lieu.

II

J'appelle donc hypertexte tout texte dérivé d'un texte antérieur par transformation simple (nous dirons désormais *transformation* tout court) ou par transformation indirecte : nous dirons *imitation.* Avant d'en aborder l'étude, deux précisions, ou précautions, sont sans doute nécessaires.

Tout d'abord, il ne faut pas considérer les cinq types de transtextualité comme des classes étanches, sans communication ni recoupements réciproques. Leurs relations sont au contraire nombreuses, et souvent décisives. Par exemple, l'architextualité générique se constitue presque toujours, historiquement, par voie d'imitation (Virgile imite Homère, *Guzman* imite *Lazarillo*), et donc d'hypertextualité ; l'appartenance architextuelle d'une œuvre est souvent déclarée par voie d'indices paratextuels ; ces indices eux-mêmes sont des amorces de métatexte (« ce livre est un roman »), et le paratexte, préfaciel ou autre, contient bien d'autres formes de commentaire ; l'hypertexte, lui aussi, a souvent valeur de commen-

---

1. *Un début dans la vie,* Pléiade, I, p. 771.
2. Que je ne me donnerai pas la peine et le ridicule d'inventer : je l'emprunte au même texte de Balzac, que nous retrouverons.

taire : un travestissement comme le *Virgile travesti* est à sa façon une « critique » de l'*Énéide*, et Proust dit (et prouve) bien que le pastiche est « de la critique en action » ; le métatexte critique se conçoit, mais ne se pratique guère sans une part — souvent considérable — d'intertexte citationnel à l'appui ; l'hypertexte s'en garde davantage, mais non absolument, ne serait-ce que par voie d'allusions textuelles (Scarron invoque parfois Virgile) ou paratextuelles (le titre *Ulysse*) ; et surtout, l'hypertextualité, comme classe d'œuvres, est en elle-même un architexte générique, ou plutôt *transgénérique :* j'entends par là une classe de textes qui englobe entièrement certains genres canoniques (quoique mineurs) comme le pastiche, la parodie, le travestissement, et qui en traverse d'autres — probablement tous les autres : certaines épopées, comme l'*Énéide*, certains romans, comme *Ulysse*, certaines tragédies ou comédies comme *Phèdre* ou *Amphitryon*, certains poèmes lyriques comme *Booz endormi*, etc., appartiennent à la fois à la classe reconnue de leur genre officiel et à celle, méconnue, des hypertextes ; et comme toutes les catégories génériques, l'hypertextualité se déclare le plus souvent au moyen d'un indice paratextuel qui a valeur contractuelle : *Virgile travesti* est un contrat explicite de travestissement burlesque, *Ulysse* est un contrat implicite et allusif qui doit au moins alerter le lecteur sur l'existence probable d'une relation entre ce roman et l'*Odyssée*, etc.

La seconde précision répondra à une objection déjà présente, je suppose, à l'esprit du lecteur depuis que j'ai décrit l'hypertextualité comme une classe de textes. Si l'on considère la transtextualité en général, non comme une classe de textes (proposition dépourvue de sens : il n'y a pas de textes sans transcendance textuelle), mais comme un aspect de la textualité, et sans doute a fortiori, dirait justement Riffaterre, de la littérarité, on devrait également considérer ses diverses composantes (intertextualité, paratextualité, etc.) non comme des classes de textes, mais comme des aspects de la textualité.

C'est bien ainsi que je l'entends, à l'exclusive près. Les diverses formes de transtextualité sont à la fois des aspects de toute textualité et, en puissance et à des degrés divers, des classes de textes : tout texte peut être cité, et donc devenir citation, mais *la citation* est une pratique littéraire définie, évidemment transcendante à chacune de ses performances, et qui a ses caractères généraux ; tout énoncé peut être investi d'une fonction paratextuelle, mais *la préface* (j'en dirais volontiers autant du *titre*) est un genre ; la critique (métatexte) est évidemment un genre ; seul l'architexte, sans doute, n'est pas une classe, puisqu'il est, si j'ose dire, la classéité (littéraire) même : reste

15

que certains textes ont une architextualité plus prégnante (plus pertinente) que d'autres, et que, comme j'ai eu l'occasion de le dire ailleurs, la simple distinction entre œuvres plus ou moins pourvues d'architextualité (plus ou moins classables) est une ébauche de classement architextuel.

Et l'hypertextualité ? Elle aussi est évidemment un aspect universel (au degré près) de la littérarité : il n'est pas d'œuvre littéraire qui, à quelque degré et selon les lectures, n'en évoque quelque autre et, en ce sens, toutes les œuvres sont hypertextuelles. Mais, comme les égaux d'Orwell, certaines le sont plus (ou plus manifestement, massivement et explicitement) que d'autres : *Virgile travesti*, disons, plus que les *Confessions* de Rousseau. Moins l'hypertextualité d'une œuvre est massive et déclarée, plus son analyse dépend d'un jugement constitutif, voire d'une décision interprétative du lecteur : je puis décider que les *Confessions* de Rousseau sont un remake actualisé de celles de saint Augustin, et que leur titre en est l'indice contractuel — après quoi les confirmations de détail ne manqueront pas, simple affaire d'ingéniosité critique. Je puis également traquer dans n'importe quelle œuvre les échos partiels, localisés et fugitifs de n'importe quelle autre, antérieure ou postérieure. Une telle attitude aurait pour effet de verser la totalité de la littérature universelle dans le champ de l'hypertextualité, ce qui en rendrait l'étude peu maîtrisable ; mais surtout, elle fait un crédit, et accorde un rôle, pour moi peu supportable, à l'activité herméneutique du lecteur — ou de l'architecteur. Brouillé depuis longtemps, et pour mon plus grand bien, avec l'herméneutique textuelle, je ne tiens pas à épouser sur le tard l'herméneutique hypertextuelle. J'envisage la relation entre le texte et son lecteur d'une manière plus socialisée, plus ouvertement contractuelle, comme relevant d'une pragmatique consciente et organisée. J'aborderai donc ici, sauf exception, l'hypertextualité par son versant le plus ensoleillé : celui où la dérivation de l'hypotexte à l'hypertexte est à la fois massive (toute une œuvre B dérivant de toute une œuvre A) et déclarée, d'une manière plus ou moins officielle. J'avais même d'abord envisagé de restreindre l'enquête aux seuls genres officiellement hypertextuels (sans le mot, bien sûr), comme la parodie, le travestissement, le pastiche. Des raisons qui apparaîtront par la suite m'en ont dissuadé, ou plus exactement m'ont persuadé que cette restriction était impraticable. Il faudra donc aller sensiblement plus loin, en commençant par ces pratiques manifestes et en allant vers de moins officielles — si peu qu'aucun terme reçu ne les désigne comme telles, et qu'il nous faudra en forger quelques-uns. En laissant donc de côté toute hypertextualité ponctuelle et/ou facultative (qui relève plutôt à mes yeux de l'intertextualité), cela nous fait déjà, comme dit à peu près Laforgue, assez d'infini sur la planche.

III

Parodie : ce terme est aujourd'hui le lieu d'une confusion peut-être inévitable, et qui apparemment ne date pas d'hier. A l'origine de son emploi, ou très près de cette origine, une fois de plus, la *Poétique* d'Aristote.

Aristote, qui définit la poésie comme une représentation en vers d'actions humaines, oppose immédiatement deux types d'actions, distingués par leur niveau de dignité morale et/ou sociale : haute et basse, et deux modes de représentation, narrative et dramatique [1]. La croisée de ces deux oppositions détermine une grille à quatre termes qui constitue à proprement parler le système aristotélicien des genres poétiques : action haute en mode dramatique, la tragédie ; action haute en mode narratif, l'épopée ; action basse en mode dramatique, la comédie ; quant à l'action basse en mode narratif, elle n'est illustrée que par référence allusive à des œuvres plus ou moins directement désignées sous le terme de *parôdia.* Comme Aristote n'a pas développé cette partie, ou que son développement n'a pas été conservé, et que les textes qu'il cite à ce titre ne nous sont eux-mêmes pas parvenus, nous sommes réduits aux hypothèses quant à ce qui semble constituer en principe, ou en structure, le quart-monde de sa *Poétique,* et ces hypothèses ne sont pas absolument convergentes.

D'abord, l'étymologie : *ôdè,* c'est le chant ; *para :* « le long de », « à côté » ; *parôdein,* d'où *parôdia,* ce serait (donc ?) le fait de chanter à côté, donc de chanter faux, ou dans une autre voix, en contrechant — en contrepoint —, ou encore de chanter dans un autre ton : déformer, donc, ou *transposer* une mélodie. Appliquée au texte épique, cette signification pourrait conduire à plusieurs hypothèses. La plus littérale suppose que le rhapsode modifie simplement la diction traditionnelle et/ou son accompagnement musical. On a soutenu [2] que telle aurait été l'innovation apportée,

1. *Poétique,* chap. I ; cf. *Introduction à l'architexte,* chap. II.
2. Herman Kohler, « Die Parodie », *Glotta* 35, 1956, et Wido Hempel, « Parodie, Travesti und Pastiche », *Germanische Romanische Monatschrift,* 1965.

quelque part entre le VIIIe et le IVe siècle, par un certain Hégémon de Thasos, que nous allons retrouver. Si telles furent les premières parodies, elles ne touchaient pas au texte proprement dit (ce qui ne les empêchait évidemment pas de l'*affecter* d'une manière ou d'une autre), et il va de soi que la tradition écrite n'a rien pu nous en conserver. Plus largement, et en intervenant cette fois sur le texte lui-même, le récitant peut, au prix de quelques modifications minimes (minimales), le détourner vers un autre objet et lui donner une autre signification. Cette interprétation, que nous retrouverons aussi, correspond, disons-le tout de suite, à l'une des acceptions actuelles du français *parodie,* et à une pratique transtextuelle encore en (pleine) vigueur. Plus largement encore, la *transposition* d'un texte épique pourrait consister en une modification stylistique qui le transporterait, par exemple, du registre noble qui est le sien dans un registre plus familier, voire vulgaire : c'est la pratique qu'illustreront au XVIIe siècle les travestissements burlesques du type *Énéide travestie.* Mais la susdite tradition ne nous a légué, intégrale ou mutilée, aucune œuvre ancienne qu'ait pu connaître Aristote, et qui illustrerait l'une ou l'autre de ces formes.

Quelles sont donc les œuvres invoquées par Aristote ? D'Hégémon de Thasos, déjà cité, le seul auquel il rapporte explicitement le genre qu'il baptise *parôdia,* nous n'avons rien conservé, mais le seul fait qu'Aristote ait à l'esprit et décrive, si peu que ce soit, une ou plusieurs de ses « œuvres », montre que son activité n'a pu se réduire à une simple façon de *réciter* l'épopée (une autre tradition lui attribue une *Gigantomachie* d'inspiration elle aussi « parodique », mais il s'agirait plutôt d'une parodie *dramatique,* ce qui la met automatiquement hors du champ ici balisé par Aristote). De Nicocharès, Aristote cite apparemment (le texte n'est pas sûr) une *Deiliade* qui serait (de *deilos,* « lâche ») une *Iliade* de la lâcheté (étant donné le sens déjà traditionnellement affecté au suffixe *iade, Deiliade* est en soi un oxymore) et donc une sorte d'anti-épopée : c'est bien, mais c'est un peu vague. D'Homère lui-même, un *Margitès* qui serait « aux comédies ce que l'*Iliade* et l'*Odyssée* sont aux tragédies » : c'est de cette formule proportionnelle que je tire l'idée d'un tableau à quatre cases, qui me paraît, quoi (d'autre que le *Margitès*) qu'on mette dans la quatrième, logiquement indiscutable et même inévitable. Mais Aristote définit le sujet comique, et il le confirme précisément à propos des « parodies » d'Hégémon et de la *Deiliade,* par la représentation de personnages « inférieurs » à la moyenne. À l'utiliser mécaniquement, cette définition aiguillerait l'hypothèse (la caractérisation hypothétique de ces textes disparus) vers une troisième forme de « parodie » de l'épopée, que l'on baptisera beaucoup plus tard, et même, nous le verrons, un peu trop tard, « poème héroï-comique », et qui consiste à traiter en style épique (noble) un sujet bas et risible, comme l'histoire d'un guerrier poltron. De fait — et en l'absence des œuvres d'Hégémon, de la *Deiliade* et du *Margitès* —, tous les textes parodiques grecs, sans doute plus tardifs, qui nous sont parvenus illustrent cette troisième forme, qu'il s'agisse des quelques fragments cités par Athénée de Naucratis[1], ou du texte, apparemment intégral, de la *Batrachomyomachie*, longtemps attribuée, elle aussi, à Homère, et qui incarne à la perfection le genre héroï-comique.

Or ces trois formes de « parodie » — celles que suggère le terme de *parôdia* et celle qu'induisent les textes conservés par la tradition — sont tout à fait distinctes et malaisément réductibles. Elles ont en commun une certaine raillerie de l'épopée (ou éventuellement de tout autre genre noble, ou simplement sérieux, et — restriction imposée par le cadre aristolélicien — de mode de représentation narratif) obtenue par une dissociation de sa lettre — le texte, le style — et de son esprit : le contenu héroïque. Mais l'une résulte de l'application d'un texte noble, modifié ou non, à un autre sujet, généralement vulgaire ; l'autre, de la transposition d'un texte noble dans un style vulgaire ; la troisième, de l'application d'un style noble, celui de l'épopée en général, ou de l'épopée homérique, voire, si une telle spécification a un sens, d'une œuvre singulière d'Homère (l'*Iliade*), à un sujet vulgaire ou non héroïque. Dans le premier cas, le « parodiste » détourne un texte de son objet en le modifiant juste autant qu'il est nécessaire ; dans le second, il le transpose intégralement dans un autre style en laissant son objet aussi intact que le permet cette transformation stylistique ; dans le troisième, il lui emprunte son style pour composer dans ce style un autre texte, traitant un autre objet, de préférence antithétique. Le grec *parôdia* et le latin *parodia* couvrent étymologiquement la première acception et, dans un sens un peu plus figuré, la seconde ; empiriquement (semble-t-il) la troisième. Le français (entre autres) héritera de cette confusion, y ajoutant au fil des siècles un peu de désordre.

---

1. *Deipnosophistes*, IIᵉ-IIIᵉ siècle après J.-C., livre XV.

19

IV

Naissance de la parodie ? A la page 8 de l'*Essai sur la parodie* d'Octave Delepierre [1], on trouve cette note, qui fait rêver : « Lorsque les rhapsodes chantaient les vers de l'*Iliade* ou de l'*Odyssée*, et qu'ils trouvaient que ces récits ne remplissaient pas l'attente ou la curiosité des auditeurs, ils y mêlaient pour les délasser, et par forme d'intermède, des petits poèmes composés des mêmes vers à peu près qu'on avait récités, mais dont ils détournaient le sens pour exprimer une autre chose, propre à divertir le public. C'est ce qu'ils appelaient parodier, de *para* et *ôdè,* contrechant. » On aimerait savoir d'où l'aimable érudit tire cette information capitale, s'il ne l'a pas inventée. Comme il cite à la même page le dictionnaire de Richelet, on se reporte à tout hasard à Richelet (1759, s.v. *parodie*), qui évoque lui aussi les récitations publiques des aèdes, et ajoute : « Mais comme ces récits étaient languissants et ne remplissaient pas l'attente et la curiosité des auditeurs, on y mêlait pour les délasser, et par forme d'intermède, des acteurs qui récitaient de petits poèmes composés des mêmes vers qu'on avait récités, mais dont on détournait le sens pour exprimer autre chose propre à divertir le public. » Telle était donc, dissimulée mais resurgissant, comme souvent, à quelques centimètres de sa perte, la « source » de Delepierre. Puisque Richelet invoque au même endroit, mais en principe à propos d'autre chose, l'autorité de l'abbé Sallier, voyons Sallier [2] : il cite, pour la repousser, l'opinion, selon lui répandue, qui attribue à Homère lui-même l'invention de la parodie « lorsqu'il s'est servi, ce qui lui arrive quelquefois, des mêmes vers pour exprimer des choses différentes. Ces répétitions ne méritent pas plus le nom de parodie que ces jeux d'esprit qu'on appelle centons, et dont l'art consiste à composer un ouvrage tout entier de vers tirés d'Homère, de Virgile ou de quelque autre poète célèbre ». Nous retrouverons cette opinion, que Sallier a peut-être tort de repousser si vite. « Il y aurait, enchaîne-t-il, peut-être plus de fondement à croire que, lorsque les chantres qui allaient de ville en ville débiter

---

1. O. Delepierre, *Essai sur la parodie chez les Grecs, les Romains et les modernes,* Londres, 1870.
2. « Discours sur l'origine et sur le caractère de la parodie », *Histoire de l'Académie des Inscriptions,* t. VII, 1733.

les différents morceaux des poésies d'Homère, en avaient récité quelque partie, il se présentait des bouffons qui cherchaient à réjouir les auditeurs par le tour ridicule qu'ils donnaient à ce qu'ils venaient d'entendre. Je n'oserais trop insister sur cette conjecture, quelque vraisemblable qu'elle me paraisse, ni la donner pour un sentiment qu'on doive recevoir. » Sallier n'invoque aucune autorité à l'appui d'une « conjecture » qu'il évite de revendiquer tout en laissant entendre qu'elle est sienne ; mais il se trouve qu'en même temps qu'à Sallier, Richelet renvoyait à la *Poétique* de Jules-César Scaliger. Écoutons donc Scaliger [1] : « De même que la satire est née de la tragédie, et le mime de la comédie, ainsi la parodie est née de la rhapsodie... En effet, quand les rhapsodes interrompaient leurs récitations, des amuseurs se présentaient qui retournaient en vue du délassement de l'esprit tout ce qu'on venait d'entendre. Aussi les appela-t-on *parodistes*, puisque, à côté du sujet sérieux proposé, ils en introduisaient subrepticement d'autres, comiques. La parodie est donc une rhapsodie retournée, qui par des modifications verbales ramène l'esprit à des objets comiques » (*Quemadmodum satura ex tragoedia, mimus e comedia, sic parodia de rhapsodia nata est (...) quum enim rhapsodi intermitterent recitationem lusus gratia prodibant qui ad animi remissionem omnia illa priora inverterent. Hos iccirco parôdous nominarunt, quia praeter rem seriam propositam alia ridicula subinferrent. Est igitur parodia rhapsodia inversa mutatis vocibus ad ridicula retrahens.*) Ce texte, source évidente de tous les précédents, n'est pas trop clair, et encore ma traduction en force-t-elle peut-être çà et là le sens. Du moins semble-t-il accréditer l'idée d'une parodie originelle conforme à l'étymologie de *parôdia*, que Scaliger ne manque pas d'invoquer : une reprise plus ou moins littérale du texte épique détourné (*retourné*) vers une signification comique. Au xᵉ siècle, l'encyclopédiste byzantin Suidas avait affirmé plus brutalement [2] que la parodie consiste — je cite la traduction de Richelet qui en aggrave à vrai dire quelque peu la brutalité (texte grec : *houto legetai hotan ek tragôdias metenekhthè ho logos eis kômôdian*, littéralement : « se dit quand le texte d'une tragédie est tourné en comédie ») — à « composer une comédie des vers d'une tragédie. » En transposant du dramatique au narratif, la description de Scaliger présente bien la parodie comme un récit comique composé, aux modifications verbales indispensables près, des vers d'une épopée. Ainsi serait née la parodie, « fille de la rhapsodie » (ou peut-être de la tragédie) sur le lieu même de la

---

1. *Poétique*, 1561, I, 42.
2. *Lexique*, s. v. *parôdia*.

récitation épique (ou de la représentation dramatique), et de son texte même, conservé mais « retourné » comme un gant. On aimerait, de nouveau, remonter le fil du temps, au-delà de Scaliger, puis de Suidas, et, de tradition en tradition (de plagiat en plagiat), parvenir à quelque document d'époque. Mais ni Scaliger ni Suidas n'en allègue aucun, et apparemment le fil s'arrête là, sur cette hypothèse purement théorique, et peut-être inspirée à Scaliger par symétrie avec la relation (elle-même obscure) entre tragédie et drame satyrique. La naissance de la parodie, comme tant d'autres, s'occulte dans la nuit des temps.

Mais revenons à l'opinion « de quelques (?) savants » dédaignée par l'abbé Sallier. Après tout, il est bien vrai qu'Homère, littéralement ou non, se répète souvent, et que ces formules récurrentes ne s'appliquent pas toujours au même objet. Le propre du style formulaire, signature de la diction et point d'appui de la récitation épiques, ne consiste pas seulement en ces épithètes de nature — *Achille aux pieds légers, Ulysse aux mille ruses* — immanquablement accolées au nom de tel ou tel héros ; mais aussi en ces stéréotypes baladeurs, hémistiches, hexamètres, groupes de vers, que l'aède réemploie sans vergogne en des circonstances parfois semblables, parfois fort différentes. Houdar de La Motte [1] s'ennuyait fort à ce qu'il appelait les « refrains » de l'*Iliade* : « la terre retentit horriblement du bruit de ses armes », « il est précipité dans la sombre demeure d'Hadès », etc., et s'indignait de ce qu'Agamemnon tînt exactement le même discours au chant II pour éprouver le moral de ses troupes et au chant IX pour les engager sérieusement à la fuite. De tels remplois peuvent bien passer pour autant d'autocitations, et puisque le même texte s'y trouve appliqué à un objet (une intention) différent, il faut bien y reconnaître le principe même de la parodie. Non sans doute la fonction, car en se répétant ainsi l'aède ne cherche sûrement pas à faire rire ; mais s'il y parvenait sans l'avoir cherché, ne pourrait-on pas dire qu'il a involontairement fait œuvre de parodiste ? En vérité, le style épique, par sa stéréotypie formulaire, est non seulement une cible toute désignée pour l'imitation plaisante, et le détournement parodique : il est constamment en instance, voire en position d'autopastiche et d'autoparodie involontaires. Le pastiche et la parodie sont inscrits dans le texte même de l'épopée, ce qui donne à la formule de Scaliger une signification plus forte qu'il n'y voyait sans doute : fille de la

1. *Discours sur Homère,* Préface à sa « traduction » de l'*Iliade,* 1714.

rhapsodie, la parodie est toujours déjà présente, et vivante, dans le sein maternel, et la rhapsodie, qui se nourrit constamment et réciproquement de son propre rejeton, est, comme les colchiques d'Apollinaire, fille de sa fille. La parodie est fille de la rhapsodie et réciproquement. Mystère plus profond, et en tout cas plus important que celui de la Trinité : la parodie, c'est l'envers de la rhapsodie, et chacun se souvient de ce que Saussure disait de la relation entre recto et verso. De même, bien sûr, le comique n'est qu'un tragique vu de dos.

V

Dans les poétiques de l'âge classique, et même dans la querelle (que nous retrouverons) des deux burlesques, on n'emploie guère le mot *parodie*. Ni Scarron et ses successeurs, jusqu'à Marivaux compris, ni Boileau, ni, je crois bien, Tassoni ou Pope, ne considèrent leurs œuvres burlesques et néo-burlesques comme des parodies — et même le *Chapelain décoiffé*, que nous allons retrouver comme exemple canonique du genre pris dans sa définition la plus stricte, s'intitule plus évasivement *comédie*.

Négligé par la poétique, le terme se réfugie dans la rhétorique. Dans son traité des *Tropes* (1729), Dumarsais l'examine au titre des figures « de sens adapté », citant et paraphrasant le *Thesaurus* grec de Robertson, qui définit la parodie comme « un poème composé à l'imitation d'un autre », où l'on « détourne dans un sens railleur des vers qu'un autre a faits dans une vue différente. On a la liberté, ajoute Dumarsais, d'ajouter ou de retrancher ce qui est nécessaire au dessein qu'on se propose ; mais on doit conserver autant de mots qu'il est nécessaire pour rappeler le souvenir de l'original dont on emprunte les paroles. L'idée de cet original et l'application qu'on en fait à un sujet moins sérieux forment dans l'imagination un contraste qui la surprend, et c'est en cela que consiste la plaisanterie de la parodie. Corneille a dit dans le style grave, parlant du père de Chimène :

Ses rides sur son front ont gravé ses exploits.

23

Racine a parodié ce vers dans *les Plaideurs :* l'Intimé parlant de son père qui était sergent (huissier) dit plaisamment :

> *Il gagnait en un jour plus qu'un autre en six mois,*
> *Ses rides sur son front gravaient tous ses exploits.*

Dans Corneille, *exploits* signifie " actions mémorables, exploits militaires " ; et, dans *les Plaideurs, exploits* se prend pour les actes ou procédures que font les sergents. On dit que le grand Corneille fut offensé de cette plaisanterie du jeune Racine. »

La forme la plus rigoureuse de la parodie, ou *parodie minimale,* consiste donc à reprendre littéralement un texte connu pour lui donner une signification nouvelle, en jouant au besoin et si possible sur les mots, comme Racine fait ici sur le mot *exploits,* parfait exemple de calembour intertextuel. La parodie la plus élégante, parce que la plus économique, n'est donc rien d'autre qu'une citation détournée de son sens, ou simplement de son contexte et de son niveau de dignité, comme le fait excellemment Molière en mettant dans la bouche d'Arnolphe ce vers de *Sertorius :*

> *Je suis maître, je parle ; allez, obéissez* [1].

Mais le détournement est indispensable, même si Michel Butor a pu dire à juste titre, dans une autre perspective, que toute citation est déjà parodique [2], et si Borges a pu montrer sur l'exemple imaginaire de Pierre Ménard [3] que la plus littérale des récritures est

---

1. *Sertorius,* février 1662, v. 1868, *École des femmes,* décembre 1662, v. 642. Autre application parodique d'un vers du même *Sertorius,* mais avec changement d'un mot :

> *Ah, pour être Romain, je n'en suis pas moins homme !*

(v. 1194) devient dans *Tartuffe* (v. 966)... ce que l'on sait.
2. *Répertoire III,* p. 18.
3. La performance de Ménard (« Pierre Ménard auteur du Quichotte », *Fictions,* trad. fr., Gallimard, 1951) est évidemment, dans son résultat imaginaire (et d'ailleurs inachevé) une parodie minimale, ou purement sémantique : Ménard récrit littéralement le *Quichotte,* et la distance historique entre les deux rédactions identiques donne à la seconde un sens tout différent de celui de la première (cet exemple fictif montre bien que le caractère « minimal » d'une telle parodie ne tient pas à la dimension du texte, mais à celle de la transformation elle-même). On peut en dire autant d'un parfait pastiche (disons la *Symphonie en ut* de Bizet par rapport au style classico-schubertien), mais il n'y a dans le pastiche, encore une fois, qu'une identité de style, et non de texte.

déjà une création par déplacement du contexte. Si devant un suicide par poignard un témoin pédant cite Théophile de Viau :

> *Le voilà donc, ce fer qui du sang de son maître*
> *S'est souillé lâchement. Il en rougit, le traître.*

cette citation peut être plus ou moins bien venue : elle n'est pas réellement, ou perceptiblement, parodique. Si je reprends ces deux mêmes vers à propos d'une blessure par fer à cheval, ou mieux par fer à repasser, ou à souder, c'est l'amorce d'une misérable, mais véritable parodie, grâce au jeu de mot sur *fer.* Lorsque Cyrano, dans la tirade des nez, applique à son propre cas la célèbre paraphrase, il est évidemment fondé à qualifier cette application comme une parodie — ce qu'il fait en ces termes :

> *Enfin, parodiant Pyrame en un sanglot :*
> *Le voilà donc, ce nez qui des traits de son maître*
> *A détruit l'harmonie. Il en rougit, le traître.*

Comme on le voit par l'exiguïté de ces exemples, le parodiste a rarement la possibilité de poursuivre ce jeu très loin. Aussi la parodie dans ce sens strict ne s'exerce-t-elle le plus souvent que sur des textes brefs tels que des vers détachés de leur contexte, des mots historiques ou des proverbes : c'est Hugo déformant dans un des titres des *Contemplations* l'héroïque *Veni, vidi, vici* de César en un métaphysique *Veni, vidi, vixi,* ou Balzac se livrant, par personnages interposés, à ces jeux sur les proverbes que j'ai déjà évoqués : *Le temps est un grand maigre, Paris n'a pas été bâti en un four,* etc., ou Dumas inscrivant sur le carnet d'une jolie femme ce (superbe) madrigal bilingue : *Tibi or not to be.*

Ce sont évidemment cette dimension réduite et cet investissement souvent extra- ou paralittéraire qui expliquent l'annexion à la rhétorique de la parodie, considérée plutôt comme une *figure,* ornement ponctuel du discours (littéraire ou non), que comme un *genre,* c'est-à-dire une classe d'œuvres. On peut toutefois signaler un exemple classique, et même canonique (Dumarsais le mentionne au chapitre cité plus haut), de parodie stricte étendue à plusieurs pages : c'est le *Chapelain décoiffé,* où Boileau, Racine et un ou deux autres s'amusèrent, vers 1664, à adapter quatre scènes du premier acte du *Cid* au thème d'une querelle littéraire de bas étage. La faveur du roi accordée à don Diègue devient ici une pension accordée à Chapelain et contestée par son rival La Serre, qui le provoque et lui arrache sa perruque ; Chapelain demande à son disciple Cassagne de le venger en écrivant un poème contre La Serre. Le texte parodique suit le texte parodié d'aussi près qu'il est possible, en ne s'accordant que les quelques transpositions imposées par le changement de sujet. Pour illustration, voici les quatre premiers vers du monologue de Chapelain-don Diègue, qui ne manquent pas (j'espère) d'en remémorer quatre autres :

> *O rage, ô désespoir ! O perruque ma mie !*
> *N'as-tu donc tant duré que pour tant d'infamie ?*
> *N'as-tu trompé l'espoir de tant de perruquiers*
> *Que pour voir en un jour flétrir tant de lauriers*[1] *?*

Les auteurs du *Chapelain décoiffé* se sont sagement interrompus au bout de cinq scènes ; mais un peu plus de persévérance dans la plaisanterie laborieuse nous aurait valu une comédie en cinq actes qui aurait pleinement mérité la qualification de *parodie du Cid*[2]. L' « Avis au lecteur » délimite assez bien le mérite (l'intérêt) purement transtextuel de ce genre de performance en reconnaissant que « toute la beauté de cette pièce consiste au rapport qu'elle a avec cette autre (*le Cid*) ». On peut certes lire le *Chapelain décoiffé* sans connaître *le Cid ;* mais on ne peut percevoir et apprécier la fonction de l'un sans avoir l'autre à l'esprit, ou sous la main. Cette *condition de lecture* fait partie de la définition du genre, et — par conséquent, mais d'une conséquence plus contraignante que pour d'autres genres — de la perceptibilité, et donc de l'existence de l'œuvre. Nous retrouverons ce point.

VI

Dumarsais ne voulait considérer au titre de la parodie que cette forme stricte, la plus conforme, je le rappelle, à l'étymologie de *parodia*. Mais cette rigueur, peut-être déjà exceptionnelle, ne sera

---

1. Boileau, *Œuvres Complètes,* Pléiade, p. 292.
2. La pochade en style pied-noir d'Edmond Brua qui porte ce titre (créée en novembre 1941, Charlot 1944) relève plutôt du travestissement ou, mieux, de ce que j'appellerai *parodie mixte*. La tirade de don Diègue, devenu Dodièze (comme Rodrigue Roro, Chimène Chipette, etc.), s'y lit ainsi : *Qué rabia ! Qué malheur ! Pourquoi c'est qu'on vient vieux ?...*

pas imitée. Dans son *Discours sur la parodie*, déjà cité, l'abbé Sallier en distingue cinq espèces, qui consistent soit à changer un seul mot dans un vers (nous en avons déjà rencontré plusieurs exemples), soit à changer une seule lettre dans un mot (c'est le cas de *Veni vidi vixi*), soit à détourner, sans aucune modification textuelle, une citation de son sens (c'est pratiquement le cas des *exploits* de l'Intimé), soit à composer (c'est la dernière et selon Sallier « la principale espèce de parodie ») un ouvrage entier « sur une pièce entière ou sur une partie considérable d'une pièce de poésie connue, que l'on détourne à un autre sujet et à un autre sens par le changement de quelques expressions » : c'est le cas du *Chapelain décoiffé* ; ces quatre premières espèces ne sont qu'autant de variantes, selon l'importance de la transformation (purement sémantique, d'une lettre, d'un mot, de plusieurs mots), de la parodie stricte selon Dumarsais. Mais la cinquième (que Sallier place en quatrième position sans apparemment en percevoir l'originalité par rapport aux quatre autres) consiste « à faire des vers dans le goût et dans le style de certains auteurs peu approuvés. Tels sont dans notre langue les vers que Voiture et Sarrasin ont faits à l'imitation de ceux du poète Neufgermain. Tel est aussi ce quatrain de M. Despréaux (Boileau) où il a imité la dureté des vers de *la Pucelle* (de Chapelain) :

> *Maudit soit l'auteur dur dont l'âpre et rude verve,*
> *Son cerveau tenaillant, rima malgré Minerve*
> *Et, de son lourd marteau martelant le bon sens,*
> *A fait de méchants vers douze fois douze cents* ».

Cette dernière sorte de parodie est évidemment (pour nous) le pastiche satirique, c'est-à-dire une imitation stylistique à fonction critique (« auteurs peu approuvés ») ou ridiculisante — une intention qui, dans l'exemple emprunté à Boileau, s'énonce dans le style même qu'elle vise (la *cacophonie*), mais qui le plus souvent reste implicite, à charge au lecteur de l'inférer de l'aspect caricatural de l'imitation.

Le pastiche fait donc ici son entrée, ou sa rentrée, parmi les espèces de la parodie. L'abbé Sallier est bien conscient d'y accueillir du même coup le genre héroï-comique tout entier, puisqu'il se demande une page plus loin si « le petit poème du Combat des rats et des grenouilles » est bien, comme certains le prétendent, « la plus ancienne parodie que nous connaissions ». Et s'il refuse d'adopter ce sentiment, ce n'est pas que la *Batrachomyomachie* ne donne pas « une juste idée de cette sorte d'ouvrage », mais simplement parce que sa date est incertaine. Elle n'est peut-être pas la plus ancienne, mais elle est bien pour lui une parodie, de celles qui imitent « le goût et le style de certains auteurs peu approuvés » : à l'époque classique, on le sait, le « goût » et le « style » d'Homère sont moins « approuvés » que son génie n'est (de loin) salué.

Cette définition de la parodie intégrant le pastiche satirique (héroï-comique ou autre), et renouant ainsi avec la définition implicite de l'Antiquité classique, se transmettra fidèlement à travers le xviiie et le xixe siècle, et souvent dans les mêmes termes, empruntés plus ou moins littéralement à Sallier. On la retrouve dans l'*Encyclopédie* (1765), dans le *Dictionnaire universel* des jésuites de Trévoux (édition de 1771), dans les *Essais de littérature* de Marmontel (1787), dans l'*Essai* de Delepierre (1870), et encore dans la Préface de l'anthologie établie en 1912 par Paul Madières, *les Poètes parodistes*. Seuls Pierre Larousse (1875) et Littré (1877) semblent hésiter devant cette intégration, qu'ils n'admettent qu'au titre du sens étendu ou figuré.

Le caractère extensif de cette définition s'accompagne, et apparemment se conforte, d'une exclusion remarquable : celle du travestissement burlesque. Aucun de ces essais ou articles ne mentionne au titre de la parodie le *Virgile travesti,* mais toujours et seulement le *Chapelain décoiffé,* la *Batrachomyomachie* ou le *Lutrin.* L'*Encyclopédie,* qui parle de « travestir le sérieux en burlesque », précise aussitôt : « en affectant de conserver autant que possible les mêmes rimes, les mêmes mots et les mêmes cadences », ce qui exclut évidemment les procédés scarroniens, et ajoute plus loin que « la parodie et le burlesque sont deux genres très différents », et que « le *Virgile travesti* n'est rien moins qu'une parodie de l'*Énéide* ». L'anthologie de Madières, qui couvre trois siècles, contient essentiellement des parodies dans le genre du *Chapelain décoiffé,* quelques pastiches, tous du xixe siècle et tous au compte de Hugo, cible idéale, et deux ou trois extraits de parodies dramatiques comme l'*Agnès de Chaillot* de Dominique (sur l'*Inés de Castro* de La Motte) ou l'*Harnali* de Duvert et Lauzanne (sur *Hernani,* bien sûr), performances mixtes ou indécises que nous retrouverons, situées quelque part entre la parodie stricte et le pastiche satirique, qu'elles mêlent ou alternent, les oubliant parfois pour courir sur leur erre, mais jamais au profit du travestissement burlesque.

Cette exclusion presque unanime [1] est explicitée et justifiée par

---

1. La seule exception notable est celle d'Auger, qui englobe sous le terme de « parodie de l'épopée » les deux formes antithétiques du travestissement burlesque et du pastiche héroï-comique. Pierre Larousse, s.v. *burlesque,* en disant, que le

Delepierre, qui se réclame de l'autorité de P. de Montespin, auteur d'un introuvable *Traité des Belles Lettres* (Avignon, 1747) : « Il est, dit celui-ci, de l'essence de la parodie de substituer toujours un *nouveau sujet* à celui qu'on parodie : aux sujets sérieux des sujets légers et badins, en employant autant que possible les expressions de l'auteur parodié » (de même Marmontel parle de « substituer une *action* triviale à une action héroïque »). Cette substitution de sujet ou d'action est pour Delepierre la condition nécessaire de toute parodie, et ce qui la distingue absolument du travestissement burlesque : « Le *Virgile travesti* et la *Henriade travestie* ne sont pas des parodies, parce que les sujets ne sont pas changés. C'est seulement faire tenir aux mêmes personnages un langage trivial et bas, ce qui constitue le genre burlesque. » Quelques libertés de détail que Scarron prenne avec leurs conduites, leurs sentiments et leurs discours, Didon et Énée restent chez lui Didon et Énée, reine de Carthage et prince troyen, en charge de leur grand destin, et cette permanence exclut le travestissement du champ de la parodie. C'est aussi l'avis de Victor Fournel, dans l'étude « Du burlesque en France » qu'il place en tête de son édition du *Virgile travesti* (1858) : « La parodie, qui peut se confondre souvent et par beaucoup de points avec le burlesque, en diffère toutefois en ce que, lorsqu'elle est complète, elle change aussi la condition des personnages dans les œuvres qu'elle travestit, et c'est ce que ne fait pas le burlesque, qui trouve une nouvelle source de comique dans cette perpétuelle antithèse entre le rang et les paroles de ses héros. Le premier soin d'un parodiste aux prises avec l'œuvre de Virgile eût été d'enlever à chacun son titre, son sceptre et sa couronne : il aurait fait, par exemple, d'Énée... un commis-voyageur sentimental et peu déniaisé ; de Didon une aubergiste compatissante, et de la conquête de l'Italie quelque grotesque bataille pour un objet assorti à ces nouveaux personnages. »

Le travestissement burlesque modifie donc le style *sans modifier le sujet ;* inversement, la « parodie » modifie le sujet *sans modifier le style,* et cela de deux façons possibles : soit en conservant le texte noble pour l'appliquer, le plus littéralement possible, à un sujet vulgaire (réel et d'actualité) : c'est la parodie stricte (*Chapelain décoiffé*) ; soit en forgeant par voie d'imitation stylistique un

---

« style burlesque, propre seulement à la parodie, ne doit pas être confondu avec le style héroï-comique », semble bien identifier parodie et travestissement, mais son article *parodie*, déjà mentionné, redresse cette apparente entorse en illustrant sa définition d'un seul exemple, éminemment restrictif : celui du *Chapelain décoiffé* (*Mélanges philosophiques et littéraires*, 1928, II, p. 151).

nouveau texte noble pour l'appliquer à un sujet vulgaire : c'est le pastiche héroï-comique (*le Lutrin*). Parodie stricte et pastiche héroï-comique ont donc en commun, malgré leurs pratiques textuelles tout à fait distinctes (adapter un texte, imiter un style), d'introduire un sujet vulgaire sans attenter à la noblesse du style, qu'ils *conservent* avec le texte ou *restituent* par voie de pastiche. Ces deux pratiques s'opposent ensemble, par ce trait commun, au travestissement burlesque : ainsi peut-on les ranger ensemble sous le terme commun de parodie, que l'on refuse du même geste au travestissement. Un schéma simple peut figurer cet état (classique) de la vulgate :

style \ sujet	noble	vulgaire
noble	GENRES NOBLES (épopée, tragédie)	PARODIES (parodie stricte, pastiche héroï-comique)
vulgaire	TRAVESTISSEMENT BURLESQUE	GENRES COMIQUES (comédie, récit comique)

Cette parenté fonctionnelle de la parodie et du pastiche héroï-comique s'illustre bien dans le recours constant du second à la première : la *Batrachomyomachie* subtilise systématiquement à l'*Iliade* des formules guerrières qu'elle applique à ses bestioles combattantes ; et quand l'horlogère du *Lutrin* apostrophe son mari pour le détourner de son expédition nocturne, son discours s'émaille tout naturellement, nous le verrons, d'emprunts détournés aux textes canoniques en semblable situation.

Le XIXᵉ siècle voit rapidement se modifier ce champ sémantique, à mesure que le travestissement burlesque entre dans les acceptions de *parodie* et que *pastiche,* importé d'Italie au cours du XVIIIᵉ siècle, s'impose pour désigner le fait brut (quelle qu'en soit la fonction) de l'imitation stylistique, tandis que la pratique de la parodie stricte tend à s'effacer de la conscience littéraire. Pierre Larousse illustrait en 1875 sa définition de *parodie* par le *Chapelain décoiffé*, le *Larousse du XXᵉ siècle* (1928) lui substitue sans crier gare le *Virgile travesti :* « *Parodie :* travestissement burlesque d'un poème, d'un ouvrage sérieux : Scarron fit une parodie de l'*Énéide* » (soit exactement ce que niait son éditeur Fournel soixante-dix ans auparavant). De nos jours, le *Larousse classique* de 1957 ou le *Petit Robert* de 1967 témoignent assez bien de cette nouvelle vulgate : *Larousse* : « Travestissement burlesque d'un ouvrage de littérature sérieux : parodie de l'*Énéide*. Par extension : toute imitation burlesque, ironique » ; *Robert* : « Imitation burlesque (d'une œuvre sérieuse). Le *Virgile travesti* de Scarron est une parodie de l'*Énéide*. Figuré : contrefaçon grotesque.» Dans les deux cas, le travestissement burlesque est donné comme sens propre de *parodie,* le pastiche satirique ou bouffon comme son sens étendu ou figuré, et des expressions telles qu' « imitation burlesque » ou « contrefaçon grotesque » brouillent la frontière entre les deux pratiques. Encore ces articles de dictionnaires s'astreignent-ils par profession, et par tradition, à quelque balayage du champ lexical. Dans la conscience commune, le terme *parodie* en est venu à évoquer spontanément, et exclusivement, le pastiche satirique, et donc à faire double emploi avec *charge* ou *caricature,* comme dans des locutions aussi courantes que « parodie de justice » ou « parodie du western », ou aussi transparentes que, sous la plume des Goncourt et à propos du bois de Vincennes, « parodie de forêt [1] ». Les exemples seraient innombrables. Pour m'en tenir là, je rappelle que des études savantes [2] marquent une application (presque) constante du terme *parodie* au pastiche satirique, et distinguent (presque) constamment la parodie du pastiche comme une imitation plus chargée d'effet satirique ou caricatural. En 1977, un recueil de pastiches satiriques paraît en France sous le titre de *Parodies* [3]. L'absence dans ce champ de la parodie stricte et du travestissement burlesque procède évidemment d'un effacement culturel de ces pratiques, aujourd'hui submergées par celle de l'imitation stylistique — malgré la persistance, et même

---

1. *Germinie Lacerteux,* chap. XLVIII.
2. Pour n'en citer que parmi les meilleures : Bakhtine, Riffaterre, *passim ;* H. Markiewicz, « On the definition of literary Parody », *To Honor R. Jakobson,* Mouton, 1967 ; G. Idt, « La parodie : rhétorique ou lecture ? », *le Discours et le Sujet,* Nanterre, 1972-1973 ; C. Bouché, *Lautréamont, du lieu commun à la parodie,* Larousse, 1974 ; C. Abastado, « Situation de la parodie », *Cahiers du XXe siècle,* 1976 ; L. Duisit, *Satire, Parodie, Calembour,* Stanford U.P., 1978 ; L. Hutcheon, « Modes et formes du narcissisme littéraire », « Ironie et parodie », « Ironie, parodie, satire », *Poétique* 29 (1977), 36 (1978) et 46 (1981). Dans cette confusion générale, on rencontre aussi l'emploi paradoxal de *pastiche* pour « parodie » : ainsi, dans *le Monde* du 5 juin 1978, « Sciascia pastiche Voltaire » ; il s'agit évidemment de *Candido,* qui est un travestissement moderne de *Candide.*
3. De M.-A. Burnier et P. Rambaud, chez Balland. C'était déjà le titre d'un recueil anglais très antérieur. L'emploi de *parody* pour désigner le pastiche satirique est sans doute plus anciennement courant en anglais, où *pastiche* reste un corps étranger. Notre vulgate comporte donc une part d'anglicisme.

31

la prolifération de la pratique parodique dans des formes brèves comme le titre ou le slogan (j'y reviendrai), et quelques survivances populaires du travestissement. Lorsqu'un effort de conscience ou de résurrection historique réintroduit ces formes dans le champ sémantique, une structure plus compréhensive se met en place, qui regroupe ensemble sous le terme de *parodie* les trois formes à fonction satirique (parodie stricte, travestissement, imitation caricaturale), laissant seul de son côté le pastiche pur, entendu a contrario comme imitation sans fonction satirique : ainsi dira-t-on volontiers que les pastiches de Proust sont des pastiches purs, et que ceux de Reboux et Muller sont des parodies, ou des pastiches parodiques.

Cette répartition commune répond, consciemment ou non [1], à un critère fonctionnel, *parodie* comportant irrésistiblement la connotation de satire et d'ironie, et *pastiche* apparaissant par contraste comme un terme plus neutre et plus technique. On peut la figurer grossièrement [2] par le tableau suivant :

fonction	satirique : « parodies »			non satirique
genres	PARODIE STRICTE	TRAVESTISSEMENT	PASTICHE SATIRIQUE	PASTICHE

1. Je me demande parfois si la confusion qui règne dans la vulgate ne doit pas quelque chose à la sourde association lexicale des adjectifs *parodique, satirique* et *ironique,* qui s'évoquent volontiers l'un l'autre.
2. Très grossièrement, car la netteté d'un tableau rend mal compte d'un usage aussi flou. Ainsi, l'imitation satirique répond à la fois à l'un des sens de *parodie,* et à l'une des nuances de *pastiche,* que Robert définit comme « une œuvre littéraire ou artistique dans laquelle l'auteur a imité, contrefait la manière, le style d'un maître... le plus souvent par jeu, exercice de style ou dans une intention parodique, satirique ». Ce n'est qu'en opposition, lorsqu'on cherche à les distinguer, que *pastiche* et *parodie* se répartissent en imitation ludique et satirique. J'ai eu quelques occasions de demander à des groupes d'étudiants, français ou américains, de rédiger une définition de ces deux termes. La moyenne de ces sondages s'est révélée étonnamment stable : 5 % de réponses correctes (selon moi), 40 % trop confuses pour être significatives, 55 % conformes à la vulgate. C'est peut-être le lieu de confesser, dans *Figures II,* p. 163, et dans *Mimologiques,* p. 10 et 428, un emploi de *parodie* lui aussi conforme à la vulgate.

32

VII

Pour en finir avec cette tentative de « nettoyage de la situation verbale » (Valéry), il convient peut-être de préciser une dernière fois, et de trancher aussi net que possible, le débat terminologique qui nous occupe, et qui ne doit plus nous encombrer davantage. Le mot *parodie* est couramment le lieu d'une confusion fort onéreuse, parce qu'on lui fait désigner tantôt la déformation ludique, tantôt la transposition burlesque d'un texte, tantôt l'imitation satirique d'un style. La principale raison de cette confusion est évidemment dans la convergence fonctionnelle de ces trois formules, qui produisent dans tous les cas un effet de comique, généralement aux dépens du texte ou du style « parodié » : dans la parodie stricte, parce que sa lettre se voit plaisamment appliquée à un objet qui la détourne et la rabaisse ; dans le travestissement, parce que son contenu se voit dégradé par un système de transpositions stylistiques et thématiques dévalorisantes ; dans le pastiche satirique, parce que sa manière se voit ridiculisée par un procédé d'exagérations et de grossissements stylistiques. Mais cette convergence fonctionnelle masque une différence structurale beaucoup plus importante entre les statuts transtextuels : la parodie stricte et le travestissement procèdent par transformation de texte, le pastiche satirique (comme tout pastiche) par imitation de style. Comme, dans le système terminologique courant, le terme *parodie* se trouve, implicitement et donc confusément, investi de deux significations structuralement discordantes, il conviendrait peut-être de tenter de réformer ce système.

Je propose donc de (re)baptiser *parodie* le détournement de texte à transformation minimale, du type *Chapelain décoiffé* ; *travestissement* la transformation stylistique à fonction dégradante, du type *Virgile travesti* ; *charge*[1] (et non plus, comme ci-devant, *parodie*) le pastiche satirique, dont les *A la manière de...* sont des exemples canoniques, et dont le pastiche héroï-comique n'est qu'une variété ; et simplement *pastiche* l'imitation d'un style dépourvue de fonction

---

1. Plutôt que *caricature*, dont les évocations graphiques pourraient faire contresens : car la caricature graphique est à la fois une « imitation » (représentation) et une transformation satirique. Les faits ne sont pas ici du même ordre, ni du côté des moyens, ni du côté des objets, qui ne sont pas des textes, mais des personnes.

satirique, qu'illustrent au moins certaines pages de *l'Affaire Lemoine.* Enfin j'adopte le terme général de *transformation* pour subsumer les deux premiers genres, qui diffèrent surtout par le degré de déformation infligée à l'hypotexte, et celui d'*imitation* pour subsumer les deux derniers, qui ne diffèrent que par leur fonction et leur degré d'aggravation stylistique. D'où une nouvelle répartition, non plus fonctionnelle mais structurale, puisqu'elle sépare et rapproche les genres selon le critère du type de relation (transformation ou imitation) qui s'y établit entre l'hypertexte et son hypotexte :

relation	transformation		imitation	
genres	PARODIE	TRAVESTISSE-MENT	CHARGE	PASTICHE

Un même tableau peut ainsi récapituler l'opposition entre les deux répartitions, qui conservent en commun, bien entendu, les objets à répartir, c'est-à-dire les quatre genres hypertextuels canoniques :

répartition courante (fonctionnelle)				
fonction	satirique (« parodie »)			non satirique (« pastiche »)
genres	PARODIE	TRAVESTISSE-MENT	CHARGE	PASTICHE
relation	transformation		imitation	
répartition structurale				

En proposant cette réforme taxinomique et terminologique, je ne nourris guère d'illusions sur le sort qui l'attend : comme l'expérience l'a maintes fois démontré, si rien n'est plus facile que d'introduire dans l'usage un néologisme, rien n'est plus difficile que d'en extirper un terme ou une acception reçus, une habitude prise. Je ne prétends donc pas censurer l'abus du mot *parodie* (puisque, en somme, c'est essentiellement de cela qu'il s'agit), mais seulement le signaler et, faute de pouvoir effectivement amender ce canton du lexique, fournir au moins à ses usagers un instrument de contrôle et de mise au point qui leur permette, en cas de besoin, de déterminer assez vite à quoi ils pensent (éventuellement) lorsqu'ils prononcent (à tout hasard) le mot *parodie.*

Je ne prétends pas non plus substituer absolument le critère structural au critère fonctionnel ; mais seulement le désocculter, ne serait-ce que pour faire place, par exemple, à une forme d'hypertextualité d'une importance littéraire incommensurable à celle du pastiche ou de la parodie canonique, et que j'appellerai pour l'instant la *parodie sérieuse.* Si j'accouple ici, après d'autres, ces deux termes qui, dans l'usage courant, font oxymore, c'est délibérément et pour indiquer que certaines formules génériques ne peuvent se contenter d'une définition purement fonctionnelle : si l'on définit la parodie par la seule fonction burlesque, on ne peut prendre en compte des œuvres comme l'*Hamlet* de Laforgue, l'*Électre* de Giraudoux, le *Docteur Faustus* de Thomas Mann, l'*Ulysse* de Joyce ou le *Vendredi* de Tournier, qui entretiennent pourtant avec leur texte de référence, et toutes choses égales d'ailleurs, le même type de relation que le *Virgile travesti* avec l'*Énéide.* À travers les différences fonctionnelles, il y a là, sinon une identité, du moins une continuité de procédé qu'il faut assumer et qui (je l'annonçais plus haut) interdit de s'en tenir aux seules formules canoniques.

Mais, comme on l'aura sans doute déjà remarqué, la répartition « structurale » que je propose conserve un trait commun avec la répartition traditionnelle : c'est, à l'intérieur de chaque grande catégorie relationnelle, la distinction entre parodie et travestissement d'une part, entre charge et pastiche de l'autre. Cette dernière repose bien évidemment sur un critère fonctionnel, qui est toujours l'opposition entre satirique et non satirique ; la première peut être motivée par un critère purement formel, qui est la différence entre une transformation sémantique (parodie) et une transposition stylistique (travestissement), mais elle comporte aussi un aspect fonctionnel, car il est indéniable que le travestissement est plus satirique, ou plus agressif, à l'égard de son hypotexte que la parodie, qui ne le prend pas à proprement parler pour objet d'un traitement stylistique compromettant, mais seulement comme modèle ou patron pour la construction d'un nouveau texte qui, une fois produit, ne le concerne plus. Ma classification n'est donc structurale qu'au niveau de la distinction entre grands types de relations hypertextuelles, elle redevient fonctionnelle au niveau de la distinction entre pratiques concrètes. Il vaudrait donc mieux officialiser cette dualité de critères et la faire apparaître dans un tableau à deux entrées, dont l'une serait structurale et l'autre fonctionnelle — un peu comme le tableau (implicite) des genres chez Aristote a une entrée thématique et une entrée modale.

relation \\ fonction	non satirique	satirique
transformation	PARODIE	TRAVESTISSEMENT
imitation	PASTICHE	CHARGE

Mais s'il faut adopter ou récupérer, même partiellement, la répartition fonctionnelle, il me semble qu'une correction s'y impose : la distinction entre satirique et non satirique est évidemment trop simple, car il y a sans doute plusieurs façons de n'être pas satirique, et la fréquentation des pratiques hypertextuelles montre qu'il faut, dans ce champ, en distinguer au moins deux : l'une, dont relèvent manifestement les pratiques du pastiche ou de la parodie, vise une sorte de pur amusement ou exercice distractif, sans intention agressive ou moqueuse : c'est ce que j'appellerai le régime *ludique* de l'hypertexte ; mais il en est une autre, que je viens d'évoquer allusivement en citant par exemple *le Docteur Faustus* de Thomas Mann : c'est ce qu'il faut maintenant baptiser, faute d'un terme plus technique, son régime *sérieux.* Cette troisième catégorie fonctionnelle nous oblige évidemment à étendre notre tableau vers la droite pour y faire place à une troisième colonne, celle des transformations et imitations sérieuses. Ces deux vastes catégories n'ont jamais été considérées pour elles-mêmes, et par conséquent elles ne portent pas encore de nom. Pour les transformations sérieuses, je propose le terme neutre et extensif[1] de *transposition ;* pour les imitations sérieuses, nous pouvons emprunter à la vieille langue un terme à peu près synonyme de *pastiche* ou d'*apocryphe,* mais lui aussi plus neutre que ses concurrents : c'est *forgerie.* D'où ce tableau plus complet, et provisoirement définitif, qui du moins nous servira de carte pour l'exploration du territoire des pratiques[2]

1. C'est à peu près son seul mérite, mais tous les autres termes possibles (récriture, reprise, remaniement, réfection, révision, refonte, etc.) présentaient encore plus d'inconvénients ; de plus, comme nous le verrons, la présence du préfixe *trans-* présente un certain avantage paradigmatique.
2. Étant donné, d'une part, le statut souvent paralittéraire et, d'autre part, l'extension transgénérique de certaines de ces classes, je préfère éviter le mot *genre. Pratique* me semble ici le terme le plus commode et le plus pertinent pour désigner, en somme, des *types d'opérations.*

TABLEAU GÉNÉRAL DES PRATIQUES HYPERTEXTUELLES

relation / régime	ludique	satirique	sérieux
transformation	PARODIE *(Chapelain décoiffé)*	TRAVESTISSEMENT *(Virgile travesti)*	TRANSPOSITION *(le Docteur Faustus)*
imitation	PASTICHE *(l'Affaire Lemoine)*	CHARGE *(A la manière de...)*	FORGERIE *(la Suite d'Homère)*

hypertextuelles. Pour illustration, j'indique entre parenthèses, pour chacune des six grandes catégories, le titre d'une œuvre caractéristique dont le choix est inévitablement arbitraire et même injuste, car les œuvres singulières sont toujours, et fort heureusement, de statut plus complexe que l'espèce à laquelle on les rattache[1].

Tout ce qui suit ne sera, d'une certaine manière, qu'un long commentaire de ce tableau, qui aura pour principal effet, j'espère, non de le justifier, mais de le brouiller, de le dissoudre et finalement de l'effacer. Avant d'entamer cette suite, trois mots sur deux aspects de ce tableau. J'ai substitué *régime* à *fonction*, comme plus souple et moins brutal, mais il serait encore bien naïf d'imaginer que l'on puisse tracer une frontière étanche entre ces grandes diathèses du fonctionnement socio-psychologique de l'hypertexte : d'où ces lignes verticales en pointillé, qui ménagent d'éventuelles nuances entre pastiche et charge, travestissement et transposition, etc. Mais encore la figuration tabulaire a-t-elle pour inconvénient insurmontable de laisser croire à un statut fondamentalement intermédiaire du satirique, qui séparerait toujours inévitablement, et comme naturellement, le ludique du sérieux. Il n'en est rien, certes, et bien des œuvres se situent au contraire sur la frontière, ici impossible à figurer, du ludique et du sérieux : suffit de penser à Giraudoux, par exemple. Mais intervertir les colonnes du satirique et du ludique entraînerait une injustice inverse. Il faut plutôt imaginer un système circulaire semblable à celui que projetait Goethe pour sa tripartition des *Dichtarten*, où chaque régime serait en contact avec les deux autres, mais du coup la croisée avec la catégorie des relations devient à son tour infigurable dans l'espace à deux dimensions de la galaxie Gutenberg. Au reste, je ne doute pas que la tripartition des régimes ne soit fort grossière (un peu comme la détermination des trois couleurs « fondamentales », bleu, jaune et rouge), et l'on pourrait assez bien l'affiner en introduisant trois autres nuances dans le spectre : entre le ludique et le satirique, j'envisagerais volontiers celle de l'*ironique* (c'est fréquemment le régime des hypertextes de Thomas Mann, comme *le Docteur Faustus, Lotte à Weimar* et surtout *Joseph et ses frères*) ; entre le satirique et le sérieux, celle du *polémique* : c'est l'esprit dans lequel Miguel de Unamuno transpose le *Quichotte* dans sa violemment anti-cervantine *Vie de don Quichotte,* c'est celui de l'anti-*Paméla* que Fielding intitulera *Shamela ;* entre le ludique et le sérieux, celle de l'*humoris-*

---

1. Pour illustrer le type de la *forgerie*, j'ai choisi une œuvre peu connue mais tout à fait canonique : la *Suite d'Homère* de Quintus de Smyrne, qui est une continuation de l'*Iliade.* J'y reviendrai, bien sûr.

tique : c'est, je l'ai dit, le régime dominant de certaines transpositions de Giraudoux, comme *Elpénor ;* mais Thomas Mann, constamment, oscille entre l'ironie et l'humour : nouvelle nuance, nouveau brouillage, c'est le fait des grandes œuvres. On aurait donc, à titre purement indicatif, une rosace de ce genre :

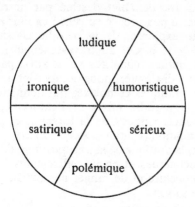

En revanche, je considère la distinction entre les deux types de relations comme beaucoup plus nette et étanche, d'où la frontière pleine qui les sépare. Cela n'exclut nullement la possibilité de pratiques mixtes, mais c'est qu'un même hypertexte peut à la fois, par exemple, transformer un hypotexte et en imiter un autre : d'une certaine manière, le travestissement consiste à transformer un texte noble en imitant pour ce faire le style d'un autre texte, plus diffus, qui est le discours vulgaire. On peut même à la fois transformer et imiter le même texte : c'est un cas-limite que nous rencontrerons en son temps. Mais, disait à peu près Pascal, ce n'est pas parce qu'Archimède était à la fois prince et géomètre qu'il faut confondre noblesse et géométrie. Ou, comme dirait cette fois M. de La Palice, pour faire deux choses en même temps il faut bien que ces deux choses soient distinctes.

La suite annoncée consistera donc à regarder de plus près chacune des cases de notre tableau, à y opérer parfois des distinctions plus fines [1], et à les illustrer de quelques exemples choisis soit pour leur

---

1. Aucune des « pratiques » figurant sur le tableau n'est vraiment élémentaire, et chacune d'elles, en particulier la transposition, reste à analyser en opérations plus simples ; inversement, nous aurons à examiner des genres plus complexes, mixtes de deux ou trois pratiques fondamentales, qui pour cela ne peuvent apparaître ici.

caractère paradigmatique, soit au contraire pour leur caractère exceptionnel et paradoxal, soit tout simplement pour leur intérêt propre, dût leur présence faire fâcheuse digression, ou salutaire diversion : ici encore alternance, plus ou moins réglée, entre critique et poétique. Par rapport au damier (peut-être faudrait-il dire *marelle,* ou *jeu de l'oie*) dessiné par notre tableau, notre cheminement sera à peu près le suivant : en finir avec la case, déjà plus qu'à moitié explorée, de la parodie classique et moderne (chapitres VIII à XI) ; passer au travestissement, sous ses formes burlesques et modernes (chapitres XII et XIII) ; pastiche et charge, souvent difficiles à distinguer, nous occuperont aux chapitres XIV à XXVI, avec deux pratiques complexes qui tiennent un peu de tout cela à la fois, la parodie mixte et l'antiroman ; puis quelques performances caractéristiques de la forgerie, et plus particulièrement de la continuation (chapitres XXVII à XXXIX) ; nous aborderons enfin (XL à LXXX) la pratique de la transposition, de loin la plus riche en opérations techniques et en investissements littéraires ; il sera alors temps de conclure et de ranger nos outils, car les nuits sont fraîches en cette saison.

VIII

Pour les raisons susdites, et à l'exception déjà signalée du *Chapelain décoiffé,* la parodie littéraire s'en prend de préférence à des textes brefs (et, comme il va de soi, suffisamment connus pour que l'effet soit perceptible) : l'anthologie de Madières contient, parmi bien d'autres, deux parodies de *la Cigale et la Fourmi,* cible privilégiée comme identifiable entre toutes. Ainsi, de La Fare, « sur une maîtresse que M. de Langeron avait délaissée » :

> *La cigale ayant baisé*
> *Tout l'été*
> *Se trouva bien désolée*
> *Quand Langeron l'eut quittée :*
> *Pas le moindre pauvre amant*
> *Pour soulager son tourment.*
> *Elle alla crier famine*
> *Chez la Grignan sa voisine...*

Nous n'allons pas indéfiniment glaner cette pauvre matière, aux manifestations souvent plus laborieuses que gratifiantes. Je préfère évoquer, plus récente, une jolie paraphrase du *Temps des cerises* improvisée en 1973 par Michel Butor :

> *Quand nous chanterons*
> *Le temps des surprises,*
> *Et gai labyrinthe*
> *Et sabbat moqueur*
> *Vibreront en fêtes.*
> *Les peuples auront*
> *La victoire en tête*
> *Et les amoureux*
> *Des lits dans les fleurs*[1]...

et signaler le cas plus curieux du célèbre sonnet d'Arvers, qui a suscité au moins deux parodies assez habiles, et qui ont le mérite supplémentaire de s'astreindre à conserver les mots-rimes de l'original. La première, dite « A l'envers », retourne le thème de l'amour secret en celui de l'infortune publique. Le second prétend être la réponse (inespérée) de la dédicataire. Voici ces deux paraphrases (je suppose connu l'original), dont j'ignore l'auteur et que je cite de tradition privée, et non sans risque d'erreur :

A l'envers

Mon âme est sans secret, ma vie est sans mystère :
Un déplorable amour en un moment conçu.
Mon malheur est public, je n'ai pas pu le taire
Quand elle m'a trompé, tout le monde l'a su.

Aucun homme à ses yeux ne passe inaperçu,
Son cœur par-dessus tout craint d'être solitaire,
Puisqu'il faut être deux pour le bonheur sur terre,
Le troisième, par elle, est toujours bien reçu.

Seigneur ! vous l'avez faite altruiste et si tendre
Que sans se donner toute elle ne peut entendre
Le plus discret désir murmuré sous ses pas.

Et, fidèle miroir d'une chère infidèle,
Elle dira, lisant ces vers tout remplis d'elle,
« Je connais cette femme... » et n'insistera pas.

---

1. On trouvera la suite dans *Collages, Revue d'esthétique*, 1978, p. 366.

Vous m'amusez, mon cher, quand vous faites mystère
De votre immense amour en un moment conçu.
Vous êtes bien naïf d'avoir voulu le taire :
Avant qu'il ne fût né, je crois que je l'ai su.

Pouviez-vous, m'adorant, passer inaperçu,
Et, vivant près de moi, vous sentir solitaire ?
De vous il dépendait d'être heureux sur la terre :
Il fallait demander et vous auriez reçu.

Apprenez qu'une femme au cœur épris et tendre,
Souffre à passer ainsi son chemin sans entendre
L'aveu qu'elle espérait trouver à chaque pas.

Forcément au devoir on reste alors fidèle.
J'ai compris, voyez-vous, ces vers tout remplis d'elle :
C'est vous, mon pauvre ami, qui ne compreniez pas.

Cette pratique de la réponse sur mots-rimes identiques est un genre attesté dans la poésie arabe classique, et aussi dans la poésie chinoise de l'époque Sung, sous le terme de *tz'u-yün* ou *ho-yün,* qui désigne le procédé même consistant à reprendre les rimes. « Déjà à l'époque T'ang, Po Chü-i et Yüan Chen avaient composé des poèmes sur des rimes identiques, et à l'époque Sung cela devint une pratique très répandue, comme témoignage d'amitié, que de " reprendre les rimes " l'un de l'autre. Cette façon de composer plusieurs poèmes sur les mêmes mots-rimes est connue sous le nom de *tieh-yün,* ou " répétition de rimes ". Wang An-shih, frappé d'admiration pour un poème sur la neige de son rival politique Su Tung-p'o, écrivit ses propres poèmes sur les mêmes rimes, les employant encore et encore jusqu'à composer six nouveaux poèmes sur le système de rimes inventé par Su. Le terme *tieh-yün* s'emploie aussi lorsqu'un poète écrit lui-même plusieurs poèmes sur le même système de rimes. Quand Su Tung-p'o fut enfermé à la prison impériale sous une charge de trahison, il écrivit un poème exprimant sa résignation à la pensée de la mort. Contrairement à ses craintes, il fut libéré, et écrivit alors un poème exprimant sa joie sur les mêmes mots-rimes [1]. »
On trouve une forme très distendue de ce type de contrainte dans *la Jeune Carpe* de Jean-Luc Nancy [2], poème en alexandrins dont le nombre de vers et le choix des rimes (mais non des mots-rimes) au début et à la fin de chaque section sont, comme le titre le laisse

1. K. Yoshikawa, *An Introduction to Sung Poetry,* Cambridge, 1967.
2. *Haine de la poésie,* Bourgois, 1979.

42

entendre, ceux de *la Jeune Parque*. Mais on peut aussi penser, dans un registre tout autre et que je renonce à qualifier, à cette *Ode au Maréchal* de Claudel qui devint prestement, en temps voulu et à peu de frais textuels, une *Ode au Général*.

La déformation parodique de proverbes, dont j'ai emprunté un ou deux exemples à Balzac, est un type de plaisanterie probablement aussi ancien et aussi populaire que le proverbe lui-même. Le Mistigris d'*Un début dans la vie* en est sans doute le principal producteur dans *la Comédie humaine* (*Pas d'argent, pas de suif ; Les petits poissons font les grandes rivières ; L'ennui naquit un jour de l'Université ; On a vu des rois épousseter des bergères*, etc.), mais on en trouve d'autres, dans *Illusions perdues, la Rabouilleuse, Ursule Mirouët*, à titre soit, comme ici, de plaisanterie d'artiste, soit de cuir involontaire d'un personnage inculte. Balzac avait beaucoup de goût pour ce genre, et il s'en était constitué un répertoire à toutes fins utiles[1], qui enchanta en son temps le groupe surréaliste. Nous l'avons tous pratiqué dans notre enfance, dont il me surnage des performances aussi glorieuses que *Qui trop embrasse manque le train* ou *Partir, c'est crever un pneu*. Plus élégant, Prévert propose, au prix d'une simple contrepèterie, *Martyr, c'est pourrir un peu*. La parodie, comme souvent, se tient ici au plus près du simple calembour.

Dans un régime un peu moins ludique, ou moins gratuit, on peut suivre, de Beaumarchais à nos jours, une intéressante série greffée sur *Tant va la cruche à l'eau qu'à la fin elle se casse*. Son initiateur est Bazile, qui manifeste dès *le Barbier de Séville* son aptitude à cet égard : « *Bazile :* Et puis, comme dit le proverbe, ce qui est bon à prendre... *Bartholo :* J'entends, est bon... *Bazile :* à garder. *Bartholo, surpris :* Ah ! Ah ! *Bazile :* Oui, j'ai arrangé comme cela plusieurs petits proverbes avec des variations... » Nous retrouvons ce trait dans *le Mariage de Figaro* : « *Bazile :* Prenez garde, jeune homme, prenez garde ! Le père n'est pas satisfait ; la fille a été souffletée ; elle n'étudie pas avec vous : Chérubin ! Chérubin ! Vous lui causerez des chagrins ! Tant va la cruche à l'eau... *Figaro :* Ah, voilà notre imbécile avec ses vieux proverbes ! Eh bien, pédant, que dit la sagesse des nations ? Tant va la cruche à l'eau, qu'à la fin... *Bazile :* Elle s'emplit. *Figaro, en s'en allant :* Pas si bête, pourtant, pas si bête[2] ! » On observe dans les deux cas l'identique

---

1. Voir *Pensées, Sujets, Fragmens*, éd. J. Crépet, Blaizot, 1910.
2. *Barbier*, IV, 1 ; *Figaro*, I, 2.

effet de suspens et de chute *par'hyponoian.* Le même proverbe informe en sous-main une phrase célèbre du *Premier manifeste du surréalisme* : « Tant va la croyance à la vie, à ce que la vie a de plus précaire, la vie *réelle,* s'entend, qu'à la fin cette croyance se perd.» Plus près de nous, et plus proche du modèle populaire par la présence du calembour, mais plus sophistiqué par la conséquence qu'il en tire, Queneau : « Tant va l'autruche à l'eau qu'à la fin elle se palme.» Enfin (?) Georges Perros : « Tant va la vache à lait qu'à la fin elle se mange[1].»

L'exploitation la plus systématique, ou la plus copieuse, du procédé, est sans doute dans les *Cent cinquante-deux proverbes mis au goût du jour,* d'Éluard et Péret[2]. Ce sont essentiellement des parodies « surréalistes », c'est-à-dire où le principe de transformation est confié à l'arbitraire ou à l'automatisme psychique, à charge au hasard et à la pression sémantique ambiante de conférer quelque sens (ou quelque étrangeté fascinante) à la variante obtenue. A de très rares exceptions près, le principe est celui de la substitution : çà et là par métaplasme phonique (*La métrite adoucit les flirts, A quelque rose chasseur est bon*), le plus souvent sans aucune motivation formelle. Parfois d'un seul mot (*Quand la raison n'est pas là, les souris dansent ; A chaque jour suffit sa tente*), une fois de trois (*Qui couche avec le pape doit avoir de longs pieds*), presque toujours, eu égard à la structure binaire du genre, de deux : *Orfèvre, pas plus haut que le gazon ; Les curés ont toujours peur ; Il faut battre sa mère pendant qu'elle est jeune ; Il n'y a pas de cheveux sans rides,* etc.

Dans tous ces cas, l'hypotexte se laisse aisément percevoir sous son costume de fantaisie. Mais il arrive, au gré sans doute de l'incompétence du lecteur, qu'il se dérobe à ce déshabillage. L'effet parodique disparaît alors, mais subsiste le tour proverbial, la frappe gnomique : l'énoncé éluardien se lit alors comme un (cocasse) pastiche de proverbe, dont il affecte le ton péremptoire à quelque observation saugrenue. Ainsi fonctionnent, pour moi et par exemple : *Dieu calme le corail ; Nul ne nage dans la futaie ;* et naturellement le plus connu, emblème inamovible de l' « impertinence » poétique : *Les éléphants sont contagieux.*

Tout énoncé bref, notoire et caractéristique est pour ainsi dire naturellement voué à la parodie. Le cas le plus typique et le plus actuel est sans doute celui du titre.

---

1. *Le Dimanche de la vie,* Gallimard, 1951, p. 223 ; *Papiers collés,* t. III, Gallimard, 1978, p. 3.
2. 1925. Éluard, *Œuvres Complètes,* Pléiade, I, p. 153-161.

Chacun sait que les titres d'œuvres — littéraires ou autres — ne forment pas une classe d'énoncés amorphe, arbitraire, intemporelle et insignifiante. Dans leur immense majorité, et comme les noms de personnages, ils sont soumis à au moins deux déterminations fondamentales : par le genre et par l'époque — avec une part d'implication réciproque, puisqu'il y a des genres d'époque. Le titre, comme un nom d'animal, fait index : un peu pedigree, un peu acte de naissance. Pendant plus d'un siècle, le titre-prénom (*Adolphe, Dominique, Geneviève*) a connoté le « récit » bref, psychologique, « à la française », les *Rougon-Macquart, les Thibault,* les *Jalna* ne peuvent être que des romans-fleuves familiaux, etc. Le troisième facteur de détermination, qui est évidemment l'invention personnelle de l'auteur, n'opère bien souvent qu'à titre de variante sur un modèle ou dans un cadre imposé par l'usage : *Forsythe Saga/Chronique des Pasquier.*

Ces déterminations externes procèdent soit (la première fois) par évidence « naturelle », soit (toutes les autres) par imitation. Le fondateur du roman picaresque n'a pas dû chercher très loin pour donner le nom de son héros à un récit de forme autobiographique : *Lazarillo de Tormes,* titre purement dénotatif et qui va de soi ; à partir de quoi le décalque vaudra pour un indice générique : *Guzman d'Alfarache, Moll Flanders, Gil Blas* connotent le genre picaresque par référence à une tradition titulaire autant, ou plus, qu'ils ne dénotent l'autobiographie fictive singulière de leur héros [1]. Il y a donc dans le titre une part, très variable bien sûr, d'allusion transtextuelle, qui est une ébauche de « contrat » générique.

La forme la plus voyante et la plus efficace de l'allusion est la déformation parodique. Cette forme convient spécialement à la production journalistique contemporaine, toujours à court de titres et en quête de formules « frappantes ».

Les deux planches de salut sont ici le calembour et l'allusion parodique — souvent indissociables, le premier étant en fait un cas particulier de la seconde. Par calembour (je cite ces quelques exemples au hasard des souvenirs et des rencontres), les *Dieux du stade* peuvent devenir les *Jeux du stade,* ou les *Adieux du stade ; la Ruée vers l'or,* devenue la *Ruée vers l'art,* sert à intituler un article sur le marché des tableaux ; le *Masque et la Plume* devenu le *Casque et la Plume* intitule une visite d'écrivain à quelque installation

---

1. Je ne cite ici que des romans autodiégétiques de tradition picaresque. « A la troisième personne », des titres comme *Tom Jones* ou *Eugénie Grandet* n'ont plus la même connotation, d'ailleurs vite perdue (*David Copperfield* n'a rien de picaresque).

militaire ; Edgar Morin discuta jadis les idées du groupe Socialisme ou Barbarie, exposées par l'auteur de ces lignes, sous l'inévitable à-peu-près *Solécismes ou Barbarismes (Arguments,* 1956), à quoi l'on faillit répondre par un non moins inévitable *Solipsisme ou Borborygmes,* parodie perdue qui a bien dû, depuis, faire retour quelque part.

Avec (*Apocalypse Mao*) ou sans calembour, la déformation parodique s'attache volontiers, je l'ai dit, à des titres ou clichés caractéristiques et aisément reconnaissables, dont l'ossature se prête à un réemploi presque infini. J'en ai relevé au hasard quelques-unes dont je ne citerai que les schèmes, à charge au lecteur d'identifier la source et de rétablir la teneur d'origine : *La guerre de... n'aura pas lieu ; A..., rien de nouveau ; En attendant... ; Il était une fois..., D'un... l'autre ; ...n'est plus ce qu'elle était ; ...existe, je l'ai rencontré ; J'ai même rencontré des... heureux ; les Charmes discrets de... ; le... à visage humain ; Pavane pour une... défunte ; L'une..., l'autre pas ; X, Y, Z et les autres ; Un... peut en cacher un autre,* etc.

Ce type d'allusions n'est pas réservé au tout-venant de l'intitulation journalistique. Il s'en fait au contraire un usage très intensif dans le métadiscours critique, où la tentation est grande de décalquer les titres et les formules caractéristiques de l'auteur dont on parle. Une étude sur Kant s'intitulera ainsi volontiers *Critique de Kant ;* sur Diderot : *Diderot le fataliste et ses maîtres,* ou *les Paradoxes de Denis le fataliste ;* sur Balzac, *Splendeurs et misères d'Honoré de Balzac ;* sur Flaubert, *la Tentation de saint Gustave ;* sur Proust, *Recherche de Proust, A la recherche de Marcel Proust, Un amour de Proust, A l'ombre de Marcel Proust*[1] ; sur Ponge, *le Parti pris des mots* ou *Francis Ponge dans tous ses états.* J'en passe et de pires, chacun peut battre sa coulpe, si c'en est une. L'effet peut même déborder le champ du titre pour s'appliquer à l'incipit : « Longtemps, j'ai été fasciné par la description des carafes plongées dans la Vivonne. » Dans tous ces cas la parodie se motive, bien évidemment, d'un effet de *contagion* qui marque souvent, et bien compréhensiblement, le métatexte critique[2]. C'en est une des formes, l'autre étant, bien sûr, le pastiche, volontaire ou non.

---

1. A cette série proustienne, j'ajouterai le titre d'un compte rendu, si l'on peut dire, de *Figures III* paru en son temps dans le *Figaro,* bien sûr, et signé Claude Mauriac. C'était un beau témoignage d'occlusion intellectuelle, et j'y reviendrai peut-être un jour. Le titre, donc, génial, s'appliquait à *Discours du récit,* et par synecdoque à bien d'autres « travaux » : *Du temps perdu dans la recherche.*
2. Il y a aussi quelque chose comme un besoin irrépressible de *saturer le champ.* Ainsi, à partir de deux titres célèbres de la critique américaine, *Against Interpretation* (S. Sontag, 1964) et *Beyond Formalism* (G. Hartmann, 1966), s'impose inévitable-

Un autre lieu d'exercice, très caractéristique de la culture moderne, est la formule publicitaire. Il y faudrait une thèse de neuf cents pages. Je citerai seulement cette trouvaille récente, greffée sur le slogan officiel (et involontairement prophétique) : *En France, on n'a pas de pétrole, mais on a des idées.* Une marque de liqueur de cassis présente, sur une affiche, sa bouteille à la forme caractéristique, entourée de quelques verres de « Kir » au vin blanc, au vin rouge, au champagne, etc., avec ce commentaire plaisamment cocardier : *En France, on a du cassis et on a des idées.* Pour le jour où les idées seront à leur tour épuisées, je tiens au frais cette version consolante : *En France, on n'a ni pétrole, ni idées, mais on a du cassis.*

Mais il se fait aussi que tout énoncé bref, péremptoire et non argumenté, proverbe, maxime, aphorisme, slogan, appelle inévitablement une réfutation aussi péremptoire et aussi peu argumentée. Qui se borne à affirmer doit s'attendre qu'on se borne à le contredire. Cette négation pure est une transformation minimale, et donc une forme de parodie, dont le régime et la fonction peuvent varier selon les contextes et les situations.

Tout à fait sérieux, je pense, Voltaire, occupé, dans la *XXVe Lettre philosophique,* à réfuter Pascal, en vient tout naturellement à retourner presque mot pour mot quelques-unes de ses « pensées ». Ainsi : « S'il y a un Dieu, il ne faut aimer que lui, et non les créatures », attire : « Il faut aimer, et très tendrement, les créatures ; il faut aimer sa patrie, sa femme, son père, ses enfants ; et il faut si bien les aimer que Dieu nous les fait aimer malgré nous » ; et « Le sot projet que Montaigne a eu de se peindre ! », « Le charmant projet que Montaigne a eu de se peindre naïvement comme il a fait ! Car il a peint la nature humaine ; et le pauvre projet de Nicole, de Malebranche, de Pascal, de décrier Montaigne ! » Mais, comme on le voit, il se croit encore tenu à quelque argumentation sommaire — au demeurant suffisante. C'est là, précisément, le sérieux : après tout, Voltaire a entrepris de « défendre le genre humain » contre ce « misanthrope sublime ». Il y a matière à plaidoirie.

Dans un régime un peu moins chargé de responsabilité polémique, Lautréamont soumet à diverses opérations toujours négatives quelques aphorismes du même Pascal, et d'un ou deux autres. Métathèses : « L'apprentissage est la réserve des esprits » devient

ment le chiasme *Beyond Interpretation* (J. Culler, 1976) et *Against Formalism* (W. B. Michaels, 1979).

« La réserve est l'apprentissage des esprits » ; renversements de métaphores : « Le nez de Cléopâtre, etc. » devient « Si la morale de Cléopâtre eût été moins courte, la face de la terre aurait changé. Son nez n'en serait pas devenu plus court » ; doubles négations, c'est-à-dire transformations négatives au sens propre, qui laissent intacte la signification : « On estime les grands desseins lorsqu'on se sent capable des grands succès » devient « On méprise les grands desseins lorsqu'on ne se sent pas capable des grands succès » ; négation pure et simple : « Les grandes pensées viennent de la raison » ; « L'homme est un chêne, la nature n'en comporte pas de plus robuste » ; « Rien n'est dit. L'on vient trop tôt depuis plus de sept mille ans qu'il y a des hommes » ; etc. Rien de tout cela ne tire très loin, ni dans le jeu ni dans la satire, mais l'objet, sans doute, ne méritait pas davantage [1].

Le plus réussi dans le genre est peut-être le pastiche de La Rochefoucauld par Reboux et Muller [2]. Ce pastiche consiste en une lettre adressée de l'au-delà par l'auteur des *Maximes* pour protester contre l'édition posthume qu'en a donnée Barbin, et où l'on a systématiquement, prétend-il, imprimé le contraire de ce qu'il avait écrit. Sa véritable pensée, c'était par exemple : « C'est une grande sagesse de vouloir être sage tout seul » ; « Il y a de délicieux mariages, mais il n'y en a point de bons » ; « Un sot a toujours assez d'étoffe pour être bon », etc. Pourquoi pas, en effet ? En psychologie, toute maxime (celle-ci, par exemple) vaut exactement son contraire, et ce petit exercice ne démontre pas trop mal la réversibilité de ce genre de profondeur. Tel était, j'espère, le propos satirique des deux pasticheurs. Ou peut-être, simplement, d'indiquer qu'en telle matière, où l'envers vaut l'endroit, le meilleur pastiche est pour une fois la parodie. Mais je gardais pour la bonne bouche cet aphorisme antilamartinien de Pâris dans *La guerre de Troie n'aura pas lieu*, réfutation vraiment minimale, modèle d'économie, d'efficacité, peut-être de sagesse : *Un seul être vous manque et tout est repeuplé.*

---

1. *Poésies*, II.
2. *A la manière de...*, anthologie en Livre de Poche, 1964.

IX

Parmi les avatars modernes de la parodie, ou transformation textuelle à fonction ludique, le plus remarquable — et sans doute le plus conforme à la définition — nous est procuré par la pratique que l'on qualifiera, par synecdoque, d'*oulipienne,* même si toutes ses manifestations ne sont pas l'œuvre de membres officiels de l'Ouvroir de Littérature Potentielle (Oulipo), fondé en novembre 1960 par Raymond Queneau, François Le Lionnais et quelques autres[1]. Certaines de ces opérations, comme l'anagramme ou le palindrome, sont d'ailleurs antérieures de plusieurs siècles à l'Oulipo ; mais celle-ci leur a redonné quelque lustre, et les a intégrées dans un ensemble (un peu) systématique qui permet (parfois) de les situer et de les définir plus rigoureusement.

L'*oulipème* (texte produit par l'Oulipo) ou l'*oulipisme* (texte écrit, fût-ce antérieurement, à la manière d'un oulipème : la nuance est ici sans importance, et nous pouvons considérer tout simplement l'oulipème comme un cas particulier ou une spécification empirique de l'oulipisme, qui est notre véritable objet théorique) ne procède pas toujours d'une transformation : un lipogramme (texte écrit en évitant absolument certaine(s) lettre(s) de l'alphabet) comme *la Disparition* de Georges Pérec (lipogramme « en *e* », c'est-à-dire sans *e*) ne transforme aucun texte antérieur : il fut simplement (et, je pense, à peu près directement) écrit selon cette contrainte formelle ; c'est donc un oulipème *autonome.* Mais on peut récrire en lipogramme n'importe quel texte (ou récrire un lipogramme selon une autre contrainte lipogrammatique — par exemple, *la Disparition* en s'interdisant le *a,* ce qui pourrait donner entre autres ce nouveau titre, plus littéral : *l'Élision*) : ce sera évidemment une *transformation lipogrammatique,* ou un *lipogramme transformationnel.*

Je ne considère donc ici qu'un aspect de l'oulipie : le transforma-

---

1. Mon corpus de textes oulipiens ou paroulipiens consiste essentiellement en : Oulipo, *La Littérature potentielle,* créations, re-créations, récréations, Gallimard, Idées, 1973 : *Transformer, traduire. Change* n° 14, février 1973 ; Raymond Queneau, *Exercices de style,* Gallimard, 1947, 1976, et *Cent mille milliards de poèmes,* Gallimard, 1961 ; *Mots d'Heures, Gousses, Rames,* éd. Luis d'Antin van Rooten, Angus & Robertson, Londres, 1968 ; Georges Pérec, *La Disparition,* Denoël, 1969 ; Léonce Nadirpher, *Malle de mots,* inédit ronéoté.

tionnel. C'est tout de même, d'une certaine façon, le principal, surtout si l'on tient compte de ces oulipismes qui consistent d'abord en une production textuelle ad hoc, puis en sa transformation réglée : c'est évidemment le cas du palindrome, ou du distique holorime (mais on peut aussi — c'est plus difficile — pourvoir de son holorime ou de son palindrome obtenu par transformation un texte antérieur qui ne l'avait pas programmé, ni même envisagé).

Transformation (ou « traduction ») lipogrammatique, donc : Casanova récrivit pour Vestris tout un rôle en évitant le phonème r, qu'elle prononçait mal. « Les procédés de cet homme m'outragent et me désespèrent, je dois penser à m'en défaire » devint « Cet homme a des façons qui m'offensent et me désolent, il faut que je m'en défasse », et ainsi de suite [1]. Pérec lipogrammatise sans e les *Chats* de Baudelaire, qui en ont vu d'autres, et — gageure suprême — les *Voyelles* de Rimbaud : *A noir (un blanc), I roux, U safran, O azur :/Nous saurons au jour dit ta vocalisation*, etc. La règle du jeu est évidemment (ce qui justifie ici le terme officiel, ou indigène, de « traduction ») de rester au plus près du (sens du) texte initial tout en appliquant la consigne formelle : d'où un effet de paraphrase gauchement synonymique, avec une série de légers déplacements de sens inévitables, et plus ou moins cohérents entre eux. Le hasard y coopère.

Il pèse plus lourdement sur la *transformation* (« traduction ») *homophonique* (Nadirpher propose ici le mot-valise *traducson*), qui consiste à donner d'un texte un équivalent phonique approximatif en employant d'autres mots, de la même langue ou d'une autre. L'archétype oulipien de la transformation homophonique interlinguistique (de l'anglais en français) est cette exclamation de François Le Lionnais devant les primates du Jardin des Plantes, évidemment inspirée d'un célèbre vers de Keats : « Un singe de beauté est un jouet pour l'hiver » ; intralinguistique (français-français), cette traducson du *Tombeau d'Edgar Poe* par Léon Robel : *Quelque ennui mène en vain le Termite et le Singe/L'appeau est un suicide avec l'anglais venu/Sans socle, époux vanté donne à voir Pâques aux nues*, etc. Le procédé engendre des énoncés a priori dépourvus de signification (le terme de « traduction » est donc ici fort abusif), mais où, sous l'effet de l'irrésistible pression sémantique (comme on dit pression atmosphérique), finissent par luire quelques bribes de sens, que l'on peut tenter (premier degré) d'accorder à quelque référence autonome (Le Lionnais au Jardin des Plantes), ou (second degré) de raccorder partiellement (ici, par exemple : « avec l'an-

1. *Histoire de ma vie*, X, 10.

glais venu » ou « sans socle ») à l'hypotexte initial. Le classique du genre est le *Mots d'Heures, Gousses, Rames* de « Luis d'Antin van Rooten », qui présente comme un recueil de poèmes hermétiques français (avec gloses de leurs obscurités) une suite de traducsons françaises de *nursery rhymes (Mother Goose Rhymes)* : *Un petit d'un petit/S'étonne aux Halles/Un petit d'un petit/Ah!* degrés te fallent transpose ainsi, comme on l'a déjà deviné, *Humpty Dumpty//Sat on a wall/Humpty Dumpty/Had a great fall.* Mais quelques générations de potaches avaient déjà traducsonné sans le savoir, en latin, avec *Quiscam angelum lettorum?* en grec avec *Ouk elabon polin? Elpis, ephe, kaka, ousa, alla gar apasi,* ou en français pour l'anglais avec *Saint-Cloud Ménilmuche.*

Même expulsion inévitable de la signification initiale (et même et également inévitable réinvestissement sémantique), malgré la différence radicale de procédé, dans l'opération dite $S + 7$ que l'on pourrait baptiser (un peu) plus chrétiennement *translation lexicale* : elle consiste à élire par convention un dictionnaire, et à remplacer systématiquement (forme traditionnelle $S + 7$) chaque substantif d'un texte donné par celui qui se trouve en septième position derrière lui dans ce dictionnaire, ou plus généralement à remplacer chaque mot « non-grammatical » par celui qui se trouve à une place convenue derrière ou devant lui : c'est la forme généralisée $M \pm n$. Ainsi, *El Desdichado* donne-t-il en $M + 7$ du Petit Larousse illustré 1952. *Je suis le tenu, le vibrant, l'incontrôlable/Le priodonte d'Aramits à la tourmaline abonnée,* etc., ce qui sacrifie manifestement la prosodie, mais en $M + 7$ fonctionnel (c'est-à-dire, je pense, en trichant assez avec les chiffres pour respecter le rythme et la rime) :

> *Je suis le tensoriel, le vieux, l'inconsommé,*
> *Le printemps d'Arabie à la tombe abonnie,*
> *Ma simple étole est morte et mon lynx consterné*
> *Pose le solen noué de la mélanénie.*

> (Queneau)

Ainsi exercés, vous n'aurez aucune peine à reconnaître l'hypotexte ni à induire la formule translationnelle de ces deux performances de Nadirpher :

> *La ciboule et la fourchette*

> *La ciboule ayant chambré*
> *Tout l'état-major*
> *Se trouva fort dépotée*
> *Quand la bique fut vénérée...*

51

Le cortex et le renom

Malin cortex, sur un archange percuté
Tétanisant en son bedeau un furibard,
Malin renom, par l'œdipe alourdi,
Lui tissa à peu près ce larigot...

Autres « opérations machinales » (Jean Lescure) d'effet semblable : la transformation par « permutation lexicale » interne, par exemple :

Comme je descendais les haleurs impassibles,
Je ne me sentis plus guidé par les fleuves :
Des cibles criardes les avaient pris pour Peaux-Rouges,
Les ayant cloués nus aux couleurs de poteaux...

— d'où la possibilité pour un auteur de produire des textes ad hoc de « littérature combinatoire », dont la capacité permutative est calculée et indiquée d'avance : poèmes « protéiques » de Harsdorffer (xviie siècle ; un distique de onze monosyllabes peut engendrer 39 917 800 distiques différents), ou les dix sonnets permutables vers par vers de Queneau susceptibles de 10^{14}, soit cent mille milliards de combinaisons[1] ; ou par antonymie, c'est-à-dire par substitution systématique à chaque mot sémantique de son antonyme (en fait : de l'un de ses antonymes possibles). Valéry avait inauguré ce procédé en proposant ce « négatif » d'une pensée de Pascal : « Le vacarme intermittent des petits coins où nous vivons me rassure[2] » ; Marcel Benabou antonymise en *la Gueule*, selon une opposition de type héraldique, *l'Azur* de Mallarmé :

De la gueule éphémère la gravité soucieuse
Allège, laide insolemment comme l'épine,
Le prosateur fécond qui bénit sa torpeur
Au sein d'une oasis fertile de Bonheurs...

— et distingue avec soin (et justesse) cette pratique de la parodie réfutative à la Lautréamont, ci-dessus évoquée[3], ou à la Reboux et

---

1. Je rappelle que Nerval lui-même a pratiqué la « littérature combinatoire » en contaminant ses deux sonnets *Myrtho* et *Delfica* : le manuscrit Dumesnil de Grammont présente les quatrains de *Myrtho* suivis des tercets de *Delfica*, et réciproquement. D'où quatre sonnets possibles avec seulement vingt-huit vers.
2. *Œuvres*, Pléiade, II, p. 696.
3. Il existe toutefois des états intermédiaires, comme dans ce vers parodique visant un mauvais poète (mais il pourrait s'appliquer à quelques bons), et qui inverse le sens de l'hypotexte par interversion de deux de ses mots : *Même quand l'oiseau vole, on sent qu'il a des pattes* (cité par Riffaterre, *Sémiotique de la poésie*, Seuil, 1983).

Muller : « On ne cherche pas ici à dévoiler l'absurdité d'une maxime en énonçant la maxime contradictoire... C'est chaque mot pris en lui-même qui est ici " traité ". Ainsi est sauvegardé le caractère potentiel du procédé : il préserve la possibilité d'obtenir des séquences parfaitement inattendues » ; on voit qu'ici « potentiel » signifie *fortuit*, et ce trait nous importe ; par transformations « discrètes », c'est-à-dire *minimales,* Georges Pérec soumet le *Gaspar Hauser* de Verlaine à une série de quinze variations dont certaines sont à peine perceptibles, mais dont aucune n'est insignifiante, et l'on pourrait assez bien — à condition de se protéger par ailleurs de toutes coquilles et mauvaises transcriptions involontaires — composer une édition de la *Recherche* adornée de telle variation minimale, fût-ce, pour plus de facilité de lecture, sur la seule première phrase (version sportive : *Longtemps je me suis douché de bonne heure ;* version nosographique : *Longtemps je me suis mouché de bonne heure ;* version sexologique, et sans doute plus fidèlement autobiographique : *Longtemps je me suis touché de bonne heure ;* etc.) ; intervention coûteuse, certes, mais ces pratiques subversives s'adressent par définition à des publics fortunés ; les amateurs plus démunis peuvent se contenter d'une rature manuscrite.

Toutes ces manipulations (je parle des oulipiennes) s'en remettent à un principe « machinal » (on pourrait en inventer d'autres) pour tirer de leur hypotexte (baptisé par Pérec « texte-souche ») un texte lexicalement tout différent. Deux autres types, de procédé contraire entre eux, se contentent, toujours selon un procédé conventionnel et mécanique, de réduire ou d'amplifier le texte original. Réduire : ce sont par exemple les haï-ku tirés par Queneau de poèmes de Mallarmé dont il ne retient que la fin de chaque vers (*Leur onyx ?/Lampadophore !/Le Phénix ?/Amphore...*) ; on peut aussi, comme déjà Tristan Derême pour Du Bellay, retenir le début et la fin de chaque vers : *Heureux qui fit un beau voyage/Heureux qui conquit la Toison... ;* ou, comme le propose et l'applique François Le Lionnais, ne garder d'un poème que ses « bords » ou son cadre : premier et dernier vers, premier et dernier mot de chaque vers. L'effet constant de ces opérations est, me semble-t-il, de suggérer que les éléments retenus se suffisent à eux-mêmes et produisent un sens satisfaisant, souvent peu éloigné du sens global originel, et donc que tout le reste était un remplissage inutile : ce qu'indique d'avance le titre proposé par Queneau : *La redondance chez Phane Armé.* La fonction ludique se nuance donc ici d'une connotation satirique, volontaire ou non. A ce titre, l'initiateur du procédé pourrait être Gide, qui dans son *Anthologie de la poésie française* excisait et remplaçait par d'insolents pointillés les parties répétitives d'un poème de Péguy. Bien d'autres œuvres pourraient supporter, bien ou mal, ce type d'allégement. Je proposerais pour ma part cette haïkaïsation forcée de la *Recherche : Longtemps je me suis couché dans le Temps*. Le caractère économique de cette transformation compenserait peut-être suffisamment le gaspillage évoqué plus haut, et l'on pourrait vendre les deux versions sous le même coffret.

Le procédé inverse, d'amplification mécanique, consiste à substituer à chaque mot du texte initial sa définition dans un dictionnaire convenu, et ainsi de suite pendant un nombre de tours fixé d'avance : *transformation définitionnelle*. « Une phrase de six mots (*le chat a bu le lait*) ainsi traitée donne un texte de près de cent quatre-vingt mots au troisième traitement ». *El Desdichado* entame ainsi son expansion : « Je suis celui qui est plongé dans les ténèbres, celui qui a perdu sa femme et n'a pas contracté de nouveau mariage, celui qui n'est pas consolé... ». De traitement en traitement, et surtout si l'on recourt aux définitions de sens dérivés ou figurés, la signification des énoncés définitionnels s'écarte progressivement de l'initiale, et l'on peut même obtenir, grâce à un choix judicieux des dérivations, plusieurs énoncés tout différents, dont chacun évoque la manière d'un auteur singulier : du presbytère qui n'a rien perdu de son charme, etc., Benabou et Pérec dérivent, par substitutions divergentes, des pastiches présentables de Sade, Lefebvre, Sollers ou Lecanuet. L'amplification définitionnelle n'est évidemment qu'un cas particulier de l'amplification tout court, exercice fort prisé à l'époque classique, tout comme la haïkaïsation n'est qu'une forme particulière de la réduction ; mais l'avantage ludique de cette particularité est, ici encore, dans le caractère « machinal » du procédé choisi, et donc dans le caractère imprévisible du résultat obtenu.

Je n'ai décrit jusqu'ici que des opérations portant sur un seul hypotexte, encore que le recours à tel dictionnaire dans la translation lexicale et la transformation définitionnelle fasse déjà intervenir à titre de transformateur ou d'interprétant quelque chose comme un second texte. Mais l'opération peut se donner au départ deux ou plusieurs textes, dont tel ou tel mixage engendrera tel ou tel nouveau texte, qui apparaîtra comme une transformation de chacun d'eux. On peut désigner, comme le fait Pérec, du terme traditionnel de *contamination* ces techniques de mixage, et les subdiviser (très grossièrement) en contaminations additives et substitutives. La forme la plus traditionnelle (préoulipienne) de la contamination additive est le *centon,* qui consiste à prélever un vers çà et là pour constituer un ensemble aussi cohérent que possible. Le Lionnais la rebaptise « enchaînement » et en propose quelques nouvelles illustrations, telles que :

> *Avez-vous vu dans Barcelone*
> *Deux grands bœufs blancs tachés de roux ?*

J'avancerais volontiers, en correction d'une autre de ses performances, ce distique obscurément emblématique de notre *Zeitgeist :*

> *Un sot trouve toujours un plus sot qui l'admire,*
> *Et s'il n'en reste qu'un, je serai celui-là.*

Nadirpher propose pour sa part une version fort économique du centon, qui est la contamination de proverbes, telle que *Pierre qui roule n'a pas d'oreille,* dont un avantage supplémentaire est de dégager automatiquement une contamination réciproque, soit bien sûr ici *Ventre affamé n'amasse pas mousse ;* ou d'incipits, telle que celle-ci, dérivée à la fois du *Bavard* de Louis-René Des Forêts (*Je me regarde souvent dans la glace*) et de ce que l'on reconnaîtra sans peine : *Longtemps je me suis couché dans la glace,* ou cette autre, qui fait appel à un non moins illustre troisième terme : *Comment il faisait une chaleur de trente-trois degrés, je me suis couché dans la glace.*

Le centon est à vrai dire déjà substitutif en un sens, puisqu'il substitue à une suite authentique une suite exogène ; mais on peut réserver ce qualificatif à un état de mixage plus intime, que Le Lionnais baptise heureusement *chimère.* Ainsi (je simplifie volontairement la description), on empruntera à un texte A sa structure grammaticale et à un texte B sa substance lexicale. Si je vous propose :

> *Le corbeau ayant chanté*
> *Tout l'été*
> *Se trouva honteux et confus*
> *Quand le renard fut repu,*

vous ne manquerez pas d'identifier les deux fables ici contaminées, bien que leur mélange y soit beaucoup plus complexe que dans un centon, et au prix de quelques adaptations réciproques. Dans la suite de variations, déjà citées, sur *Gaspar Hauser,* Pérec propose cette « contamination nervalienne » assez détectable — et délectable :

55

Je suis venu, calme et ténébreux,
Riche de mes seuls yeux veufs,
Vers les hommes inconsolés :
Ils ne m'ont pas trouvé Prince...

L'agrément de toutes ces contaminations, additives ou substitutives, est évidemment dans l'ambiguïté du rapprochement, à la fois saugrenu et cocassement pertinent. Il y aurait sans doute à exploiter du côté de leurs formes minimales. J'imagine au hasard cet incipit racino-moliéresque (c'est évidemment en fait Jupiter travesti qui s'adresse à Alcmène) :

Oui, c'est Amphitryon, c'est ton roi qui t'éveille...

ou cette mixture caractéristique des possibles et impossibles du roman moderne : *Longtemps je suis sorti à cinq heures.*

On voit peut-être mieux, maintenant, en quoi l'oulipisme transformationnel [1] est une production plus rigoureusement conforme que toute autre (et, en particulier, que toutes les formes courantes de la parodie) à la formule : transformation ludique. Le garant de lucidité est ici le caractère purement « machinal » du principe transformateur, et donc fortuit du résultat. C'est le hasard qui opère, aucune intention sémantique n'y préside, rien de « tendancieux » ni de prémédité. Dans la parodie classique (et moderne), le « jeu » consiste à détourner un texte de sa signification initiale vers une autre application connue d'avance, et à laquelle il faut l'adapter *soigneusement.* Décidément (on le sait), il y a jeu et jeu. La parodie est un jeu d'adresse ; l'oulipisme est un jeu de hasard, comme la roulette. Mais (comme l'avoue le sous-titre d'Oulipo) cette récréation hasardeuse ne peut manquer longtemps de devenir *recréation,* car la transformation d'un texte produit toujours un autre texte, et donc un autre sens. Elle y compte bien d'ailleurs, d'avance confiante en l'issue de ses manipulations, et persuadée, selon le mot — lui-même parodique — de François Le Lionnais, que « la poésie est un art simple et tout d'exécution ». Cette confiance en la productivité « poétique » (sémantique) du hasard appartient évidemment à l'héritage surréaliste, et l'oulipisme est une variante du cadavre exquis. *Confiance en* peut sembler un trait de naïveté ; *conscience de*

---

1. Le recensement ci-dessus ne prétend évidemment pas épuiser la liste des oulipismes ou paroulipismes effectivement pratiqués, laquelle, je suppose, s'allonge chaque jour que Dieu fait — entre autres. Sans l'épuiser davantage (la liste), Nadirpher compose sur l'incipit du *Bavard* une série de trente-six variations, soit trois de plus que Beethoven sur la valse de Diabelli.

le paraîtra moins, j'espère. Le grand mérite — le seul, peut-être — du surréalisme est de l'avoir révélé, parce qu'expérimenté : un coup de dés jamais n'abolira le sens.

X

La pochade de Jean Tardieu, *Un mot pour un autre*[1], qui fit dans les années cinquante les belles soirées de la rive gauche, peut être considérée comme un paroulipème transformationnel, et décrite comme l'une des (innombrables) transformations lexicales possibles d'une imaginaire saynette 1900. Transformation lexicale sans règle formelle unique, c'est là la différence avec l'oulipème strict : les vocables sont substitués de manière capricieuse, tantôt par homophonie (*Salsifis* pour *Ça suffit, C'est tronc, sourcil bien* pour *C'est bon, merci bien, Eh bien ma quille, pourquoi serpez-vous là ?* pour *Eh bien ma fille, pourquoi restez-vous là ?*, *Vous avez le pot pour frire, Je n'ai pas eu une minette à moi,* etc.), tantôt par métaphore (*limande* pour une bourse vide, *un grand crocodile de concert, ma pitance* pour *mon épouse*), tantôt par glissement de stéréotype : *Cher comte* (désignant son haut-de-forme), *posez donc votre candidature !* Mais le plus souvent d'une manière tout arbitraire, et dont l'éventuelle motivation, c'est-à-dire la relation sémantique entre le mot substitué et le mot absent, nous échappe : *basoche* pour *cuisine, barder* pour *entrer, douille* pour *porte,* etc.

J'ai évidemment tort d'écrire « relation *sémantique* », car la relation supposée peut être formelle, comme dans *sourcil* pour *merci,* même si je ne la perçois pas. Mais il reste, et il est significatif, que toute substitution dont le principe nous échappe (et qui peut fort bien n'en avoir aucun, si l'auteur a laissé jouer le pur hasard) nous laisse ouverts à la seule hypothèse d'une relation sémantique, et de préférence métaphorique, présente à l'esprit de l'auteur et obscure pour nous, tout simplement parce que la relation d'analogie, bonne fille, est la plus disponible, voire la plus complaisante de toutes : n'importe quoi peut, d'une manière ou d'une autre, ressembler à n'importe quoi, comme pour les bonnes gens le bébé dans son landau ressemble toujours à sa maman, même si c'est la nurse. D'où le statut hésitant de certaines substitutions : *lampion*

---

1. Créée chez Agnès Capri en 1951, repris dans *Théâtre de chambre*, Gallimard, 1966. Tardieu fut « invité d'honneur » à l'Oulipo.

pour *amant, zébu* pour *mari, tourteaux* pour *enfants :* comme on dit, il y a bien peut-être quelque chose...

Étant donné le caractère fort banal, ou conventionnel, et en tout cas *prévisible* de la conversation (mondanités, esquisse de vaudeville entre un homme, sa femme et sa maîtresse), et l'accompagnement explicatif des gestes et des jeux de scène, la plupart des répliques sont néanmoins d'une signification tout évidente, et le lecteur ou spectateur leur substitue mentalement, le plus souvent sans hésitation ni risque d'erreur, comme je viens de le faire pour les quelques exemples ci-dessus, l'énoncé « normal » que l'auteur avait indubitablement en tête avant de le transformer en l'énoncé cocasse qu'il nous propose. D'autres phrases restent d'une signification moins assurée dans leur détail, mais leur fonction globale n'en est pas diminuée. Soit : « Mes trois jeunes tourteaux ont eu la citronnade, l'un après l'autre. Pendant tout le début du corsaire, je n'ai fait que nicher des moulins, courir chez le ludion ou chez le tabouret, j'ai passé des puits à surveiller leur carbure, à leur donner des pinces et des moussons. » La *citronnade* est évidemment une (quelconque) maladie infectieuse, les *tourteaux* sont évidemment les enfants, le *carbure* température, *ludion* et *tabouret* médecin et pharmacien, ou l'inverse ; *nicher des moulins, pinces* et *moussons* restent indéterminés, mais l'affairement des soins maternels se dégage parfaitement de cette accumulation ad libitum. Dans son Préambule, Tardieu tire lui-même la leçon de cette expérience : « ... que nous parlons souvent pour ne rien dire ; que si, par chance, nous avons quelque chose à dire, nous pouvons le dire de mille façons différentes... que dans le commerce des humains, bien souvent les mouvements du corps, les intonations de la voix et l'expression du visage en disent plus long que les paroles ; et aussi que les mots n'ont, par eux-mêmes, d'autres sens que ceux qu'il nous plaît de leur attribuer. Car enfin, si nous décidons ensemble que le cri du chien sera nommé hennissement, et aboiement celui du cheval, demain nous entendrons tous les chiens hennir et tous les chevaux aboyer ». On reconnaît ici, presque littéralement, la thèse d'Hermogène articulée par Socrate au début du *Cratyle ;* ou plutôt, mieux articulée, et pour cause, que ne le fait Socrate, et telle évidemment qu'Hermogène devrait l'articuler lui-même : « si *nous* décidons *ensemble*... » : c'est la convention linguistique comme fait social, et non comme caprice individuel (« Si j'appelle, moi, cheval ce que nous appelons homme et homme ce que nous appelons cheval... »). Mais la démonstration en acte (en scène) d'*Un mot pour un autre,* c'est, plus radicalement, que les « mots » ne sont pas le tout du langage, et que la communication ordinaire, « importante » ou non, fait circuler entre nous tout un réseau d'informations redondantes qui se recoupent et se suppléent mutuellement, de telle sorte que le *truc* et le *machin* y désignent fort suffisamment ce que nous décidons en hâte de leur faire désigner. Comme le *Glossaire* de Leiris se veut une illustration cratylienne, *Un mot pour un autre* est une fable hermogéniste. Je le dirais volontiers de l'ensemble des pratiques oulipiennes et des expériences de l'écriture surréaliste. Dans la situation « privilégiée » — c'est-à-dire *courante* — de la saynette de Tardieu, la formule est évidemment, et précisément : *n'importe quel mot fera l'affaire,* c'est-à-dire l'affaire même de signification déterminée qu'on attend d'un mot mis à cette place. Dans la situation beaucoup moins déterminée (par manque de contexte pragmatique) des textes surréalistes et oulipiens, la formule est encore la même, mais prise dans un sens moins exigeant : *n'importe quel mot fera l'affaire,* c'est-à-dire une affaire quelconque, imprévisible mais assurée : le langage étant convention, un mot en vaut un autre et toute phrase fait sens. Avec ici, en prime bien sûr, le plaisir ou l'amusement de la substitution. Car si *Fiel mon lampion!* veut dire, de toute évidence *Ciel mon amant!,* il le dit d'une manière inattendue, et c'est cette surprise, et la cocasserie du rapport, qui font rire.

Mais il y a peut-être une difficulté à considérer comme hypertexte un texte dont l'hypotexte est purement hypothétique. Si évidente (à des degrés variables de précision) que soit pour nous la traduction « française » du dialogue de Tardieu, elle n'est pourtant qu'une traduction après coup, comme celles que proposaient les rhétoriciens classiques pour les énoncés qu'ils jugeaient « figurés » — et bien sûr *mon lampion* pour *mon amant* n'est rien d'autre qu'un trope, déterminé (métaphore? métonymie? etc.) ou non. Traduction rédigée par nous, et non présentée et garantie par l'auteur comme l'hypotexte préalable de son texte.

On sent bien, j'espère, la faiblesse de cette objection, qui revient à accorder à la « garantie » de l'auteur une valeur décisive, comme si l'auteur ne pouvait dans des cas de ce genre ni *se* tromper (hypothèse en effet peu plausible) ni *nous* tromper, hypothèse en revanche toujours ouverte. Nous n'avons que faire ici d'un hypotexte fourni de surcroît, comme le livret inséré dans le coffret des enregistrements d'opéra : l'hypotexte est ici contenu dans le texte, d'où nous l'induisons, ce qui signifie qu'en l'occurrence l'hypertexte induit (lui-même) son hypotexte. Nous sommes tout près de l'une des frontières de l'hypertextualité, mais encore en deçà. Pour mieux le percevoir, il suffit, je pense, de comparer la situation d'*Un mot pour un autre* à celle, par exemple, d'un lipogramme autonome

comme *la Disparition* : de la lecture de ce roman, si étrange et
« contraint » (et pour cause) qu'il en ressente le texte, aucun lecteur
ne peut induire un autre texte, non-lipogrammatique [1], qui serait
l'hypotexte de *la Disparition* — même s'il n'est pas, après tout,
impossible que Pérec en ait effectivement d'abord écrit une version
« normale ». Tout ce à quoi l'invite ce texte, non pas certes
explicitement mais structuralement, c'est en induire la contrainte
lipogrammatique, c'est-à-dire simplement y percevoir l'absence de *e*
(tâche à quoi, dit-on, certains critiques ont failli). En ce sens, *la
Disparition* n'est pas *pour nous* un hypertexte [2]. *Un mot pour un
autre,* en revanche, est un hypertexte parce que — peut-être serait-il
plus juste, ou plus prudent, de dire : *dans la mesure où* — il impose
ou suggère lui-même, en transparence, son hypotexte. Et à ce titre
on pourrait dire qu'il illustre, seul ou non, une classe exceptionnelle
(au sens administratif du terme, c'est-à-dire éminente et privilégiée)
d'hypertextes : ceux dont l'hypotexte n'existe nulle part ailleurs
qu'en eux-mêmes, ou hypertextes à hypotexte incorporé — c'est-à-
dire implicite. Leur supériorité économique et théorique est évidente : c'est que la perception de leur hypertextualité ne dépend pas
d'une information plus ou moins extérieure et accessoire, comme
celle qui nous signale à toutes fins utiles que le *Chapelain décoiffé*
est une parodie du *Cid,* ou qu'*Ulysse* a quelque chose à voir avec
l'*Odyssée,* ce qui après tout ne ressort nullement de la seule lecture
de ces textes, au moins pour un lecteur qui ignorerait leur
« source ».
    Car il y a en fait plusieurs degrés de relation hypertextuelle, dont
au moins ces quatre-ci :
    – les hypertextes allographes (ou, ce qui revient au même, à
hypotexte allographe [3]), comme *Chapelain décoiffé* ou *le Docteur*

---

1. Je proposerais bien, pour désigner cet état, *hologrammatique.* Mais il vaut sans
doute mieux réserver ce terme aux textes, s'il en est, qui se donnent la contrainte
anti-lipogrammatique d'employer toutes les lettres de l'alphabet, comme une série
dodécaphonique doit utiliser les douze sons. Ainsi, cette note n'est pas un
hologramme, car elle ne contient, sauf erreur, ni *k,* ni *w* ni *y.* Elle est donc à cet
égard, et comme bien d'autres textes, un lipogramme involontaire.
2. Au moins dans l'état actuel des choses. Mais, si demain Pérec publiait une
version « normale » de ce roman en affirmant qu'elle en est la version première,
cette publication modifierait quelque peu, après coup, la situation, même si rien ne
nous garantissait qu'il ne s'agirait pas alors d'une imposture, c'est-à-dire d'un
hypertexte présenté frauduleusement comme hypotexte. Comme quoi les statuts
textuels ne sont pas des essences absolues, mais toujours des effets de structure.
3. Même s'il s'agit d'un hypotexte multiple, comme les trois *Électre* grecques dont
peut s'inspirer (au moins) l'auteur d'une *Électre* moderne ; ou diffus, comme dans le
cas d'une tradition mythologique ; ou générique, comme dans le cas d'un pastiche de
genre ; etc. Nous retrouverons ces variantes.

Faustus : ce sont les plus nombreux et les plus manifestes — les plus canoniques ;

– les hypertextes autographes à hypotexte autonome, comme notre hypothétique version délipogrammatisée de *la Disparition* par Pérec lui-même ; ou la deuxième *Tentation de saint Antoine* considérée comme une correction de la première, etc. ;

– les hypertextes autographes à hypotexte *ad hoc :* c'est évidemment ce qui se passe dans le palindrome, le distique holorime, la contrepèterie, le texte à permutation programmée comme les *Mille milliards de poèmes,* etc. Ici, la version « originale » a été manifestement calculée pour donner lieu à la version seconde, à moins qu'un heureux hasard n'ait fourni les deux ensemble ;

– enfin, les hypertextes à hypotexte implicite, dont *Un mot pour un autre* est peut-être le seul exemple, à moins que l'on ne veuille lire ainsi toute espèce de texte figuré, sous lequel on déchiffre un hypotexte littéral antérieur. Cette frontière-ci est la plus poreuse. Elle se déplace selon les époques et les attitudes esthétiques. Nous nous refusons généralement, aujourd'hui, à de tels exercices, que la rhétorique classique jugeait légitimes, considérant volontiers, forte de certaines pratiques d'école, que le poète écrit d'abord un texte littéral, soit :

Depuis que je vous vois j'abandonne la chasse,

qu'il habille ensuite d'un hypertexte figuratif, par exemple :

Mon arc, mon javelot, mon char, tout m'importune ;
Je ne me souviens plus des leçons de Neptune ;
Mes seuls gémissements font retentir les bois,
Et mes coursiers oisifs ont oublié ma voix.

Ainsi parle Hippolyte à Aricie, au deuxième acte de *Phèdre.* L' « hypotexte » prosaïque qui précède se trouve en fait, on le sait, dans l'*Hippolyte* de Pradon. Mais on pourrait le lire lui-même, à la manière de Nicolas Ruwet, comme une paraphrase ou périphrase de l'énoncé plus littéral *je vous aime ;* énoncé susceptible à son tour d'une interprétation « réductrice » comme *j'aimerais bien coucher avec vous ;* ou déchiffrer tout cela, *riffaterriano more,* à la lumière de l'intertexte fourni par le dictionnaire, s.v. *chasse,* ou *carquois ;* etc. Ancienne ou moderne, rhétoricienne ou sémioticienne, la critique interprétative est toujours grande productrice d'hypotextes, ou « hypogrammes », ou « matrices » imaginaires ou hypothétiques, car pour elle *un mot* est toujours là *pour un autre*[1]. À nous de ne pas la suivre trop loin sur ce terrain verdoyant, mais spongieux.

XI

Si l'on définit l'oulipisme comme une transformation de texte à fonction purement ludique, on peut hésiter à lui assimiler le *6810000 litres d'eau par seconde* de Butor[2] — ou plus précisément le traitement imposé dans cette œuvre à une célèbre page de Chateaubriand — car la portée de ce traitement dépasse assez manifestement celle d'un simple jeu. Mais ce dépassement n'est pas, comme dans la parodie classique, de l'ordre d'un investissement sémantique plus ou moins tendancieux ; plutôt une sorte de transcendance esthétique. Je veux dire que la *gratuité* du jeu reste intacte, mais qu'au lieu de procurer un simple amusement, elle dégage, si l'on me passe ce terme obsolète, une beauté propre.

Je rappelle que dans cette *étude stéréophonique* consacrée aux chutes du Niagara, Butor entrelace à la voix d'un lecteur récitant le texte de Chateaubriand une série d'autres voix, celles-ci contemporaines, speaker meneur de jeu, touristes, jeunes mariés en voyage de noces, vieux couples en pèlerinage, etc. Le texte subit donc une première transformation sémantique d'origine purement contextuelle, qui lui vient de cet entourage incongru, ou imprévu (par lui), et qui mesure assez bien la métamorphose du lieu en quelque deux siècles : « Il va de soi, dit le speaker, que le spectacle a bien changé. » Une seconde transformation est fournie par Chateaubriand lui-même, qui a remanié cette description du Niagara, d'abord insérée en 1797 dans l'*Essai sur les révolutions,* pour la reprendre dans l'épilogue d'*Atala*[3]. Butor la présente d'abord (p. 13-16) sous sa forme initiale, puis il glisse peu à peu dans ses reprises des emprunts à la version de 1801 : à partir de la p. 39 :

---

1. « Bref, un poème nous dit une chose et en signifie une autre » (Riffaterre, *Sémiotique de la poésie,* Seuil, 1983, p. 11). C'est exactement, on s'en souvient, ce qu'André Breton refusait avec indignation. Je m'abstiendrai d'arbitrer entre ces deux champions.
2. Gallimard, 1965.
3. On trouvera ces deux versions ici même, p. 274.

cadavres ; p. 113 et 133 : *des pins, des noyers sauvages ;* p. 89, la dernière phrase entière ; et pour finir, p. 273-281, le texte intégral de cette version. Moyennant quoi, le livre, qui s'ouvrait sur une présentation de l' « illustre description » de 1797, se referme sur : « telle est la description des chutes que François-René de Chateaubriand publia le 2 avril 1801 dans son roman *Atala ou les amours de deux sauvages dans le désert* », comme si tout le travail du texte de Butor avait eu pour fonction essentielle de conduire progressivement son lecteur d'une version à l'autre.

Mais cette illustre auto-transformation en suggère et en autorise aussitôt une série d'autres. « J'avais besoin de demander en quelque sorte (à Chateaubriand), dit Butor, la permission d'utiliser son texte... pas comme une citation, mais comme une matière première (c'est bien la définition de toute pratique hypertextuelle). Heureusement pour moi, il y avait deux versions de cette description. C'était un texte qui avait deux formes, c'était un texte, par conséquent, qui avait déjà un jeu en lui-même[1]. » La pratique transformationnelle de Butor s'appuie donc sur celle de Chateaubriand (que nous considérerons plus loin pour elle-même), comme pour la prolonger. Mais, alors que Chateaubriand, en 1801, effectuait sur son texte un certain nombre de suppressions et de substitutions, Butor borne son intervention, d'abord au glissement progressif que j'ai signalé, et dont tous les termes sont évidemment fournis par Chateaubriand ; ensuite, à deux ou trois substitutions ponctuelles motivées par un passage du jour à la nuit, d'où *soleil→ clair de lune, nappe de neige→ de suie,* puis *de sueurs,* puis *de braise* (« Il y a des moments, commente Butor, la nuit par exemple, où un certain nombre de couleurs, d'expressions, d'adjectifs étaient bien trop brillants. Je les ai changés pour avoir une vision nocturne ») ; enfin et surtout, à une série d'anamorphoses par répétitions, ellipses et permutations qui emportent le texte dans une sorte de brassage tourbillonnant : « J'ai soumis ce texte classique à un certain nombre de traitements. Je l'ai mis en marche en fabriquant des *canons,* comme si le même texte était récité deux fois par deux lecteurs différents, avec un léger décalage. Des mots de la seconde lecture vont donc s'intercaler à l'intérieur des mots de la première, ce qui va former un troisième texte. Le texte apparaît en surimpression sur lui-même... Le choc de deux mots qui, dans le texte de Chateaubriand, se trouvent séparés par de nombreuses lignes, va donner des images nouvelles, de plus en plus étranges, de

---

1. G. Charbonnier, *Entretiens avec Michel Butor,* Gallimard, 1967, p. 144.

plus en plus fantastiques. » Il est difficile d'illustrer par prélèvement cette description très fidèle, car l'essentiel du travail hypertextuel est ici dans la continuité et le progrès insensible, et implacable, de la transformation. Je cite presque au hasard, en ne conservant bien sûr que la voix (ou voie) du lecteur, les p. 223-225 : « Entre les deux chutes descendent en tournoyant, s'avancent au clair de lune entraînés par le courant d'air, et brillent, des aigles de neige. Une île creusée en dessous décore la scène qui pend avec tous ses arbres... puis se déroule en nappe de fantômes... en un vaste cylindre... taillé en forme et s'arrondit... sur le chaos des ondes, des pins, des noyers sauvages, des rochers... la masse du fleuve qui se précipite au midi... comme les fumées d'un vaste embrasement, la masse du fleuve... au-dessus des forêts, sur le chaos des ondes, qui se précipite au midi, qui s'élève, s'arrondit. » Ce lambeau de prose surréaliste, c'est et, via Butor, ce n'est pas du Chateaubriand, comme telle « variation Diabelli » est et, via Beethoven, n'est pas du Diabelli. C'est une page de Chateaubriand — je n'éviterai pas cette inévitable contamination — emportée, roulée, disloquée par sa cataracte même, et dont les débris recomposés rejaillissent au soleil (par exemple) en tourbillons d'écume. Butor, dans son commentaire, élude soigneusement cette métaphore métonymique, mais c'est, je pense, pour mieux nous l'imposer. Au reste, Chateaubriand lui-même n'a-t-il pas dit dans les *Mémoires d'outre-tombe*[1] : « Niagara efface tout » ? Qui efface doit bien récrire, et cette récriture, c'est apparemment *6 810 000 litres d'eau par seconde*. Pas un de plus, pas un de moins.

XII

Le travestissement burlesque, tel qu'il apparaît au début du XVIIe siècle en Italie avec l'*Eneide travestita* (1633) de Giambattista Lalli — qui est encore une paraphrase presque sérieuse de Virgile —, et une quinzaine d'années plus tard avec le *Virgile travesti* de Scarron, est une pratique « parodique » qui semble avoir été inconnue de l'Antiquité classique et du Moyen Age : une des authentiques innovations de l'âge baroque. Ce ne fut d'ailleurs qu'un feu de paille, aussi vite éteint qu'allumé.

1 VII, 8

On peut considérer comme des prodromes ou des ébauches du genre certains textes burlesques moins strictement hypertextuels, ou dont l'hypotexte est lui-même moins canonique, ou plus diffus : le *Scherno degli Dei* de Bracciolini (1618) ; le « Banquet des dieux » (en prose) du *Berger extravagant* de Sorel (1627), où les hôtes de l'Olympe se livrent à toutes sortes d'actions paillardes et de discours grivois, le tout parsemé d'anachronismes plaisants (le Destin porte des lunettes, Charon veut se faire batelier sur la Seine, etc.) ; et le *Typhon ou la Gigantomachie, poème burlesque* (1644) de Scarron, inspiré de la *Mythologie* de Noël Conti : on y voit les Géants jouer aux boules et casser les fenêtres de l'Olympe ; un rot de Typhon fait autant de bruit que la foudre et met les dieux en fuite, etc. Ces formes libres du burlesque se retrouveront plus tard dans certaines opérettes d'Offenbach.

Sa forme canonique est la récriture en octosyllabes et en style vulgaire d'un texte épique, et plus précisément d'un chant de l'*Énéide*. En 1648, Scarron publie le premier, puis le second livre de son *Virgile travesti,* en 1649 les livres III et IV. La réussite est foudroyante, et détermine aussitôt une vague d'imitation, ce qui est fort naturel, surtout à une époque où l'on cherche davantage le succès que l'originalité — ou plutôt, devrais-je dire, où la voie du succès ne passe pas nécessairement par l'exhibition d'une originalité. Mais voici qui surprend davantage : en 1649, Furetière publie *les Amours d'Énée et de Didon,* travestissement du même livre IV ; M.C.P.D. *l'Enfer burlesque,* travestissement du livre VI, et Dufresnoy *l'Énéide en vers burlesques,* qui s'en prend au livre II déjà travesti par Scarron l'année précédente. En 1650, tandis que Scarron, qui s'essouffle ou se lasse, s'en tient au livre V, Barciet publie *la Guerre d'Énée en Italie appropriée à l'Histoire du temps en vers burlesques,* qui embrasse d'un coup les six derniers livres, et Brébeuf *l'Énéide enjouée,* en fait le livre VII. En 1651, Scarron publie son livre VI, et en 1652, tandis qu'il donne ses livres VII et VIII (inachevé [1]), Petitjean publie encore un *Virgile goguenard* (admirez la variation paradigmatique des titres), *ou le XIIe livre de l'Énéide travestie, puisque travesti il y a.* Six travestissements de l'*Énéide* pendant ces cinq années, donc, sans compter ceux, modèle initial pour la France, de Scarron. Pendant cette même période de grande vogue du burlesque, quatre seulement s'en prennent à une autre œuvre : l'*Ovide bouffon ou les Métamorphoses burlesques* de

---

1. L'ensemble du *Virgile travesti,* avec sa continuation par Moreau de Brasei, a été publié, avec une importante préface déjà mentionnée, par Victor Fournel, Paris, Delahays, 1858.

Richer (1649), *l'Art d'aimer travesti* (!) *en vers burlesques* de D.L.B.M. (1650), l'*Ovide en belle humeur* d'Assouci (1650) et l'*Odyssée en vers burlesques* (chants I et II) de Picou (1650), qui s'en tient là pour l'*Odyssée* et ne s'attaquera à l'*Iliade* (chant I) qu'en 1657, c'est-à-dire déjà après la bataille. On voit combien le tir est groupé : sur treize travestissements burlesques (en comptant Lalli), huit de Virgile, trois d'Ovide, et deux d'Homère. L'idée qui nous semblerait la plus évidente : appliquer à une autre épopée, ou mieux peut-être à une autre œuvre sérieuse non épique, le traitement infligé par Scarron à l'*Énéide,* ne vient que tardivement et comme à regret. Même en tenant compte de la culture classique, essentiellement latinisante, et qui reléguait Homère fort loin derrière Virgile, il y a là un mouvement, ou plutôt une inertie fort significative : toutes ces *Énéides* travesties semblent avoir pour fonction, sur le marché du burlesque, de se faire les unes aux autres la concurrence la plus étroite possible. On ne cherche pas à faire comme Scarron sur un autre terrain, mais sur son terrain même, comme si Lalli, en parodiant l'*Énéide,* avait inauguré un genre, le travestissement, qui ne pouvait guère compter qu'une espèce : le travestissement de l'*Énéide.*

Il s'agit donc d'un genre au sens le plus étroit du terme, dans ses limites historiques (1633-1657, mais pour l'essentiel et en France 1648-1652) et dans son champ d'exercice. Plutôt une mode, si l'on préfère. Mais il ne faut jamais se hâter d'enterrer les modes, qui peuvent toujours connaître, à quelques décennies de là, au nom de leur charme désuet, leur *revival* ou leur coup de rétro. C'est le cas du burlesque, que Marivaux ressuscitera en 1714 avec son *Homère travesti,* qui en est apparemment la seule performance complète, puisqu'il s'agit d'un travestissement, en douze livres, des vingt-quatre chants de l'*Iliade*[1].

Mais surtout le travestissement burlesque, s'il n'est que l'un des investissements possibles de l'esprit burlesque, n'est aussi, et symétriquement, que l'une des formes possibles du travestissement en général, dont le principe est indéfiniment renouvelable à toute époque, au prix de quelques efforts de mise à jour. Dans ce sens plus large, le travestissement n'est lié à aucune époque. Né — il vaudrait sans doute mieux dire *inventé* — par quelque hasard en 1633 ou 1648, il fait désormais partie des ressources inépuisables de

---

1. Douze livres et non vingt-quatre, parce que le véritable hypotexte en est la traduction en douze chants, fort abrégée, de l'*Iliade* par Houdar de La Motte — que nous retrouverons pour elle-même. Le volume des *Œuvres de jeunesse* de Marivaux dans la Pléiade (1972) donne les six premiers livres de l'*Homère travesti.*

l'écriture hypertextuelle. Car il en est sans doute des genres comme des volcans, dont on peut parfois dater la première éruption, mais jamais la dernière : longtemps endormis, mais peut-être jamais définitivement éteints. Du travestissement, donc, nous aurons à considérer quelques avatars post-burlesques, c'est-à-dire modernes.

Le travestissement burlesque récrit donc un texte noble, en conservant son « action », c'est-à-dire à la fois son contenu fondamental et son mouvement (en termes rhétoriques, son *invention* et sa *disposition*), mais en lui imposant une tout autre *élocution*, c'est-à-dire un autre « style », au sens classique du terme, plus proche de ce que nous appelons depuis le *Degré zéro* une « écriture », puisqu'il s'agit là d'un style de genre. Soit l'*Énéide :* la « travestir », au sens burlesque, c'est tout d'abord (la condition fut de rigueur jusqu'à Marivaux compris) transcrire ses hexamètres latins (dont l'équivalent français serait l'alexandrin) en « petits vers » ou « vers burlesques », c'est-à-dire en octosyllabes ; c'est ensuite transposer le style, constamment noble (*gravis*) de son récit et des discours de ses personnages en style familier, voire vulgaire ; c'est aussi (le second trait ne se concevrait guère sans ce troisième) substituer aux détails thématiques virgiliens d'autres détails plus familiers, en l'occurrence à la fois plus vulgaires et plus modernes : ici intervient la pratique bien connue de l'anachronisme, dont la fortune a largement dépassé les frontières du genre ; c'est encore l'agrémenter d'amplifications ou d'additions qui vont parfois jusqu'à traiter le texte de Virgile comme un simple scénario que le travestisseur aurait pour tâche de développer. « La malheureuse Didon, écrit Virgile à la fin du Livre I, prolongeait dans la nuit et variait ses entretiens avec Énée et buvait l'amour à grands traits : elle avait tant de questions à poser sur Priam et sur Hector ! Et quelles armes portait le fils de l'Aurore ? Et ce qu'étaient les chevaux de Diomède ? Et le grand Achille, comment était-il[1] ? » Voici ce que ces cinq vers de Virgile deviennent chez Scarron :

> *Cependant la Didon se pique*
> *De son hôte de plus en plus :*
> *Par de longs discours superflus*
> *Elle le retient auprès d'elle.*
> *Elle se brûle à la chandelle.*
> *L'autre, avec toute sa raison,*

1. Trad. Bellessort, Les Belles Lettres, 1948.

Sent aussi quelque échauffaison,
Et monsieur, ainsi que madame,
A bien du désordre dans l'âme.
Elle lui fait cent questions
Sur Priam, sur les actions
D'Hector, tant que dura le siège.
Si dame Hélène avait du liège,
De quel fard elle se servait,
Combien de dents Hécube avait,
Si Pâris était un bel homme,
Si cette malheureuse pomme
Qui ce pauvre prince a perdu
Etait reinette ou capendu,
Si Memnon, le fils de l'Aurore,
Était de la couleur d'un Maure,
Qui fut son cruel assassin,
S'ils moururent tous du farcin
Les bons chevaux de Diomède,
Qu'elle y savait un bon remède,
Si, voyant son Patroclus mort,
Achille s'affligea bien fort,
S'il fut mis à mort par cautelle...

Ce seul exemple suffit, je pense, à illustrer les quatre premiers procédés du travestissement scarronien. Le cinquième, et, me semble-t-il, dernier, consiste en interventions commentatives du parodiste, qui se plaît visiblement à bouffonner sur l'action virgilienne, voire sur sa propre diction (il s'agit ici des grands travaux de Carthage) :

Enfin là l'on taille et l'on rogne,
Là l'on charpente, là l'on cogne,
Là je ne sais plus ce qu'on fait.
J'ai peur d'avoir fait un portrait
Assez long pour pouvoir déplaire,
Mais je ne saurais plus qu'y faire,
Et si j'allais tout effacer
Ce serait à recommencer.

La somme des amplifications et des commentaires aboutit à un gonflement très sensible du texte : de 5 760 vers de Virgile, Scarron tire 20 796 octosyllabes, ce qui, en considérant grossièrement un octosyllabe comme valant la moitié d'un hexamètre, et en intégrant le (faible) coefficient constant d'augmentation mécanique au passage du latin français, donne à peu près une relation du simple au double.

Cet allongement quantitatif (n')est peut-être, en termes d'économie textuelle, (que) le prix à payer pour un effet qui reste le point de convergence qualitative des procédés burlesques (y compris l'adoption du rythme sautillant de l'octosyllabe) : l'effet de familiarisation. Pour le public petit-bourgeois du *Virgile travesti,* si cultivé soit-il, le texte de l'*Énéide* reste un texte doublement lointain, par sa grandeur épique et par sa distance historique. Sa transposition en style « vulgaire » d'époque — la notion de « style » entraînant ici, comme ailleurs, tout un accessoire thématique — contribue, quelque ludique, et même conventionnel (j'y reviendrai), que soit le mode de cette transposition, à le rapprocher et à l'apprivoiser. La trivialisation burlesque n'est à cet égard qu'un procédé de familiarisation parmi bien d'autres, dont on peut observer le jeu à diverses époques. La traduction en argot des *Fables* de La Fontaine, par exemple, en était un des plus répandus et des mieux accueillis. Dans tous ces cas, le travestissement ne fonctionne pas seulement comme n'importe quel divertissement trans-stylistique fondé sur ce que Charles Perrault appelait la « disconvenance » entre style et sujet, mais aussi comme un exercice de traduction (on dirait, en termes scolaires mais plus précis, de *version*) : il s'agit de transcrire un texte de sa lointaine langue d'origine dans une langue plus proche, plus familière, dans tous les sens de ce mot. Le travestissement est le contraire d'une distanciation : il naturalise et assimile, au sens (métaphoriquement) juridique de ces termes, le texte parodié. Il l'*actualise.*

Mais comme toute actualisation, celle-ci ne peut être que momentanée et transitoire. Après quelques décennies, le travestissement perd son actualité, et donc son efficacité : il s'enfonce à son tour dans la distance historique, et au contraire du texte original qui se maintient et se perpétue dans sa distance même, il se périme pour s'être voulu, et pour avoir été, dans le goût et dans la manière d'un jour. Le travestissement est par nature une denrée périssable, qui ne peut survivre à son temps, et qui doit être constamment *réactualisé,* c'est-à-dire en fait remplacé par une autre actualisation plus actuelle. La vogue éphémère du burlesque au xviie siècle illustre assez bien ce destin, et il ne faut pas s'étonner de ce que la plupart de ces textes aient presque aussitôt sombré dans un oubli sans recours. Le miracle est plutôt, au contraire, que quelques lambeaux du *Virgile travesti* nous soient encore vaguement consommables — quoique sans doute pour des raisons et d'une manière qui ne s'y trouvaient pas inscrites au départ : le familier scarronien nous est devenu un exotisme comme un autre, ses allusions et plaisanteries d'époque nous échappent, sa référence virgilienne nous est rarement d'un grand secours et parfois imperceptible, sa malséance tapageuse s'est évaporée avec les bienséances qu'elle affectait de bafouer. Sa seule saveur (sa seule justification) est aujourd'hui celle, non de l'inconvenance, mais — plus impalpable et donc plus attachante — de la saugrenuité.

Puisque le travestissement est une tranposition stylistique, et donc une récriture au sens le plus étroit, l'un des points vifs est de savoir qui, du poète original ou du travestisseur, y assumera, comme sujet de l'énonciation, inscrit dans l'énoncé, le discours narratif et son éventuel commentaire. Chez Scarron et chez ses imitateurs directs du xviie siècle, le narrateur burlesque évince totalement le poète épique. Autrement dit, dans le *Virgile travesti,* et naturellement hors discours de personnage, *je* désigne exclusivement Scarron, jamais Virgile. A l'*arma virumque cano* initial se substitue donc sans aucun égard un :

> *Je, qui chantai jadis Typhon*
> *D'un style qu'on trouva bouffon,*
> *Je chante cet homme pieux*
> *Qui vint, chargé de tous ses dieux...*

qui désigne l'auteur, sans aucune ambiguïté, en renvoyant à une de ses œuvres antérieures, comme le désigne ailleurs une allusion précise à son état physique : « moi, cul-de-jatte follet ».

Virgile est donc privé de l'usage (exemplairement discret, selon la règle aristotélicienne) qu'il avait de la première personne. En revanche, il se voit fréquemment cité comme source, non certes de la narration, mais de l'information du narrateur, qui reprend ici la pratique, courante au Moyen Age, d'une narration explicitement présentée comme seconde, et adossée à l'autorité d'une narration antérieure : « ici le conte dit que... » Cervantes jouait encore de cette convention en se référant çà et là au mythique Cid Hamet Ben Engeli. Pour Scarron, qui se trouve effectivement en situation de narrateur en seconde instance, le procédé recouvre pour une fois une situation réelle : moi, Scarron, je vous raconte à mon tour et à ma manière ce que Virgile raconte, et que je lis, dans l'*Énéide.* Aussi la caution de l'*auteur,* au sens étymologique (non l'auteur du *Virgile travesti,* mais sa « source » et son garant), est-elle souvent invoquée, tantôt comme une source indiscutable (*Et ceci n'est point un mensonge,/Car moi qui vous parle, Scarron,/Je le tiens de maître Maron*), tantôt (plus souvent) non sans une pointe de feinte incrédulité : *Si Virgile est auteur à croire,/En cet endroit Virgile dit/(Puisqu'il le dit il faut le croire)*, ou même : *J'ai bien peur ici de mentir,/Mais Maron écrit que...* Sur tel point on respecte (non sans y insister) son silence : à propos de ce qui se passa (peut-être) dans la grotte entre Didon et Énée :

> *Outre que ma plume est discrète,*
> *Virgile, qui n'est pas un fat,*
> *Sur un endroit si délicat*
> *A passé vite sans décrire*
> *Chose où l'on pût trouver à dire.*
> *C'est pourquoi je n'en dirai rien,*
> *Mais je crois que tout alla bien.*

Sur tel autre, comme les « véritables » raisons du départ d'Énée, on y trouve matière à hypothèse :

> *En cet endroit, maître Maron*
> *N'a point approfondi l'affaire*
> *Tellement qu'il se peut bien faire*
> *Que maître Énéas était saoul*
> *D'avoir toujours femme à son cou*
> *Et pliait volontiers bagage.*

Il arrive même, et plus d'une fois, que Scarron se démarque ouvertement de la version virgilienne : *Ce sont larmes de crocodile-/Quoiqu'en dise messer Virgile, Maron dit qu'il en eut horreur/Mais je crois que c'est une erreur*, ou la critique en homme du métier :

> *Messire Maron le compare*
> *A la gomme jaune qui luit*
> *Sur la branche qui la produit.*
> *La comparaison est faiblette,*
> *N'en déplaise à si grand poète :*
> *Il devait, en sujet pareil,*
> *Mettre lune, étoile ou soleil.*

Mais de tels écarts ne sont explicités ici que pour le plaisant de la chose, car le plus souvent le travestissement opère sans crier gare. Et les discours attribués aux personnages, et en particulier le long récit métadiégétique tenu par Énée aux livres II et III, où par définition le poète burlesque ne peut intervenir en son nom, ne comportent pas moins de transpositions et même d'anachronismes : autour du cheval sacré, les jeunes Troyennes dansent la sarabande et la pavane, Énée compare Ajax (pour la rime) à lord Faifax ; il tient des graines de melon d'un gentilhomme de Touraine ; il parle de Corbeil ou du dauphin de France, et quand son épouse Créuse disparaît pendant la fuite de sa petite troupe, son père Anchise le convainc sans peine qu'elle peut être *restée derrière/Pour raccommoder sa jartière* (c'est l'invention la plus célèbre du *V.T.*). De son côté, Didon cite Ronsard et Junon cite Corneille.

Ce statut d'énonciation dédoublée, où le poète-auteur Virgile et le poète-énonciateur (narrateur et commentateur) Scarron qui le suit plus ou moins fidèlement restent absolument distincts, n'est pas, nous l'avons vu, totalement inédit. Mais il connote ici une situation propre au travestissement burlesque, qui, toute intention comique mise à part, se tient à mi-chemin entre celle de la pure traduction, où l'énonciation originelle est fidèlement maintenue sans intervention, si ce n'est en notes marginales, du traducteur, et celle du commentaire critique. Et Scarron, on l'a vu, s'arroge assez fréquemment les droits d'un commentateur. Mais on peut concevoir un type de travestissement plus discret — ce qui ne signifie pas nécessairement plus sobre —, où le narrateur burlesque s'effacerait totalement devant sa narration, comme déjà Aristote le recommandait au poète épique lui-même. C'est ce type qu'illustre parfaitement l'*Homère travesti* de Marivaux, qui se flattait à juste titre d'avoir davantage que son prédécesseur « évité les récits » et laissé parler ses personnages, obtenant ainsi « que l'on oubliât le poète et que l'imagination du lecteur se transportât, pour ainsi dire, dans les armées des Grecs et des Troyens, en crût les chefs et les soldats vivants, par le mouvement actuel que je me suis efforcé de leur donner[1] ». De ce fait disparaissent chez lui, tout à la fois, les traces de l'énonciation burlesque et les mentions de la source épique — d'ailleurs fort peu présente à l'esprit de Marivaux, puisqu'il compose son travesti à partir de la « traduction » de La Motte, qui en est une adaptation souvent fort libre et surtout fort abrégée.

Cette suppression du commentaire est un peu compensée par l'amplification des dialogues, où Marivaux exerce le plus volontiers sa verve bouffonne. Mais le rapport général d'augmentation est sensiblement plus faible que chez Scarron : face aux 4 308 alexandrins de La Motte, qui représentent 51 696 syllabes, Marivaux aligne 10 232 octosyllabes qui représentent 81 856 syllabes, soit un rapport de 16 à 10, là où Scarron passait à peu près de 10 à 20. Quoi qu'il en soit, en se privant du commentaire goguenard et de la digression, le travestissement abandonne chez Marivaux l'une de ses ressources

1. Préface, *Œuvres de jeunesse*, Pléiade, p. 961 *sq.*

comiques les plus efficaces. Greffé sur la correction classicisante de l'*Iliade* par La Motte, l'*Homère travesti* se veut, comme *le Lutrin* quoique par une tout autre voie, une sorte de correction classicisante du burlesque. Chez Marivaux comme chez Boileau, le résultat n'est pas des plus convaincants : la liberté d'allure et la fantaisie bouffonne souffrent ici et là de l'effort d'alignement. L'inspiration burlesque ne fait pas très bon ménage avec la discipline classique. La verve déréglée, ou plus précisément *irréglée* de Scarron était sans doute mieux accordée aux exigences d'un genre qui connut chez lui sa naissance, son acmé (juvénile), et, fort sagement, sa disparition par abandon au beau milieu de la huitième reprise.

XIII

A l'exception notable de l'*Homère travesti*[1], le burlesque, au XVIIIe et au XIXe siècle, délaisse la cible épique et va s'en prendre à d'autres œuvres sérieuses, sur la scène dramatique où nous le retrouverons plus loin, car cet investissement spécifique y prend une forme plus complexe, qui excède les limites du genre. Plus fidèles à l'esprit du travestissement me semblent les livrets écrits par Meilhac et Halévy pour deux opérettes d'Offenbach, *Orphée aux enfers* (1858) et surtout *la Belle Hélène* (1864). Cette dernière peut se décrire comme une partition nourrie de pastiches musicaux (de Gluck, Rossini, Meyerbeer, Halévy, Verdi et autres) et composée sur un livret essentiellement burlesque, ou néo-burlesque. Comme dans le *Typhon* ou le *Banquet des dieux,* l'hypotexte est ici plus diffus que dans le travestissement scarronien, puisqu'il s'agit de l'épisode de l'enlèvement d'Hélène, qu'Homère n'a pas traité, dont nous avons perdu les versions posthomériques, et que nous ne connaissons guère que par des variations tardives (Ovide,

1. Et, si l'on veut, de *la Pucelle* de Voltaire (1775-1762), qui n'est pas, comme on pourrait l'espérer, un travestissement de celle de Chapelain, mais une bouffonnerie de statut beaucoup plus complexe, qui mêle des transpositions médiévo-chrétiennes de topoï homériques (les combats de dieux deviennent duels entre saint George et saint Denis), des travestissements de l'Arioste (Jeanne monte sur un âne ailé), et des gaillardises sacrilèges qui semblent représenter, dans cette tradition, la part de l'innovation voltairienne.

Colouthos) elles-mêmes très hypertextuelles. La part du travestissement y consiste essentiellement en une modernisation par voie d'anachronismes : la cour de Sparte est une sorte de Compiègne bouffon où l'on pratique la devinette, le calembour et les bouts rimés, où l'on dîne à sept heures, où le grand prêtre de Vénus chante la tyrolienne et où Agamemnon invite les voyageurs pour Cythère à monter en voiture : familiarisation de bonne compagnie, somme toute, et fort en retrait sur les trivialités scarroniennes. Au reste, l'effort de modernisation le plus accentué porte sur le personnage d'Hélène, et il transcende largement le régime ludico-satirique du travestissement : nous le retrouverons dans un autre contexte.

C'est que ce néo-burlesque Second Empire, s'il renoue par-delà le sérieux romantique avec le culturalisme ludique de l'âge classique — certaine façon familière, et parfois cavalière, de courtiser la tradition —, prépare aussi, via Lemaitre et Giraudoux, plusieurs voies de l'hypertextualité moderne. Nous retrouverons ce fait d'histoire à propos du pastiche, et Proust ne s'y trompe pas, qui place les plaisanteries de Meilhac et Halévy à la source de l' « esprit Guermantes ». Cet esprit-là, à la fois désinvolte et lettré, est bien celui du tournant du siècle, dont nous allons trouver deux illustrations, nouveaux avatars modernes du travestissement scarronien, chez Georges Fourest et Alfred Jarry.

Le *Carnaval de chefs-d'œuvre* de Georges Fourest [1] — ce titre vaut pour un indice générique : qui dit carnaval dit défilé de travestis — est une suite de sept petits poèmes en marge de sept grandes œuvres, dont l'un, *À la Vénus de Milo,* est pour nous hors jeu. Restent six, consacrés à deux tragédies de Corneille et quatre de Racine.

Phèdre, Andromaque et *Bérénice* sont les plus fidèles à la tradition scarronienne : par la forme (octosyllabes, ici groupés en quatrains croisés), et par le procédé fondamental de vulgarisation anachronique. *Horace,* dans le même esprit, se distingue par un mètre plus bref (trois vers de six pieds, un de quatre). Contrairement au modèle, mais conformément aux capacités d'absorption du public moderne, la transposition se solde ici non par une amplification, mais par une réduction : quatre pages au plus. *Phèdre* se résume en

---

1. Repris en 1909 dans *la Négresse blonde,* elle-même réunie avec *le Géranium ovipare* en un volume du Livre de Poche, 1964.

deux scènes et un épilogue : l'héroïne expédie en quatre vers cette oraison funèbre de Thésée :

> *Sans doute, un marron sur la trogne*
> *Lui fit passer le goût du pain.*
> *Requiescat! il fut ivrogne,*
> *Coureur et poseur de lapin.*

et propose aussitôt à Hippolyte le jeu de la bête à deux dos. Le fils de l'Amazone évoque le précédent (?) de Madame Putiphar et repousse l'offre, s'attirant un quatrain du plus pur style rue Saint-Denis :

> *Eh, va donc, puceau, phénomène !*
> *Va donc, châtré, va donc, salop,*
> *Va donc, lopaille à Théramène !*
> *Eh, va donc t'amuser, Charlot !*

Sur quoi retour de Thésée et dénonciation mensongère :

> *Plus de vingt fois, sous la chemise,*
> *Le salop m'a pincé le cul*
> *Et, passant la blague permise,*
> *Volontiers vous eût fait cocu...*

D'où malédiction paternelle et dénouement connu. Dans *Andromaque*, Pyrrhus fait sa demande en frac et gants blancs, vante ses mérites et sa fortune *toute immeubles et trois pour cent,* et propose une visite au notaire. L'inconsolable l'éconduit en citant Ubu, Pyrrhus menace de s'en prendre au « môme », et pour la suite le parodiste renvoie son lecteur au texte de Racine. *Bérénice,* sur le modèle des *Héroïdes* d'Ovide, consiste pour l'essentiel en une lettre de Titus passablement cafarde, qui invoque non la raison d'État mais l'antisémitisme ambiant :

> *Hélas ! vous êtes youpine*
> *Et j'ai peur de Monsieur Drumont.*

Que Bérénice, donc, s'en retourne en sleeping-car et en lisant l'*Itinéraire de Paris à Jérusalem* (dans l'Orient-Express quel sera son ennui !), s'achète une automobile, se distraie au golf et au polo. *Horace* s'attarde sur la pléthore de frères et de belles-sœurs, et sur certaine illustre rime à l'imparfait du subjonctif.

Iphigénie et *le Cid,* deux sonnets en alexandrins, exploitent une

75

relation textuelle plus complexe : pastiches évidents des illustrations lyrico-plastiques parnassiennes :

> *Les vents sont morts : partout le calme et la torpeur*
> *Et les vaisseaux des Grecs dorment sur leur carène...*

ou :

> *Le soir tombe. Invoquant les deux saints Paul et Pierre,*
> *Chimène, en voiles noirs, s'accoude au mirador*
> *Et ses yeux dont les pleurs ont brûlé la paupière*
> *Regardent, sans rien voir, mourir le soleil d'or...*

Mais dans les deux cas, l'évocation grand style vient se briser sur une chute dissonante, bouffonne (Agamemnon égorge sa fille en braillant *Ça fera baisser le baromètre !*) ou plus subtile en sa disconvenance :

> *Dieu ! soupire à part soi la plaintive Chimène,*
> *Qu'il est joli garçon l'assassin de Papa !*

C'est là, bien sûr, le vers fameux par lequel seul Georges Fourest passe à quelque postérité. Il illustre assez bien, loin des contrastes forcés et avec une sorte de grâce assez rare en ces parages, l'esprit du travestissement : tout le « conflit » cornélien réduit à une antithèse badine, mais encore touchante.

Au plus fort de la mêlée burlesque, en 1649, l'annonce d'une *Passion de Notre Seigneur en vers burlesques* provoqua quelque émoi. Vérification faite, il s'agissait en fait d'une œuvre fort pieuse et nullement bouffonne, que son auteur anonyme ou son éditeur avait intitulée ainsi, non sans quelque arrière-pensée publicitaire, simplement parce qu'elle était écrite en octosyllabes.

Fausse alerte, donc. Mais tout ce qui est inscrit dans les structures finit par s'inscrire dans les faits (« Tout ce qui peut être, dit Buffon, est ») — on dirait peut-être, dans un autre langage, qu'il ne faut pas tenter le diable : le 11 avril 1903, Alfred Jarry publie dans *le Canard sauvage* sa fameuse « Passion considérée comme course de côte »[1], parfait exemple du travestissement sacrilège, un sous-genre qui dut être pendant des siècles un des constants véhicules de l'humour de séminaire.

---

1. *La Chandelle verte*, Livre de poche, p. 356.

Le récit tuteur, il faut le noter, est déjà lui-même pluritextuel, puisqu'il se présente concuremment en Matthieu 27, Marc 15, Luc 23 et Jean 19. A vrai dire pauvres en détails sur la montée au Golgotha, et qui s'accordent à faire porter la croix par Simon de Cyrène, Luc seul indiquant qu'il en fut chargé « après Jésus », donc en cours de route. Au fond, le texte travesti est davantage le récit apocryphe et tardif qu'illustrent les chemins de croix de nos églises.

Le principe de la transposition, clairement indiqué dans le titre, est simple et de haut rendement. Il est inspiré par une actualité très présente — les débuts héroïques du sport cycliste — et par une analogie manifeste, et sans doute déjà exploitée dans l'autre sens : le « calvaire » des coureurs dans l'Isoard ou le Ventoux est un des plus vieux poncifs de la rhétorique sportive, qui n'en manque pas.

La montée au Golgotha est donc réciproquement perçue *comme* un exploit de grimpeur, et cette analogie globale une fois posée détermine une série d'équivalences partielles. La Via Dolorosa devient une route à quatorze virages ; Barrabas libéré déclare forfait ; Pilate devient starter et chronométreur, la croix devient une bicyclette, dont les pneus crèvent presque aussitôt sur un perfide semis d'épines ; Jésus, tel Garin ou Petitbreton, devra donc la prendre sur son dos et continuer le parcours à pied, jusqu'à l'intervention de Simon, devenu entraîneur. Matthieu est rédacteur sportif, Marie est dans les tribunes, les « demi-mondaines d'Israël » agitent leurs mouchoirs et Véronique, bizarrement, oublie le sien pour jouer du Kodak. Jésus ramasse des pelles aux virages, sur du pavé gras, sur un rail de tramway : contamination sadique de la course de côte et de l' « enfer du Nord ». Il n'atteindra pas le sommet, puisque, après un « déplorable accident » dans le douzième virage, il doit continuer la course « en aviateur... mais ceci sort de notre sujet ». Cette nouvelle métaphore sportive esquisse en effet une autre transposition d'époque, qui trouve écho chez Apollinaire :

> *C'est le Christ qui monte au ciel mieux que les aviateurs*
> *Il détient le record du monde pour la hauteur* [1].

Le glissement d'un texte à l'autre montre bien comment le même travestissement peut tourner, selon le contexte et le ton, en dérision bouffonne ou en glorification à peine ambiguë. La « disconvenance » parodique est une arme bifide, une forme en attente de fonction. Le burlesque scarronien, on l'a souvent remarqué, rendait

---

1. « Zone », *Alcools*, 1912.

un hommage indirect et peut-être involontaire au texte de Virgile. Les plaisanteries de sacristie perpétuent la foi en blaguant la liturgie. On n'a pas trop de peine à imaginer, si ce n'est déjà fait, quelque jésuite audacieux récupérant la profanation jarryque [1] en exercice spirituel.

L'un des grands succès du *hit parade,* pendant l'été caniculaire de 1976, ne fut pas une chanson, mais un sketch parlé : *la Cigale et la Fourmi* de l'éphémère Pierre Péchin. C'était un authentique travestissement — à ma connaissance, le dernier en date.

Comme l'épopée avait été l'une des cibles favorites du travestissement savant (écrit), la fable est une des cibles favorites du travestissement populaire (oral), et pour deux raisons bien évidentes, qui sont sa brièveté et sa notoriété. Scarron proposait à un public cultivé une paraphrase en style familier de textes nobles présents dans toutes les mémoires, les humoristes d'aujourd'hui doivent s'en prendre à des textes classiques encore connus du grand public, comme les fables de La Fontaine ou les premières scènes du *Cid,* et leur imposer une transposition plus brutale : par exemple en argot, comme faisait, je crois, Yves Deniaud dans les années trente et quarante, ou en parler pied-noir, comme Edmond Brua, déjà cité, dans les années quarante. Aucun de ces deux procédés ne peut être intégralement rendu par un texte écrit, car l'accent y entre pour une bonne part.

Il fait presque tout chez Péchin, dont l'instrument parodique est le parler français des ouvriers maghrébins immigrés, marqué beaucoup plus par l'influence phonique de l'arabe que par des idiotismes lexicaux : *s'el vô plé.* La fable est donc d'abord traduite en français populaire (le chétif insecte devient *une petite connerie de rien du tout*), puis interprétée avec l'accent approprié : *in' p'tit' cônrie de rian di thô* (ou quelque chose d'approchant). Mais, comme toute transposition stylistique, celle-ci affecte aussi les détails thématiques : les vermisseaux et les grains bucoliques amassés par la fourmi, peu répandus dans les bidonvilles, deviennent des boîtes de

1. Ou telle autre, comme *le Livre des darons sacrés ou la Bible en argot* de Pierre Devaux (Aux quais de Paris, 1965), dont voici un aperçu : « Vous pensez que depuis plusieurs marcotins que Joseph grattait dans la taule à Putiphar, Mme Putiphar avait déjà repéré le mignonet. — Il est girond, le mominet, qu'elle s'était souvent boni à elle-même. Le poulet de grain, de temps en temps, c'est pas tarte à croquer, ça vous change un peu du lard de poitrine. Quand il voudra, le cher enfant, j'ai du mouron pour son serin. » Le même auteur aurait commis, me dit-on, une *Verte Hélène* qui pourrait bien être à Offenbach ce qu'Offenbach est à Homère.

couscous Ron-Ron ou *Canigou*, les insouciances estivales de la cigale s'aggravent en achats somptuaires de voitures Dauphine à *décahlco-manies*, et autres *Semcah mil Pigeot*. La cigale quémande *un tôt p'tit peu d'pôgnon* et se voit opposer cette fin de non-recevoir : *Fôs l'comp, t'es une pôffiasse*.

Mais la transformation la plus massive s'applique à la chute, c'est-à-dire au dénouement et à la moralité. Il faut se rappeler ici que La Fontaine lui-même, qui ne faisait, comme presque tous les fabulistes, que récrire en son registre une ou deux versions antérieures — car la fable (j'y reviendrai) est presque intégralement un genre hypertextuel, et « parodique » en son principe, puisqu'elle attribue, comme la *Batrachomyomachie*, des conduites et des discours humains à des animaux —, La Fontaine lui-même s'était permis une belle audace pour un débutant (*la Cigale et la Fourmi*, je le rappelle, est la première fable du premier recueil) : chez Ésope, la moralité s'énonçait dignement, platement, lourdement : « Cette fable montre qu'en toute affaire il faut se garder de la négligence si l'on veut éviter le chagrin et le danger. » La Fontaine supprime la moralité, ou la résorbe dans le refus dédaigneux de l'économe — ce qui signifie clairement qu'elle va de soi, et que le lecteur saura combler l'ellipse. Péchin va beaucoup plus loin, puisqu'il propose un autre dénouement et une autre morale : la cigale rabrouée, après avoir erré dans la *nahture* sans rien y trouver à *bôffer*, meurt de faim, comme on pouvait s'y attendre ; mais la fourmi, épuisée de travail et suralimentée, meurt à son tour et sur son tas de réserves, de l'inévitable *infractus*. Moralité : *Ti bôff', ti bôff' pas, ti crèves quond même*.

Cette morale n'est pas l'exact contre-pied de la tradition (le motif lui aussi canonique, depuis Œdipe, de la précaution fatale), puisque la négligence est elle aussi punie ; c'est le thème plus moderne, si l'on veut, dans son pessimisme généralisé, de l'*égale* nocivité de la prévoyance et de son contraire, de l'insouciance bohème et de l'affairement névrotique. L'antique *aequo pede pulsat*, de consolant se fait ici désolant, sur le mode convenu du nihilisme rigolard.

Et justifié ? Cette question n'est heureusement pas de notre ressort — ni d'ailleurs de celui de la fable comme genre, qui s'accommode assez bien, comme le proverbe, de « vérités » contradictoires. L'essentiel est ici et pour moi l'ingéniosité de la chute en rupture d'attente, en déception gratifiante : où la fable montre que toute fable peut illustrer toute morale et qu'en toute chose il faut considérer non la faim, mais bien la fin.

XIV

La grammaire et la rhétorique, la poétique aussi, peut-être, se partagent depuis des siècles une curieuse notion pour laquelle elles disposent à peine d'un mot, proposé très tardivement, en français, par le dernier rhétoricien classique, et qui ne témoigne pas d'une bien puissante invention terminologique. Ce n'est pas un terme technique, de dérivation grecque et d'emploi réservé, comme *métaphore* ou *syllepse*. C'est un mot très ordinaire, d'origine latine, et dont le sens courant déborde de toutes parts le champ d'usage qu'on prétend ainsi lui assigner. L'on va immédiatement mesurer l'énormité (ingénue) de sa connotation : c'est l'*imitation*.

L'*imitation,* pour Fontanier, est une figure qui « consiste à imiter le tour, la construction propre d'une autre langue, ou un tour, une construction qui n'est plus d'usage. Dans le premier cas, on l'appelle *hellénisme, latinisme, hébraïsme, anglicisme,* etc., suivant qu'elle vient du grec, du latin, de l'hébreu, de l'anglais, etc. Dans le second cas, on peut l'appeler du nom de l'auteur qui en a fourni le modèle : et c'est ainsi que nous appelons *marotisme* toute imitation affectée du style de Marot[1] ».

Comme on le voit, cette définition ne semble viser qu'un phénomène purement syntaxique. L'objet de langage imité, dans l'*imitation,* est *un tour, une construction.* Fontanier ne dit pas « un tour ou une construction », mais bien « un tour, une construction », car les deux termes sont pour lui équivalents : un tour est une construction, c'est-à-dire une façon de disposer les mots dans la phrase. Voilà en principe ce qui est imité dans la figure dite *imitation ;* et rien de plus.

L'*imitation* appartient chez Fontanier aux « figures de construction par révolution ». Les figures de construction s'opposent à d'autres sortes de figures en ce qu'elles affectent seulement « l'assemblage et l'arrangement des mots dans le discours ».

Or il y a et il n'y a que trois façons d'affecter l'ordre des mots dans une phrase, qui consistent (j'inverse à dessein l'ordre de Fontanier) soit à supprimer certains de ces mots, d'où figures de construction par « sous-entente », comme l'*ellipse* ou le *zeugma ;* soit à en ajouter d'autres, d'où figures de construction par « exubérance »,

1. *Les Figures du discours* (1821-1827), Flammarion, 1968, p. 288.

comme l'*apposition* ou le *pléonasme* ; soit à modifier l'ordre lui-même en plaçant devant ce qui devrait être derrière et réciproquement, d'où figures de construction par « révolution », savoir : l'*inversion* ou *hyperbate*, « arrangement renversé ou inverse relativement à l'ordre où les idées se succèdent dans l'analyse de la pensée » (exemple : *D'une robe à longs plis balayer le barreau*) ; l'*énallage*, qui consiste dans « l'échange d'un temps, d'un nombre ou d'une personne contre un autre temps, etc. » (exemple : « Je *meurs* déshonorée » pour, plus littéralement : « je *vais mourir* »...). On voit mal en quoi ces substitutions de temps, de nombre ou de personne affectent « la place et le rang » des mots dans la phrase ; il apparaît que *construction* est un terme trop étroit et *révolution* trop brutal pour décrire de telles figures. Mais en voici la troisième et dernière espèce, c'est notre *imitation,* qui attente à l'*ordo* d'une langue pour imiter celui d'une autre langue, ou d'un état plus ancien de la même. Exemple de *latinisme,* chez Delille, cette insertion du verbe principal entre l'antécédent et le relatif : *Et le voile est levé qui couvrait la nature* (c'est évidemment là un cas particulier de l'inversion) ; exemple d'*hébraïsme,* ces superlatifs par répétition (donc par « exubérance ») : *cantique des cantiques, siècle des siècles, vanité des vanités ;* enfin, « disons un mot du *marotisme.* Ce qui le caractérise, c'est le retranchement des articles, des pronoms et de certaines particules » (nous sommes là dans la « sous-entente ») ; « ce sont en outre ces locutions, ces formes vieillies et si naïves de notre langue » : le marotisme est évidemment un cas particulier — mais privilégié et canonique pendant toute l'ère classique, jusqu'à en occuper toute la surface — de ce que nous appelons aujourd'hui l'*archaïsme* ; il peut s'agir ici de simples archaïsmes de lexique, comme *confabuler* pour « bavarder » (chez Voltaire, où Fontanier l'identifie comme marotisme de façon tout hypothétique, sur sa mine vieillotte et familière). Ces trois sortes d'imitation ne sont pas les seules existantes, on l'a vu : à côté des latinismes et des hébraïsmes, il existe des hellénismes, des anglicismes, etc. ; à côté des marotismes, on pourrait identifier et recenser des ronsardismes, des rabelaisismes, etc. L'imitation n'est donc pas une classe de figures très homogène : elle étale sur le même plan des imitations de tours d'une langue à l'autre, d'un état de (même) langue à l'autre, d'un auteur à l'autre, et surtout et malgré les intentions proclamées de Fontanier, elle regroupe des figures qui, dans leur procédé formel, ne sont pas seulement de construction au sens strict, mais de syntaxe au sens large, de morphologie, ou même (et surtout) de vocabulaire. Et si un auteur empruntait un jour à un autre auteur, pour imiter son style, ou une langue à une autre langue, pour imiter son « génie », une figure « de style » ou « de pensée », voire un trope caractéristique, ce seraient bien là autant d'*imitations*.Exemple, l'épithète de nature ou la comparaison à longue queue, qui sont d'authentiques homérismes. Malgré l'effort de Fontanier pour la ranger à sa place dans son système des figures, quelque part entre l'inversion et l'énallage, l'imitation comprend en fait toutes les figures produites dans un état de langue ou de style à l'imitation d'un autre état de langue ou de style. Elle ne se distingue pas des autres figures, comme celles-ci se distinguent entre elles, par son procédé formel, mais simplement par sa fonction, qui est d'imiter, d'une manière ou d'une autre, une langue ou un style. Bref, l'imitation n'est pas une figure, mais la fonction mimétique accordée à n'importe quelle figure, pour peu qu'elle s'y prête. Cette propriété toute particulière appelle une attention toute particulière.

Il est remarquable que la classe dite *imitation* soit constituée ici par regroupement et fédération d'une série de faits de langue ou de style qui étaient jusque-là reconnus séparément, comme autant de figures distinctes : le latinisme, l'hébraïsme, le marotisme, etc. Il y a bien un trait commun manifeste à toutes ces figures dispersées, ou du moins aux termes qui les désignent, mais ce trait commun n'est pas tout à fait un mot, c'est une sorte de morphème baladeur et insistant : le suffixe -*isme*.

Ce suffixe, d'origine grecque, est dans toutes nos langues indo-européennes modernes d'un usage plutôt curieux. Dans l'ordre idéologique, et assorti, comme un tout unique et indivisible, d'un article défini singulier, il sert à former sur le nom de son auteur ou responsable réel ou supposé, ou de son trait caractéristique réputé dominant, le nom d'une doctrine ou d'un courant : Platon → *platonisme*, roman → *romantisme*, réforme → *réformisme*. Dans le domaine linguistique et stylistique, et assorti d'un article indéfini qui connote son caractère divisible et dénombrable, il sert à désigner toute espèce de trait caractéristique (d'une langue, d'une époque, d'un auteur, etc.), en tant que ce trait est marqué et identifié comme tel et susceptible d'être reproduit, imité, transporté et en quelque sorte exporté dans un autre idiome où il conservera immanquablement, toujours perceptible pour une oreille exercée, sa marque d'origine. Un anglicisme est bien un trait caractéristique de la langue anglaise, un marotisme du style de Marot. Mais observons bien qu'*anglicisme* ne s'applique pas exactement à toute espèce de trait caractéristique de la langue anglaise, ni *marotisme* à toute espèce de trait caractéristique du style de Marot, mais bien essentiellement à ceux de ces traits qui cherchent à s'expatrier, et que révèle leur comportement à la douane. On n'identifie à proprement parler un anglicisme qu'au contact d'une autre langue, au moment où il quitte la langue anglaise, un marotisme lorsqu'il sort de l'œuvre de Marot. En anglais, *to realize* signifie très platement « s'apercevoir », et l'adjectif peut très communément modifier un verbe. Ces traits ne deviennent justiciables de la qualification d'anglicismes que lorsqu'un Anglais croit pouvoir transposer dans une langue où ces emplois ne sont point (encore) reçus, comme le français, ou lorsque des Français commencent à en pratiquer la transposition : *réaliser* pour « s'apercevoir » ou *achetez français* sont, en français, des anglicismes. *Confabuler* n'est pas un marotisme chez Marot, où d'ailleurs il n'est peut-être pas, il le devient en passant chez Voltaire. Un barbare qui parle sa langue natale n'y commet point de barbarismes, il parle simplement mède ou phénicien ; il barbarise lorsqu'il tente de parler grec et trahit son origine par des « tours » caractéristiques du « génie » de sa langue ; un habitant de Soles solécise en permanence parce qu'il parle le dialecte grec réputé incorrect (à Athènes) de cette colonie d'Asie mineure. A fortiori commettent barbarismes et solécismes les Grecs d'origine qui massacrent leur idiome en parlant *comme* des Mèdes ou des Soléciens.

Fontanier a recouru plusieurs fois à ce suffixe -*isme* pour baptiser des figures par lesquelles on forge une sorte de *simulacre* (d'imitation) d'une autre figure, ou de tout autre fait de discours : l'*allégorisme* est une « imitation de l'allégorie » ; le *paradoxisme* (ou oxymore : *obscure clarté*) est un paradoxe purement verbal, un simple « artifice de langage » ; l'*épithétisme* (l'Aurore *au visage vermeil*) « a beaucoup de rapport avec l'épithète », puisqu'elle n'est « qu'une épithète composée » de plusieurs mots au lieu que l'épithète proprement dite tient en un seul ; on peut donc l'appeler épithétisme, terme qui « paraît assez bien convenir, puisqu'il signifie ce qu'est la figure en effet, *une imitation de l'épithète, ou une espèce d'épithète toute particulière* ». De même, l'*enthymémisme* est un semblant d'enthymème, le *dialogisme* un dialogue fictif, etc. L'un des termes employés par Fontanier à propos de l'épithétisme me semble très significatif : « une *espèce* d'épithète très particulière. » En effet, *espèce* est ici équivoque, comme le serait d'ailleurs, en même emploi, *genre*, et plus encore *sorte*. La langue française joue depuis longtemps sur ce type d'ambiguïté : tous ces mots servent à désigner tantôt des sous-classes (« la baleine est une espèce de mammifère »), tantôt des approximations ou même des apparences trompeuses : « la baleine est une espèce de gros

83

poisson ». Chacune de ces figures en -*isme* appartient un peu sans y appartenir tout à fait à la classe de figures à laquelle elle se rattache. Le suffixe -*isme* est ici l'équivalent du préfixe *pseudo-*[1] : le paradoxisme est un pseudo-paradoxe, il est et n'est pas un paradoxe, il est un paradoxe de cette espèce très particulière, pour ne pas dire très spéciale, de ces paradoxes qui ne sont pas vraiment des paradoxes. De même, le barbarisme sent le barbare sans être du barbare, l'anglicisme imite l'anglais sans être de l'anglais, le marotisme singe Marot sans être vraiment du Marot. Car l'imitation n'est pas l'emprunt : *long drink* est en anglais une locution comme une autre, en français un simple emprunt à l'anglais, et comme une citation d'une langue à l'autre ; l'anglicisme commence où l'on forge, croyant éviter le maudit franglais, le calque *longue boisson* (j'ai vu cela) pour désigner un alcool étendu d'eau gazeuse (c'est ainsi qu'une langue *s'altère ;* le quenellisme *longuedrinque* l'eût mieux enrichie, comme jadis *riding-coat* devenu *redingote*). De même, *confabuler* sera d'autant mieux un marotisme qu'il sera moins la citation d'un mot réellement employé par Marot, et davantage un vieux mot placé là pour écrire à la manière de Marot — Marot lui-même n'ayant, dans le meilleur des cas, jamais employé ce mot-là. Et Proust se félicitait d'avoir introduit dans son pastiche de Renan l'adjectif *aberrant,* alors peu usité, et qu'il trouvait « extrêmement Renan », bien que Renan lui-même ne l'eût sans doute jamais employé — ou plutôt, pour cette raison même : « Si je le trouvais dans son œuvre, cela diminuerait ma satisfaction de l'avoir inventé[2]. » Ce renanisme d'autant plus satisfaisant — et plus conforme aux normes du genre[3] — de n'être pas un simple *renanème* illustre bien, selon le mot même de Proust, la part d'*invention* qu'exige le pastiche.

C'est que, contrairement à la parodie, dont la fonction est de *détourner* la lettre d'un texte, et qui se donne donc pour contrainte compensatoire de la respecter au plus près, le pastiche, dont la

---

1. Dénotant l'imitation et l'affectation (ou l'*artifice*), le suffixe -*isme* comporte une connotation péjorative virtuelle qui ne demande qu'à s'actualiser ; ainsi le *Dictionnaire de l'Académie* (1762) oppose-t-il le néologisme à la néologie : « La néologie est un art, le néologisme est un abus. »
2. Lettre à R. Dreyfus, 23 mars 1908, *Corr. gén.* Plon, IV, p. 229.
3. Le terme de *norme* est ici un peu faible, mais je n'en trouve pas d'autre pour désigner ce que les classiques considéraient comme des conditions, non d'existence, mais de « perfection » (ainsi de certains critères aristotéliciens du tragique). Le tout-venant du pastiche, ou plutôt de la charge vulgaire, se contente d'emprunter des idiotismes de fait. Le pastiche de haut niveau (chez Proust, par exemple) vise un idiotisme transcendant.

fonction est d'*imiter* la lettre, met son point d'honneur à lui devoir littéralement le moins possible. La citation brute, ou emprunt, n'y a point sa place.

Exception subtilement confirmatrice : un bref énoncé peut passer littéralement du texte-modèle à son pastiche, à condition d'être déjà, dans son texte d'origine, passé à l'état itératif de stéréotype, ou, comme on dit couramment et non sans raison, de *tic* stylistique. Je lis une fois dans Balzac, par exemple, ceci : « Lady Stanhope, ce bas-bleu du désert [1]. » Je ne me donnerai pas la facilité de reproduire dans un pastiche, tel quel, cet hapax, cette performance balzacienne unique, ce simple *balzaquème :* un pastiche n'est pas un centon, il doit procéder d'un effort d'imitation, c'est-à-dire de recréation. Mais voici, j'observe que ce tour appartient chez Balzac à une classe d'énoncés du même type, disons au hasard « Bianchon, l'Ambroise Paré du XIXᵉ siècle » ou « César Birotteau, ce Napoléon de la parfumerie ». Du rapprochement de ces occurrences analogues, je tire un modèle de compétence, la formule *x, cet y de z,* qui est, elle, le *balzacisme* proprement dit, la classe de locutions idiomatiques dont les performances se dispersent et se diversifient dans le texte balzacien ; puis, sur ce modèle itératif, je forme une nouvelle performance singulière, que je peux légitimement considérer comme (et placer dans) un pastiche de Balzac : « M. de Talleyrand, ce Roger Bacon de la nature sociale » (Proust). Mais, d'autre part, Balzac écrit à tout bout de champ (entre autres locutions de la même classe et semblablement destinées à introduire un retour en arrière explicatif) : « voici pourquoi ». La répétition d'origine suffit à constituer cette locution singulière en un stéréotype itératif, ouvert tel quel à l'imitation. Par sa multiplicité d'occurrences, *voici pourquoi* n'est plus un simple balzaquème, mais déjà un balzacisme : une *formule* récurrente, un type d'énoncés balzaciens dont la seule particularité, négligeable, tient à ce qu'il constitue une classe (une sous-classe) dont tous les individus sont identiques. Il en va évidemment — éminemment — de même des locutions récurrentes qui font qualifier le style épique de style « formulaire ». Chacune des formules homériques — *Aurore aux doigts de rose, Achille aux pieds légers* — forme déjà une classe à occurrences multiples, dont l'emploi chez un autre auteur, épique ou non, n'est plus une citation d'Homère ou un emprunt à Homère, mais un véritable *homérisme* — la définition du style formulaire étant précisément que presque tous ses idiotismes sont itératifs. Je

---

1. Cité par Proust, *Contre Sainte-Beuve,* Pléiade, p. 270.

puis donc placer tel quel *Achille aux pieds légers* dans un pastiche d'Homère, et *voici pourquoi* dans un pastiche de Balzac (Proust ne le fait pas, mais il en emploie une variante qui pourrait bien être un balzaquème littéral et lui aussi récurrent : « Pour comprendre le drame qui va suivre, et auquel la scène que nous venons de raconter peut servir d'introduction, quelques mots d'explication sont nécessaires »).

« Ce que je dis trois fois est vrai », prétend un personnage de la *Chasse au snark*. Ce que j'ai dit une fois m'appartient, et ne peut me quitter que par une cession, volontaire ou non, dont la reconnaissance légale est une paire de guillemets. Ce que j'ai dit deux fois, ou plus, cesse de m'appartenir pour me caractériser, et peut me quitter par simple transfert d'imitation : en me répétant, je m'imite déjà, et l'on peut sur ce point m'imiter en me répétant. Ce que je dis deux fois n'est plus ma vérité, mais une vérité sur moi, qui appartient à tout le monde. De même en peinture, où il va de soi qu'une copie, si parfaite soit-elle, n'est pas un pastiche : si un peintre, comme il arrive, a lui-même fait plusieurs fois le même tableau, rien ne distingue plus un pastiche de la simple copie de l'une de ces versions répétitives, ou *répliques*.

C'est le paradoxe de l'idiolecte : l'usage de fait y éteint la possession de droit ; et menace même la possibilité d'usages ultérieurs, car, on le sait, un trait imité devient aussitôt marqué d'avance, vaguement (ou trop précisément) ridicule, allusif à sa propre caricature. A la limite, le pastiche n'est pas seulement, comme le dit Proust, cathartique pour le pasticheur ; il est stérilisant pour le pastiché, condamné à remâcher sans cesse des stéréotypes dénudés, ou à les abandonner d'un coup, c'est-à-dire à devenir un autre. Cette limite, heureusement ou non, n'est jamais atteinte, et de plus j'imagine qu'une sorte de censure protectrice — je ne dis pas salutaire — empêche le modèle de jamais se reconnaître tout à fait dans l'image qu'on lui tend.

L'*imitation* est donc aux figures (à la rhétorique) ce que le pastiche est aux genres (à la poétique). L'*imitation,* au sens rhétorique, est la figure élémentaire du pastiche, le pastiche, et plus généralement l'imitation comme pratique générique, est un tissu d'*imitations.*

Mais *imitation* (le terme) pèche, et vaut, par son manque de technicité et (c'est la même chose) par sa transparence fallacieuse. On rêverait, pour coiffer cette famille de mots en -*isme,* d'un terme plus spécialisé, qui connoterait davantage sa « science », et dont la désinence ferait écho et rime à toutes les autres. Ce terme existe, rendu fâcheusement indisponible par l'usage, qui l'a réservé à une tout autre fin : c'est *mimologisme*. Il désigne, on le sait peut-être, toute espèce de mot, groupe de mots, phrase ou discours formé, par quelque procédé, à l'imitation, non d'un autre idiome, mais de l'objet dont il parle. Il est bien tard pour le reprendre. Curieusement, la langue nous en propose un autre, qui désigne très couramment quelque chose comme l'envers de l'imitation, qui est aussi l'objet de l'imitation : c'est l'*idiotisme*. Un idiotisme est une locution propre à un idiome, c'est-à-dire une langue, ou un état de langue, qui peut évidemment être un style individuel : un idiolecte (*idios* signifie précisément « individuel » ou « particulier »). « Il y a aussi, disait le Neveu, des idiotismes de métier. » Il y a aussi, dirons-nous plus platement, des idiotismes d'auteur, voire d'œuvre singulière, puisque le style d'un même auteur peut varier très sensiblement d'une œuvre à l'autre. Mais tout idiolecte, en tant que tel, est une collection d'idiotismes. Et tout idiotisme est et n'est rien d'autre qu'un trait de langage offert à l'imitation et, si j'ose dire, en instance d'imitation. Il n'y a pas d'anglicismes en anglais, mais tout anglicisme en français (ou dans toute autre langue) répond à un idiotisme de l'anglais. Quand je pastiche un auteur, j'abandonne autant que je le puis mes idiotismes pour imiter ceux de mon modèle, qui ne sont tels que de ce que je puis les imiter, mais cessent de l'être sitôt imités, pour devenir autant de... quoi ? — de marotismes si je marotise, de flaubertismes si je flaubertise, de proustismes si je proustifie. Manque toujours le suprême, le terme général qui, dans le miroir du langage, présenterait à l'idiotisme son reflet inversé. *Xénisme,* ou *xénotisme* (de *xenos,* « étranger »), est un peu trop marqué du côté des relations entre langues ; il pourrait servir à désigner tous les calques translinguistiques (anglicismes, gallicismes, etc.), mais ne convient pas pour les autres types d'imitation ; *exotisme* le remplacerait d'ailleurs avantageusement, je m'en avise à l'instant ; *archaïsme* regroupe déjà, bien sûr, tous les clins d'œil au passé du même idiome. Mais pour le reste, et pour l'ensemble ?

Oserai-je proposer *mimétisme,* qui, comme *mimologisme,* et plus économiquement, dit assez bien ce qu'il veut dire ? Encore le radical fait-il ici piteusement pléonasme avec le suffixe. Le plus algébrique, mais le moins praticable, serait peut-être de lexicaliser le suffixe lui-même, trait commun à toutes ses applications spécifiques : tous ces calques translinguistiques, tous ces idiotismes transplantés seraient simplement, et tout court, des *ismes.* Mais c'est peut-être trop (c'est-à-dire trop peu : *less is more*) demander. Il faudra nous contenter de *mimétisme.* J'appellerai donc ainsi, en amont de la distinction de

87

régime entre pastiche, charge et forgerie, tout trait ponctuel d'imitation ; et (pendant que j'y suis) *mimotexte* tout texte imitatif, ou agencement de mimétismes.

XV

J'ai décrit le travestissement comme un exercice de version ; le pastiche, et plus généralement le mimotexte, serait inversement un exercice de *thème :* il consisterait idéalement à prendre un texte écrit en style familier pour le traduire dans un style « étranger », c'est-à-dire plus lointain. J'entends « idéalement » pour la symétrie des genres, et rien n'empêche qu'il en aille effectivement ainsi, c'est-à-dire que l'imitateur dispose effectivement d'un texte d'abord rédigé, par lui ou par un autre, dans un style à lui familier, qu'il traduirait ensuite dans un style autre. En fait, tel n'est pas généralement le cas : le pasticheur dispose le plus souvent d'un simple scénario, autrement dit d'un « sujet », inventé ou fourni, qu'il rédige directement dans le style de son modèle, l'étape du texte original étant idéalement facultative et empiriquement supprimée, comme chez les bons latinistes d'autrefois qui, vite passé le stade du thème, écrivaient directement des poèmes latins. Mais il faut aller un peu plus loin : l'étape même du sujet inventé ou fourni n'est pas indispensable, car un bon imitateur est capable de pratiquer le style de son modèle sans même se donner au préalable le moindre thème à traiter : comme le dit Proust à propos de ses propres pastiches, en lisant un auteur on distingue bien vite « sous les paroles l'air de la chanson », et « quand on tient l'air, les paroles (d'autres paroles, s'entend) viennent bien vite[1] » : l'air engendre les paroles comme Valéry prétendait que le rythme du décasyllabe avait engendré en lui les vers du *Cimetière marin.*
Cette dissymétrie illustre assez bien la différence de structure entre transformation et imitation : le parodiste ou le travestisseur se saisit d'un texte et le transforme selon telle contrainte formelle ou telle intention sémantique, ou le transpose uniformément et comme mécaniquement dans un autre style. Le pasticheur se saisit d'un

1. *Contre Sainte-Beuve,* Pléiade, p. 303.

style — et c'est là un objet un peu moins facile, ou immédiat, à saisir —, et ce style lui dicte son texte. Autrement dit, le parodiste ou travestisseur a essentiellement affaire à un texte, et accessoirement à un style ; inversement l'imitateur a essentiellement affaire à un style, et accessoirement à un texte : sa cible est un style, et les motifs thématiques qu'il comporte (le concept de style doit être pris ici dans son sens le plus large : c'est une *manière*, sur le plan thématique comme sur le plan formel) ; le texte qu'il élabore ou improvise sur ce patron n'est pour lui qu'un moyen d'actualisation — et éventuellement de dérision. L'essence du mimotexte, son trait spécifique nécessaire et suffisant, est l'imitation d'un style : il y a pastiche (ou charge, ou forgerie) quand un texte manifeste, en l'effectuant, l'imitation d'un style.

Ainsi, et pour reprendre un exemple canonique, l'auteur d'un poème héroï-comique comme *le Lutrin* n'imite aucune épopée en particulier comme le *Chapelain décoiffé* parodie quelques scènes du *Cid* en particulier, mais bien le style épique classique en général. *Le Lutrin* imite l'épopée en ce sens que Boileau, ayant identifié dans le corpus épique (disons Homère plus Virgile, sans oublier que Virgile imitait déjà Homère) un certain nombre de traits stylistiques et de motifs thématiques récurrents (par exemple, combats singuliers, mêlées, interventions divines, échanges d'invectives, invocations à la Muse, descriptions d'armes, comparaisons développées, épithètes de nature), a constitué au moyen de tous ces épiquèmes une sorte de type idéal sur lequel il s'efforce de modeler la propre écriture de son poème, mais en inventant autant que possible ses propres épicismes : d'autres épithètes, d'autres comparaisons, invocations, invectives, interventions, mêlées et combats chargés de ressembler le plus possible à ceux du texte épique. Bref, il s'efforce de *faire ressemblant,* dans toute la mesure où la différence de sujet — et la différence de langue — le lui permet, et sans trop se faciliter la tâche par des emprunts littéraux. Le pastiche, ici, n'imite pas un texte, mais un style.

Mais il faut aller encore un peu plus loin : le pastiche en général n'imite pas un texte pour une raison simple que j'exprimerai d'abord sous une forme volontairement provocante en disant qu'*il est impossible d'imiter un texte,* ou, ce qui revient au même, qu'*on ne peut imiter qu'un style, c'est-à-dire un genre.* Car imiter, en littérature comme ailleurs, suppose toujours, comme je l'avais annoncé au premier chapitre et comme nous venons de l'entrevoir à propos du *Lutrin,* la constitution préalable (consciente et volontaire ou non : les imitations juvéniles sont le plus souvent des contagions subies) d'un modèle de compétence dont chaque acte d'imitation sera une performance singulière, le propre de la compétence étant, ici comme ailleurs, de pouvoir engendrer un nombre illimité de performances correctes : « J'avais réglé mon métronome intérieur à son rythme, dit Proust à propos de son pastiche de Renan, et j'aurais pu écrire dix volumes comme cela [1]. » Entre le corpus imité (j'emploie à dessein ce mot pédant mais neutre, qui ne choisit pas entre la singularité de *texte* et la multiplicité de *genre*), quels que soient son ampleur et son principe de constitution (de sélection), et le texte imitatif, s'interpose inévitablement cette *matrice d'imitation* qu'est le modèle de compétence ou, si l'on préfère, l'idiolecte du corpus imité, destiné à devenir également celui du mimotexte. Le corpus imité peut être un genre au sens habituel du terme, comme c'est le cas dans l'héroï-comique ; il peut être la production d'une époque ou d'une école : style XVIIIe siècle, style baroque, style symboliste ; il peut être l'œuvre entier d'un auteur individuel, comme lorsque Proust produit, sans plus de spécification, un pastiche de Michelet ou de Saint-Simon ; il peut être un texte singulier, chez les auteurs dont la manière change selon les œuvres, que ce soit pour des raisons génériques (la notion de « pastiche de Virgile », par exemple, ne signifierait pas grand-chose, ou rien de très précis, le style de l'*Énéide* n'étant pas celui des *Bucoliques,* ni celui des *Géorgiques,* comme le savaient bien les grammairiens du Moyen Age) ou pour des raisons d'évolution personnelle : le style d'*Hérodias* n'est pas celui de *l'Éducation sentimentale,* qui n'est pas celui de *Madame Bovary.* Mais cette observation ne contredit nullement le principe assené plus haut, qu'on ne peut imiter qu'un genre. Car imiter précisément, dans son éventuelle singularité, un texte singulier, c'est d'abord constituer l'idiolecte de ce texte, c'est-à-dire identifier ses traits stylistiques et thématiques propres, et les *généraliser,* c'est-à-dire les constituer en matrice d'imitation, ou réseau de mimétismes, pouvant servir indéfiniment. Si individuel et singulier qu'en soit le corpus d'extraction, un idiolecte, par définition, n'est pas une parole, un discours, un message, mais bien une langue, c'est-à-dire un *code* où les particularités du message ont été rendues aptes à la généralisation. Je puis donc présenter maintenant mon principe sous une forme peut-être plus acceptable — et plus exacte : il est impossible d'imiter *directement* un texte, on ne peut

1. Lettre à Robert Dreyfus, 18 mars 1908 ; autre témoignage proustien sur cette productivité indéfinie, ici transférée au lecteur : « Il importe peu qu'un pastiche soit prolongé s'il contient des traits généraux qui, en permettant au lecteur de multiplier à l'infini les ressemblances, dispensent de les additionner » (Lettre à J. Lemaitre, *Corr. gén.,* Plon, III, p. 101).

l'imiter qu'indirectement, en pratiquant son style dans un autre texte.

Cette situation, remarquons-le en passant, est particulière à la littérature et à la musique ; car, dans les arts plastiques, l'imitation directe existe bel et bien : c'est la *copie,* telle qu'on la pratique couramment dans les académies et dans les musées. Imiter directement, c'est-à-dire copier un tableau ou une sculpture, c'est tenter de le reproduire le plus fidèlement possible par ses propres moyens, et c'est un exercice dont la difficulté et la valeur technique sont évidentes. Imiter directement, c'est-à-dire copier (recopier) un poème ou un morceau de musique, c'est une tâche purement mécanique, à la portée de quiconque sait écrire ou placer des notes sur une partition, et sans aucune signification littéraire ou musicale. Cette différence de valeur dénote une différence de statut entre ces deux types d'art, ou, si l'on préfère, une spécificité de statut propre à ce type d'œuvres (littéraires ou musicales) qui sont des textes, bref une spécificité du texte que seule pourrait décrire une phénoménologie esthétique, c'est-à-dire, je pense, une analyse comparative des types d'idéalité propres aux différents arts. Qu'il nous suffise ici de noter cette différence, pour en conclure que l'imitation directe, en littérature et en musique, et contrairement à ce qui se passe dans les arts plastiques, ne constitue nullement une performance significative. Ici, reproduire n'est rien, et imiter suppose une opération plus complexe, au terme de laquelle l'imitation n'est plus une simple reproduction, mais bien une production nouvelle : celle d'un autre texte dans le même style, d'un autre message dans le même code. Les arts plastiques eux aussi connaissent ce niveau d'imitation, qu'ils ont appelé eux aussi, et les premiers, le pastiche — et bien entendu il est artistiquement (sinon techniquement) plus difficile et plus démonstratif de produire un faux Vermeer qu'une parfaite copie de la *Vue de Delft.* Ce sont la littérature et la musique qui ignorent, pour des raisons d'idéalité spécifique, le degré inférieur de l'imitation directe, qui chez elles ne signifie rien.

Il est donc impossible, *parce que trop facile et donc insignifiant,* d'imiter directement un texte. On ne peut l'imiter qu'indirectement, en pratiquant après lui son idiolecte dans un autre texte, idiolecte qu'on ne peut lui-même dégager qu'en traitant le texte comme un modèle, c'est-à-dire comme un genre. Voilà pourquoi il n'y a de pastiche que de genre, et pourquoi imiter une œuvre singulière, un auteur particulier, une école, une époque, un genre, sont des opérations structuralement identiques — et pourquoi la parodie et le travestissement, qui ne passent en aucun cas par ce relais, ne peuvent en aucun cas être définis comme des imitations, mais bien

91

comme des transformations, ponctuelles ou systématiques, imposées à des textes. Une parodie ou un travestissement s'en prennent
toujours à un (ou plusieurs) texte(s) singulier(s), jamais à un genre.
La notion si répandue de « parodie de genre » est une pure
chimère, sauf à y entendre, explicitement ou implicitement, *parodie*
au sens d'imitation satirique. On ne peut parodier que des textes
singuliers ; on ne peut imiter qu'un genre (un corpus traité, si mince
soit-il, comme un genre) — tout simplement, et comme chacun le
savait d'avance, parce qu'*imiter, c'est généraliser.*

XVI

J'ai confondu jusqu'ici, sous le terme général de *mimotexte* et sans
trop de précautions (ou peut-être, au contraire, sans prendre trop de
risques), les divers régimes de l'imitation stylistique, qu'il n'y avait
pas lieu de distinguer dans ces considérations très générales. Il faut
maintenant y venir, mais il faut aussi reconnaître que cette
distinction n'est pas très facile, ou plus précisément qu'elle est facile
au niveau des principes et des fonctions, mais très malaisée au
niveau des accomplissements textuels. Autrement dit : la distinction
théorique entre pastiche, charge et forgerie est claire, mais le régime
spécifique de telle performance mimétique reste souvent indéterminé, sauf détermination externe par le contexte, ou le paratexte.
    (Re)commençons par ce qui est clair — et qui, à vrai dire, va de
soi : le pastiche est l'imitation en régime ludique, dont la fonction
dominante est le pur divertissement ; la charge est l'imitation en
régime satirique, dont la fonction dominante est la dérision ; la
forgerie est l'imitation en régime sérieux, dont la fonction dominante est la poursuite ou l'extension d'un accomplissement littéraire
préexistant.
    Différemment peut-être de ce qu'il advient dans l'ordre des
transformations, cette distinction soulève une objection fort légitime, au moins à première vue : c'est que toute imitation est
inévitablement satirique (fait rire aux dépens de son modèle) pour
des raisons qui nous renvoient tout droit à la définition bergsonienne du rire ; il n'y aurait donc qu'un régime possible pour
l'imitation : le régime satirique. À cette objection théorique, on
peut faire une réponse théorique et une réponse pratique. La

première est que, même si l'imitation, en tant que (ce qu'elle est de toute évidence) « mécanisation du vivant », avait un effet comique inévitable, rien n'assurerait encore que cet effet comique fût inévitablement dirigé contre le modèle de cette imitation : la victime pourrait aussi bien, a priori (et même un peu mieux, selon la logique bergsonienne), être l'imitateur lui-même en tant qu'il se conduirait d'une manière mécanique, ou prescrite par celle de son modèle. Mais peut-être n'y a-t-il pas ici de victime nécessaire : l'imitation ferait rire en soi, comme un calembour, c'est-à-dire aux dépens de personne ; et il dépendrait d'autre chose que cet effet comique s'exerçât aux dépens du modèle. Ce qui laisserait au moins à l'imitation le choix entre deux régimes, le ludique (ou comique pur, ou gratuit) et le satirique (ou comique tendancieux).

La seconde réponse, purement pratique, rétablit ipso facto le troisième régime : c'est tout simplement le fait qu'une imitation non identifiée — ce qui arrive tous les jours — peut fort bien ne pas faire rire. Cette hypothèse recouvre en fait deux types de situation : le premier est celui où le modèle d'un pastiche ou d'une charge, laissé anonyme, pour une raison ou une autre, par l'imitateur, n'est pas identifié par le lecteur ; j'écris un pastiche de Marivaux, je vous le communique sans vous aviser du fait, et, faute de culture (de compétence) suffisante, vous n'y reconnaissez personne : à moins que mon pastiche ne soit *en lui-même* comique ou ridicule (cette réserve est importante), vous n'avez aucune raison d'en rire ; et nul homme sage, dit-on, ne rit sans raison. Cette situation est en réalité fort rare (mais nous en rencontrerons au moins un exemple), parce que le plus souvent les pasticheurs, légitimement soucieux de produire leur effet, la préviennent en avertissant leur public. C'est le *contrat de pastiche,* que nous retrouverons, et dont la rédaction est toujours une variante de cette formule expresse : *ceci est un texte où X imite Y.* Du coup, le lecteur averti, qui en vaut au moins deux, ne manquera pas de trouver l'imitation ressemblante, et donc amusante — c'est du moins le pari de l'imitateur. Le second cas de non-identification, c'est celui où le texte imitatif *lui-même* n'est pas identifié *comme tel* — et passe donc pour un texte authentique, de son auteur véritable ou de son modèle. Par exemple, un lecteur d'*Angelo* n'y reconnaîtrait aucun *beylisme* (mimétisme stendhalien), et y lirait, sans nuance, une œuvre de Giono comme une autre. Ou encore, un éminent rimbaldiste lirait (hypothèse fantastique) *la Chasse spirituelle* comme un inédit authentique de Rimbaud enfin retrouvé. Cette seconde variante de la seconde situation est celle, bien connue, dite du *faux littéraire* ou de l'apocryphe : ici, on le sait, l'imitateur est seul à rire, avec ses amis et complices s'il en a, aux dépens de tout le monde et particulièrement des prétendus experts. Elle prouve au moins qu'une imitation, bonne ou mauvaise, peut fort bien n'entraîner dans le public aucun effet comique d'aucune sorte. Et si son auteur rit (sous cape) de l'incompétence de ses lecteurs et de la réussite de sa supercherie, il n'en a pas moins produit, comme objet de consommation, une imitation sérieuse, fonctionnant en l'occurrence comme un « inédit » de Rimbaud, c'est-à-dire un item de plus dans le corpus rimbaldien. Preuve, s'il en faut une, que l'imitation sérieuse n'est pas une hypothèse purement théorique, et donc que l'imitation fonctionne bien dans les trois régimes ludique, satirique et sérieux.

Démonstration facile, mais qui ne porte pour l'instant que sur des *situations,* c'est-à-dire des réseaux de production et de réception englobant ensemble le modèle, l'imitateur, le texte mimétique et le (ou les) lecteur(s), où des indices pragmatiques peuvent induire extérieurement au mimotexte lui-même, et d'une manière éventuellement trompeuse (c'est le cas de l'apocryphe), des *effets de régime* que ce texte lui-même ne suffirait pas à produire, et qui ne correspondent pas à des traits hypertextuels caractéristiques et identifiables. C'est ici que la démonstration devient un peu plus délicate.

L'*état* mimétique le plus simple, ou le plus pur, ou le plus *neutre,* est sans doute celui de la forgerie. On peut le définir comme celui d'un texte aussi ressemblant que possible à ceux du corpus imité, sans rien qui attire, d'une manière ou d'une autre, l'attention sur l'opération mimétique elle-même ou sur le texte mimétique, dont la ressemblance doit être aussi transparente que possible, sans aucunement se signaler elle-même comme ressemblance, c'est-à-dire comme imitation. La situation pragmatique exemplaire est évidemment ici celle de l'apocryphe sérieux (dont, nous le verrons, l'affaire de *la Chasse spirituelle* n'offre pas, en fait, l'exemple le plus pur), c'est-à-dire d'un mimotexte dont la contrainte serait de devoir passer pour authentique aux yeux d'un lecteur d'une compétence absolue et infaillible. Cette contrainte entraîne évidemment des règles négatives, telles que l'absence d'anachronismes, et une règle positive que l'on peut grossièrement formuler ainsi : contenir les mêmes traits stylistiques que l'original (mais à nouveaux frais de performances et en principe sans emprunts littéraux), ni plus ni moins, et dans la même proportion. Je ne pense pas qu'aucune forgerie satisfasse à cette règle, mais aucune, sans doute, ne cherche délibérément à l'enfreindre.

Par rapport à cet état d'imitation transparente et insoupçonnable, qui est l'état idéal de la forgerie, l'état idéal commun au pastiche et à la charge peut être défini comme un état d'imitation *perceptible comme telle.* La condition essentielle de cette perceptibilité mimétique me semble être ce que la description triviale baptise, d'une manière elle-même peut-être excessive, l'*exagération.* Chacun sait intuitivement qu'une imitation comique « exagère » toujours les traits caractéristiques de son modèle : c'est ce procédé que les Formalistes russes baptisaient, d'un terme plus technique mais encore sommaire, et d'ailleurs équivoque, la *stylisation*[1]. Le terme le plus juste et le plus précis serait peut-être celui de *saturation :* soit un trait stylistique ou thématique caractéristique d'un auteur, comme l'épithète de nature chez Homère ; la fréquence moyenne calculable de ce trait pourrait être (j'avance un chiffre arbitraire) d'une occurrence par page ; la saturation caractéristique de l'exagération pastichielle ou caricaturale consisterait à en placer quelque chose comme deux, cinq ou dix fois plus. Proust évoque et illustre assez bien (quoique à propos d'une situation plus complexe) cet état de saturation dans une page consacrée à ses lectures enfantines du *Capitaine Fracasse.* Il s'agit de cette phrase, d'abord attribuée littéralement à Théophile Gautier : « Le rire n'est point cruel de sa nature ; il distingue l'homme de la bête, et il est, ainsi qu'il appert en l'Odyssée d'Homérus, poète grégeois, l'apanage des dieux immortels et bienheureux qui rient olympiennement tout leur saoul durant les loisirs de l'éternité. » Proust corrige aussitôt en note : « En réalité, cette phrase ne se trouve pas, au moins sous cette forme, dans *le Capitaine Fracasse.* Au lieu de " ainsi qu'il appert en l'Odyssée d'Homérus, poète grégeois ", il y a simplement " suivant Homérus ". Mais comme les expressions " il appert d'Homérus ", " il appert de l'Odyssée ", qui se trouvent ailleurs dans le même ouvrage, me donnaient un plaisir de même qualité, je me suis permis, pour que l'exemple fût plus frappant pour le lecteur, de fondre toutes ces beautés en une[2]. » Pour aller vite, disons que le trait ici repéré est l'archaïsme. Proust, dans cette pseudo-citation, sature une phrase d'archaïsmes beaucoup plus dispersés (beaucoup moins fréquents) dans le texte de Gautier, et c'est ce qui fait de cette pseudo-citation un pastiche ou une charge.

Je n'ai pas encore distingué l'un de l'autre ces deux états, que j'ai seulement opposés ensemble à celui de la forgerie. Cette distinction n'est peut-être pas possible : il se pourrait que le même mimotexte produisît, selon les situations et les contextes pragmatiques, tantôt

1. Cf. Y. Tynianov, « Destruction, parodie » (1919), *Change* 2, 1969, et M. Bakhtine, *La Poétique de Dostoïevski* (1929), Seuil, 1970, p. 169-180.
2. *Contre Sainte-Beuve,* Pléiade, p. 175.

un effet purement comique de pastiche, tantôt un effet satirique de charge. Mais peut-être aussi la charge se caractériserait-elle (parfois : dans les cas les plus nets) par un degré de plus dans l'exagération, qui serait une sorte de passage à l'absurde. Par exemple lorsque, sur le modèle balzacien déjà rencontré (*X, cet Y de Z*) Proust construit cette performance volontairement extravagante : « La maîtresse de maison, cette carmélite de la réussite mondaine ».

Mais j'entends qu'on m'objecte que ce n'est là, après tout, qu'un oxymore comme un autre, et qu'en fait d'extravagances ou d'énormités la réalité balzacienne dépasse souvent n'importe quelle fiction. Ainsi, à la première page de *la Muse du département* : « la Vistule, cette Loire du Nord ».

La distinction proprement textuelle entre pastiche et charge reste donc très aléatoire, ou subjective. Aussi les « pasticheurs » vulgaires (qui pratiquent tous, en fait, la charge) truffent-ils volontiers leurs imitations d'effets comiques et satiriques supplémentaires : calembours (Reboux et Muller, *A la manière de Racine :* « Et vingt fois dans son sein son fer a repassé »), anachronismes, allusions malignes à la personne et à l'œuvre de l'auteur-modèle, jeu parodique sur les noms de personnages, etc. : autant d'éléments inessentiels au propos caricatural, mais qui fonctionnent comme indices ou signaux fonctionnels. Mais surtout, la pratique caricaturale s'accompagne presque constamment, par voie paratextuelle (préfaces, notes, interviews, etc.), d'un commentaire chargé de mettre les points sur les i. Le pastiche non satirique, de son côté, en fait autant dans l'autre sens, ou pour le moins s'abstient de toute appréciation marginale négative. Ainsi l'opposition entre ces deux pratiques est-elle essentiellement d'ordre pragmatique (affaire de situation plus que de performance), métatextuelle et idéologique. Ce sont ces deux idéologies, ou théories indigènes, que nous allons suivre à la trace en commençant par celle de la charge, qui me paraît la plus ancienne, ou la plus traditionnelle — et qui reste aujourd'hui la plus répandue.

XVII

A l'époque classique, l'imitation, ludique ou satirique, ne porte pas de nom générique. Le terme de *pastiche* apparaît en France à la fin du xviiie siècle dans le vocabulaire de la peinture. C'est un calque de l'italien *pasticcio*, littéralement « pâté », qui désigne d'abord un mélange d'imitations diverses, puis une imitation singulière. En 1767, Diderot, qui l'a pourtant pratiqué lui-même, parle de son équivalent littéraire d'une manière hypothétique, comme d'un genre possible [1]. Marmontel [2] signale cette acception nouvelle et cite en exemple une page de La Bruyère à la manière de Montaigne, que nous retrouverons. Le *Larousse du XIXᵉ siècle* reprend à Marmontel l'exemple de La Bruyère ; conformément à la vulgate déjà établie, il distingue un pastiche sérieux et un pastiche satirique ou démonstratif, lequel, lorsqu'il pousse trop loin la charge, mérite plutôt le nom de *parodie*.

Satirique ou non, l'imitation d'un style suppose la conscience de ce style, et l'on sait qu'à l'âge classique les traits stylistiques ou thématiques de genre sont mieux perçus que les traits individuels, qui ne sont balisés nulle part dans le canon poétique. L'imitation des styles de genre est sans doute aussi ancienne que les genres eux-mêmes, et nous avons vu que le poème héroï-comique, production typique du classicisme, consiste en une imitation satirique du « style épique » — quoi qu'il faille entendre par là.

Dans la conscience poétique du classicisme, tout trait stylistique individuel est, pour ainsi dire aussitôt que perçu, interprété ou converti, et par là résorbé, en caractéristique générique intemporelle. Le marotisme est bien une caractéristique du style de Marot, mais on dirait plus volontiers en termes classiques que Marot est simplement l'inventeur du marotisme, qui depuis lors est à la disposition de tous dans le répertoire des figures, comme la métaphore ou l'hypallage. Lorsque Boileau produit de sa tête de Turc préférée l'imitation que l'on sait, c'est en tant que Chapelain incarne par excellence un trait général, qui se trouve être un « défaut » et qui se nomme *cacophonie*. La charge est donc ici à la fois satirique et réductrice ; elle l'est encore dans la célèbre lettre au duc de Vivonne [3] où Boileau imite successivement les manières de Guez de Balzac et de Voiture. Balzac y illustre un trait (négatif) qui est l'hyperbole grandiloquente, et Voiture le trait contraire qui est la litote astéisante. Le premier (commente Boileau), « qui ne saurait dire simplement les choses, ni descendre de sa hauteur », « pour vouloir trop dire, n'a rien dit du tout » (c'est déjà le principe de Talleyrand : « tout ce qui est exagéré est insignifiant ») ; le second, « en faisant semblant de ne rien dire, dit tout ce qu'il faut dire »

---

1. *Salon de 1767.*
2. Article *Pastiche*, in *Éléments de littérature*, 1787.
3. 3 juin 1675, *Œuvres*, Pléiade, p. 776. Le thème commun est un éloge dudit duc.

(c'est la supériorité implicite de l'*understatement*, et déjà la devise de Mies van der Rohe : « *Less is more* »). « Bon » ou « mauvais », donc, un auteur est apparemment toujours pour Boileau — du moins en tant qu'objet d'imitation —, non une individualité littéraire complexe, mais l'incarnation typique d'un trait général. Typique et exclusive : Chapelain, Balzac, Voiture ne pratiquent pas seulement de manière eidétique un trait universel, tout se passe comme si cette pratique définissait exhaustivement leur style, qui semble s'y réduire.

A une aggravation près, il en va encore de même, en plein XVIIIe siècle, dans la charge de Marivaux que Crébillon prête à la taupe Moustache de son roman *l'Écumoire*[1]. En voici un extrait :

Ces mœurs vous paraissent singulières, et vous avez tort. Qu'une femme, de celles qu'on nomme parmi vous vertueuses, vous fasse attendre un mois. Ce terme est long. Eh bien ! à la fin de votre martyre, que vous donne-t-elle que ce qu'une autre, moins engouée de décence, vous donne d'abord ? Car, voyez-vous, cela revient au même, le tendre est effectif dans le fond. Au milieu des rebuts étudiés d'une femme, on a toujours sa défaite en perspective ; qu'elle se précipite, ou qu'elle attende, elle arrive enfin ; mais l'imagination a trop été au-devant d'elle ; on a beau tirer le désir par la manche, on a peine à l'éveiller : et s'il arrive qu'il s'éveille, le plaisir à qui il fait signe de trop loin, ou ne vient pas à temps, ou ne se soucie plus de venir. La vertu n'est qu'une balivernière, qui cherche toujours à vous faire perdre du temps, et quand elle croit avoir mis l'amour dehors...
— Recommencez un peu ce que vous venez de dire, interrompit Tanzaï, que je meure si j'en ai entendu une syllabe. Quelle langue parlez-vous là ?
— Celle de l'île Babiole, reprit la taupe.
— Si vous pouviez me parler la mienne, vous me feriez plaisir, répliqua-t-il ; eh ! comment faites-vous pour vous entendre ?
— Je me devine, reprit la taupe.

1. 1734. Je renvoie à l'édition critique d'E. Sturm, Nizet, 1976, chap. IV, V et VI. L'œuvre visée est évidemment *la Vie de Marianne*. Marivaux n'est pas nommé mais son style était reconnaissable pour tous ses lecteurs. En témoigne à distance une lettre à Sophie Volland (20 septembre 1765) où Diderot s'y exerce à son tour (« Après la première faute, on sait secrètement que le reste ira comme cela ; et l'on se dépite d'attendre toujours que cette faute, qui doit nous soulager d'une lutte pénible et nous assurer une suite de plaisirs entiers et non interrompus, soit commise et ne se commette pas... »), et livre en commentaire le nom de ses deux modèles (car c'est un peu, comme me dit Henri Lafon, un *pastiche de pastiche*) : « Eh bien ! chère amie, ne trouvez-vous pas que depuis la fée Taupe de Crébillon, jusqu'à ce jour personne n'a pu mieux marivauder que moi ? »

Moi aussi. Mais il n'est pas sûr que l'appréciation de Crébillon lui-même n'ait pas été plus nuancée ou plus ambiguë, comme en témoigne peut-être la réaction élogieuse de l'autre auditeur, qui est la princesse Néadarné :

> Je ne sache rien de si charmant que de pouvoir parler deux heures, où d'autres ne trouveraient pas à vous entretenir pour une minute. Qu'importe que l'on se répète, si l'on peut donner un air de nouveauté à ce que l'on a déjà dit ? D'ailleurs, cette façon admirable de s'exprimer que vous traitez de jargon éblouit, elle donne à rêver : heureux, qui dans sa conversation peut avoir ce goût galant ! Quoi ! ne trouver toujours que les mêmes termes, ne pas oser séparer les uns des autres ceux qu'on a accoutumé de faire marcher ensemble ? Pourquoi serait-il défendu de faire faire connaissance à des mots qui ne sont jamais vus, ou qui croient qu'ils ne se conviendraient pas ? La surprise où ils sont de se trouver l'un auprès de l'autre, n'est-elle pas une chose qui comble ! Et s'il arrive qu'avec cette surprise qui vous amuse, ils fassent beauté où vous croyez trouver défaut, ne vous trouvez-vous pas singulièrement étonné ? Faut-il qu'un préjugé...

Mais ce plaidoyer lui-même, on le voit bien, est encore une imitation de Marivaux, comme le remarque aussitôt Tanzaï : « Vous m'étonnez singulièrement vous-même, et j'admire le peu de temps qu'il vous a fallu pour vous infecter de ce mauvais goût. » Et, quoi qu'il en soit, Tanzaï illustre parfaitement l'attitude critique caractéristique de la charge : le style de Moustache est pour lui comme une langue étrangère [1] (« Quelle langue parlez-vous là ? »), et cette langue, dira-t-il plus loin, est un *maussade jargon*, un *verbiage* où l'on n'entend rien et qui reste « deux heures sur la raison et sur l'esprit pour ne me donner ni de l'un ni de l'autre... et je ne sache rien de si ridicule que d'avoir de l'esprit mal à propos ». Ce style est un *type* dont Marivaux peut bien être l'inventeur, mais un peu comme Marot inventa jadis l'art de « marotiser » : ces dissertations alambiquées, « œufs de mouche, dira Voltaire, pesés dans des balances de toile d'araignée », c'est une manière, à la fois thématique (subtilités sentimentales) et stylistique (néologismes, oxymores, adjectifs substantivés, abstractions), qui elle aussi, très significativement, finira par porter un nom commun formé sur le nom propre de son inventeur : *marivaudage*, bien sûr.

Le procédé satirique qui consiste à décrire le style imité comme une langue artificielle va devenir un des topoï, pour ne pas dire une

---

1. D'Alembert rapporte que certain académicien proposait d'élire Marivaux à l'Académie des Sciences, « comme inventeur d'un idiome nouveau ».

des tartes à la crème du métatexte caricatural. Dans *Un prince de la bohème*[1], le journaliste Nathan produit une charge de Sainte-Beuve que, contrairement à la taupe de Crébillon, il ne manque pas de rapporter à son modèle :

Tout cela, si vous me permettez d'user du style employé par monsieur Sainte-Beuve pour ses biographies d'inconnus, est le côté enjoué, badin, mais déjà gâté, d'une race forte. Cela sent son Parc-aux-Cerfs plus que son hôtel de Rambouillet. Ce n'est pas la race *des doux*, j'incline à conclure pour un peu de débauche et plus que je n'en voudrais chez des natures brillantes et généreuses ; mais c'est galant dans le genre de Richelieu, folâtre et peut-être trop dans la drôlerie ; c'est peut-être les *outrances* du dix-huitième siècle ; cela rejoint en arrière les mousquetaires, et cela fait tort à Champcenetz ; mais *ce volage* tient aux arabesques et aux enjolivements de la vieille cour des Valois. On doit sévir, dans une époque aussi morale que la nôtre, à l'encontre de ces audaces ; mais ce bâton de sucre d'orge peut aussi montrer aux jeunes filles le danger de ces fréquentations d'abord pleines de rêveries, plus charmantes que sévères, roses et fleuries, mais dont les pentes ne sont pas surveillées et qui aboutissent à des excès mûrissants, à des fautes pleines de bouillonnements ambigus, à des résultats trop vibrants. Cette anecdote peint l'esprit vif et complet de la Palferine, car il a l'*entre-deux* que voulait Pascal ; il est tendre et impitoyable ; il est comme Épaminondas, également grand aux extrémités. Ce mot précise d'ailleurs l'époque ; autrefois il n'y avait pas d'accoucheurs. Ainsi les raffinements de notre civilisation s'expliquent par ce trait qui restera.
— Ah ! çà, mon cher Nathan, quel galimatias me faites-vous là ? demanda la marquise étonnée.
— Madame la marquise, répondit Nathan, vous ignorez la valeur de ces phrases précieuses, je parle en ce moment le Sainte-Beuve, une nouvelle langue française. Je continue.
(...) Ceci, toujours en se tenant dans les eaux de monsieur Sainte-Beuve, rappelle les Raffinés et la fine raillerie des beaux jours de la monarchie. On y voit une vie dégagée, mais sans point d'arrêt, une imagination riante qui ne nous est donnée qu'à l'origine de la jeunesse. Ce n'est plus le velouté de la fleur, mais il y a du grain desséché, plein, fécond qui assure la saison d'hiver. Ne trouvez-vous pas que ces choses annoncent quelque chose d'inassouvi, d'inquiet, ne s'analysant pas, ne se décrivant point, mais se comprenant, et qui s'embraserait en flammes éparses et hautes si l'occasion de se déployer arrivait ? C'est *l'acedia* du cloître, quelque chose d'aigri, de

1. 1840. Pléiade, VII, p. 812-816. Balzac est évidemment un habitué de l'écriture mimétique : les *Contes drolatiques* sont en style médiéval, et le premier article de Lucien dans *Illusions perdues* est un pastiche de Jules Janin, précisément inspiré par son compte rendu de *la Peau de chagrin* dans *l'Artiste* du 14 août 1831.

fermenté dans l'inoccupation croupissante des forces juvéniles, une tristesse vague et obscure.

— Assez ! dit la marquise, vous me donnez des douches à la cervelle.

— C'est l'ennui des après-midi. On est sans emploi, on fait mal plutôt que de ne rien faire, et c'est ce qui arrivera toujours en France. La jeunesse en ce moment a deux côtés : le côté studieux des *méconnus*, le côté ardent des *passionnés*.

— Assez ! répéta madame de Rochefide avec un geste d'autorité, vous m'agacez les nerfs.

— (...) Assurément (toujours en nous servant du style macaronique de monsieur Sainte-Beuve), ceci surpasse de beaucoup la raillerie de Sterne dans le *Voyage sentimental*. Ce serait Scarron sans sa grossièreté. Je ne sais même si Molière, dans ses bonnes, n'aurait pas dit, comme du meilleur de Cyrano : Ceci est à moi ! Richelieu n'a pas été plus complet en écrivant à la princesse qui l'attendait dans la cour des cuisines au Palais-Royal : *Restez-y, ma reine, pour charmer les marmitons*. Encore la plaisanterie de Charles-Édouard est-elle moins âcre. Je ne sais si les Romains, si les Grecs ont connu ce genre d'esprit. Peut-être Platon, en y regardant bien, en a-t-il approché, mais du côté sévère et musical...

— Laissez ce jargon, dit la marquise, cela peut s'imprimer, mais m'en écorcher les oreilles est une punition que je ne mérite point.

On aura noté au passage, dans la bouche de la marquise ou de Nathan lui-même, ces expressions qui semblent littéralement reprises du discours de Tanzaï : *jargon, galimatias, style macaronique, vous m'écorchez les oreilles, vous m'agacez les nerfs*, et surtout : « Je parle *le Sainte-Beuve*, une *nouvelle langue française*. » Nous retrouverons ce discours sous sa forme la plus récente et la plus vulgaire, mais il me faut d'abord glisser ici une précision historique.

Qu'il s'agisse de Boileau, de Crébillon, de Diderot ou de Balzac (j'aurais pu en citer deux ou trois autres, que nous rencontrerons sur un autre registre), les charges qui viennent de nous occuper sont des exercices d'*amateurs*, qui s'adonnent à l'imitation en passant, dans leur correspondance ou par la bouche de personnages romanesques. Jusqu'à la fin du XIXe siècle, ce statut marginal reste celui de la charge, ou du pastiche, qui ne sont pas encore devenus des genres canoniques pouvant faire l'objet de publications autonomes, œuvres de spécialistes en quelque sorte professionnels. Mon propos n'est pas ici d'esquisser une histoire du genre, mais il me semble que cette professionnalisation s'amorce sous le Second Empire, lorsque la gloire de Hugo — cible de choix par son idiosyncrasie poétique et sa monumentale visibilité — engendre une vague d'imitations sans précédent : la même année, 1865, paraissent les trois recueils d'Edouard Delprat, de Charles Monselet et d'André Gill [1]. L'esprit du règne, qui s'illustre comme on le sait dans les opérettes d'Offenbach, n'est sans doute pas non plus étranger à la chose. Mais l'élan donné ne s'arrêtera plus : ce sont à la fin du siècle les divers pastiches glissés par Jules Lemaitre dans son feuilleton littéraire, et au début du suivant (à partir de 1907) la série de Paul Reboux et Charles Muller, *A la manière de...*, dont le succès détermina sans doute Proust à écrire et à publier son *Affaire Lemoine* (1908). Même engouement en Angleterre avec les divers recueils de Max Beerbohm [2]. Depuis, je pense qu'il ne se publie pas loin, en France, d'un recueil de pastiches tous les quatre ou cinq ans, plus ou moins satiriques et s'en prenant tantôt aux classiques illustres, tantôt aux célébrités du moment, dont le seul renouvellement périodique justifie la pérennité commerciale du genre [3].

Le Roland Barthes sans peine, de Burnier et Rambaud [4], présente un certaine nombre de traits formels qui font exception, ou innovation, dans l'histoire du pastiche satirique — au service d'une « pensée » qui, au contraire, illustre assez bien l'idéologie dominante du genre.

A ma connaissance, d'abord, c'est la première fois qu'un recueil de pastiches est entièrement consacré à un seul auteur [5] : plusieurs pastiches du même, donc, et qui viennent lourdement récidiver sur la charge déjà incluse dans le recueil *Parodies.* Double entorse à une règle implicite du genre, qui est *ne bis in idem,* une seule performance doit suffire : il est aussi vulgaire de redoubler un pastiche que de répéter une plaisanterie. D'autre part, et là encore

---

1. E. Delprat, *Les Frères d'armes* (pastiche de *la Légende des siècles),* La librairie des bibliophiles, sans nom d'auteur ; C. Monselet, *Une chansonnette des rues et des bois,* sans nom d'auteur, A Chaillot ; A. Gill, *V.H. revu et corrigé à la plume et au crayon. Les Chansons des grues et des boas,* Paris.
2. Le plus connu est *A Christmas Garland* (1912).
3. Parmi ces innombrables performances, on peut citer R. Scipion, *Prête-moi ta plume,* 1946 ; G. A. Masson, *A la façon de...,* LLC, 1949 ; M. Perrin, *Monnaie de singe,* Calmann-Lévy, 1952 ; J. Laurent et C. Martine, *Dix Perles de culture,* Table ronde, 1952 ; S. Monod, *Pastiches,* Lefebvre, 1963 ; M.-A. Burnier et P. Rambaud, *Parodies,* Balland, 1977 ; on note au passage les variantes, plus ou moins heureuses, du contrat générique proposé par le titre.
4. Balland, 1978.
5. *Le Côté de Chelsea,* d'André Maurois, Trianon, 1929, était un seul long pastiche de Proust, dont la longueur était en quelque sorte imposée par la prolixité du modèle (Reboux et Muller s'en tiraient autrement, faisant écrire par leur modèle un « billet » de plusieurs pages).

c'est probablement le seul exemple d'une telle pratique, une page authentique (« L'écorché », de *Fragments d'un discours amoureux*) a été glissée au milieu des imitations, dans l'intention évidente de « prouver » que la réalité égale au moins la fiction, et qu'aucune caricature ne peut ici surpasser le modèle lui-même ; question implicite au lecteur : « aviez-vous identifié cette page comme authentique, ou comme moins exagérée que mes autres ? » ; et peut-être aussi piège tendu à la victime, s'il s'était avisé de poursuites en plagiat, source d'une publicité avantageuse pour les satiristes. Enfin, et ce trait est pour nous le plus important, la performance mimétique est ici précédée d'une sorte d'exposé de la manière dont s'est constituée la compétence stylistique sur laquelle elle s'étaie. Cette constitution de l'idiolecte barthésien prend la forme d'une sorte de manuel scolaire ou méthode Assimil : leçons et exercices pour l'apprentissage facile de cet idiolecte. Premières leçons, par la « méthode directe » : phrases-pastiches ou, plus rarement, authentiques, accompagnées de leur « traduction » en français (version), exercices de thème progressifs : compléter des phrases, etc. La suite consiste en une « description » des principaux traits de l'idiolecte : vocabulaire, ponctuation, tournures caractéristiques, procédés d'assemblage et de remplissage — la plupart de ces analyses s'appuyant encore, il faut le noter, sur des exemples forgés : contrairement à Proust, qui inspirait ses pastiches de Balzac ou de Flaubert d'analyses de textes authentiques de ces auteurs, Burnier et Rambaud appuient leur caricature sur une analyse stylistique... de la caricature elle-même. C'est évidemment plus commode.

Le thème satirique qui préside à cette description est clair, et d'ailleurs affiché dès le titre : le Roland Barthes est ici (comme le Sainte-Beuve chez Balzac ou le marivaudage chez Crébillon) une langue, à tout le moins un dialecte dérivé du français, qui s'en éloigne progressivement et qui se caractérise par une redondance et une complication inutiles dans l'expression d'idées en elles-mêmes fort banales : « truismes vêtus ». C'est ce thème polémique que j'appelle l'idéologie de la charge : le style caricaturé est toujours présenté comme une forme de maniérisme. Mais pourquoi comme une « langue » ? Pourquoi dire le Marivaux, le Sainte-Beuve, le Roland Barthes ? Cette désignation peut apparaître comme une simple hyperbole : tel style est si marqué, si déviant, si idiotique qu'il est aussi loin de la langue commune que le serait une langue étrangère. Mais en fait elle renvoie toujours à une caractérisation plus précise, et plus négative : non pas seulement l'originalité, mais la *préciosité*. « Ne pourriez-vous pas dire la même chose en (bon) français » — c'est-à-dire dans l'honnête langage de ce que les rhétoriciens classiques appelaient l'expression « simple et commune » ? La réponse implicite à cette question — elle-même rhétorique — est toujours l'affirmative [1]. La même chose pourrait se dire en langage simple, donc vous écrivez un langage inutilement compliqué (c'est la définition polémique de la préciosité, et de la néologie). « Une proposition simple doit toujours être compliquée », c'est une des règles génératives du Roland Barthes selon Burnier-Rambaud. D'où les exercices de traduction destinés à montrer comment un simple truisme peut être « vêtu » de galimatias prétentieux, et réciproquement.

Il y a, sous-jacente à la pratique et à la tradition de la charge, une *norme* stylistique, une idée du « bon style », qui serait cette idée (simple) que le bon style est le style simple. Cette idée, généralement implicite, nous la trouvons à son état le plus (je n'ai pas dit le *mieux*) articulé chez Paul Reboux — non pas dans ses pastiches eux-mêmes, qui s'abstenaient heureusement de toute glose, mais (car la glose finit toujours par venir) dans sa tardive préface au recueil de G. A. Masson, *A la façon de...*, préface qui se veut comme un Art poétique du genre. La première « condition » qu'il fixe (et qui va de soi) au succès d'une charge est que l'auteur pastiché soit célèbre (pour être reconnaissable, il faut être connu) ; la seconde est que cet auteur « soit imitable, c'est-à-dire qu'il ait des caractéristiques franches, des tics, des spécialités... ». Ceci encore va de soi, si l'on veut : pour imiter un style, il faut avoir affaire à un style, donc à une manière spécifique d'écrire. Mais voici comment Reboux précise l'idée qu'il se fait de la dite « spécialité », et surtout... de son contraire : « Il est possible de railler l'humanitarisme fougueux d'un Mirbeau, la nostalgie d'un Loti, la bonhomie d'un J. H. Fabre, le style 1900 d'un Henry Bataille, la minutie de Lenôtre, l'hermétisme de Stéphane Mallarmé, les redondances de tel homme politique, la vertu bourgeoise de tel moraliste [on note au passage que les traits thématiques l'emportent ici sur les traits « purement » stylistiques]... mais il est impossible de réussir un pastiche d'après Anatole France au style de diamant, d'après le lumineux Voltaire, d'après

---

1. Celle de l'accusé est a contrario, quand il a le goût ou l'occasion de se défendre, toujours négative (je ne prétends pas qu'il ait toujours raison). Ainsi Marivaux, répondant à l'accusation de néologisme : « Le nombre des mots, ou des signes, chez chaque peuple, répond à la quantité d'idées qu'il a... S'il venait en France une génération d'hommes qui eût encore plus de finesse d'esprit qu'on en a jamais eu en France et ailleurs [*C'est moi-même, Messieurs, sans nulle vanité*], il faudrait de nouveaux mots, de nouveaux signes pour exprimer les nouvelles idées dont cette génération serait capable : les mots que nous avons ne suffiraient pas... » (*le Cabinet du philosophe*, sixième feuille, *Journaux et Œuvres diverses*, Garnier).

l'irréprochable Maupassant, d'après l'inimitable Molière... Sur de tels écrivains les railleries glisseraient comme des gouttelettes sur un plumage impénétrable. » On voit que l'*inimitable* est ici décrit, et illustré (bien ou mal) par le rapprochement de Molière, Voltaire, Maupassant et France, comme le style *simple*, une sorte de degré zéro ou d'écriture blanche, la langue même en sa pureté foncière. À cela, le caricaturiste ne veut ni ne peut s'attaquer. La charge comporte donc, inséparable d'elle puisque définissant l'idée qu'elle se fait des « conditions » de son exercice même, un idéal du style. « Un livre comme celui-là [Reboux veut sans doute dire : *celui-ci*] est une nécessité esthétique. Il éclaire l'horizon littéraire. Il sert de garde-fou aux ahuris, dupés par les malins trop habiles à masquer, grâce à une obscurité méthodique, leur impuissance. Il enseigne la pensée nette, le parler clair, l'art de ne pas représenter rond ce qui est carré, d'évoquer la nature non par de vagues et fugaces analogies, mais par des images qui s'imposent à des formules resserrées. Il nous fait comprendre, en se moquant des prétentieux et des voyous, qu'on n'écrit pas seulement pour soi, par jeu, pour exprimer les émotions que l'on a eues. On doit écrire pour se faire comprendre, pour communiquer aux autres ce que l'on a ressenti. Il montre ce qu'on risque en s'écartant des chemins de l'équilibre et du bon sens. » Fin du message. Ne croyez pas à un apocryphe forgé par moi *ad hoc* ou à un emprunt fait à quelque discours prononcé par quelque minus officiel à quelque distribution des prix : ce *credo du pasticheur* est vraiment signé Paul Reboux. Jean Milly, qui le cite dans son Introduction critique aux pastiches de Proust, ajoute aussitôt, et justement, qu'un tel manifeste est aux antipodes de la philosophie proustienne du style — telle qu'elle s'exprime entre autres dans ses pastiches. Cette opposition diamétrale mesure assez bien, à son maximum, la distance qui sépare l'esprit de la charge de celui du pastiche — tel, du moins, que l'illustre Proust. Lui seul, peut-être, avec le Joyce du chapitre « Bœufs du soleil » d'*Ulysse ;* mais, comme disait Ion, « il me semble que cela suffit ».

XVIII

Nous savons que l'Antiquité classique connaissait, sous le nom grec, puis latin, de *parodia*, le régime satirique de l'imitation, ne serait-ce qu'au titre du poème héroï-comique, que nous retrouverons. Satiriques encore, ces scènes des *Grenouilles* d'Aristophane où Eschyle et Euripide font assaut de charges réciproques [1]. Plus difficile à apprécier, dans le *Satiricon* de Pétrone, la fonction du poème d'Eumolpe sur la guerre civile [2], qui m'apparaît plutôt comme une imitation purement ludique — voire sérieuse — de la manière de Lucain.

Du pastiche pur, comme de tant d'autres choses, l'inventeur pourrait bien être Platon — capable, comme nul peut-être ne le sera après lui jusqu'à Balzac, Dickens et Proust, d'*individualiser* (fût-ce à coup d'imitations littéraires) le discours de ses personnages. Voyez, entre autres, *le Banquet*, où Phèdre s'exprime à la manière de Lysias, Pausanias à celle d'Isocrate, Agathon de Gorgias (plus deux vers improvisés dans son propre style poétique) et Aristophane, Alcibiade et naturellement Platon lui-même dans des styles très différents et fortement caractérisés. Et bien sûr le *Phèdre,* avec ce discours de Lysias dont nul depuis vingt-quatre siècles n'a pu décider s'il s'agissait d'un apocryphe ou d'une (longue) citation. En toute hypothèse, une sorte d'*hommage.* Ce terme traditionnel, et dont Debussy fera le titre d'un (fort libre mais fervent) pastiche de Rameau, qualifie assez bien le régime non satirique de l'imitation qui ne peut guère rester neutre et n'a d'autre choix qu'entre la moquerie et la référence admirative — quitte à les mêler dans un régime ambigu qui me semble la plus juste nuance du pastiche quand il échappe aux vulgarités agressives de la charge. J'en trouve un autre témoignage, en marge du classicisme, sous la plume de La Bruyère [3] :

> Je n'aime pas un homme que je ne puis aborder le premier, ni saluer avant qu'il me salue, sans m'avilir à ses yeux, et sans tremper dans la bonne opinion qu'il a de lui-même. Montaigne dirait : Je veux avoir mes coudées franches, et estre courtois et affable à mon point, sans remords ne consequence. Je ne puis du tout estriver contre mon penchant, et aller au rebours de mon naturel, qui m'emmeine vers celuy que je trouve à ma rencontre. Quand il m'est égal, et qu'il ne m'est point ennemy, j'anticipe sur son accueil, je le questionne sur sa disposition et santé, je luy fais offre de mes offices sans tant marchander sur le plus ou sur le moins, ne estre, comme disent aucuns, sur le qui vive. Celuy-là me deplaist, qui par la connoissance que j'ay de ses coutumes et façons d'agir, me tire de cette liberté et

---

1. V. 928-930 et 1285-1295, centon et pastiche d'Eschyle par Euripide ; 1309-1363, réponse d'Eschyle sur le même ton.
2. *Romans grecs et latins,* trad. fr., Pléiade, p. 110-116.
3. *Les Caractères,* « De la société », remarque 30.

franchise. Comment me ressouvenir tout à propos, et d'aussi loin que je vois cet homme, d'emprunter une contenance grave et importante, et qui l'avertisse que je crois le valoir bien et au delà ? pour cela de me ramentevoir de mes bonnes qualitez et conditions, et des siennes mauvaises, puis en faire la comparaison. C'est trop de travail pour moy, et ne suis du tout capable de si roide et si subite attention ; et quand bien elle m'auroit succedé une première fois, je ne laisserois de flechir et me dementir à une seconde tâche : je ne puis me forcer et contraindre pour quelconque à estre fier.

Je ne vois rien, dans cette imitation si fidèle, qu'on puisse imputer à satire, et le chapitre *Des ouvrages de l'esprit* ne contient rien qui corrobore une telle lecture. Mais les lecteurs classiques de La Bruyère n'étaient pas disposés à l'entendre ainsi : pour eux, il allait de soi que l'imitation plaisante devait, ou *ne pouvait que* s'en prendre aux « défauts » d'un style. Marmontel, qui cite cette page, l'assortit d'un commentaire caractéristique : « Voilà certainement bien le langage de Montaigne, mais diffus, et tournant sans cesse autour de la même pensée. Ce qui en est difficile à imiter, c'est la plénitude, la vivacité, l'énergie, le tour pressé, vigoureux et rapide, la métaphore imprévue et juste, et plus que tout cela le suc et la substance. Montaigne cause quelquefois nonchalamment et longuement : c'est ce que La Bruyère en a copié, le défaut. » Autrement dit, La Bruyère ne pouvait imiter chez Montaigne, comme Boileau chez Chapelain ou Crébillon chez Marivaux, que le travers caractéristique — ici, la *prolixité*.

J'ai évoqué l'*Hommage à Rameau* de Debussy. Ravel écrit de son côté, on le sait, une pièce du même esprit (pour ce qui nous concerne), qu'il intitule, à la manière des poèmes commémoratifs de Mallarmé, *Tombeau de Couperin*. On trouve chez Flaubert un véritable *Tombeau de Chateaubriand* qui est encore un hommage en forme de pastiche. C'est dans le chapitre xi de *Par les champs et par les grèves*. Flaubert et Du Camp, de passage à Saint-Malo, se rendent au soir à l'îlot du Grand-Bé, qui portait déjà (1847) le futur tombeau « fait de trois morceaux, un pour le socle, un pour la dalle, un pour la croix ». Et le texte enchaîne sur ces deux imitations coupées d'une phrase de transition :

Il dormira là-dessous, la tête tournée vers la mer ; dans ce sépulcre bâti sur un écueil, son immortalité sera comme fut sa vie, déserte des autres et tout entourée d'orages. Les vagues avec les siècles murmureront longtemps autour de ce grand souvenir ; dans les

107

tempêtes elles bondiront jusqu'à ses pieds, ou les matins d'été, quand les voiles blanches se déploient et que l'hirondelle arrive d'au-delà des mers, longues et douces, elles lui apporteront la volupté mélancolique des horizons et la caresse des larges brises. Et les jours ainsi s'écoulant, pendant que les flots de la grève natale iront se balançant toujours entre son berceau et son tombeau, le cœur de René devenu froid, lentement, s'éparpillera dans le néant, au rythme sans fin de cette musique éternelle.

Nous avons tourné autour du tombeau, nous l'avons touché de nos mains, nous nous sommes assis par terre à ses côtés.

Le ciel était rose, la mer tranquille et la brise endormie. Pas une ride ne plissait la surface immobile de l'Océan sur lequel le soleil à son coucher versait sa lumière d'or. Bleuâtre vers les côtes seulement, et comme s'y évaporant dans la brume, partout ailleurs la mer était rouge et plus enflammée encore au fond de l'horizon, où s'étendait dans toute la longueur de la vue une grande ligne de pourpre. Le soleil n'avait plus ses rayons ; ils étaient tombés de sa face et noyant leur lumière dans l'eau semblaient flotter sur elle. Il descendait en tirant à lui du ciel la teinte rose qu'il y avait mise, et à mesure qu'ils dégradaient ensemble, le bleu pâle de l'ombre s'avançait et se répandait sur toute la voûte. Bientôt il toucha les flots, rogna dessus son disque d'or, s'y enfonça jusqu'au milieu. On le vit un instant coupé en deux moitiés par la ligne de l'horizon, l'une dessus, sans bouger, l'autre en dessous qui tremblotait et s'allongeait, puis il disparut complètement ; et quand, à la place où il avait sombré, son reflet n'ondula plus, il sembla qu'une tristesse tout à coup était survenue sur la mer [1].

La production mimétique de Proust [2] est évidemment plus vaste que ces quelques performances erratiques, et l'on ne peut guère

---

1. La visite à Combourg, un peu plus loin dans le même chapitre, suscite une nouvelle évocation du personnage (« J'ai pensé à cet homme qui a commencé là et qui a rempli un demi-siècle du tapage de sa douleur... ») où quelque contagion se fait sentir, mais d'une manière moins nette et moins délibérée.
2. Elle comprend, outre l'Affaire Lemoine, publiée (sauf le Saint-Simon) dans le supplément littéraire du Figaro de février à mars 1908 et reprise en 1919 dans le volume de Pastiches et Mélanges (le Saint-Simon, qui y paraît entier pour la première fois, développe une « Fête chez Montesquiou à Neuilly » parue dans le Figaro en 1904), quelques autres pages inédites ou dispersées dans la Correspondance, dans les Plaisirs et les Jours ou dans la Recherche. La meilleure présentation s'en trouve dans l'édition critique des Pastiches de Proust procurée par J. Milly chez Colin en 1970. L'Introduction reprend, à quelques suppressions et additions près (surtout biographiques et historiques), l'article « Les pastiches de Proust », le Français moderne, janvier et avril 1967. Cette étude et la notice d'Y. Sandre pour l'édition Pléiade du Contre Sainte-Beuve, qui y renvoie largement, me dispenseront de bien des commentaires. Milly (Introduction, p. 14-15) donne une liste des pastiches dispersés.

s'attendre à y trouver une attitude uniforme à l'égard d'auteurs aussi divers, et très diversement proches de lui, que Sainte-Beuve, Balzac, Renan, Chateaubriand, Michelet, Régnier, Goncourt, Saint-Simon ou Flaubert. Le régime s'en étage donc du plus satirique au plus admiratif. Mais il est très caractéristique qu'aucun de ces auteurs n'ait suscité chez Proust une condamnation ou une critique de sa singularité stylistique. Ce qui pourrait y ressembler le plus est le grief d' « habileté factice » et mensongère qu'il applique à l'écriture de Sainte-Beuve ; encore ce blâme est-il fortement corrigé par une autre appréciation, plus ambiguë, où il parle des « véritables débauches » qu'il s'est permises « avec la délicieuse mauvaise musique qu'est le langage parlé, perlé, de Sainte-Beuve[1] » ; et encore faut-il faire la part d'une hostilité plus générale, dont les vraies raisons sont extra-stylistiques ; et le « Sainte-Beuve » de *l'Affaire Lemoine* ne manque pas de s'en prendre avant tout à la mesquinerie et à la futilité des jugements critiques. Stylistiquement, le trait le plus marqué de ce pastiche est la dissonance, l'emploi presque toujours décalé des termes, particulièrement sensible dans des doublets tels que ceux-ci : Flaubert estimable dans « sa velléité et sa prédilection » ; les vues « claires et fructueuses » de Stendhal ; « l'impulsion et le sel, l'à-propos et le colloque » de Chaix d'Est-Ange ; ce sont évidemment ces notes « fausses exprès », comme dirait Verlaine, qui font du parler Sainte-Beuve une « délicieuse mauvaise musique ». Le pastiche de Balzac épingle surtout le snobisme vulgaire et la fatuité d'un auteur toujours prêt à s'extasier devant la supériorité des « gens du monde » (« le calme impénétrable que possèdent les femmes de la haute société », « l'immobilité spéciale à la domesticité du Faubourg St-Germain », le « regard à double entente, véritable privilège de ceux qui avaient longtemps vécu dans l'intimité de *Madame* ») et à « se récrier d'admiration sur les mots de ses personnages, c'est-à-dire sur lui-même[2] » : « Cela fut dit d'un ton si perfidement énigmatique que Paul Morand, un de nos plus impertinents secrétaires d'ambassade, murmura : "Il est plus fort que nous ! " Le baron, se sentant joué, avait froid dans le dos. Mme Firmiani suait dans ses pantoufles, un des chefs-d'œuvre de l'industrie polonaise » ; et les spéculations platement aventureuses sur les noms propres, préfiguration de certains couplets de la critique « moderne » : « Werner ! ce nom vous semble-t-il pas évoquer bizarrement le Moyen Age ? Rien qu'à l'entendre, ne voyez-vous pas déjà le docteur Faust, penché sur ses creusets, avec

1. Pléiade, vol. cit., p. 232 et 596.
2. *Ibid.*, p. 285.

ou sans Marguerite ? N'implique-t-il pas l'idée de la pierre philoso-phale ? Werner ! Julius ! Werner ! Changez deux lettres et vous avez *Werther. Werther* est de Goethe. » Renan se distingue, bien sûr, par son style effusif et papelard, « perpétuelle effusion d'enfant de chœur[1] », mais le trait satirique le plus marqué (le plus saturé) est d'ordre idéologique : ce sont les réjouissantes bévues inspirées par l'hypercriticisme (ou scepticisme) philologique : « Le plat recueil de contes sans vraisemblance qui porte le titre de *Comédie humaine* de Balzac n'est peut-être l'œuvre ni d'un seul homme ni d'une seule époque. Pourtant son style informe encore, ses idées tout empreintes d'un absolutisme suranné nous permettent d'en placer la publication deux siècles au moins avant Voltaire... Dans le centon de poèmes disparates appelé *Chansons des rues et des bois,* qui est communément attribué à Victor Hugo, quoiqu'il lui soit probable-ment un peu postérieur... La comtesse de Noailles, si elle est l'auteur des poèmes qui lui sont attribués... » Chez Chateaubriand, c'est la fatuité par prétérition : « Quand le vain bruit qui s'attache à mon nom se sera tu... le vain bruit de ma gloire... »

Ceci épuise, me semble-t-il, et au moins pour *l'Affaire Lemoine,* la liste des pastiches *plutôt satiriques.* Plutôt admiratif, le Régnier, dont le tic le plus saturé est la manie des qualifications contrastives (« plus pittoresque que confortable... plus propice à la rêverie que favorable au sommeil... divertissante sans cesser d'être péril-leuse... »), mais dont la dernière page, consacrée à une goutte de morve tombée, comme une décoration (un « crachat ») symboli-que, sur le revers d'habit du faussaire[2], ressemble fort à une « métaphore » proustienne : « On ne distinguait plus qu'une seule masse juteuse, convulsive, transparente et durcie ; et dans l'éphé-mère éclat dont elle décorait l'habit de Lemoine, elle semblait y avoir immobilisé le prestige d'un diamant momentané, encore chaud, si l'on peut dire, du four dont il était sorti, et dont cette gelée instable, corrosive et vivante qu'elle était pour un instant encore, semblait à la fois, par sa beauté menteuse et fascinatrice, présenter la moquerie et l'emblème. » Des deux pastiches Goncourt, celui de *Lemoine* et surtout celui du *Temps retrouvé,* Proust lui-même déclare après coup qu'ils constituent une « critique laudative en somme[3] » de la fameuse écriture artiste (« Ce serait tout un émoi rageur... C'est, de sa part, tout un récit où il y a par moments l'épellement

---

1. *Ibid.,* p. 607.
2. Je rappelle que le sujet de *l'Affaire Lemoine* est une escroquerie au diamant synthétique : pastiche de diamant, en somme.
3. P. 642.

apeuré d'une confession sur le renoncement d'écrire... Et brusquement, les yeux enfiévrés par l'absorption d'une rêverie tournée vers le passé, avec le nerveux taquinage, dans l'allongement maniaque de ses phalanges, du floche des manches de son corsage, c'est, dans le contournement de sa pose endolorie, comme un admirable tableau qui n'a je crois jamais été peint, et où se liraient toute la révolte contenue, toutes les susceptibilités rageuses d'une amie outragée dans les délicatesses, dans la pudeur de la femme... ») — et l'on pourrait bien s'étonner de ne trouver chez Proust, qui s'émeut si vite de l' « habileté factice » de Sainte-Beuve, aucune critique de ces frelatages, ou frelatements d'esthètes [1]. Mais les trois textes les plus proches de l'idéal du pastiche-hommage sont sans conteste le Michelet, le Saint-Simon et le Flaubert. Du premier, le rythme haletant et les phrases nominales (« Que de fois Orphée s'égarera avant de ramener au jour Eurydice ! Nul découragement pourtant. Si le cœur faiblit, la pierre est là qui, de sa flamme fort distincte, semble dire : " Courage, encore un coup de pioche, je suis à toi. " Du reste une hésitation, et c'est la mort. Le salut n'est que dans la vitesse. Touchant dilemme... ») et l'intense implication du présent de l'historien dans son évocation du passé : « Faut-il le dire, cette étude m'attirait, je ne l'aimais pas. Le secret de ceci ? Je n'y sentais pas la vie. Toujours ce fut ma force, ma faiblesse aussi, ce besoin de la vie. Au point culminant du règne de Louis XIV, quand l'absolutisme semble avoir tué toute liberté en France, durant deux longues années — plus d'un siècle — (1680-1789), d'étranges maux de tête me faisaient croire que j'allais être obligé d'interrompre mon histoire. Je ne retrouvai vraiment mes forces qu'au serment du Jeu de paume (20 juin 1789). » Du second, la liberté chaotique de la langue et le prodigieux enchevêtrement syntaxique, comme en témoigne éminemment ce portrait de Montesquiou :

Il était le fils de T. de Montesquiou qui était fort dans la connaissance de mon père et dont j'ai parlé en son lieu, et avec une figure et une tournure qui sentaient fort ce qu'il était et d'où il était sorti, le corps toujours élancé, et ce n'est pas assez dire, comme renversé en arrière, qui se penchait, à la vérité, quand il lui en prenait fantaisie, en grande affabilité et révérences de toutes sortes, mais revenait assez vite à sa position naturelle qui était toute de fierté, de hauteur, d'intransigeance à ne plier devant personne et à ne céder sur rien, jusqu'à marcher droit devant soi sans s'occuper du passage, bouscu-

---

1. Il est vrai que Proust, ici, en fait beaucoup plus que les Goncourt eux-mêmes n'en ont jamais fait : le pseudo-Goncourt du *Temps retrouvé,* qui est le plus tardif, est peut-être le plus saturé de ses pastiches.

lant sans paraître le voir, ou s'il voulait fâcher, montrant qu'il le voyait, qui était sur le chemin, avec un grand empressement toujours autour de lui des gens des plus de qualité et d'esprit à qui parfois il faisait sa révérence de droite et de gauche, mais le plus souvent leur laissait, comme on dit, leurs frais pour compte, sans les voir, les deux yeux devant soi, parlant fort haut et fort bien à ceux de sa familiarité qui riaient de toutes les drôleries qu'il disait, et avec grande raison, comme j'ai dit, car il était spirituel autant que cela se peut imaginer, avec des grâces qui n'étaient qu'à lui et que tous ceux qui l'ont approché ont essayé, souvent sans le vouloir et parfois même sans s'en douter, de copier et de prendre, mais pas un jusqu'à y réussir, ou à autre chose qu'à laisser paraître en leurs pensées, en leurs discours et presque dans l'air de l'écriture et le bruit de la voix qu'il avait toutes deux fort singulières et fort belles, comme un vernis de lui qui se reconnaissait tout de suite et montrait, par sa légère et indélébile surface, qu'il était aussi difficile de ne pas chercher à l'imiter que d'y parvenir.

Du troisième, j'ai un peu plus à dire.

XIX

Dans la série de *l'Affaire Lemoine,* le pastiche de Flaubert jouit d'une situation particulière, qui ne tient pas seulement à sa « réussite » — affaire, somme toute, d'appréciation personnelle. Cette particularité, c'est que nous disposons d'un texte parallèle — quoique postérieur — qui l'éclaire et le commente, et que ces deux textes (et accessoirement deux ou trois autres, complémentaires et corroborants) composent ensemble un *Flaubert par Proust* que nous devons prendre dans les deux sens possibles de cette formule : Flaubert *lu* par Proust, Flaubert *écrit* par Proust (sans compter un troisième, peut-être le plus important : Flaubert lu par nous, *à travers* Proust, *en passant* ou en *prenant* par Proust, comme on va à Guermantes en prenant par Méséglise : « c'est la plus jolie façon »). Ces deux performances sont inséparables. Je les sépare donc pour les besoins de l'analyse, en commençant par ce qui est, dans la chronologie visible des textes, la fin, c'est-à-dire justement par ce que Proust lui-même appelle l'analyse — la « synthèse » (un peu comme on dit aujourd'hui « tissu synthétique ») étant précisément le pastiche. Cette double équivalence est avancée à propos des

112

pastiches Goncourt : « De ce style, j'aurais trop à parler en l'analysant. Par la synthèse j'en ai fait du reste la critique — critique laudative en somme — dans mes *Pastiches et Mélanges* et surtout dans un des volumes à paraître de la *Recherche du temps perdu,* où mon héros se retrouvant à Tansonville y lit un pseudo-inédit de Goncourt où les différents personnages de mon roman sont appréciés » ; et encore à propos de Flaubert : « On pense bien que quand j'ai écrit jadis un pastiche, détestable d'ailleurs, de Flaubert, je ne m'étais pas demandé si le chant que j'entendais en moi tenait à la répétition des imparfaits ou des participes présents. Sans cela je n'aurais jamais pu le transcrire. C'est un travail inverse que j'ai accompli aujourd'hui en cherchant à noter à la hâte ces quelques particularités du style de Flaubert. Notre esprit n'est jamais satisfait s'il n'a pu donner une claire analyse de ce qu'il avait d'abord inconsciemment produit, ou une recréation vivante de ce qu'il avait d'abord patiemment analysé [1] » ; et enfin dans une lettre à Ramon Fernandez : « J'avais d'abord voulu faire paraître ces pastiches avec des études critiques parallèles sur les mêmes écrivains, les études énonçant d'une façon analytique ce que les pastiches figuraient instinctivement, et vice versa [2]... »

L' « analyse », c'est donc ici une description critique du style d'un auteur, et la « synthèse » en est l'imitation active, « critique en action », dit-il ailleurs : « paresse de faire de la critique littéraire, amusement de faire de la critique en action [3] ». La critique descriptive serait apparemment moins amusante, plus fatigante et en tout cas plus longue à écrire (et/ou à lire ?) que la critique imitative. D'un point de vue purement quantitatif, cette assertion est discutable, puisque le pastiche, une fois constitué son modèle de compétence, peut être prolongé indéfiniment, et que Proust s'est parfois laissé aller selon cette capacité : le Renan de *l'Affaire Lemoine* fait sept pages, le Goncourt du *Temps retrouvé* en fait huit, et le Saint-Simon, où la prolixité appartient évidemment au modèle, en fait vingt, « à suivre ». Et, inversement, Proust aura été fort capable de décrire en une phrase, et non forcément sa plus longue, le style de Renan, de Sainte-Beuve, ou de Saint-Simon. Mais surtout, le pastiche ne dispense pas totalement de la critique, puisqu'il présuppose un travail, fût-il inconscient, de constitution de ce modèle de compétence qu'est l'idiolecte stylistique à « imiter »

1. *Contre Sainte-Beuve, Pastiches et Mélanges, Essais et articles,* Pléiade, 1971, p. 642 et 594.
2. 1919, citée *ibid.,* p. 690.
3. Lettre à R. Dreyfus du 18 mars 1908.

— c'est-à-dire tout simplement, une fois acquis, à *pratiquer*. Je doute qu'il soit jamais tout inconscient, et j'ignore si, de l'être, il serait moins fatigant et plus gratifiant : avantage, peut-être, de pouvoir faire, « au niveau conscient », autre chose en même temps. Épargne en tout cas du travail de rédaction d'une analyse critique : « Style des Goncourt ? Pas le temps, voyez pastiche. » Et l'on sait que Proust, vers la fin, était, non sans raison, un peu nerveux sur l'échéance.

Pour Flaubert, c'est donc un traitement de faveur : l'article critique est de 1920. Son prétexte est un autre article, paru en novembre 1919 dans la NRF, où Thibaudet déclarait, entre autres. « Flaubert n'est pas un grand écrivain de race... la pleine maîtrise verbale ne lui était pas donnée dans sa nature même » — ce qui n'est guère que la paraphrase d'une appréciation de l'intéressé lui-même à vingt-cinq ans : « Il me manque l'innéité. » Ou plus exactement : « Quant à arriver à devenir un maître, jamais, j'en suis sûr. Il me manque énormément ; l'innéité d'abord, puis la persévérance au travail[1]. » C'est peu de reste, mais la suite a démenti ce *lasciamo ogni speranza*. Thibaudet commentera : « On peut acquérir persévérance, mais non innéité[2]. » Mais le débat est sur l'innéité, et Proust veut (croit) *s'inscrire en faux :* cette inscription, c'est le « Sur le style de Flaubert » qui paraît dans la NRF de janvier 1920, et que nous pouvons considérer et traiter comme un commentaire justificatif a posteriori du pastiche de 1908, et accessoirement de celui de 1893-1895, « Mondanité et mélomanie de Bouvard et Pécuchet », repris dans *les Plaisirs et les Jours*.

Je ne suis pas sûr, et je l'ai déjà dit, que le pastiche (en général) soit une affaire purement « stylistique » au sens habituel du terme : il n'est pas interdit d'imiter aussi le « contenu », c'est-à-dire la thématique propre du modèle ; voyez l'immortel pseudo-Tolstoï (*Rédemption*) de Reboux et Muller, où Ivan Labibine convertit et recueille des prostituées, avec le résultat prévisible que vous savez. Mais c'est l'idée commune qui est fautive : le style, c'est la forme en général, et donc, comme on disait naguère, la forme de l'expression *et* celle du contenu. Par exemple, chez Tolstoï, une certaine conception de la charité. Ou, pour quitter progressivement cet exemple grossier, chez Dostoïevski, une certaine obsession du crime ; ou, chez Stendhal, le lien entre la vie spirituelle et l'élévation

1. A Louise Colet, 15 août 1846.
2. *Gustave Flaubert* (1922), éd. révisée, Gallimard, 1935, p. 272. Le chapitre sur le style reprend et développe l'article de novembre 1919 et une réponse à Proust de mars 1920.

des lieux ; ou, chez Hardy, la vision géométrique ; ou, chez Barbey, « une réalité cachée révélée par une trace matérielle ». Ces nouveaux exemples, bien sûr, je les emprunte à Proust, ou du moins à « Marcel », qui les évoque devant Albertine [1]. Exemples thématiques s'il en fut ; mais comment Marcel appelle-t-il (par deux fois) ces motifs récurrents et caractéristiques ? Des « phrases-types » : on ne saurait mieux manifester l'unité du contenu et de l'expression, et c'est cette unité, propre à chaque écrivain (à chaque artiste) que Proust appelle le style. L'exemple de Stendhal (et de Dostoïevski) se retrouve dans la préface à *Tendres Stocks* de Morand, avec un commentaire qui confirme cette acception : d'un point de vue traditionnel, on peut estimer qu'un auteur capable d'écrire : « Elle lui écrivit une lettre infinie » manque de style. « Mais si l'on considère comme faisant partie du style *cette grande ossature inconsciente que recouvre l'assemblage voulu des idées,* elle existe chez Stendhal [2] », et l'on imagine mal un « à la manière de Stendhal » signé Proust qui ne s'arrangerait pas pour évoquer d'une manière ou d'une autre le *désintéressement voluptueux* que procurent les lieux élevés. Et ainsi de suite, *mutatis mutandis.*

Mais Flaubert, ici encore, fait exception : la seule mention par Proust d'une particularité thématique flaubertienne est celle-ci : (de même que tous les romans de Dostoïevski pourraient s'appeler *Crime et Châtiment*), « tous ceux de Flaubert, et *Madame Bovary* surtout, pourraient s'appeler *l'Éducation sentimentale* [3] ». C'est un peu mince, et malaisément applicable à *Salammbô* ou à *Bouvard et Pécuchet.* De ce dernier, Proust a bien su (ce n'était pas très difficile) illustrer, dans son pastiche des *Plaisirs et les Jours,* le thème central, qui serait plutôt la compulsion encyclopédique des autodidactes. Mais *Mondanité et Mélomanie* n'est pas seulement un pastiche : comme ses héros sont ceux mêmes du roman-modèle, cette (double) page se présente plutôt comme un (double) chapitre inédit, et apocryphe, de ce roman inachevé. Il s'agit donc d'une *continuation* (partielle). Le pseudo-Flaubert de *l'Affaire Lemoine,* scène d'audience au Palais, n'est en rien caractéristique de la thématique flaubertienne, si ce n'est peut-être dans sa dernière partie, consacrée aux rêves de richesse et d'évasion des auditeurs, qui nous rappellent ceux d'Emma ou de Frédéric. Mais ceci, déjà, ne correspond à aucun trait explicitement relevé par Proust.

Le « style de Flaubert », tel que Proust l'analyse dans son article

1. *Recherche,* Pléiade, III, p. 376-380.
2. P. 611 ; je souligne.
3. P. 644 ; cf. p. 588 et *Recherche,* III, 379.

et le pratique dans ses pastiches, est donc, pour une fois, une notion purement « formelle », au sens courant (restreint) du terme (je n'ajouterai pas pour autant : purement *technique,* car nous allons voir que, même en ce sens restreint, le style reste pour Proust une question « non de technique, mais de vision »). Le style individuel est ici, assez strictement, une singularité d'écriture, une manière singulière d'écrire qui exprime en principe une manière singulière de voir. Flaubert lui-même, je le rappelle, définissait (entre autres) le style comme « une manière *absolue* de voir les choses » ; l'adjectif est ici fort ambigu, et pourrait évoquer une esthétique universaliste de type classique : dans son contexte (le « livre sur rien »), il exprime plutôt l'autosuffisance de la forme et l'insignifiance du « sujet ». Flaubert prête ailleurs à l'artiste le don spécifique de « *voir tout* d'une manière différente à celle des autres hommes » ; au lapsus grammatical près, Proust aurait pu signer cette phrase : le grand artiste est pour lui l'homme capable d'une vision originale, et d'imposer (peu à peu) cette vision à son public : « Et voici que le monde (qui n'a pas été créé une fois, mais aussi souvent qu'un artiste original est survenu) nous apparaît entièrement différent de l'ancien, mais parfaitement clair. Des femmes passent dans la rue, différentes de celles d'autrefois, puisque ce sont des Renoir, ces Renoir où **nous** nous refusions jadis à voir des femmes. Les voitures aussi sont des Renoir, et l'eau, et le ciel : nous avons envie de nous promener dans la forêt pareille à celle qui, le premier jour, nous semblait tout excepté une forêt, et par exemple une tapisserie aux nuances nombreuses mais où manquaient justement les nuances propres aux forêts. Tel est l'univers nouveau et périssable qui vient d'être créé. Il durera jusqu'à la prochaine catastrophe géologique que déchaîneront un nouveau peintre *ou un nouvel écrivain* originaux [1]. » Le grand écrivain se reconnaît donc aussi, pour lui, à la singularité de son style, écriture et vision, et c'est cette *valorisation de la singularité* qui oppose son esthétique à celle de presque tous ses confrères en pastiche. Malgré toute la déférence qu'il lui doit, Proust s'insurge contre un avis d'Anatole France qui venait lui aussi de déclarer « que toute singularité dans le style doit être rejetée ». « Si j'avais la joie de revoir M. France, réplique-t-il, je lui demanderais comment il peut croire à l'unité du style, puisque [qu'on pèse au passage la conjonction] les sensibilités sont singulières. Même, la beauté du style est le signe infaillible que la pensée s'élève, qu'elle a découvert et noué les rapports nécessaires entre les

---

1. Flaubert, à Louise Colet, 16 janvier, 2 octobre 1852... *Recherche,* II, 327. Je souligne.

objets que leur contingence laissait séparés [1]. » Rapports nécessaires, abolition de la contingence, nous sommes là au cœur de l'esthétique personnelle de Proust. Mais ce qu'il faut observer pour l'instant, c'est le glissement subreptice, et donc hautement révélateur, de *singularité* à *beauté*. Pour Proust, les deux termes sont ici équivalents. Car « *nous ne voulons de canon d'aucune sorte. La vérité...* c'est que de temps en temps il survient un nouvel écrivain original... Ce nouvel écrivain est généralement assez fatigant à lire et difficile à comprendre parce qu'il unit les choses par des rapports nouveaux... Or il advient des écrivains originaux comme des peintres originaux. Quand Renoir commença de peindre, on ne reconnaissait pas les choses qu'il montrait... [2] », etc., la suite est presque littéralement identique à la page de *Guermantes* sur Renoir que je citais plus haut. La singularité d'un « nouvel » artiste, qu'il se nomme Renoir ou Morand, est toujours dans *les rapports nouveaux* qu'il sait établir entre les choses. — Non les choses, mais leurs rapports : notons-le au passage, c'est la formule même de Braque souvent citée par Jakobson, et le mot d'ordre du « structuralisme ». — Proust structuraliste ? — Je n'ai rien dit. — Ces rapports nouveaux sont en quelque sorte le fondement et la garantie d'authenticité (et *donc,* très évidemment, de valeur esthétique) d'un style original : « Je ne donne nullement ma sympathie, répond Proust à une enquête journalistique, à des écrivains qui seraient préoccupés d'une originalité de forme... On doit être préoccupé uniquement de l'impression ou de l'idée à traduire... On n'a pas trop de toutes ses forces de soumission au réel, pour arriver à faire passer l'impression la plus simple en apparence, du monde de l'invisible dans celui si différent du concret où l'ineffable se résout en claires formules [3]. » C'est là le contrepoids nécessaire à la valorisation, rencontrée tout à l'heure, de la singularité stylistique : encore faut-il que cette singularité ne procède pas d'un simple artifice technique, mais qu'elle découle d'une authentique singularité de vision. A moins que l' « originalité de forme » ne puisse tout simplement pas exister sans l'encaisse-or de l'originalité de vision, ce qui nous garantirait d'avance contre toute inflation stylistique. Cette hypothèse optimiste serait celle de Proust, qui, après tout, n'écrit pas « le style doit être... », mais bien « le style *est* une question non de technique, etc. » ? Oui, mais *question* laisse ouverte... la question, à quoi je ne trouve chez lui aucune réponse

1. P. 607.
2. P. 615. Je souligne.
3. P. 645.

théorique explicite. En revanche, je rappelle qu'il qualifiait de *factice* l'habileté de Sainte-Beuve. L'adjectif est, dans notre contexte, sans équivoque et sans appel. Nous voici dans quelque embarras. Le cas Flaubert contribuera-t-il à nous en tirer? De toute manière, il est temps d'y revenir.

Ce qui, chez Flaubert, retient l'attention de Proust (et mobilise son mimétisme), ce n'est donc pas, comme chez Stendhal ou Dostoïevski, tel ou tel motif thématique, mais bien uniquement une manière singulière d'écrire, liée (ou non) à une vision singulière. En quoi consiste cette manière?

Relevons déjà, pour l'éliminer bien sûr, ce en quoi elle ne consiste pas. La chose est assez connue : « Ce n'est pas que j'aime entre tous les livres de Flaubert, ni même le style de Flaubert (notons ici le *ni même* : Proust préfère donc le *style* de Flaubert à ses *livres,* ce qui confirme, s'il le fallait, son indifférence à la thématique flaubertienne). Pour des raisons qui seraient trop longues à développer ici, je crois que la métaphore seule peut donner une sorte d'éternité au style, et il n'y a peut-être pas, dans tout Flaubert, une seule belle métaphore. Bien plus, ses images sont généralement si faibles qu'elles ne s'élèvent guère au-dessus de celles que pourraient trouver ses personnages les plus insignifiants [1]. » Exemple : « Quelquefois vos paroles me reviennent comme un écho lointain, comme le son d'une cloche apporté par le vent. » La « métaphore » est ici de Frédéric, mais Proust ajoute que Flaubert parlant en son propre nom ne trouve jamais beaucoup mieux. Que reproche-t-il à une telle comparaison ? Sa « faiblesse », c'est-à-dire sans doute sa banalité, mais plus spécifiquement, je pense, son arbitraire, son adéquation médiocre ou approximative, le fait qu'une autre image du même ordre aurait aussi bien fait l'affaire. Ce sont ce qu'il appelle ailleurs des images « autres que des images inévitables. Or, tous les à-peu-près d'images ne comptent pas. L'eau bout à 100 degrés. A 98, à 99, le phénomène ne se produit pas. Alors mieux vaut pas d'images [2] ». L'indice infaillible d'une telle inadéquation est ce reste de tâtonnement ou d'hésitation : le doublet (*écho lointain/son d'une cloche*). Il y a dans chaque circonstance une image « inévitable » (c'est-à-dire, bien sûr, nécessaire, et imposée, non par le frayage du stéréotype, mais par la « soumission au réel » et la fidélité à l'impression), et un grand nombre d'images évitables. Le fait d'en proposer deux ou

1. P. 586.
2. P. 616.

trois au choix prouve *ipso facto* qu'aucune d'elles n'est la bonne :
« C'est le reproche qu'on pouvait faire à Péguy... d'essayer dix
manières de dire une chose, alors qu'il n'y en a qu'une. » D'où
l'abondance satirique des comparaisons doubles dans le pastiche
Lemoine : « Ses périodes se succédaient sans interruption, comme
les eaux d'une cascade, comme un ruban qu'on déroule. Par
moments, la monotonie de son discours était telle qu'il ne se
distinguait plus du silence, comme une cloche dont la vibration
persiste, comme un écho qui s'affaiblit » (l'imitation cède ici le pas à
une citation presque littérale) ; « la baptiste de son corsage palpitait
comme une herbe au bord d'une fontaine prête à sourdre, comme le
plumage d'un pigeon qui va s'envoler ».
    On pourrait aussi se demander à quoi Proust reconnaît (chez
autrui) une métaphore inévitable. Pas de réponse à cette question, il
se pourrait qu'il ne fût satisfait d'aucune, hormis les siennes.
Toujours est-il qu'il ne cite nulle part, à ma connaissance, de bon
exemple trouvé chez un autre. Quant à sa propre pratique, le critère
pourrait être simplement que la bonne métaphore est celle qui
s'impose sans recherche et sans concurrence, marquée d'emblée du
sceau, toujours décisif chez Proust, de l'*involontaire*. Cela, du
moins, c'est la théorie indigène. Mais j'ai aussi ma petite idée sur la
question, que j'ai caressée ailleurs [1]. Je la rappelle d'un mot, car ce
n'est pas ici notre propos : la « bonne » métaphore, c'est la
métaphore imposée par le contexte et la situation, ou métaphore
diégétique, ou métaphore métonymique. Du clocher de Combray,
ne dites pas qu'il semble couvert d'écailles, la mer est trop loin ;
nous sommes en Beauce, dites donc qu'il ressemble à un épi de blé.
    Le mérite de Flaubert n'est donc pas dans ses métaphores, « mais
enfin la métaphore n'est pas tout le style ». Cherchons ailleurs.
Voici maintenant une appréciation hautement positive, mais qui va
rester inopérante parce qu'insuffisamment spécifique. On la trouve
encore dans la Préface à *Tendres Stocks :* « Dans les autres siècles
(antérieurs au XIXe), il semble qu'il y ait toujours eu une certaine
distance entre l'objet et les plus hauts esprits qui discourent sur lui.
Mais chez Flaubert, *par exemple,* l'intelligence, qui n'était peut-être
pas des plus grandes, cherche à se faire trépidation d'un bateau à
vapeur, couleur des mousses, îlot dans une baie. Alors arrive un
moment où on ne trouve plus l'intelligence (même l'intelligence
moyenne de Flaubert), on a devant soi le bateau qui file " rencon-
trant des trains de bois qui se mettaient à onduler sous les remous
des vagues ". Cette ondulation-là, c'est de l'intelligence transfor-

1. « Métonymie chez Proust », in *Figures III,* Seuil, 1972.

mée, qui s'est incorporée à la matière. Elle arrive aussi à pénétrer les bruyères, les hêtres, le silence et la lumière des sous-bois. Cette transformation de l'énergie où le penseur a disparu et qui traîne devant nous les choses, ne serait-ce pas le *premier effort de l'écrivain vers le style ?*[1] » L'intelligence incorporée à la matière, c'est une définition possible du « beau style », et les exemples choisis montrent que Proust pense à des performances précises de Flaubert déjà citées dans son article : la deuxième page de *l'Éducation,* les promenades en forêt de Frédéric et Rosanette, ou d'Emma et Rodolphe, certaine phrase de *Salammbô* que nous retrouverons. Mais la définition reste métaphorique, et cette métaphore elle-même ne caractérise que l'effet, et ne dit rien sur les moyens ; ensuite, cet effet ne signe que « le premier effort de l'écrivain vers le style », condition nécessaire mais non suffisante ; enfin et surtout, Flaubert n'est ici qu'*un exemple* parmi d'autres d'une réussite propre aux styles modernes. L'incorporation de l'intelligence n'est donc pas spécifique au style flaubertien. Cette qualité moderne a quelque chose à voir, me semble-t-il, avec ce que Proust décrit ailleurs comme une *homogénéité substantielle* du style : « Dans le style de Flaubert, *par exemple,* toutes les parties de la réalité sont converties en une même substance aux vastes surfaces, d'un miroitement monotone. Aucune impureté n'est restée. Les surfaces sont devenues réfléchissantes. Toutes les choses s'y peignent, mais par reflet, sans en altérer la substance homogène. Tout ce qui était différent a été converti et absorbé[2]. » Flaubert est ici opposé à Balzac, chez qui manque cette homogénéité, et par conséquent le style même : « le style est tellement *la marque de la transformation que la pensée de l'écrivain fait subir à la réalité* [encore une définition proustienne du style ; la plus efficace, peut-être], que, dans Balzac, il n'y a pas à proprement parler de style ». Mais il n'est encore qu'un exemple parmi d'autres possibles, et l'on sait que, malgré le privilège accordé à la modernité, Proust a au moins une fois accordé ce mérite à La Fontaine et à Molière : « une espèce de fondu, d'unité transparente... sans un seul mot qui reste en dehors, qui soit resté réfractaire à cette assimilation... Je suppose que c'est ce qu'on appelle le Vernis des Maîtres[3] ». L'intelligence incorporée à la

1. P. 616. Je souligne.
2. P. 269. Je souligne.
3. Lettre à Mme de Noailles, *Corr. gén.,* Plon, II, 86. Autres formulations de cette fusion stylistique, dans l'article de 1920 : « rendu de la vision, sans, dans l'intervalle, un mot d'esprit ou un trait de sensibilité » (p. 588) ; et dans une esquisse de 1910, intitulée « À ajouter à Flaubert » : « style uni de porphyre, sans interstice, sans un ajoutage » ; mais ces formules décrivent ici ce que le style de Flaubert n'est pas

matière, l'homogénéité substantielle de la vision et du style, c'est le vernis des maîtres *en général,* ce n'est pas la touche propre de Flaubert, dont la spécificité reste à décrire.

En vérité, c'est moi qui, depuis plusieurs pages, tourne autour du point, non par goût pervers du suspens, mais pour mieux étager les niveaux de qualité (ce que Flaubert n'a pas, ce qu'il partage avec tous les « Maîtres », ce qu'il est seul à avoir) et opposer plus nettement cette spécificité flaubertienne à ce que, selon Proust, elle n'est pas. Lui-même n'y va pas de main morte. Voici la deuxième phrase de sa réponse à Thibaudet : « J'ai été stupéfait, je l'avoue, de voir traiter de peu doué pour écrire un homme qui par l'usage entièrement nouveau et personnel qu'il a fait du passé défini, du passé indéfini, du participe présent, de certains pronoms et de certaines prépositions, a renouvelé presque autant notre vision des choses que Kant, avec ses Catégories, les théories de la Connaissance et de la Réalité du monde extérieur. » L'image (nécessaire ?) de la révolution kantienne était déjà dans l'esquisse de 1910, et l'équivalent, ou peut-être l'instrument, stylistique de cette révolution flaubertienne déjà clairement désigné : c'est la grammaire, la syntaxe. « Comme il a tant peiné sur sa syntaxe, c'est en elle qu'il a logé pour toujours son originalité. C'est un génie grammatical. » J'y reviens, bien sûr, mais je veux d'abord souligner cette incertitude, que je marquais à l'instant en hésitant entre *équivalent* et *instrument* stylistique. Ici, c'est Proust lui-même qui hésite : « La révolution de vision, de représentation du monde *qui découle — ou est exprimée —* par sa syntaxe... » (je souligne). Ce point n'est pas mineur : il s'agit, rien de moins, de savoir si l'originalité stylistique de Flaubert *exprime* une vision originale ou si elle la *crée.* Cette question, bien évidemment, rejoint celle que nous avons laissée plus haut en suspens : l'originalité du style est-elle toujours (et par exemple chez Flaubert) fondée sur et garantie par une originalité de vision ? Elle la rejoint, c'est assez visible, en la déplaçant. Mais il faut d'abord tirer au clair, ou mettre au net, la spécificité flaubertienne telle que Proust la dégage. Rien d'autre, donc, que de syntaxique. Rien à admirer dans les images, rien à signaler dans le vocabulaire

---

encore, ou pas toujours dans *Madame Bovary,* où « n'est pas éliminé complètement ce qui n'est pas de Flaubert » : traits d'esprit, sentences, enfin « les images gardant encore un peu de lyrisme ou d'esprit, (qui) ne sont pas encore écrasées, défaites, absorbées dans la prose, ne sont pas une simple apparition des choses » (p. 300). Elles ne le seront à vrai dire jamais, selon Proust, et l'instrument d'homogénéisation sera en fait tout autre.

(Thibaudet est un peu plus inspiré sur ce point), rien de *substantiel* en somme : un lieu d'originalité *purement formel, ou relationnel.* De quoi s'agit-il précisément ?

La page citée plus haut énumère presque exhaustivement les points d'application de cette originalité grammaticale ; les temps des verbes, les pronoms, les prépositions. Ajoutons-y (d'après l'analyse de Proust lui-même, bien sûr) les adverbes, et la conjonction *et.* Des adverbes, Proust précise qu'ils n'ont dans la phrase de Flaubert « qu'une valeur rythmique », d'où leur place souvent inattendue, laide et lourde, « comme pour maçonner ces phrases compactes, boucher les moindres trous » : « Vos chevaux, *peut-être,* sont fougueux » ; souvent en fin de phrase, voire en fin d'œuvre : « une lampe en forme de colombe, brûlait dessus *continuellement* » ; « comme elle était très lourde, etc. ». Mais cette observation semble tardive, car je n'en trouve aucune application dans le pastiche. L'emploi flaubertien du *et* est bien connu, et Thibaudet lui consacre parallèlement quelques pages très attentives. Cette conjonction « n'a nullement chez Flaubert l'objet que la grammaire lui assigne, dit Proust. Elle marque une pause dans une mesure rythmique et divise un tableau ». Aussi intervient-elle presque toujours à contretemps. « Partout où on mettrait *et,* Flaubert le supprime. C'est le modèle et la coupe de tant de phrases admirables : " Les Celtes regrettaient trois pierres brutes, sous un ciel pluvieux, dans un golfe rempli d'îlots " (c'est peut-être *semé* au lieu de *rempli,* je cite de mémoire). » (Ce n'est ni semé ni rempli, mais, plus modestement encore, *plein ;* en revanche, ce n'est pas simplement *dans,* mais *au fond* d'un golfe.) Cet effet d'asyndète est un des flaubertismes les plus abondamment pratiqués par Proust. Ainsi, dans son *Bouvard :* « D'ailleurs, il est toujours en voiture, s'habille sans grâce, porte habituellement un lorgnon », ou « Tout artiste est flatteur, brouillé avec sa famille, ne porte jamais de chapeau haute-forme, parle une langue spéciale » ; dans *Lemoine :* « Il était vieux, avec un visage de pitre, une robe trop étroite pour sa corpulence, des prétentions à l'esprit », ou « Il avait débuté sur un ton d'emphase, parla deux heures, semblait dyspeptique... » (Ces imitations peuvent sembler chargées et ironiques, mais on trouverait bien des phrases de cette « coupe » dans le vrai *Bouvard,* et aussi bien, dans le contexte moins satirique d'*Un cœur simple,* par exemple : « Comme il gérait les propriétés de " Madame ", il s'enfermait avec elle pendant des heures dans le cabinet de " Monsieur ", et craignait toujours de se compromettre, respectait infiniment la magistrature, avait des prétentions au latin. ») « En revanche, là où personne n'aurait idée d'en user, Flaubert l'emploie » ; ce *et* flaubertien intervient souvent en tête de phrase, après un point ou un point-virgule ; il ne « termine presque jamais une énumération », mais « commence toujours une phrase secondaire » : c'est « comme l'indication qu'une autre partie du tableau va commencer, que la vague refluante, de nouveau, va se reformer ». Exemple : « La place du Carrousel avait un aspect tranquille. L'Hôtel de Nantes s'y dressait toujours solitairement ; *et* les maisons par-derrière, etc. » Application mimétique : « Il était vieux, avec un visage de pitre, une robe trop étroite pour sa corpulence, des prétentions à l'esprit ; *et* ses favoris égaux, qu'un reste de tabac salissait, donnaient à toute sa personne quelque chose de décoratif et de vulgaire. » « Il fut terrible pour Lemoine, mais l'élégance des formules atténuait l'âpreté du réquisitoire. *Et* ses périodes se succédaient sans interruption, etc. » Ce *et* que Thibaudet appelle *et* de mouvement, de passage ou de disjonction, est passé, *ad nauseam,* dans la koïnè naturaliste, et singulièrement chez Zola, où il reçoit, du contexte, une tout autre fonction [1]. Thibaudet, plus sensible aux innovations durables de Flaubert qu'à ses singularités proprement individuelles, et toujours porté, par point d'honneur bergsonien, à valoriser le mouvement et à le voir là où il est le moins, y trouve un « schème moteur » caractéristique. Il pourrait le devenir, et il le devient chez Zola, emporté qu'il y est dans un flux oratoire irrésistible. Chez Flaubert, qui s'ingénierait plutôt à supprimer toute espèce de mouvement, il marque, comme l'indique Proust, une pause et un palier.

L'élision et le contre-emploi du *et* constituent deux effets rythmiques complémentaires, et concourent ensemble (et le plus souvent en contiguïté) à une structuration très particulière de la phrase. Mais on ne peut apprécier correctement cette structure sans y faire intervenir au moins deux autres éléments : l'emploi des temps et celui des prépositions. Cela encore est bien connu, mais doit être considéré ici sous un nouvel angle. On sait que Flaubert use et abuse de l'imparfait (son « éternel imparfait », dit Proust), convoqué tantôt comme duratif, tantôt comme itératif, tantôt comme véhicule

---

1. Un autre trait hérité, via Goncourt, par les naturalistes est le substantif abstrait sans épithète, précédé d'un article indéfini : « une mollesse la saisit » (Emma à la Vaubyessard). Proust ne le mentionne pas dans son article, mais il le place dans son pastiche : « *une douceur* l'envahit ». Il ne mentionne ni ne pratique cet autre tour prénaturaliste : *ce fut...,* immortalisé par le « Ce fut comme une apparition » de *l'Éducation sentimentale.* Il fait bien, peut-être, et j'ai tort de le signaler : ce sera l'un des tics zoliens *(Et ce fut un..., alors ce fut une...)* les moins supportables, et rien ne fausse davantage la description du style de Flaubert que son amalgame avec sa dérivation naturaliste.

du style indirect libre, et bien souvent dans un mixte ambigu de tout cela. Et que le présent intervient volontiers chez lui quand on ne l'attend pas, soit lui aussi comme discours (à peine) indirect, soit comme témoin d'une disposition durable, et souvent comme trace d'une observation personnelle, voire reste d'une première rédaction documentaire, comme peut-être dans ce passage d'*Un cœur simple* : « Quand le temps était clair, on s'en allait de bonne heure à la ferme de Gefosses. La cour *est* en pente, la maison dans le milieu ; et la mer, au loin, *apparaît* comme une tâche grise. » Mais ce qui importe, dans la perspective de l'analyse et de l'imitation proustiennes, c'est l'effet produit, dans des phrases à la coupe inhabituelle, par l'hétérogénéité des temps et par leur entrechoquement désordonné, voire cocasse : « Pour cent francs par an, elle faisait la cuisine et le ménage, cousait, lavait, repassait, savait brider un cheval, engraisser les volailles, battre le beurre et *resta* fidèle à sa maîtresse » *(Un cœur simple).* La rupture est ici double : entre les imparfaits et le passé simple de *resta,* mais aussi par l'interposition des infinitifs commandés par *savait* — le tout pour cent francs, d'où une sorte de syllepse, ou de zeugma sémantico-temporel à la limite du coq-à-l'âne. Effet analogue dans le pastiche : « Déjà les farceurs *commençaient* à s'interpeller d'un banc à l'autre, et les femmes, *regardant* leurs maris, *s'étouffaient* de rire dans un mouchoir, quand un silence *s'établit,* le président *parut* s'absorber pour dormir, l'avocat de Werner *prononçait* sa plaidoirie. Il *avait débuté* sur un ton d'emphase, *parla* deux heures, *semblait dyspeptique...* » Ou : « *Et ils finissaient* par ne plus voir que deux grappes de fleurs violettes, *descendant* jusqu'à l'eau rapide qu'elles *touchent* presque, dans la lumière crue d'un après-midi sans soleil, le long d'un mur rougeâtre qui *s'effritait.* » L'emploi des prépositions vient souvent relayer ou seconder cet effet. Proust le qualifie simplement, on l'a vu, de « rythmique » et n'y revient pas en commentaire. Mais ses citations, même, ou surtout, lorsqu'elles sont fausses, indiquent bien ce dont il s'agit : « Les Celtes regrettaient trois pierres brutes, *sous* un ciel pluvieux, *dans* un golfe rempli d'îlots » ; « Le père et la mère de Julien habitaient un château, *au milieu* des bois, *sur* la pente d'une colline. » « La variété des prépositions, précise ici Proust, ajoute à la beauté de ces phrases ternaires. » Cette « variété » peut bien procéder chez Flaubert d'une crainte un peu scolaire de la répétition ; l'effet est là, et c'est ce que j'appellerais volontiers un effet de *dislocation :* comme les temps des verbes, les compléments circonstanciels (mais aussi bien, on va le voir, les compléments d'objet) se *dissimilent,* et la phrase, sinuant ou plutôt zigzaguant de l'un à l'autre, se déhanche sans souplesse, faisant saillir ses angles comme un pantin désarticulé : « On avait déplié le velarium et apporté vivement de larges coussins auprès d'eux. Hérodias s'y affaissa, et pleurait, en tournant le dos. » Puis elle passa la main sur les paupières, dit qu'elle n'y voulait plus songer, qu'elle se trouvait heureuse ; et elle lui rappela leurs causeries là-bas, dans l'atrium, les rencontres aux étuves, leurs promenades le long de la voie Sacrée, et les soirs, dans les grandes villas, au murmure des jets d'eau, sous des arcs de fleurs, devant la campagne romaine. » Application proustienne (superbe) : « Ils se voyaient avec elle, *à* la campagne, *jusqu'à* la fin de leurs jours, *dans* une maison tout en bois blanc, *sur* le bord triste d'un grand fleuve. Ils auraient connu le cri du pétrel, la venue du brouillard, l'oscillation des navires, le développement des nuées, et seraient restés des heures avec son corps sur leurs genoux, à regarder monter la marée et s'entrechoquer les amarres, *de* leur terrasse, *dans* un fauteuil d'osier, *sous* une tente rayée de bleu, *entre* des boules de métal. »

Pronoms : il s'agit évidemment de ces anaphoriques décalés qui renvoient — entorse à la grammaire puriste, mais aussi, littéralement, à l'articulation logique des phrases, et donc encore effet de dislocation — à un substantif qui n'était pas le sujet de la phrase précédente. Proust se plaît à voir Flaubert se plaire à noter chez Montesquieu un tour analogue : « Il était terrible dans la colère ; elle le rendait cruel. » Et de noter à son tour, dans *L'Éducation* : « Il en surgit une autre, plus proche, sur la rive opposée. Des arbres *la* couronnaient. » Et de rivaliser ou surenchérir : « Une dame enleva son chapeau. Un perroquet *le* surmontait. Deux jeunes gens *s'en* étonnèrent... » Le bénéfice de telles tournures est, selon Proust, qu'en permettant de faire jaillir du cœur d'une proposition l'arceau qui ne retombera qu'en plein milieu de la proposition suivante, elles assurent l'étroite, l'hermétique continuité du style. C'est aussi, et peut-être plus spécifiquement, que de tels glissements de sujets et d'objets contribuent à une particularité relevée dans l'esquisse de 1910 : chez Flaubert, « les choses agissent comme des personnes », « existent non pas comme l'accessoire d'une histoire, mais dans la réalité de leur apparition ; elles sont généralement le sujet de la phrase, car le personnage n'intervient pas et subit la vision » ; et inversement, « quand l'objet représenté est humain, comme il est connu comme un objet, ce qui en apparaît est décrit comme apparaissant, et non comme produit par la volonté... Quand il y a une action dont un autre écrivain ferait sortir les différentes phrases (*sic ;* pour *phases ?* précieux lapsus) du motif qui les inspire, il y a un tableau dont les différentes parties semblent ne pas plus receler d'intention que s'il s'agissait de décrire un coucher de soleil ».

Voilà donc la « révolution » accomplie dès l'*Éducation* ; « *ce qui jusqu'à Flaubert était action devient impression*. Les choses ont autant de vie que les hommes, car c'est le raisonnement qui après coup assigne à tout phénomène visuel des causes extérieures, mais dans l'*impression première* que nous recevons cette cause n'est pas impliquée » (je souligne). Cet impressionnisme flaubertien, que Proust préfère, dix lignes plus bas, nommer *subjectivisme* (le terme lui est, et lui rend Flaubert, plus congénial), c'est ce qu'on pourrait aussi, et aussi proustiennement, appeler le « côté Dostoïevski » de Flaubert, en paraphrasant Marcel parlant de Mme de Sévigné : « Il est arrivé que Mme de Sévigné, comme Elstir, comme Dostoïevski, au lieu de présenter les choses dans l'ordre logique, c'est-à-dire en commençant par la cause, nous montre d'abord l'effet, l'illusion qui nous frappe [1]. » La référence à Elstir suffit sans doute à indiquer l'importance esthétique et philosophique de ce thème. Pour Sévigné, une autre page de la *Recherche* confirme et illustre le trait : « Mme de Sévigné est une grande artiste de la même famille (qu'Elstir). Je me rendis compte à Balbec que c'est de la même façon que lui qu'elle nous présente les choses, dans l'ordre de nos perceptions, au lieu de les expliquer d'abord par leur cause. Mais déjà cet après-midi-là, dans ce wagon, en relisant la lettre où apparaît le clair de lune : " Je ne pus résister à la tentation, je mets toutes mes coiffes et casaques qui n'étaient pas nécessaires, je vais dans ce mail dont l'air est bon comme celui de ma chambre ; je trouve mille coquecigrues, des moines blancs et noirs, plusieurs religieuses grises et blanches, du linge jeté par-ci par-là, des hommes ensevelis tout droits comme des arbres, etc. ", je fus ravis par ce que j'eusse appelé un peu plus tard (ne peint-elle pas les paysages de la même façon que lui, les caractères ?) le côté Dostoïevski des Lettres de Madame de Sévigné [2]. » Le *côté Dostoïevski,* c'est le primat de l'impression, voire de l'illusion première, et c'est évidemment ainsi que Proust interprétait, à tort ou à raison, cette phrase énigmatique de la préface aux *Dernières chansons* de Louis Bouilhet, qu'il aimait tant citer (incomplètement), et où Flaubert dit de l'écrivain que « les accidents du monde lui apparaissent tous transposés comme pour l'emploi d'une illusion à décrire ». Il la cite, entre autres, à propos de la « folie naissante » de Nerval, « subjectivisme excessif, importance plus grande, pour ainsi dire, attachée à un rêve, à un souvenir, à la qualité personnelle de la sensation, qu'à ce que cette sensation signifie de commun à tous, de

1. *Recherche*, III, p. 379.
2. *Recherche*, I, p. 653.

perceptible pour tous, la réalité ». Et il ajoute que cette disposition
« à ne considérer la réalité que " pour l'emploi d'une illusion à
décrire " [on voit le détournement de la formule flaubertienne] et à
faire des illusions qu'on trouve du prix à décrire une sorte de
réalité... est au fond *la* disposition artistique [1] ». Ceci encore n'est
pas précisément marginal, c'est évidemment une définition indirecte
de l'esthétique proustienne elle-même, à laquelle Flaubert est ici,
avec Nerval, Dostoïevski, Sévigné et deux ou trois autres, annexé et
assimilé. Mais cette (*la*) disposition artistique, chacun la réalise par
le moyen qui lui est propre : Sévigné par coquecigrues, Elstir et
Proust lui-même par métaphores, Flaubert par (j'en viens enfin à la
formule la plus dense, et qui dit à peu près tout) « les singularités
immuables d'une syntaxe déformante [2] ».

Telle est, pour l'essentiel [3], la singularité du style de Flaubert, ou
peut-être l'illusion que Proust « trouve du prix » à en décrire, et du
plaisir à en user. Proust lui-même, sous peine de trahir sa propre
doctrine, devrait bien reconnaître, et même soutenir, que c'en est là
une vision « déformante », comme l'ensemble de sa vision, et
comme toute vision d'artiste. Seuls les non-artistes ont une vision
« juste », mais cette justesse est stérile. Seule la déformation
artistique est féconde, parce que révélatrice pour les non-artistes
eux-mêmes : « Et maintenant, regardez ! » Et maintenant, lisez
Flaubert avec les lunettes proustiennes, ou, ce qui revient au même,
lisez Flaubert comme si c'était, pourquoi pas, un pastiche de
Flaubert par Proust. Vous le trouverez sans doute assez réussi dans
le genre, surtout à partir de *l'Éducation*. Le Flaubert de Proust est
un Flaubert tardif : c'est le dernier Flaubert, le « vieux (quoique pas
très vieux) Flaubert », comme il y a un vieux Titien, un vieux Hals
(un vieil Elstir), au moment où l'artiste se dépouille de ses talents
superficiels, « renonce à sa " virtuosité ", sa " facilité " innées, afin
de créer, pour une vision nouvelle, des expressions qui tâchent peu à
peu de s'adapter à elles ». Proust n'est donc pas tant qu'il le croit en
désaccord avec Thibaudet, qui trouve lui aussi tardive la maturité

1. P. 234 ; je souligne.
2. P. 593.
3. J'ai laissé de côté l'emploi du participe présent, que Proust mentionne au
nombre des particularités décisives, mais sur lequel il ne revient ni dans son article ni
guère dans son pastiche. Thibaudet en parle davantage, pour en signaler la fréquence
anormale, dont la raison lui semble être le souci d'éviter les relatives. Il faudrait peut-
être considérer de plus près son effet caractéristique d'alourdissement.

stylistique de Flaubert, le moment où l'art des « coupes » appris chez Montesquieu ou La Bruyère vient heureusement subvertir un don premier qui était — il n'est, pour s'en convaincre, que de lire les œuvres de jeunesse — essentiellement « oratoire ». Un tel accomplissement, qui est en fait une laborieuse et douloureuse déconstruction, ne peut être que tardif. « Ces singularités grammaticales traduisant, en effet, une vision nouvelle, que d'application ne fallait-il pas pour bien fixer cette vision, pour la faire passer de l'inconscient dans le conscient, pour l'incorporer enfin aux diverses parties du discours[1] ! » Tardif, et peut-être nécessairement assez rare, même dans les dernières œuvres. On est frappé de voir comme le Flaubert de Proust consiste en fait en un corpus de quelques pages privilégiées, début de *l'Éducation,* bribes de *Salammbô,* des *Trois contes,* de *Bouvard* bien sûr, dont il s'est imprégné très tôt pour son pastiche juvénile (mais qu'il ne cite nulle part ailleurs), et un peu toujours les mêmes. On dirait volontiers qu'il s'est constitué son Flaubert sur deux ou trois phrases caractéristiques, retenues par cœur et vaguement réécrites par une mémoire égoïste, je veux dire « artiste » elle aussi, et donc au service exclusif de son art. Moyennant quoi, et un peu de génie aidant, ce Flaubert-là se trouve être, de Flaubert, peut-être bien, ce que nous avons de meilleur.

Pour être tout à fait net : Proust, me semble-t-il, a mis un doigt d'une précision toute chirurgicale sur ce que Flaubert a de plus spécifique. Ces flaubertismes se trouvent dans son œuvre en quantité relativement faible, mais croissante, et surtout décisive : ce sont eux qui donnent le ton, et l'on sait qu'il suffit de deux ou trois dissonances originales pour transfigurer une partition qui, sans elles, resterait simplement correcte. Je ne suis pas sûr, en revanche, que dans l'interprétation qu'il en donne Proust ne cède pas un peu à la tentation inévitable et inconsciente de tirer Flaubert dans son sens et d'en faire indûment, avec Nerval, Dostoïevski et autres, l'un de ses précurseurs. Il m'apparaît plus prudent, et plus « soumis à la réalité » flaubertienne, lorsqu'il évoque simplement un changement « de l'aspect des choses et des êtres, comme font une lampe qu'on a déplacée, l'arrivée dans une maison nouvelle, l'ancienne si elle est presque vide et qu'on est en plein déménagement. C'est ce genre de tristesse, fait de la rupture des habitudes et de l'irréalité du décor, que donne le style de Flaubert[2] ». L'effet « déformant » de la syntaxe flaubertienne tient peut-être uniquement, et quelles qu'en soient les modalités — qui sont autant de « ruptures des habitudes »

1. P. 592.
2. P. 590.

grammaticales — à une sorte de présence, de visibilité et de pesanteur inhabituelles de l'aspect grammatical du discours, lequel s'en trouve inévitablement, et comme mécaniquement, alourdi, entravé, et, comme le notaient Malraux et Jean Prévost, « paralysé » et « pétrifié » ; et Flaubert lui-même se disait souvent physiquement engourdi et comme ankylosé[1].

Reste cependant un point, que je n'oublie pas : cette « syntaxe déformante » traduit-elle, comme le dit Proust en 1920, une vision nouvelle, ou bien est-ce au contraire, comme il en laissait encore l'hypothèse ouverte en 1910, cette vision qui découle de cette syntaxe ? Il me semble qu'avec le temps, Proust tend à appuyer de plus en plus (lourdement) son esthétique sur une « métaphysique », et que sa position finale est la plus expressionniste : la syntaxe de Flaubert ne serait donc pas « déformante », mais bien déformée par une vision singulière, qui se serait peu à peu accentuée chez lui, imprimant de plus en plus sa marque à son discours.

Inutile (mais bien commode) de dire que cette question, peut-être décisive pour Proust, me semble plutôt oiseuse. La « vision flaubertienne », somme toute, nous importe peu, si ce n'est à titre de métaphore pour désigner son style, et le terme même de « vision » est peut-être ici la plus lourde présupposition proustienne. Si une telle vision a existé, elle n'existe plus, et Proust lui-même indique qu'il ne la retrouve à peu près nulle part dans la Correspondance. Il parle de ces écrivains « dont la réalité littéraire (une forme qui les fascine, comme Flaubert) est si intérieure qu'elle ne peut s'appliquer dans la conversation ou dans la correspondance[2] ». C'est peut-être assez suggérer que cette « réalité littéraire » est purement littéraire, et ne peut s'investir qu'à l'extrême pointe de l'écriture. Mais peu importe : on ne trouve plus personne, j'espère, pour spéculer sur les troubles de la vision chez le Greco, ou pour se demander si les audaces finales de Beethoven ont à faire avec la surdité. Restons-en là pour Flaubert, et n'invoquons surtout pas sa trop fameuse et trop mystérieuse « maladie ». Reste qu'il est devenu, dans ses dernières œuvres — et que nous le percevons mieux depuis que Proust a attiré là-dessus notre attention, fût-elle

---

1. « Il faudrait que je sois dans une immobilité complète d'existence pour pouvoir écrire. Je pense mieux couché sur le dos et les yeux fermés. Le moindre bruit se répète en moi avec des échos prolongés qui sont longtemps avant de mourir. Et plus je vais, plus cette infirmité se développe. Quelque chose, de plus en plus, s'épaissit en moi, qui a peine à couler » (A Louise Colet, 15 avril 1852). Cette sécrétion épaissie et ralentie, c'est en tout cas l'écriture flaubertienne, de plus en plus encombrée de caillots et guettée, comme son maître, par la thrombose finale.
2. Jean Santeuil, Pléiade, p. 486.

129

infidèle à la sienne —, une sorte de Cézanne de l'écriture, chez qui le « réel » commence à se déglinguer, ou plutôt à se *gripper* sérieusement, et qui renouvelle, comme le disait d'emblée Proust, « *notre* vision des choses ». Le premier romancier impressionniste ? Malgré les dates, et à cause de certaines arêtes assez vives, je dirais plutôt le premier (et le dernier ?) écrivain *cubiste.*

Proust, on le sait, justifiait lui-même sa pratique mimétique par ce qu'il appelait « la vertu purgative, exorcisante, du pastiche. Quand on vient de finir un livre, non seulement on voudrait continuer à vivre avec ses personnages... mais encore notre voix intérieure qui a été disciplinée pendant toute la durée de la lecture à suivre le rythme d'un Balzac, d'un Flaubert, voudrait continuer à parler comme eux. Il faut la laisser faire un moment, laisser la pédale prolonger le son, c'est-à-dire faire un pastiche volontaire, pour pouvoir après cela redevenir original, ne pas faire toute sa vie du pastiche involontaire [1] ». Mais cette justification elle-même trouve son explication dans cette exceptionnelle capacité mimétique, ou porosité à la contagion d'autrui, qui a frappé tous les amis de Proust (et, d'une autre façon, tous ses ennemis), et qui s'investit comme on sait dans la caractérisation de ses personnages romanesques. La cible était à vrai dire plus souvent amicale, et cette précision importe à déterminer la tonalité dominante de ses pastiches, qui est un mixte spécifique (mais à dosage variable) d'admiration et d'ironie. Cette nuance me semble assez proche du mixte d'affection et d'ironie qui marque l'amitié proustienne, et qui se traduisait par l'attitude communément nommée *taquinerie.* Le pastiche proustien n'est ni purement satirique ni purement admiratif, et son régime propre est bien celui, irréductiblement ambigu, de la taquinerie, où se moquer est une façon d'aimer, et où l'ironie (comprenne qui doit) n'est qu'un détour de la tendresse.

Mais l'indication la plus profonde est sans doute cette page du *Contre Sainte-Beuve* où Proust met en relation son don d'imitation et cette sensibilité aux analogies qui est le fondement même de son esthétique (et de sa philosophie) : « Je pense que le garçon qui en moi s'amuse (aux pastiches) doit être le même que celui qui a aussi l'oreille fine et juste pour sentir entre deux impressions, entre deux idées, une harmonie très fine que tous ne sentent pas [2]. » *Capitalissime :* la capacité mimétique et le « démon de l'analogie » ne sont

---

1. *Contre Sainte-Beuve*, Pléiade, p. 594. Cf. lettre à Fernandez citée *ibid.* p. 690.
2. *Ibid.*, p. 304.

qu'une seule et même aptitude à percevoir et à produire les ressemblances. Le pastiche n'est donc pas chez Proust une pratique accessoire, pure catharsis stylistique ou simple exercice pré-romanesque : il est, avec la réminiscence et la métaphore, l'une des voies privilégiées — et à vrai dire obligées — de son rapport au monde et à l'art.

XX

Tout travestissement, nous l'avons vu, comporte une part (une face) de pastiche, puisqu'il transpose un texte de son style d'origine dans un autre style que le travestisseur doit bien emprunter pour le pratiquer en cette circonstance. Dans le *Virgile travesti,* Scarron traduit l'*Énéide* dans un français « vulgaire » qui ne lui est pas plus « naturel » que le français virgilisant du *Lutrin* ne l'est à Boileau, et qui est, autant que nous puissions en juger, aussi conventionnel : son texte est donc à la fois un travestissement de l'*Énéide* et un pastiche du parler conventionnel dit « français vulgaire ». Et quand bien même il opérerait ici dans son style le plus spontanément propre, le seul fait de le pratiquer à titre (et comme moyen) de transposition le lui rendrait immanquablement moins « naturel », moins transparent : moins *immédiat.* Pour l'appliquer à l'action de l'*Énéide,* il devrait constamment reconstituer son propre idiolecte, et pratiquer son propre style — qui n'en resterait sans doute pas sans quelques traces — sur le mode de l'*autopastiche.*

On aimerait dire, pour la symétrie, que réciproquement tout pastiche comporte un versant de travestissement. Mais il n'en est rien : un mimotexte isolé ne produit aucun effet de transformation, parce qu'il ne transpose dans le style de son modèle aucun texte préexistant connu (ni même, sans doute, inconnu) de nous, et cette situation est de loin la plus fréquente. En revanche, dans le cas (très exceptionnel) où une série de pastiches est composée comme une suite de variations sur un thème unique, comme dans *l'Affaire Lemoine* (exception faite pour le pseudo-Sainte-Beuve, qui commente, métastylistiquement, le pseudo-Balzac), chacun d'eux peut valoir pour une transposition de chacun des autres. Mais, à vrai dire, *l'Affaire Lemoine* n'illustre pas exactement cette situation, car si ses différents chapitres se rapportent bien au même sujet commun, on

131

ne peut dire qu'ils racontent tous la même histoire : chacun d'eux choisit dans le fait divers le détail ou le point de vue qui lui convient, et ces segments ne sont donc pas tout à fait superposables et concurrents.

Autre approche imparfaite dans une curieuse performance de Reboux et Muller.

Tout le monde connaît *la Parure*. Les deux pasticheurs imaginent que Maupassant est mort avant de pouvoir rédiger cette nouvelle, dont on trouve seulement le scénario dans ses papiers, et que ses quatre amis Dickens, Edmond de Goncourt, Zola et Alphonse Daudet (groupés, dans la première édition, sous le label collectif — et abusif — d' « École naturaliste ») s'en partagent la rédaction. D'où une série de quatre pastiches, non concurrents et sans relation transformationnelle entre eux ; mais chacun d'eux, donné comme la rédaction d'une partie de la nouvelle esquissée par Maupassant, est en fait une transcription, dans le style de son auteur fictif, d'une partie de la nouvelle effectivement écrite par Maupassant. Chacun d'eux est donc bien à la fois une charge et, accessoirement mais volontairement de la part de Reboux et Muller, un travestissement. Le lecteur averti n'a plus qu'à se reporter au texte original (qui ne figure évidemment pas dans le recueil) pour comparer successivement Maupassant à sa récriture par « Dickens » (première partie : Mme Loisel, invitée à un bal, emprunte une parure à son amie Mme Forestier), par « Goncourt » (deuxième partie : le bal), par « Zola » (la parure est perdue : dix ans de privations pour la rembourser), enfin par « Daudet » (révélation finale : la parure était fausse). La dernière partie comporte d'ailleurs, en prime et sans que l'on puisse savoir si l'on doit interpréter cette addition comme un daudétisme, ce dénouement heureux que le texte de Maupassant autorisait sans l'accomplir, ni même l'indiquer : Mme Forestier restitue à son amie la différence de valeur entre les deux parures, « épargne involontaire » qui lui permettra une retraite aisée dans une villa au bord de la Seine — baptisée comme il se doit « la Parure ».

Cette situation de coexistence entre le texte d'un auteur et sa transcription dans le style d'un ou plusieurs autres est à ma connaissance sans réplique. Elle a pour effet secondaire de placer le texte original en position de *thème* dont les quatre pastiches seraient autant de variations — à ceci près qu'ils en varient chacun un segment au lieu de le varier tous intégralement et concurremment. D'où pour le lecteur cette illusion assez inévitable : comparé au pastiche qui le varie, chaque segment du texte de Maupassant semble, par contraste, d'une parfaite neutralité stylistique, étatnorme, degré zéro rétrospectif, et certes tout relatif, comme si Maupassant n'avait pas lui aussi ses traits de style, et comme s'il n'était pas possible d'écrire un « à la manière de Maupassant ». C'était à vrai dire, nous le savons, l'opinion de Paul Reboux : d'où, peut-être, ce quadruple travestissement, bal masqué organisé tout à sa gloire, et pour mieux exalter a contrario sa perfection. Mais que peut réellement démontrer la confrontation entre un original authentique et quatre caricatures ?

A titre de contre-épreuve et pour rester dans les paris stupides, j'imagine un bel exercice pour quelque Pierre Ménard désœuvré et docile : (1) oublier le texte de *la Parure* ; (2) s'imprégner, sur le reste de son œuvre, du style de Maupassant ; (3) ainsi armé, et à partir des quatre transcriptions forgées par Reboux et Muller, reconstituer l'original.

Un exemple plus rigoureux nous est offert par les *Exercices de style* de Queneau, qui varient tous le même thème, dont la version intitulée *Récit* peut être considérée sans trop d'abus, bien que l'auteur ne la présente nullement ainsi et qu'elle ne soit certainement pas la première en date [1], comme l'état le plus proche d'un hypothétique degré zéro (exposition du thème) de la variation stylistique — ou autre, car la série présente des états (*Translation, Lipogramme, Homophonique,* etc.) qui relèvent, nous l'avons vu à propos d'autres productions oulipiennes, d'un tout autre type de transformation textuelle. Il faut également préciser que les « styles » explicitement visés par Queneau ne sont jamais, comme dans le pastiche canonique, des idiolectes d'auteurs, mais des types généraux, de genres (*Lettre officielle, Prière d'insérer, Interrogatoire*), de niveaux d'usage (*Ampoulé, Vulgaire*), de partis pris grammaticaux (*Présent, Passé indéfini*) et autres (*Onomatopées, Télégraphique,* etc.) — même si *Exclamations* (« Tiens ! Midi ! temps de prendre l'autobus !... ») évoque inévitablement Céline, et *Passé indéfini* (« Je suis monté dans l'autobus de la porte de Champerret. Il y avait beaucoup de monde, des jeunes, des vieux, des femmes, des militaires. J'ai payé ma place et puis j'ai regardé autour de moi... ») le Camus de *l'Étranger,* d'une manière sans doute non tout à fait fortuite et purement grammaticale, comme le suggèrent des phrases telles que : « Ce n'était pas très intéressant », ou « J'étais

1. Les douze premières furent écrites en mai 1942, et *Récit,* qui est la seizième, doit dater d'août ou de novembre.

assis et je n'ai pensé à rien », qui connotent une apathie typiquement meursaultienne.

Le degré zéro de *Récit* (« Un jour vers midi du côté du parc Monceau, sur la plate-forme arrière d'un autobus à peu près complet de la ligne S (aujourd'hui 84), j'aperçus un personnage au cou fort long qui portait un feutre mou entouré d'un galon tressé au lieu de ruban. Cet individu, etc. ») n'accomplit en rien, faut-il le préciser, la notion — hautement improbable — de ce que serait le « style naturel » de Queneau. Il ne serait cependant pas difficile d'ajouter à la série un assez présentable « à la manière de Raymond Queneau », autopastiche qui se référerait pour plus de sûreté (et d'efficacité) à sa manière la plus notoire, qui est en même temps la plus marquée, disons celle de *Zazie dans le métro*. Au fait, cette page s'y trouve déjà, sous le titre *Inattendu* (c'est, peut-être non sans raison, la quatre-vingt-dix-neuvième et dernière variation) :

> Les copains étaient assis autour d'une table de café lorsque Albert les rejoignit. Il y avait là René, Robert, Adolphe, Georges, Théodore.
> — Alors ça va ? demanda cordialement Robert.
> — Ça va, dit Albert.
> Il appela le garçon.
> — Pour moi, ce sera un picon, dit-il...

La préface écrite par Queneau pour l'édition illustrée de 1979 (où j'observe que la version *Récit* a été choisie pour figurer sur la couverture, confirmation peut-être de son statut — a posteriori — d'exposition thématique) définit parfaitement, par référence à son modèle musical — la variation, bien sûr —, le principe formel qui préside à la composition des *Exercices de style* : « Dans un entretien avec Jacques Bens, Michel Leiris se souvient que " dans le courant des années trente, nous (M. L. et moi) avons entendu ensemble à la salle Pleyel un concert où l'on donnait *l'Art de la fugue*. Je me rappelle que nous avions suivi cela très passionnément et que nous nous sommes dit, en sortant, qu'il serait bien intéressant de faire quelque chose de ce genre sur le plan littéraire (en considérant l'œuvre de Bach non plus sous l'angle contrepoint et fugue, mais édification d'une œuvre au moyen de variations proliférant presque à l'infini autour d'un thème assez mince) ". C'est effectivement et très consciemment en me souvenant de Bach que j'ai écrit *Exercices de style,* et très précisément de cette séance à la salle Pleyel... »

Cette œuvre est donc bien, et à juste titre, dans l'esprit de son auteur, une série de variations (stylistiques et autres) sur un même thème (original, mais volontairement neutre ou banal), que chacune de ces variations transforme soit selon un principe mécanique de manipulation de type oulipien, soit en le récrivant dans un style défini [1] ; par ce second aspect, l'œuvre relève évidemment à la fois de la parodie et du pastiche, puisque chaque variation parodie le thème en pastichant un nouveau style. Il faut en dire autant des variations picturales opérées par Carelman pour l'édition illustrée : la même scène en style enfantin, philatélique, persan, japonais, primitif flamand, etc. J'appellerai *transtylisation* ce procédé de la variation stylistique, et nous en rencontrerons d'autres manifestations dont un régime moins expressément (ou moins volontairement) ludique.

C'étaient là quelques performances de pastiches en variation transtylistique. Dans l'ordre de l'imitation multiple, il faudrait encore évoquer l'hypothèse, nullement fantastique, du pastiche à deux (ou plusieurs) degrés : pastiche par A de B pastichant C (etc.). C'est un peu à quoi prétendait Diderot en rivalisant de marivaudage avec Crébillon. J'ai tenté jadis un Bossuet par Proust par Queneau où les trois niveaux, sans compter le quatrième, étaient assez reconnaissables, mais je n'arrive pas à remettre la main dessus, et je n'ai pas le temps de le reconstituer. Chacun de vous peut s'y essayer, ce n'est pas la mer à boire.

XXI

L'autopastiche, déjà évoqué une ou deux fois, est une notion quelque peu fantomatique, dont l'usage s'impose fréquemment à titre de métaphore ou d'hyperbole, mais qui ne recouvre presque aucune pratique réelle. Lorsqu'un auteur accentue son idiolecte en en multipliant ou en en exagérant les traits caractéristiques, il est tentant (et courant) de le taxer, ou plus exactement de feindre de le soupçonner d'autopastiche ironique, ou, comme on dit plus couram-

---

1. C'est bien l'équivalent de la variation musicale, qui s'obtient soit par transformation mécanique réglée (changement de tempo, de tonalité, de rythme, etc.), soit par transposition stylistique : *maestoso, espressivo,* à la manière de *(alla...).*

ment, d' « autoparodie [1] ». La fictivité du soupçon porte sur le caractère volontaire de la pratique (« Ma parole, il le fait exprès ! »), mais la critique réelle vise en fait une sorte d'autocaricature involontaire, une aggravation inconsciente ou irresponsable des traits, due à la fatigue ou à la complaisance. L'autopastiche involontaire n'est par définition qu'un *effet,* non une pratique délibérée. L'autopastiche comme genre ne pourrait consister qu'en auto-imitations volontaires. Pratique fort rare, je l'ai dit, peut-être parce qu'elle suppose à la fois une conscience et une capacité d'objectivation stylistique peu répandues. Il y faut sans doute un écrivain doué en même temps d'une forte individualité stylistique et d'une grande aptitude à l'imitation.

L'autre écrivain (français ; un troisième cas, hors de France, serait celui de Joyce, plus délicat parce que son écriture est plus polymorphe ; et un quatrième, celui de Nabokov) qui répond le mieux à cette condition est certainement Proust — encore lui ; aussi n'est-il pas surprenant qu'il nous offre l'exemple rare d'un autopastiche conscient et volontaire. Non pas, comme on pourrait s'y attendre, en saisissant l'occasion de la série de *l'Affaire Lemoine :* en 1908, son œuvre publiée était encore trop mince et sa notoriété trop confidentielle pour justifier ou excuser un geste aussi typiquement narcissique ; peut-être même les traits les plus caractéristiques de son style n'étaient-ils pas encore pleinement constitués ou fixés. C'est seulement dans *la Prisonnière,* donc dans une page tardive (écrite pendant la guerre) que Proust se permet ce plaisir ambigu. Encore l'autopastiche, dans un effet de mise en scène fort significatif, s'y trouve-t-il déguisé en allopastiche, autrement dit en simple pastiche : c'est le discours d'Albertine sur les glaces, déjà cher à la critique pour des raisons moins formelles, et que le Narrateur donne comme un exemple de l'influence de son propre style sur celui de sa compagne [2]. Albertine a pris peu à peu, en s'en apercevant mais sans pouvoir s'en défendre, les tics de langage de son ami : il s'agit donc ici d'un pastiche involontaire fictif de Marcel par Albertine, qui accomplit en le couvrant un réel pastiche volontaire de Proust par lui-même. En le couvrant : je pense que la couverture était bien nécessaire et peut-être même indispensable pour permettre, en lui

---

1. « C'est en vain qu'Andrew Lang voulut imiter vers 1880 et quelque l'*Odyssée* de Pope ; l'œuvre était déjà à elle-même sa propre parodie et le parodiste ne put rien ajouter à cette exagération » (Borges, Prologue de 1954 à l'*Histoire de l'infamie,* trad. fr., Rocher, 1958).
2. *Recherche,* Pléiade, III, p. 129-131. Le caractère automimétique de cette page est signalé par Milly, 1967, p. 137.

donnant une sorte d'alibi d'énonciation, la production de l'autopastiche. Il est inévitablement ridicule et à la limite impossible de parler ou d'écrire « à la manière de soi-même », à supposer (j'y reviens) que cette hypothèse ait véritablement un sens ; il est en revanche tout à fait concevable que dans un roman à forte caractérisation stylistique comme la *Recherche* un personnage en imite un autre, et l'on imaginerait bien Swann ou Oriane, par exemple, produisant une charge de Charlus ou de Norpois. Dans le pastiche de Marcel par Albertine, la situation se complique — et se fait plus piquante — de ce que le personnage pastiché se trouve être le narrateur, et par conséquent l'auteur lui-même.

Ce *par conséquent* est un peu rapide : le narrateur pourrait bien avoir, comme personnage parlant (« Marcel »), un style oral fort différent de son style écrit (qui se trouve être, lui, ou plutôt *constituer,* non par une nécessité logique, mais par le fait, le style même de l'auteur Marcel Proust). C'est même précisément le cas — encore que Marcel-personnage ne prenne ni très souvent ni très longuement la parole : mais il est bien spécifié ici qu'Albertine parle depuis quelque temps non pas comme *parle* son ami, mais comme il *écrirait* s'il écrivait, et comme sans doute il écrira quand il écrira : « Alors elle me répondit... par ces paroles du genre de celles qu'elle prétendait dues uniquement à mon influence, à la constante cohabitation avec moi, ces paroles que, pourtant, je n'aurais jamais dites, comme si quelque défense m'était faite par quelqu'un d'inconnu de jamais user dans la conversation de formes littéraires... images si écrites et qui me semblaient réservées pour un autre usage plus sacré et que j'ignorais encore. » Albertine contrevient donc ici à une règle de bienséance commune à l'esprit de Combray (déjà la grand-mère du Narrateur, on s'en souvient, reprochait à Legrandin de parler un peu trop « comme un livre ») et à l'esprit Swann-Guermantes, qui veut une conversation spirituelle mais sans apprêt (ici même, un peu plus loin : « je trouvais que c'était un peu trop bien dit ») ; plus gravement, elle viole un tabou et commet un sacrilège en prostituant en discours oral des « formes » réservées à l'usage « sacré » de la littérature, et plus précisément du Livre à venir. Ces formes, Marcel les nomme ici *images,* un peu plus loin *comparaisons,* puis *images suivies.* Presque toute la réplique, en effet, comme tant de pages « poétiques » de la *Recherche,* repose sur une comparaison filée, développée et variée, entre les glaces et des monuments (colonnes, obélisques) ou des montagnes neigeuses que la gourmande se promet de faire fondre, ou s'écrouler en avalanches ; on y trouve même l'inévitable métaphore métonymique : les glaces du Ritz seront des colonnes... Vendôme.

137

Cet autopastiche proustien placé, c'est le cas de le dire, dans la bouche d'Albertine, n'est pas d'une absolue vraisemblance diégétique, puisque Albertine y imite (oralement) un style (écrit) qu'elle n'a jamais eu l'occasion de rencontrer : celui que, en fiction, Marcel est destiné à pratiquer plus tard, dans son œuvre à venir, bien après la mort d'Albertine. Il est manifestement — quoique discrètement — satirique, par le caractère envahissant du procédé réduit ici à sa seule virtuosité, et privé de la fonction esthétique, voire métaphysique, que lui attribuera le manifeste du *Temps retrouvé*. Car la critique dont Marcel entoure et frappe ce morceau de bravoure ne se borne pas à le trouver déplacé dans une conversation ; il lui trouve de toute manière une « grâce assez facile », une poésie « moins étrange, moins personnelle que celle de Céleste Albaret, par exemple ». De telles formules suggèrent que, malgré l'immense pouvoir qu'il attribuait à la « métaphore », Proust sentait ce qu'il y avait souvent d'un peu mièvre, et aussi d'un peu convenu dans ses performances les plus spectaculaires, ou démonstratives. Et c'est ce seul trait de style, le plus *exposé,* c'est-à-dire à la fois le plus perceptible et le plus vulnérable, qu'il livre à l'imitation réductrice d'Albertine. Le pastiche joue donc ici son rôle (auto)critique, non cette fois en exagérant l'ensemble des traits, mais en isolant, et donc en privant de sa fonction structurale par rapport à la totalité de l'œuvre, un seul d'entre eux, réduit par là même à l'état de *procédé.* Réduction toute conforme à l'esprit de la charge classique, la métaphore devient ici, ce qu'elle est, le proustisme par excellence. Crébillon, Balzac et autres Burnier-Ramband diraient sans doute qu'Albertine ne parle plus le français, mais « le Marcel Proust ». Cela, d'ailleurs, s'appelle *proustifier.*

Un autre autopastiche célèbre, et celui-là tout à fait déclaré, est le « A la manière de Paul Verlaine » recueilli dans *Parallèlement.* Verlaine, comme Proust, avait déjà pratiqué le pastiche, mais d'une manière à vrai dire un peu incertaine ou imprécise : le « Monsieur Prudhomme » des *Poèmes saturniens* (qui ne se donne pas pour un pastiche) cultive sarcastiquement un prosaïsme qui n'évoque peut-être que secondairement celui de Coppée, et les neuf « A la manière de plusieurs » de *Jadis et naguère* ne se laissent pas facilement distribuer : Jacques Robichez[1] rapporte à Banville la « Princesse Bérénice », qui fait aussi bien (ou mal) penser à Heredia, ou à quelque autre Parnassien ; « Paysage » suggère encore Coppée par

1. Édition Garnier des *Œuvres poétiques.*

138

prosaïsme, « Madrigal » Mallarmé par hermétisme et torsion syntaxique, suggestion confirmée par une citation littérale (« Palme ! »). Le reste baigne dans le climat confus, mi-décadent mi-fantaisiste, d'une manière fin-de-siècle où les individualités ne se distinguent guère : cas plutôt rare de pastiches déclarés mais d'attribution non spécifiée, d'où un embarras qui dénonce ici soit l'incompétence du lecteur, soit la maladresse du pasticheur, soit le peu d'individualité du pastiché, et peut-être les trois à la fois.

« A la manière de Paul Verlaine » est, sans difficulté, plus spécifique. La caractérisation stylistique (rythmes déboîtés, allitérations, syntaxe volontairement gauche ou cocasse) s'accompagne et se confirme d'allusions thématiques : Saturne, clair de lune, romances sans paroles, pardon de l'aimé(e), frisson de dissonances. Mais rien de vraiment agressif, ni même de franchement dépréciateur. Aussi chargé que celui de Proust, l'autopastiche de Verlaine est moins critique, peut-être plus indulgent, malgré l'ironie de rigueur. J'y verrais plutôt, d'un qui jamais tout à fait ne se prit au sérieux, comme un post-scriptum narquois à l' « Art poétique » :

C'est à cause du clair de la lune
Que j'assume ce masque nocturne
Et de Saturne penchant son urne
Et de ces lunes l'une après l'une.

Des romances sans paroles ont,
D'un accord discord ensemble et frais,
Agacé ce cœur fadasse exprès ;
O le son, le frisson qu'elles ont !

Il n'est pas que vous n'ayez fait grâce
A quelqu'un qui vous jetait l'offense :
Or, moi, je pardonne à mon enfance
Revenant fardée et non sans grâce.

Je pardonne à ce mensonge-là
En faveur, en somme, du plaisir
Très banal drôlement qu'un loisir
Douloureux un peu m'inocula.

Ces deux exemples d'autopastiche déclaré (celui de Queneau ne l'est pas) manifestent bien, tout en y faisant exception, la difficulté, pour ne pas dire impossibilité du genre : littéralement, « écrire à la manière de soi-même » ne signifie rien, ou plus exactement rien d'exceptionnel et donc de *notable ;* le notable, bien sûr, est plutôt d'écrire autrement. L'autopastiche de Verlaine est évidemment un « à sa propre manière » très accentué, un autopastiche volontairement caricatural — ce qui ne signifie pas forcément qu'il soit plus caricatural que d'autres poèmes du même Verlaine où l'autocaricature serait involontaire, mais suffit, avec la confirmation du titre, à *marquer,* et donc à démarquer ce texte du reste de la production verlainienne. L'autopastiche simplement conforme, ou fidèle, ou ressemblant (non caricatural et non satirique), en revanche, ne se distingue en rien de n'importe quelle autre page du même auteur. Son existence se réduit donc à sa *déclaration,* au pacte (auto) mimétique consistant dans le titre (*Autopastiche* ou toute autre variante) ; et l'on voit ici que l'impossibilité du genre ne fait qu'un avec sa trop grande et, si j'ose dire, trop absolue facilité : pour produire un autopastiche fidèle, un auteur n'a qu'à prendre n'importe quelle page de lui, déjà rédigée, pour plus de sûreté, hors de toute intention mimétique, et à l'intituler *autopastiche.* En un sens (subtil), l'autopastiche de *la Prisonnière* illustre cette hypothèse-limite : en plaçant un échantillon à peu près typique de son style écrit dans la bouche d'Albertine, et en l'extrayant par là même de la fonction esthétique (etc.) qu'il aurait remplie dans son œuvre, Proust lui donne une allure de virtuosème gratuit, et donc une valeur caricaturale et une fonction satirique *sans avoir à en modifier un seul mot.* Cette métamorphose à moindres frais (à frais nuls) nous semble particulièrement efficace parce qu'elle porte sur une œuvre dont l'économie structurale (finalité de l'œuvre totale et fonction dans cette finalité d'ensemble d'un trait stylistique particulier, la « métaphore ») est explicite. Mais sans doute en irait-il plus ou moins de même chez tout auteur digne de ce nom : toute anthologie fonctionne à peu près comme un recueil de pastiches, et spécialement, d'ailleurs, l'anthologie monographe de Proust jadis composée par Ramon Fernandez[1], si bien que l'autopastiche fidèle, s'il peut très facilement (trop facilement) exister dans sa genèse, ne peut *subsister,* dans son existence réelle, c'est-à-dire dans sa lecture, et tourne inévitablement à l'autocharge. Bien qu'il n'y soit pas en principe absolument voué, l'autopastiche, plus encore que le pastiche, tend donc presque inévitablement à la caricature. On peut (s')imiter sans (se) forcer ; mais il y faut de part (auteur) et d'autre (lecteur), paradoxalement, plus d'effort.

---

1. *Morceaux choisis,* Gallimard, 1928.

XXII

Il est tentant d'appliquer au pastiche et à la charge, plus peut-être qu'à tout autre genre, un critère inspiré de celui que Philippe Lejeune applique à l'autobiographie : un texte ne pourrait pleinement fonctionner comme un pastiche que lorsque serait conclu à son propos, entre l'auteur et son public, le « contrat de pastiche » que scelle la co-présence qualifiée, en quelque lieu et sous quelque forme, du nom du pasticheur et de celui du pastiché : *ici, X imite Y.* C'est effectivement le cas le plus canonique et le plus fréquent, qu'illustrent par exemple les recueils de Proust, de Reboux et Muller, de Max Beerbohm, etc. Toute autre situation éditoriale basculerait soit du côté de l'apocryphe [1] (*Batrachomyomachie* attribuée à Homère, poèmes d' « Ossian » forgés par Macpherson, *Chasse spirituelle,* etc.), soit du côté de l'imitation non déclarée (parce qu'inconsciente, ou parce que honteuse, ou parce que jugée toute naturelle et dispensée d'un aveu) d'un maître non désigné, par où s'exercent tant d'auteurs débutants : les premiers poèmes de Mallarmé, qui portent la trace évidente de l' « influence » des *Fleurs du mal,* ne sont pas pour autant des pastiches de Baudelaire.

La frontière n'est pourtant pas si nette, ou si facile à tracer : je puis fort bien produire un pastiche en le déclarant tel, mais sans en préciser le modèle, dont l'identification restera à la charge du lecteur : pastiche-énigme. C'est à peu près ce que fait Verlaine dans *A la manière de plusieurs,* dont les incertitudes tiennent plus à l'imprécision, ou à la négligence, ou à la maladresse mimétique du pasticheur qu'à l'anonymat des pastichés. Le contrat est ici moins spécifié, il n'en est pas moins présent sous la forme, qui n'est pas même minimale : *ici, untel imite quelqu'un* (la forme minimale serait peut-être : *ici, quelqu'un imite quelque autre,* ou tout simplement : *ceci est un pastiche*). Qu'il soit mal rempli, ou volontairement rompu (*ceci, qui se prétend pastiche, n'en est peut-être pas vraiment un*), est une autre affaire : les éventuels *mauvais* pastiches à contrat explicite et maximal sont bien reçus comme des pastiches. Ou

---

1. L'apocryphe ou le faux ne vont pas, eux non plus, sans contrat *(ceci est un Vermeer, un Rimbaud)* ; simplement, leur contrat est frauduleux.

encore, lorsque André Maurois publie *le Côté de Chelsea,* l'allusivité parodique du titre fonctionne virtuellement comme une désignation de modèle et donc, implicitement, comme une déclaration de pastiche : simple présomption, certes, mais que l'allure proustisante[1] du texte suffit à confirmer : deux indices douteux convergents valent ici pour un indice certain. Mais allons plus loin : le chapitre des « Bœufs du Soleil », dans *Ulysse,* contient une série de pastiches de l'histoire de la littérature anglaise que chacun reconnaît pour tels, bien que Joyce n'ait pas cru devoir les déclarer officiellement dans le texte même d'*Ulysse.* Il est vrai qu'au contraire de ceux de Verlaine, la caractérisation stylistique de chacun d'eux est si forte qu'elle suffit, au moins pour le lecteur anglophone cultivé, à qualifier la nature de l'ensemble — d'autant que la série, disposée dans l'ordre chronologique des modèles, commence par une sorte de cantique dont l'archaïsme fait signal d'entrée, et se termine sur le signal de sortie d'une page d'argot moderne. Ici, en somme, la fidélité mimétique des pastiches, et donc l'évidente identité des modèles, compense l'implicitation du fait d'imitation lui-même et vaut pour un *pacte tacite.*

Lorsque le modèle n'est pas un auteur singulier mais une entité collective (groupe ou école, époque, genre), le contrat est généralement plus difficile à stipuler, et peut-être aussi à conjecturer en l'absence de stipulation : Boileau, nous le verrons, cherche (ou hésite) un quart de siècle avant de trouver pour *le Lutrin* la formule adéquate : *poème héroï-comique.* L'avertissement du libraire aux *Contes drolatiques* et le Prologue de leur premier « dixain » mettent soigneusement tous les points sur tous les *i,* et Queneau n'est peut-être pas trop prudent d'intituler tels de ses *Exercices de style* « Prière d'insérer », « Lettre officielle », voire... « Sonnet ». Les choses se compliquent davantage lorsqu'un pastiche de groupe est en outre attibué à un auteur fictif, censé synthétiser les différents individus constitutifs du goupe, ou, si l'on préfère, incarner l'esprit du groupe. C'est cette situation délicate qu'illustrent à merveille *les Déliquescences d'Adoré Floupette.*

La présence en tête d'une œuvre d'un nom d'auteur fictif substitué ou ajouté à celui de l'auteur réel (ou à son pseudonyme,

---

1. Ce texte d'environ quatre-vingt-dix pages se présente comme un chapitre inédit de la *Recherche,* où Marcel raconte un séjour en Angleterre, après la mort d'Albertine, en compagnie d'Andrée.

comme dans le trio Ducasse-Lautréamont-Maldoror) est une pratique éditoriale spécifique, qui n'est pas nécessairement liée à celle du pastiche, mais peut ici ou là entrer en interférence avec elle. Si l'auteur fictif coexiste avec l'auteur réel, il peut fonctionner comme une instance conventionnelle et transparente, qui se résout soit en pseudonyme avorté, comme dans les *Vie, poésies et pensées de Joseph Delorme,* où « Joseph Delorme » n'existe guère plus que l' « Henry Brulard » de l'autobiographie stendhalienne ou le « M. L..., commis-voyageur pour le commerce des fers » des *Mémoires d'un touriste,* soit en personnage fictif, comme dans le *Journal de Barnabooth,* quitte à hésiter parfois entre ces deux évanescences, hésitation prolongée en quoi consiste exhaustivement dans mon souvenir le fantomatique André Walter. Mais il peut aussi, au gré de l'auteur réel, se condenser en une personnalité littéraire autonome, pourvue d'une thématique et/ou d'un style propres. C'est par exemple le cas de Cécil Saint-Laurent, hétéronyme affecté à un type de productions différent de celles que le même auteur, ou plus exactement le même individu réel, signe de son vrai nom (je crois ; mais ce pourrait être un autre pseudonyme), Jacques Laurent. Le cas plus récent d'Émile Ajar, hétéronyme de Romain Gary (qui en eut quelques autres et dont « Gary » était déjà le pseudonyme) est tout à fait analogue, à ce détail près, qui n'a plus rien à voir avec le texte, qu'un homme de paille, Paul Pavlowitch, fut chargé jusqu'à la mort de Gary d'assumer et d' « incarner » la prétendue personnalité d'Ajar — essentiellement parce que, contrairement à Jacques Laurent, Romain Gary tenait à préserver le secret de sa double identité. Dans tous ces cas (et dans d'innombrables autres semblables), le texte endossé par l'hétéronyme constitue une sorte de *pastiche imaginaire,* ou texte attribué à un auteur fictif, tout comme les discours ou écrits prêtés, par exemple, par Proust aux écrivains fictifs de la *Recherche,* comme Bergotte ou Legrandin.

En toute rigueur et en principe, le pastiche imaginaire, n'ayant pas de modèle réel, n'est pas un véritable pastiche : l'auteur y forge de toutes pièces un idiolecte jusqu'alors inconnu, qui ne provient d'aucun texte préexistant et ne médiatise donc aucune relation transtextuelle. En fait, de même que les langues imaginaires, de Rabelais et Swift jusqu'à nos romans de science-fiction, ne sont jamais que des déformations ou contaminations de langues réelles, ces styles imaginaires ne sont le plus souvent que des variations sur des styles existants : Proust décrit le style de Bergotte plus qu'il ne le pratique, mais Legrandin est un prosateur fin de siècle très renanien, et le « nouvel écrivain » anonyme du *Côté de Guermantes* évoque furieusement Giraudoux [1], et pour cause. Le « Bustos Domecq », de Borges et Bioy Casares est un pastiche de genre (critique littéraire avant-gardiste), et les trois (principales) instances hétéronymiques de Pessoa se diversifient en s'écartant (d'un centre hypothétique, et à vrai dire malaisément situable, qui serait Pessoa « lui-même ») dans trois directions que définissent trois traditions poétiques préexistantes : pour « Alberto Cairo », celle d'une bucolique à la diction simple (le *stylus humilis* de la Roue de Virgile) et monocorde ; pour « Ricardo Reis », celle d'un néo-cultisme fin de siècle, hermétique et contourné ; pour « Alvaro de Campo », un grand lyrisme moderniste et planétaire explicitement inspiré de Whitman ; si profonde que puisse être chez Pessoa la dissociation entre ces trois aspects de sa personnalité poétique, leur caractérisation thématico-stylistique passe inévitablement par des références extérieures réelles, et implique donc une part de pastiche : une individualité littéraire (artistique en général) peut sans doute difficilement être à la fois tout à fait hétérogène et tout à fait originale et « authentique » — si ce n'est dans le fait même de son éclatement, qui transcende et de quelque manière *rassemble* ses éclats, comme Picasso n'est lui-même qu'*à travers* des manières qui l'apparentent successivement à Lautrec, à Braque, à Ingres, etc., et Stravinski à travers ses accès d'impressionnisme, de polytonalité, de néo-classicisme et de conversion tardive à la discipline sérielle. Même situation dans les apocryphes imaginaires du *Théâtre de Clara Gazul*, où Mérimée nourrit d'inspirations hispanisantes la personnalité littéraire de la supposée dramaturge ibérique, ou les romans signés « Vernon Sullivan », où Boris Vian s'inspire largement du thriller américain. Quant à l' « Ossian » de Macpherson (qui a peut-être existé), il condense aussi fidèlement que possible toute une tradition gaélique, mêlant habilement à l'authentique « d'époque » ce que les antiquaires appellent justement la production « de style », c'est-à-dire la *copie d'ancien*. Mais revenons à notre Floupette, qui est un peu comme l'Ossian du symbolisme français.

Imprimées en mai 1885 à 110 exemplaires, aussitôt saisies par le succès et republiées avec une « biographie » de leur « auteur » par « Marius Tapora, pharmacien de deuxième classe », *les Déliquescences* (c'est le titre), *Poèmes décadents d'Adoré Floupette* (c'est le

---

1. « Les tuyaux d'arrosage admiraient le bel entretien des routes qui partaient toutes les cinq minutes de Briand et de Claudel... » (Pléiade, II, p. 326. Cf. J.-Y. Tadié, « Proust et le nouvel écrivain », RHLF, janvier-mars 1967).

sous-titre) étaient en fait l'œuvre de deux littérateurs fantaisistes, Henri Beauclair et Gabriel Vicaire. Non signé par ses auteurs [1], non référé à un auteur-modèle, attribué à un auteur fictif, ce recueil est pour l'instant hors de tout contrat de lecture pastichielle : il s'agirait donc en fait d'un apocryphe imaginaire, comme le *Théâtre de Clara Gazul*. Mais le sous-titre *poèmes décadents* suffit à orienter le lecteur vers un groupe existant, même si la dénomination de « poètes décadents » n'était pas encore très usitée en ce printemps 1885 : Verlaine a publié fin 1884 *Jadis et naguère,* où l'un des pastiches indécis d'*A la manière de plusieurs,* « Langueur », évoque « l'Empire à la fin de la décadence » ; il vient de révéler Corbière, Rimbaud et Mallarmé dans son anthologie des *Poètes maudits* ; Laforgue publie les *Complaintes* ; l'autopastiche de Verlaine paraît lui aussi en mai ; le groupe, qui n'en est pas un, existe déjà, mais le terme *décadents* devra beaucoup, précisément, au succès des *Déliquescences* ; la revue *le Décadent* sortira l'année suivante. Et la lecture de ces dix-huit poèmes, plus un Liminaire en prose, confirme la présomption : « décadent » ou « symboliste », Adoré Floupette est bien un compagnon de Verlaine, de Mallarmé, de Rimbaud et de Laforgue.

Le modèle est collectif et l'imitation, pour l'essentiel, synthétique : contrairement à Reboux et Muller qui, sous le terme collectif de « l'école naturaliste », produiront quatre pastiches distincts de Dickens, Goncourt, Zola et Daudet, Beauclair et Vicaire imitent constamment un modèle qui s'apparente à la fois aux trois ou quatre maîtres du groupe, quitte à s'incliner un peu plus, ici où là, vers l'un d'eux, et davantage par voie d'allusions (à l'absinthe et à la dévotion mariale de Verlaine dans *Scherzo*), d'épigraphes-signaux et de parodies : *Avec l'assentiment des grands héliotropes* (Rimbaud) devint, dans *Sonnet libertin, Avec l'assentiment de ton Callybistris* ; et, dans *Idylle symbolique,* les deux dernières strophes de la *Prose pour des Esseintes* se condensent en ce quatrain :

> *Mais ils disent le mot : Chouchou*
> *— Né pour du papier de Hollande, —*
> *Et les voilà seuls, dans la lande,*
> *Sous le trop petit caoutchouc !*

L'imitation proprement dite reste plus stable, et vise, avec une évidente dominance verlainienne, une sorte de performance

---

1. Réédité sous leur nom en 1911 et 1923 ; édition critique par S. Cigada, Milan, 1973.

moyenne de l'école, caractérisée par sa thématique (langueur, morbidité, dégoût de vivre, mélange spécifique de mysticisme et de sensualité), son style (mots rares ou néologismes typiques : *alme, nonchaloir, immarcessible, exquisité, dolence,* etc. ; prosaïsmes volontairement dissonants : *mazette, moutarde, cochonneries ;* syntaxe contournée : le Liminaire évoque fort, pour nous, les proses de Mallarmé), et sa métrique, que définit bien le titre *Rythme claudicant,* et qu'illustre encore mieux, par exemple, ce *Pour être conspué* en vers de neuf pieds :

> *Devinés au coin des brocatelles,*
> *J'ai perçu tes contours subtils, presque ;*
> *Je songeai alors à quelque fresque,*
> *Remembrée avec des blancheurs d'ailes !*
>
> *C'est pourtant le Tourment d'un ascète.*
> *Pourquoi pas ? Je le sais, moi, nul autre,*
> *— L'oiseau bleu dans le Chrême se vautre. —*
> *Qui comprend, je le tiens pour mazette !*

Cette indétermination du modèle, et le caractère très modérément caricatural de l'imitation (bien des textes « authentiques » de l'époque sont à nos yeux plus chargés, et bien d'autres, chez Verlaine ou Laforgue, s'adonnent plus ironiquement à l'autodérision), font que l'intention satirique, ou même simplement le statut d'imitation ludique, ne s'imposent nullement à la seule lecture. A quelques détails près, tous ces poèmes pourraient être l'œuvre sérieuse, fruit d'une imitation inconsciente et involontaire, d'un épigone appliqué, et certes un peu plus que moyennement doué. Cette savoureuse ambiguïté contribua d'ailleurs fortement au succès foudroyant et à la longue fortune d'une pochade dont un extrait figurait encore, dans mon enfance, dans quelque grave manuel, ou anthologie du symbolisme. Qu'est-ce donc dans tout cela qui résout pour nous l'ambiguïté, et tranche en faveur du pastiche satirique ? Les clins d'œil parodiques déjà signalés, bien sûr, et, à partir de la deuxième édition, la biographie factice. Mais encore un dernier, ou plutôt un premier détail : le nom même d'*Adoré Floupette,* trop risible pour être vrai (ou si vrai, pour être conservé), et qui suffit, à lui seul, à marquer l'intention. Indice minimal, forme exemplairement économique du contrat. On ne considère pas assez ces effets de patronyme ou de pseudonyme. Farigoule a bien fait de se rebaptiser Romains. Et quelle part de son (abusif) prestige poétique l'œuvre de Saint-John Perse ne doit-elle pas à cette dénomination fastueuse ?

XXIII

La *Batrachomyomachie*, ou *Bataille des grenouilles et des rats,* a longtemps été attribuée à Homère, mais on pense aujourd'hui qu'elle ne peut remonter au-delà du vi^e siècle avant, et que sa forme actuelle porte les traces d'une réfection opérée à l'époque alexandrine. On peut supposer que, si Aristote l'avait connue, il l'aurait citée parmi d'autres *parôdiai,* mais le silence de la *Poétique* à son égard ne peut être considéré comme une preuve absolue de son ultériorité.

Quelle qu'en soit la date, la *Batrachomyomachie,* par son dialecte, sa métrique, son style et ses motifs, appartient très étroitement à cette tradition homérisante qui se prolonge au moins jusqu'au iiie siècle après, et qui fait de tout le genre épique grec ancien, de l'*Éthiopide* à Quintus de Smyrne, un vaste pastiche d'Homère (et plus particulièrement de l'*Iliade*) : mélange spécifique d'ionien et d'éolien, hexamètre dactylique, style formulaire, nobles harangues, rudes invectives, mêlées et duels, interventions divines, etc. Mais ici, ces formules caractéristiques de la diction et de la thématique épique se trouvent appliquées à un sujet typiquement « bas », puisqu'il s'agit d'animaux, et dépourvus de tout prestige. Le rat Psycharpax rencontre la grenouille Physignate, qui l'invite à visiter sa demeure et l'emporte sur son dos pour lui faire traverser un étang. Effrayée par un serpent d'eau et oubliant son passager, la grenouille plonge au fond et le rat, avant de périr noyé, appelle ses congénères à le venger. Les rats se rassemblent, prennent les armes et déclarent la guerre aux grenouilles. Voyant les deux armées prêtes à s'affronter, Zeus réunit les Dieux, qui refusent de prendre parti et décident d'assister à la bataille en simples spectateurs. Les exploits et les massacres se succèdent jusqu'à l'arrivée du jeune rat Méridarpax, héros invincible, capable à lui seul de détruire la race entière des grenouilles. Pour éviter cet anéantissement, Zeus lance sa foudre, puis envoie à la rescousse une escouade d'écrevisses dont les pinces meurtrières mettent en fuite l'armée des rats. La guerre finit avec le jour.

Le moindre mérite de cette œuvre n'est pas la brièveté (293 vers), que les poètes burlesques et néo-burlesques du xviie et du xviiie siècle n'ont pas toujours su imiter. Cet *epyllion* est évidemment une charge de l'*Iliade,* dont les procédés se voient ici appliqués *in anima vili.* Les Troyens offenseurs sont les grenouilles, les Grecs en quête de vengeance sont les rats, dont l'Achille est Méridarpax. Les deux troupes s'improvisent des équipements de fortune qui transposent à l'échelle les glorieuses armes homériques : pour les rats, bottes en cosses de fève, cuirasses en tuyaux de chaume unis par des courroies en peau de chat, boucliers en couvercles de lampes, lances en aiguille, casques en coques de noix ; pour les grenouilles, plus rustiques, jambières en feuilles de mauve, cuirasses en feuilles de bette, boucliers en feuilles de chou, lances de jonc, casques en coquilles. Athéna refuse de soutenir les rats parce qu'ils rongent ses tentures et boivent l'huile de ses lampes ; et pareillement les grenouilles, parce que leur vacarme nocturne l'empêche de dormir. Les blessures au combat sont décrites selon les formules rituelles : Lichénor combattait au premier rang, « la lance, lui perçant le ventre, atteint le foie ; il tombe renversé, et la poussière souille sa douce chevelure. Troglodyte blesse ensuite Pélione et lui enfonce dans la poitrine la lance énorme. L'habitante de la boue tombe, la noire mort s'empare d'elle, et son âme s'envole de son corps... Artophage frappe au ventre Polyphone ; elle tombe et son âme abandonne son corps... Hydrocharis tue le roi Pternophage d'un roc qu'elle lui lance à la tête ; sa cervelle coule par ses narines, la terre est imbibée de son sang. Lichopinax, d'un coup de lance, tue la vaillante Borborocète, et les ténèbres couvrent ses yeux[1]... » Ici, seuls les noms propres dérogent à la grandeur homérique et rappellent l'humble condition des protagonistes : Lichénor, le lécheur ; Troglodyte, qui vit dans les trous ; Péléione, qui vit dans la boue ; Artophage, le mangeur de pain ; Polyphone, la bruyante ; Hydrocharis, qui se plaît dans l'eau ; Pternophage, le mangeur de jambon ; Leichopinax, le lécheur de plats ; Borborocète, qui couche dans la boue, etc. Le contraste constitutif de l'héroï-comique est obtenu aux moindres frais, et produit son maximum d'effet. Ni Tassoni, ni Boileau, ni Pope ne retrouveront une telle efficace, ni une telle élégance, qui se perdent chez eux dans l'à-peu-près, l'amplification, la digression, dans des satires annexes et des polémiques latérales. Le genre, sans doute encore très près de sa naissance, est à son zénith. Il s'accomplit, et peut-être s'épuise dans son premier, et peut-être dernier chef-d'œuvre[2].

1. Trad. Berger de Xivrey, Paris, 1837.
2. Je ne sais s'il faut suivre le P. Rapin là où il ne va d'ailleurs peut-être pas lorsqu'il suggère, volontairement ou non, de lire le livre IV des *Georgiques* comme un poème héroï-comique : « Parlant des mouches à miel, afin de relever la bassesse de

Ce genre, c'est donc ce qu'on appellera (beaucoup) plus tard le *poème héroï-comique,* qui est un cas particulier du pastiche, ou plutôt de la charge (car les traits stylistiques y sont à la fois exagérés et dépréciés par une application « disconvenante », et donc doublement satirisés), et dont relevaient sans doute déjà les œuvres citées par Aristote au titre de la *parôdia : Margitès, Deiliade,* etc. Beaucoup plus ancien, en toute hypothèse, que le travestissement burlesque qui sera au xviie siècle son frère ennemi. Né dans l'Antiquité posthomérique, il trouvera sa seconde chance à l'époque classique, en attendant la troisième, qui est peut-être aujourd'hui venue.

La *Secchia Rapita* (1615-1617) de l'Italien Alessandro Tassoni est la première performance moderne du genre. Elle raconte en style épique une petite guerre imaginaire survenue, pour un seau volé comme Hélène, entre Bologne et Modène. Boileau l'évoque [1] à côté de la *Batrachomyomachie* comme le modèle générique de son *Lutrin,* qui raconte pareillement, dans le style homérico-virgilien déjà évoqué, une querelle entre le chantre et le trésorier de la Sainte-Chapelle. Mais ici comme chez Tassoni, l'imitation ne veut (et ne peut) retenir que les éléments translinguistiques, c'est-à-dire indépendants de la langue de départ (grec ou latin) et susceptibles de transposition dans une autre langue : les traits de dialecte homérique, par exemple, ne trouvent chez Boileau aucun équivalent, non plus, bien sûr, que la métrique propre de l'hexamètre dactylique, et le « style épique » s'en trouve réduit à un certain nombre de « figures » canoniques, telles que l'épithète de nature (« la cruche au large ventre », « le prudent Gilotin »), la comparaison développée (« Tel qu'on voit un taureau qu'une guêpe en furie/A piqué dans les flancs aux dépens de sa vie ;/Le superbe animal, agité de tourments,/Exhale sa douleur en longs mugissements :/Tel le fougueux prélat... [2] »), émaillant un discours dont la « noblesse » indifférenciée est celle du classicisme français en général, et à quelques motifs thématiques comme le songe prémonitoire, l'intervention de divinités (la Discorde, la Renommée, la

---

sa matière (Virgile) n'en parle qu'avec des termes métaphoriques de cour, de légions, d'armées, de combats, de champs de bataille, de rois, de capitaines, de soldats : et par cet art admirable il fait une peinture magnifique d'un fort petit sujet : car après tout, ce ne sont que des mouches. » (*Poétique,* II, p. 123.)

1. *Le Lutrin* (1674), chant IV, v. 54-58.
2. Chant I, v. 85 *sq.*

Mollesse, la Nuit, la Chicane, la Pitié), et naturellement le combat guerrier, ici représenté par une fameuse bataille à coups de livres empruntés à la boutique de Barbin. À ces éléments proprement mimétiques s'adjoignent quelques emprunts congrûment modifiés qui introduisent dans le pastiche une touche de parodie : « Je chante les combats et ce prélat terrible... Mais les trois champions, pleins de vin et d'audace », etc. La plus réussie de ces paraphrases est évidemment, au chant II, le discours de l'horlogère à l'époux qu'elle veut détourner de son expédition nocturne, discours très habilement démarqué des reproches de Didon à Énée, et de quelques autres [1] :

> Oses-tu bien encor, Traître, dissimuler,
> Dit-elle ? et ni la foi que ta main m'a donnée,
> Ni nos embrassements qu'a suivis l'Hyménée,
> Ni ton Épouse enfin toute prête à périr,
> Ne sauraient donc t'ôter cette ardeur de courir ?...
> Où vas-tu, cher Époux ? Est-ce que tu me fuis ?
> As-tu donc oublié tant de si douces nuits ?
> Quoi, d'un œil sans pitié vois-tu couler mes larmes ?
> Au nom de nos baisers jadis si pleins de charmes,
> Si mon cœur de tous temps facile à tes désirs
> N'a jamais d'un moment différé tes plaisirs,
> Si pour te prodiguer mes plus tendres caresses
> Je n'ai point exigé ni serments ni promesses,
> Si toi seul à mon lit enfin eus toujours part,
> Diffère au moins d'un jour ce funeste départ.

Mais la frontière entre l'imitation et la transformation est ici bien difficile à tracer : l'incipit « Je chante les combats et... », la syllepse du physique et du moral, les tendres reproches d'une amante abandonnée sont aussi des topoï stylistiques et thématiques récurrents dans la tradition épique et para-épique (Catulle, Ovide), et donc des épicismes dont l'emprunt, c'est-à-dire la répétition, vaut pour un mimétisme.

Le Lutrin porte en sous-titre, selon les éditions, *poème héroïque* ou *poème héroï-comique*. De fait, toutes les premières éditions portaient *héroïque*. La seconde désignation n'apparaît qu'en 1701. De la part d'un auteur aussi à cheval sur les genres, une telle hésitation, indice d'ambivalence, a de quoi surprendre.

1. Didon à Énée, *Énéide*, IV ; Andromaque à Hector, *Iliade*, VI ; Pauline à Polyeucte, *Polyeucte*, IV, 3 ; Hermione à Pyrrhus, *Andromaque*, IV, 5.

Elle surprend d'autant plus qu'avec ce poème Boileau nous a fourni non seulement une illustration canonique du genre, mais encore, dans son avis *Au lecteur* de 1674, sa première description officielle : « C'est un burlesque nouveau, dont je me suis avisé en notre langue. Car au lieu que dans d'autres burlesques Didon et Énée parlaient comme des harangères et des crocheteurs, dans celui-ci une horlogère et un horloger parlent comme Didon et Énée. Je ne sais donc si mon poème aura les qualités propres à satisfaire un lecteur, mais j'ose me flatter qu'il aura au moins l'agrément de la nouveauté, puisque je ne pense pas qu'il y ait d'ouvrage de cette nature en notre langue. » Le travestissement burlesque, illustré par l'*Énéide travestie*, traitait un sujet noble en style vulgaire ; *le Lutrin*, comme la *Batrachomyomachie*, traite au contraire un sujet vulgaire en style noble. Telle est pour nous la définition du poème héroï-comique. Les adversaires mêmes de Boileau en avaient aussitôt accepté les termes, quitte à les retourner contre son poème. Ainsi Desmarest de Saint-Sorlin [1] : « Le poète a cru qu'il ferait un poème bien nouveau et bien merveilleux s'il traitait en vers magnifiques un sujet ridicule. On lui a souvent ouï-dire que les autres faisaient *un Héroïque ridicule,* et que pour lui il faisait *un Ridicule héroïque.* Mais il s'est bien trompé lui-même, agissant contre la règle d'Horace : " Nul ne doit par un vers tragique traiter une chose comique ". Le défaut de n'avoir pas traité ce sujet en un style comique et burlesque comme il devait était réparé en quelque sorte quand il le récitait, par son ton de voix qui avait quelque chose de ridicule. Mais l'ouvrage ayant été imprimé, et étant dénué de la prononciation, il apparut extravagant, quand on a vu dans la bouche d'une horlogère les paroles que Virgile a données à Didon, qui ne conviennent nullement à une horlogère. » Près de vingt ans plus tard, Charles Perrault [2] définit l'art du *Lutrin* comme un « burlesque retourné » et précise ainsi sa pensée : le burlesque « qui est une espèce de ridicule, consiste dans la disconvenance de l'idée que l'on donne d'une chose d'avec son idée véritable, de même que le raisonnable consiste dans la convenance de ces deux idées. Or cette disconve-nance se fait de deux manières, l'une en parlant bassement des choses les plus relevées, et l'autre en parlant magnifiquement des choses les plus basses ». Le premier type de disconvenance est celui du *Virgile travesti,* qui revêt « d'expressions communes et triviales les choses les plus grandes et les plus nobles », le second est celui du *Lutrin,* qui, en prenant le « contre-pied », parle « des choses les

1. *Défense du poème héroïque,* 1674, 6ᵉ dialogue.
2. *Parallèle des anciens et des modernes,* III, 1692, p.291.

151

plus communes et les plus abjectes en des termes pompeux et magnifiques ». Jusqu'ici, la description de Perrault ne fait que paraphraser celle de Boileau, forçant simplement un peu sur l'abjection du contenu. Mais voici où la (dé)valorisation entre en jeu : « Dans l'ancien burlesque (poursuit l'Abbé, arbitre partial de cet entretien entre un Président tenant des anciens et un Chevalier champion des modernes) le ridicule est en dehors et le sérieux en dedans ; dans le nouveau, que Monsieur le Chevalier appelle un burlesque retourné, le ridicule est en dedans et le sérieux en dehors (...) Le burlesque du *Virgile travesti* est une princesse sous les habits d'une villageoise, et le burlesque du *Lutrin* est une villageoise sous les habits d'une princesse, et comme une princesse est plus aimable avec un bavolet qu'une villageoise avec une couronne, de même les choses graves et sérieuses cachées sous des expressions communes et enjouées donnent plus de plaisir que ne peuvent en donner les choses triviales et populaires sous des expressions pompeuses et brillantes. Quand Didon parle comme une petite bourgeoise, j'ai plus de joie à voir sa douleur, son désespoir et sa qualité de reine au travers des plaisanteries dont on se sert pour les exprimer, parce que l'attention se termine à quelque chose qui en est digne, que d'entendre une petite bourgeoise qui parle comme Didon, parce que dans le fond cette bourgeoise ne dit que des impertinences qui ne méritent pas l'attention qu'on leur donne et qui laisse un déboire fade et désagréable. » Cette dévalorisation révèle après coup, en la retournant, la valorisation qu'impliquaient les termes de Boileau : pour celui-ci, il était implicitement plus méritoire, ou plus heureux, d'ennoblir, comme il le fait, le discours d'une boutiquière que de vulgariser (comme avait fait Scarron) le discours d'une princesse : supériorité d'un (nouveau) burlesque dignifiant sur un (ancien) burlesque dégradant. Perrault néglige cette action réparatrice de la forme et pose comme essentiel le « terme de l'attention », c'est-à-dire, une fois traversées les bagatelles de l'expression, le seul contenu. Mais le point de vue de Boileau s'imposera finalement dans l'opinion classique jusqu'en plein XIXᵉ siècle, comme on peut le retrouver, en 1888, explicité cette fois, sous la plume de l'académicien Auger : « Le poème héroï-comique est une parodie de l'épopée. Il est deux sortes de parodies. L'une s'attaque aux personnages qui, par leur grandeur, appartiennent à la muse de la tragédie ou à celle du poème épique, et elle se fait un malin plaisir de les dégrader (...) L'autre parodie prend ses acteurs dans un ordre inférieur et elle se fait un jeu innocent de rehausser, par la noblesse et le sérieux des expressions, ce que le fond de leur démarche et de leurs discours a de bourgeois et de risible (...). Telle est la différence du burlesque et de l'héroï-comique. La supériorité de ce dernier genre est universellement sentie, et il doit être facile d'en expliquer la raison (...). Le burlesque (...) avilit à dessein ce qui est noble en soi ; il met son travail et sa gloire à gâter ce qui est beau, lorsqu'il faudrait l'embellir encore (...). L'héroï-comique, au contraire, travaille d'après des modèles vulgaires ; et, par la grandeur de sa manière, la dignité du costume, l'élégance des draperies, il orne leur forme sans les cacher, il agrandit leurs proportions sans les outrer, il remplit toutes les conditions de l'imitation pittoresque et poétique [1]. » Bref, chacun, dans le genre qu'il entend privilégier, décrète pertinent l'aspect le plus noble — ici la forme parce qu'elle transfigure le contenu, là le contenu parce que la forme n'est qu'un oripeau, ou une vaine parure —, révélant ainsi la référence axiologique commune à deux valorisations antithétiques. (Référence d'ailleurs toute superficielle, conformiste et rhétorique : il s'agit de mettre de son côté, à titre d'argument, qu'on y adhère ou non, une valeur reçue.) Mais, si l'on met de côté cette querelle accessoire et indécidable, les deux parties s'accordent en tout cas sur une (double) définition qui survivra jusqu'au xxᵉ siècle.

Tout est donc apparemment en place dès 1674, sauf le terme d'héroï-comique, que ni Boileau ni ses adversaires — ni, apparemment, qui que ce soit d'autre — ne songent encore à appliquer au *Lutrin,* non plus qu'à ses deux prédécesseurs. Desmarets, qui trouve, non sans raison, un air de « satire » à tout ce qu'écrit Boileau, proteste seulement contre « le titre spécieux de poème héroïque ». On dit que cette critique a décidé Boileau à en changer, mais, s'il en est ainsi, l'effet est à retardement, puisque, en 1683 et encore en 1694, la mention spécieuse était maintenue, pour ne disparaître, je l'ai dit, qu'en 1701.

Le retard peut tenir à une carence terminologique : conscient de l'inadéquation d' « héroïque », mais peu disposé à qualifier simplement de « burlesque » un poème dont le procédé était inverse de celui qu'évoquait alors inévitablement cet adjectif, Boileau se serait abstenu de toute modification jusqu'au jour où lui serait enfin venue à l'esprit la qualification juste qui n'existait pas encore, puisque la tradition n'avait encore attribué aucun terme générique (si ce n'est, très sporadiquement, *parodia*) à des œuvres comme la *Batracho-myomachie* ou la *Secchia rapita*. Mais le composé « héroï-comi-

---

[1]. *Mélanges philosophiques et littéraires,* t. II, « Boileau ».

que » n'est pas de son cru. Il vient apparemment de Saint-Amant, qui l'avait employé pour la première fois en 1640 pour intituler son *Passage de Gibraltar, caprice héroï-comique. Caprice* était emprunté à Tassoni, qui avait qualifié la *Secchia rapita* de *capriccio sproposi-tato, fatto per burlare i poeti moderni ;* dans sa préface, Saint-Amant se réclamait explicitement de ce poème où il voyait « l'héroïque... admirablement confondu avec le burlesque » (c'est là aussi, soit dit au passage, une des premières occurrences françaises de ce dernier adjectif, d'origine italienne (*burlare*) auquel Saint-Amant n'accorde visiblement aucune connotation technique, le prenant comme un simple équivalent de *comique*). *Héroï-comique* semble bien forgé par lui ; il l'emploiera encore pour qualifier plus tard une épître, puis une ode, et de nouveau un caprice : l'*Albion* (1644). Mais ce terme désigne simplement pour lui le mélange de l'héroïque et du comique, et plus précisément la « disconvenance » entre un sujet d'une sorte et un style de l'autre, sans en spécifier ce que Perrault appellera la « manière », c'est-à-dire le sens de répartition : la *Secchia rapita* qu'il invoque traite bien un sujet vulgaire en style héroïque, mais ses deux propres « caprices héroï-comiques » trai-tent au contraire un sujet héroïque (guerrier) en style bouffon. C'est la « manière » que reprendra Scarron en 1644 dans son *Typhon.* Entre-temps, le même Scarron avait publié un *Recueil de quelques vers burlesques* (1643), et ce terme aura grâce à lui la fortune et la spécification que nous savons, s'identifiant presque totalement avec la pratique du travestissement. *Héroï-comique* disparaît dans cette tourmente (le terme de *comédie héroïque,* inventé par Corneille en 1650 pour *Don Sanche d'Aragon* et repris pour *Tite et Bérénice* et *Pulchérie,* désigne un tout autre mélange : sujet non tragique en milieu noble), et se trouve donc à demi oublié, à demi confisqué par l'acception que lui avait donnée Saint-Amant, et qui en faisait un synonyme malheureux de *burlesque.* Cet état de fait peut expli-quer l'hésitation mise par Boileau à le ressusciter pour un autre usage.

Mais il y a sans doute une autre raison, que révèle assez clairement l'Avis au lecteur de 1674, quelle qu'y soit la part d'affabulation. Comme Racine pour la tragédie, Boileau soutenait qu'un poème héroïque pouvait avoir pour sujet une action chargée « de peu de matière » (Préface de *Britannicus*) que « l'invention » du poète devait savoir « soutenir et étendre ». Au cours d'une conversation, on le défie par plaisanterie d'en écrire un sur une mince querelle ecclésiastique. Il se pique au jeu et écrit *le Lutrin,* ayant à l'esprit non pas d'imiter Tassoni et de « retourner le burlesque », mais d'écrire à titre d'exploit une épopée sur un sujet bourgeois, et donc infime. En cours de route, comme le prouve la mention de ses prédécesseurs au livre IV, il prend conscience de la véritable nature de son travail et, selon le mot peut être significatif de l'Avis au lecteur, il « s'avise » du burlesque nouveau (dans notre langue) qu'il est en train d'illustrer. Mais il ne se résout pas encore à répudier son propos initial, auquel le sous-titre de *poème héroïque* continue de rendre un « spécieux » hommage.

Nomination tardive, donc, puisque ce « burlesque nouveau » est, comme genre, très largement antérieur au burlesque lallo-scarronien, et presque posthume, car le genre, maintenant baptisé, n'a plus apparemment, sous sa forme canonique, grand avenir : limité, somme toute, au *Rape of the Lock* de Pope (1712-1714), dernier fruit d'une branche exténuée, que l'on nomme d'ailleurs autrement en anglais : *mock-epic,* ou *mock-heroic.* Du moins trouve-t-il dans cette boucle volée une fin heureuse, où une guerre en dentelles de style rococo s'achève, et l'achève, en apothéose ludique : la boucle de Belinda monte au ciel et devient (comme, chez Callimaque, la chevelure de Bérénice) une nouvelle étoile. Belle sortie pour un genre-comète.

Mais fausse sortie, peut-être, et comme il se doit. Il est assez facile d'observer la naissance d'un genre ; plus risqué, je l'ai dit, d'en diagnostiquer la mort ; une résurgence, un avatar, restent toujours possibles. On ne voit pas qui pourrait aujourd'hui vouloir pratiquer le pastiche héroï-comique à la lettre, c'est-à-dire sous sa forme académique et homérisante : les dernières traces, franchement ludiques, s'en trouvent peut-être dans les apostrophes de Bloch, nourries des traductions involontairement caricaturales de Leconte de Lisle : « Saint-Loup au casque d'airain, reprenez un peu de ce canard aux cuisses lourdes de graisse sur lesquelles l'illustre sacrificateur des volailles a répandu de nombreuses libations de vin rouge », ou dans tel exercice de style de Queneau : « *Ampoulé :* A l'heure où commencent à se gercer les doigts roses de l'aurore, je montai tel un dard rapide dans un autobus à puissante stature et aux yeux de vache de la ligne S au trajet sinueux... » Mais en un sens plus large, tout texte où un style noble, ou grave, ou savant, ou académique, s'applique à un sujet réputé vulgaire, ou futile, ressuscite à sa manière la « disconvenance » héroï-comique. Dans les mêmes *Exercices de style,* par exemple, les pages intitulées *Lettre officielle* (« J'ai l'honneur de vous informer des faits suivants dont j'ai pu être le témoin aussi impartial qu'horrifié... »), *Philosophique* (« Les grandes villes seules... »), *Apostrophe,* ou *Sonnet.* Et l'on sait plus généralement comme l'humour quenellien, en vers et en prose, s'alimente *passim* à ces simulacres de gravité bouffonne.

Moins bouffonne sans doute, et d'un humour plus glacé, l'application, chez Klossowski, à des objets et situations érotiques, d'un vocabulaire pseudo-juridique (la toison de Roberte s'ouvre sur son *utrumsit* et dégage son *quidest,* Victor l'installe sur son *sedcontra*) ou d'une phraséologie pseudo-scolastique, ou plus généralement guindée. Ce dont la tradition, on le sait, remonte au moins à Sade, qui établit pour longtemps le rituel de cette « disconvenance » obligée, constitutive du « grand style » érotique.

Mais aussi, chez Robbe-Grillet, le contraste entre l'insignifiance (apparente) des objets et la précision pseudo-scientifique de leur description. Et commun à Klossowski et à Robbe-Grillet — et par là, à toute une écriture moderne — ce glacis ostensible sur toutes choses, les plus oiseuses, les plus troublantes, d'une imperturbable affectation de gravité.

Quitte à se dégrader, chez tel ou tel, en style gendarme. Breton, déjà, chaussait le cothurne, ou le brodequin, pour le moindre pet de travers (la pratique de l'écriture automatique, tissu de clichés, y était peut-être pour quelque chose), et ce pompiérisme d'avant-garde a fait école. Mais pour le coup, nous voici loin de l'héroï-comique, dont le comique, aujourd'hui bien fané, était du moins volontaire.

Comme on a pu le remarquer, ni à propos du burlesque, ni à propos de l'héroï-comique, la doxa classique ne prend en compte la dimension hypertextuelle, c'est-à-dire le fait que le travestissement burlesque transpose un texte et que le poème héroï-comique pastiche un genre. Et il est bien vrai que le burlesque ne se réduit pas nécessairement au travestissement : il lui suffit pour exister de traiter un sujet noble en style vulgaire. Mais il est aussi vrai qu'il n'a atteint son plein rendement et son (éphémère) succès que dans le travestissement, qui en est une spécification secondaire, mais décisive (le détail qui change tout) : le sujet noble sera emprunté à un texte célèbre que le travestissement consistera à transposer en style vulgaire, cette transposition procurant au lecteur un plaisir comique supplémentaire, lié à l'identification, à chaque instant, sous le travestissement, du texte travesti. Symétriquement, l'héroï-comique pourrait se contenter de traiter un sujet vulgaire dans un vague style noble indifférencié. Mais il n'accomplit (et apparemment d'emblée) sa *vis comica* potentielle qu'en s'en prenant à un style noble déterminé, qu'on se plaît à reconnaître et à voir brocarder.

Il y a en somme de part et d'autre deux niveaux d'accomplissement : un niveau de pratique stylistique, qui définit le burlesque et l'héroï-comique, et qui consiste en une « disconvenance », dans un sens ou dans l'autre, et un niveau de pratique textuelle, qui définit le burlesque *comme travestissement* et l'héroï-comique *comme pastiche,* et qui consiste d'un côté à appliquer le principe de disconvenance burlesque à un texte spécifique, et de l'autre à appliquer le principe de disconvenance héroï-comique à un style spécifique, c'est-à-dire au style d'un genre, ou d'une œuvre (l'*Iliade,* par exemple, dans la *Batrachomyomachie*) traitée comme genre.

De cette pratique textuelle, la vulgate ne tient aucun compte. Elle se borne à identifier une « disconvenance » entre style et sujet, qui lui permet d'opposer les deux burlesques comme deux genres rigoureusement antithétiques — on dira plus tard deux variantes symétriques de la *parodie d'épopée* —, sans voir que cette symétrie de surface dissimule une dissymétrie profonde dans les pratiques : celle, précisément, de la parodie, qui déforme un texte, et celle du pastiche, qui « imite », c'est-à-dire *emprunte* un style — et tout ce qui vient avec.

XXIV

Le système classique, très sensible (et très attentif) à la distinction des sujets et des styles, avait donc dégagé trois types de transgression ludique ou satirique (de cette distinction) très clairement définis, et eux-mêmes très nettement distincts, quelles que fussent leurs possibilités et occasions de rapprochement et d'interférence :
— la *parodie,* qui consistait à appliquer, le plus littéralement possible, un texte noble singulier à une action (réelle) vulgaire fort différente de l'action d'origine, mais ayant cependant avec elle suffisamment d'analogie pour que l'application fût possible.
— le *travestissement burlesque,* qui consistait à transcrire en style vulgaire un texte noble dont on conservait l'action et les personnages, avec leurs noms et leurs qualités d'origine, la « disconvenance » ou discordance stylistique s'établissant précisément entre la noblesse conservée des situations sociales (rois, princes, héros, etc.)

et la vulgarité du récit, des discours tenus et des détails thématiques mis en œuvre dans l'un et les autres ;

— le *poème héroï-comique,* qui consistait à traiter un sujet vulgaire dans un style noble en pratiquant hors de propos le style héroïque en général, c'est-à-dire sans référence spécifique à tel ou tel texte noble particulier.

Les deux derniers types étaient considérés comme strictement inverses en raison de la symétrie (incontestable) de leurs discordances, le premier n'avait pas vraiment le statut de genre à cause de l'exiguïté habituelle de sa performance, mais plutôt celui de *figure,* c'est-à-dire de pratique verbale ponctuelle, susceptible de trouver place dans un texte littéraire (« poétique »), mais non de constituer à elle seule une œuvre ; et comme telle relevant plutôt de la rhétorique que de la poétique. Le *Chapelain décoiffé,* qui en était l'exemple le plus étendu, était baptisé simplement *comédie :* l'idée de la baptiser *parodie* aurait sans doute paru aussi incongrue que celle de qualifier tel poème de métaphore ou de métonymie. Mais on peut aussi, en la considérant non plus à partir de son hypotexte, mais à partir de son sujet, l'envisager comme un cas particulier, ou plutôt un cas limite du pastiche héroï-comique : celui où le pastiche du style noble se singularise au point de coïncider (presque) littéralement avec un texte noble particulier, et passe de l'*imitation* à la *citation* (détournée).

Cet appareil est encore en vigueur, sinon en activité, lorsque Marivaux écrit son *Homère travesti,* qui répond strictement, quelque innovation qu'il prétende y introduire, aux critères génériques du travestissement burlesque. Le *Télémaque travesti,* en revanche (outre qu'il est écrit en prose, qu'il s'en prend à une œuvre moderne dont le statut générique est lui-même incertain, et sans compter un autre trait qui nous y fera revenir), les excédera au moins sur un point décisif : ses personnages ne sont plus Télémaque, Mentor, Calypso que l'on traiterait et ferait parler sur un ton vulgaire, mais le jeune Brideron, son oncle Phocion et la dame Mélicerte, dont les aventures présentent une certaine homologie avec celles que racontait Fénelon, mais à l'étage au-dessous. Cette situation n'est plus celle du travestissement, mais d'un autre genre, apparemment inconnu au bataillon classique, quoique apparu vers la fin du XVIIe siècle — et qui s'est, lui, officiellement baptisé *parodie,* bien que son procédé ne puisse nullement se confondre avec celui du *Chapelain décoiffé,* et que, contrairement encore à la parodie classique, son action soit toute fictive. Il s'est essentiellement investi dans le théâtre, destin lié à celui des troupes populaires, en particulier italiennes : son développement, écrivait Lanson, « est subordonné aux vicissitudes de l'existence de la Comédie italienne et de la Foire. Apparue dans les dernières années de l'ancienne comédie italienne, disparaissant avec elle (1697) pour ressusciter avec elle (1716) et devenir l'un de ses spectacles ordinaires (...), elle a deux périodes de splendeur, de 1725 à 1745 et de 1752 à 1762 [1] ».

Ces « parodies » procèdent évidemment d'une reprise burlesque, sur la scène des Italiens, des pièces nobles à succès (tragédies ou opéras) du théâtre français : ainsi, le *Phaéton* de Quinault engendre dès 1692 un *Arlequin Phaéton,* dont le titre indique assez bien le principe.

Lanson, observant sans trop d'effort que leurs auteurs « appliquè-rent les procédés de Scarron dans ces contrefaçons d'œuvres littéraires », en conclut un peu vite que « la parodie est donc, par définition, la forme dramatique du genre burlesque ». Les contem-porains, et encore certains critiques du début du XIXe siècle, en jugeaient de façon plus précise : ainsi Houdar de La Motte, qui fut une de ses victimes les plus célèbres, observait : « L'art de ces travestissements est bien simple. Il consiste à conserver l'action et la conduite de la pièce, en changeant seulement la condition des personnages : Hérode sera un prévôt, Marianne une fille de sergent (etc.). Cette précaution prise, on s'approprie les vers de la pièce en les entremêlant de temps en temps de mots burlesques et de circonstances ridicules [2]. » Le *changement de condition des person-nages* est une clause tout à fait inconnue, nous le savons, du « genre burlesque » auquel se réfère Lanson, c'est-à-dire du travestissement scarronien, et si l'on garde à l'esprit les critères classiques du sujet noble, on ne peut certes la considérer comme secondaire. Victor Fournel, présentant en 1858 le texte du *Virgile travesti,* prend soin, nous l'avons vu, de distinguer sur ce point le travestissement burlesque de la parodie telle qu'elle s'illustre dans le *Chapelain décoiffé* et (pour lui) surtout dans les parodies dramatiques du XVIIIe siècle. Cette page décisive vaut d'être re-citée ; je le fais en observant au passage, et nous devrons nous en souvenir, que sa définition de la parodie s'appliquerait assez bien, *mutatis mutandis,* au *Deuil sied à Électre,* au *Docteur Faustus* ou à *Ulysse :* « La parodie, qui peut se confondre souvent et par beaucoup de points avec le burlesque, en diffère toutefois en ce que, lorsqu'elle est complète, elle change aussi la condition des personnages dans les œuvres qu'elle travestit, et c'est ce que ne fait pas le burlesque, qui trouve une nouvellle source de comique dans cette perpétuelle

1. « La parodie dramatique au XVIIIe siècle », *Hommes et livres,* 1895.
2. *Troisième discours à l'occasion de la tragédie d'Inés de Castro.*

antithèse entre le rang et les paroles de ses héros. Le premier soin d'un parodiste aux prises avec l'œuvre de Virgile eût été d'enlever à chacun son titre, son sceptre et sa couronne : il aurait fait, par exemple, d'Énée (puissent les émérites pardonner à un profane, en faveur de son inexpérience, la maladresse de ces suppositions toutes gratuites) un commis voyageur sentimental et peu déniaisé, de Didon une aubergiste compatissante, et de la conquête de l'Italie quelque grotesque bataille pour un objet assorti à ces nouveaux personnages [1]. »

La plus célèbre parodie dramatique du xviiie siècle, *Agnès de Chaillot,* parodie par Dominique de l'*Inés de Castro* d'Houdar de La Motte (1723), illustre parfaitement ce nouveau procédé : le roi Alphonse du Portugal devient ici le bailli de Chaillot, son fils l'infant don Pèdre, héros de la guerre contre les Maures, devient le « gars Pierrot », qui vient de remporter le prix de l'Arquebuse. La suivante Inés devient la servante Agnès (la déformation plaisante des noms semble un des traits constants du genre : dans une parodie des *Troyennes,* Astyanax devient Castagnette), et au lieu de compromettre les rapports entre deux royaumes, la liaison entre les deux héros risque seulement de brouiller le bailli de Chaillot avec les villageois de Gonesse. L'essentiel de l'action, c'est-à-dire les hésitations du roi Alphonse partagé entre la raison d'État et la tendresse paternelle, la rébellion de don Pèdre, sa condamnation et la réconciliation finale, subit une série de dégradations correspondantes, jusqu'à la mort d'Inés empoisonnée par la Reine, qui devient une simple colique dont Pierrot la guérit à temps pour la fin heureuse exigée par l'éthos comique.

Ce déplacement du point de transformation modifie complètement le rapport de « disconvenance ». Selon la définition de Boileau (acceptée par tous), le ressort comique du burlesque consistait à faire parler des rois et des princesses en langage de villageois, celui de l'héroï-comique à faire parler des villageois (ou des bourgeois) en style épique. Dans la nouvelle parodie, les rois et les princesses sont devenus villageois ; après quoi le parodiste a le choix entre leur faire prononcer littéralement les répliques mêmes de la tragédie parodiée, ce qui revient au procédé du *Chapelain décoiffé ;* leur faire tenir un langage noble inspécifié, ce qui revient

---

1. En fait, la situation des parodies dramatiques du xviiie siècle est plus confuse : selon Lanson, « les parodies d'opéra conservent à l'ordinaire (non pas toujours) les noms et les qualités des héros (elles resteraient donc conformes aux canons du travestissement burlesque) ; les parodies de tragédies attachent les caractères et les situations à des noms ridicules, à des conditions triviales ».

au procédé du pastiche héroï-comique ; les faire parler en villageois, ce qui revient au procédé du travestissement burlesque, mais sans l'effet de discordance qu'a supprimé d'avance la dégradation des personnages. La première solution, proprement parodique, est, comme toujours, difficile à tenir pendant toute une pièce ; la seconde manque un peu trop de *vis comica* pour un spectacle à public populaire ; la troisième en manque totalement par manque de discordance. Dans cet évident embarras, Dominique choisit de ne pas choisir, mêle un peu le tout, et se tient le plus souvent dans un juste milieu indéfini et fatalement insipide, conservant l'alexandrin de la tragédie, abaissant le style au niveau des circonstances mais sans descendre à la vulgarité burlesque, et glissant çà et là, quand l'action s'y prête, quelques citations de l'original qui détonnent, et par conséquent amusent, beaucoup moins que les emprunts à Corneille du *Chapelain décoiffé,* justement parce que l'action s'y prête d'un peu trop près. Il faut croire que le jeu des acteurs, et l'actualité toute fraîche du modèle, suffisaient, le temps d'une saison, à soutenir un divertissement en lui-même plutôt languissant.

Ces divers systèmes de relations, normales ou transgressives, entre sujet et style, se figureraient assez bien, j'espère, par le tableau suivant, où Didon représente le personnage noble, l'horlogère du *Lutrin* le personnage vulgaire, et Dondon, l'aubergiste imaginée par Fournel, l'héroïne d'une de ces parodies que je

Didon ⟶ style noble	GENRE NOBLE	convenance classique
Horlogère ⟶ style vulgaire	GENRE VULGAIRE	
Didon ↘ style vulgaire	TRAVESTISSEMENT BURLESQUE	disconvenance burlesque (descendante)
Horlogère ↗ style noble	HÉROÏ-COMIQUE	disconvenance classique (ascendante)
Horlogère ↗ discours même de Didon	PARODIE	
Didon ↓ Dondon ⟶ style instable ou moyen	PARODIE MIXTE	disconvenance avortée

161

propose de rebaptiser, eu égard à leur structure complexe et indécise, *parodies mixtes.*

Le genre, en tout cas, se survit encore au XIXᵉ siècle, où il s'illustre entre autres d'une assez fameuse « parodie » d'*Hernani,* œuvre de Duvert et Lauzanne : *Harnali ou la contrainte par cor,* créée au Vaudeville le 22 mars 1830. On y retrouve le système de dégradation sociale : Don Ruy Gomez de Silva devient l'actionnaire de théâtre Dégommé Comilva, dont la nièce Quasifol (Doña Sol) est aimée de l'ancien contrôleur Jean l'Estragon (Don Juan d'Aragon) dépossédé par le nouveau chef de contrôle Charlot (Don Carlos) et devenu le marchand (en contrebande) de billets Harnali. Charlot, nommé régisseur comme Don Carlos était élu empereur, accorde Quasifol à Harnali qui dépose sa haine et retrouve son emploi, mais doit, le soir de ses noces et au son du cor, avaler une boulette laxative : la colique semble être dans ce genre l'équivalent, ô combien comique, de la mort tragique. Ici encore (mais avec un peu plus de verve que dans *Agnès*) le procédé hésite entre les diverses possibilités de la parodie, du burlesque et de l'héroï-comique.

Mais comme Hugo, dans *Hernani,* a déjà abandonné la noblesse soutenue de la tragédie classique pour un mélange (ou une alternance) de tons héroï-comique à sa manière, il n'est pas toujours facile de bouffonner ce qui de soi bouffonne, et les transpositions d'*Harnali* manquent parfois d'amplitude ou plus exactement de *voltage* (différence de potentiel) : Don Carlos se cachait dans une armoire, Charlot s'enferme dans une fontaine de grès ; le poignard devient un grattoir, et le cor (calembour titulaire oblige) reste cor, quitte à se rebaptiser parfois trompette. Le plus souvent donc, Duvert et Lauzanne en sont réduits à une « parodie » au sens moderne du mot, c'est-à-dire à un pastiche satirique du style hugolien, parfois assez bien venu, comme dans cet affrontement entre Charlot et Harnali :

CHARLOT

Mon ami, ne vous a-t-on pas dit
Que pour un tel projet vous êtes bien petit ?

HARNALI

La taille n'y fait rien, la mienne est ordinaire,
Mais j'ai six pieds de haut quand je suis en colère.

En fait, la fonction essentielle d'*Harnali* est un trait qui n'était pas absent dans le burlesque et le néo-burlesque classique, mais qui n'y était jamais dominant : la critique (technique) du texte modèle, formulée au nom du bon sens et/ou des vraisemblances classiques. Le procédé critique consiste ici à faire souligner par les personnages l'invraisemblance ou l'arbitraire de leur conduite : ainsi, au premier acte, lorsque Harnali et Quasifol conviennent, comme dans *Hernani*, d'un signal de reconnaissance que Charlot détournera à son profit :

HARNALI

Tu connais bien ma voix ?

QUASIFOL

Oui, certes.

HARNALI

Dans ma main je frapperai trois fois.

Au deuxième acte, Charlot poste ses hommes sous la fenêtre de Quasifol et répond à l'objection « mais si quelqu'un passait » :

> — *Quoiqu'il ne soit pas tard, personne ne viendra.*
> — *C'est bien peu vraisemblable.*
> > — *Enfin, c'est comme ça.*

Au troisième acte, lorsque Harnali se démasque et demande qu'on le livre à Charlot, Comilva lui fait observer :

> — *Votre trait d'héroïsme a l'air d'une bêtise*
> — *Que voulez-vous, je fais sottise sur sottise.*

La scène des portraits se prolonge si interminablement que Quasifol, laissée pour compte, s'endort d'ennui. Lorsque au quatrième acte Harnali refuse de racheter sa promesse et que Comilva s'en étonne, il répond en bon critique formaliste : « Il faut un cinquième acte. » Etc. Par là, bien sûr, cette charge s'insère dans la bataille d'*Hernani* dont elle constitue un épisode, et dont le bruit parvient à Quasifol dans son délire final.

La *dégradation d'action* (par dégradation du rang social des personnages) était déjà présente, il faut le noter, dans la comédie classique, et en particulier chez Molière — toutes les fois, entre autres, que l'intrigue amoureuse entre les jeunes premiers trouve son écho parodique dans une intrigue correspondante entre leurs valets et servantes (dans *le Dépit amoureux*, d'Éraste-Lucile à Gros René-Marinette, dans *le Bourgeois gentilhomme*, de Cléonte-Lucile à Covielle-Nicole, dans *Amphitryon*, de Jupiter-Amphitryon-Alcème à Mercure-Sosie-Cléanthis) : « Le parallélisme entre la situation des maîtres et celle des valets, note justement J. Voisine à propos d'*Amphitryon*, constitue en lui-même une forme de parodie [1]. »

Il n'est peut-être pas insignifiant que Marivaux, dans le *Jeu de l'amour et du hasard*, se soit emparé du procédé pour en tirer une interversion révélatrice — après quoi le motif du travestissement amoureux continue de circuler dans la comédie et l'opéra bouffe, avec l'échange de manteaux entre Suzanne et la comtesse, à quoi se trompent et le comte et Figaro (« Qui-i donc a pris la femme de l'autre ? »), et le chassé-croisé sous déguisement de *Cosi fan tutte*. D'un travestissement à l'autre il n'y avait qu'un pas, et Marivaux passe en douceur, et profondeur, du premier au second.

XXV

Don Quichotte est souvent décrit comme le premier roman « moderne », c'est-à-dire comme le premier roman au sens moderne du mot, qui se confond avec celui de roman « réaliste » : *novel* opposé à *romance*, ce que Fielding, dans la Préface de *Joseph Andrews* [2], définira comme une « épopée comique en prose ».

Si *Don Quichotte* était un roman réaliste, je ne suis pas sûr qu'il serait vraiment le premier : il y en a déjà, pour le moins, des linéaments dans l'Antiquité (*l'Ane d'or*, le *Satiricon*), au Moyen Age (le second *Roman de la Rose*, certains fabliaux), et surtout, à la fin du XVIe siècle, dans ce genre d'origine typiquement espagnole qu'est le roman picaresque [3]. Laissons donc la question de priorité ; mais je ne suis pas sûr non plus que la seule formule « roman réaliste » s'applique correctement au *Quichotte*, pour cette raison simple qu'elle ne tient pas compte d'un aspect essentiel de ce récit, qui est

---

1. « *Amphitryon*, sujet de parodie », *CAIEF*, mai 1960.
2. 1742. La première partie du *Quichotte* est de 1605 et la seconde de 1615.
3. *Lazarillo de Tormes*, 1554, *Guzman d'Alfarache*, 1599-1604 ; postérieur au *Quichotte*, le *Buscon* de Quevedo, 1626.

évidemment son caractère hypertextuel — nommément, sa relation bien connue au genre dit des « romans de chevalerie », et plus précisément aux illustrations tardives de ce genre, comme *l'Amadis de Gaule* de Montalvo [1]. Don Quichotte n'est pas avant tout un hidalgo (c'est-à-dire, en fait, guère plus qu'un picaro) qui court les routes, leurs villages et leurs auberges : il est avant tout un hidalgo qui veut vivre en chevalier, c'est-à-dire comme les héros des romans de chevalerie. La référence à ce modèle commande absolument le statut de l'œuvre.

Ce statut est, tout aussi fréquemment, visé par une autre formule simple (trop simple) : « parodie des romans de chevalerie ». Formule évidemment absurde si l'on prend *parodie* dans son sens strict (transformation ludique d'un texte singulier), car en ce sens il n'y a pas et il ne peut y avoir de parodie de genre. Si on le prend dans son sens trivial (imitation satirique), la formule cesse d'être absurde, car il existe évidemment des pastiches de genre, mais elle reste fautive car on ne peut vraiment décrire le *Quichotte* comme un pastiche, satirique ou non, des romans de chevalerie — pour cette raison suffisante que don Quichotte n'est pas un chevalier errant, caricatural ou non, mais un fou qui se croit, ou se veut, un chevalier errant. Le *Quichotte* n'est donc en aucun sens une parodie de roman de chevalerie, mais cette formule impropre a du moins le mérite de souligner, bien ou mal, son caractère hypertextuel — dont le statut nous reste à définir.

A cet égard, le *Quichotte* n'est pas tout à fait un hapax, mais plutôt le prototype d'un genre — qu'il surplombe certes de toute la hauteur de sa génialité, mais qu'il ne faut pas pour autant méconnaître. Ce genre comprend au moins deux œuvres françaises qui se sont explicitement donné pour modèle le *Quichotte,* et pour but d'appliquer son procédé à d'autres genres que le roman de chevalerie : même formule sur un autre objet.

La première est le *Berger extravagant* [2] de Charles Sorel, qui raconte les (més)aventures d'un jeune bourgeois à qui la lecture des romans pastoraux [3] a tourné la tête, au point qu'il prend leurs fictions pour vérité et décide de se faire berger de pastorale, se baptisant Lysis, et Charite la jeune servante dont il est épris. Dans la campagne de Saint-Cloud, il accoste un vrai berger et lui tient des

1. 1508.
2. Première édition, 1627. Reprint Slatkine, Genève, 1972.
3. Principaux textes : Sannazar, *Arcadia,* 1502 ; Montemayor, *Diana,* 1559 ; Cervantes, *Galatea,* 1585 ; Urfé, *L'Astrée,* 1607-1627 ; en mode dramatique, Guarini, *Il Pastor fido,* 1590.

propos de pastorale que l'autre entend en quiproquo, coq d'Inde pour Clorinde, vers de terre pour vers de poème, et ainsi de suite. Il consulte l'écho, qui (par la bouche de son ami Anselme) lui répond par des syllabes à double entente et sans indulgence. Apprenant que la couleur de Charite est le rouge, il s'habille en rouge et n'absorbe plus que des aliments rouges. Il commande un portrait de Charite en termes de métaphores précieuses, qu'Anselme s'empresse d'exécuter à la lettre : cheveux en hameçons où s'accrochent des cœurs, Amour trônant sur le front, yeux en forme de soleils, une rose sur la joue droite, un lys sur la joue gauche, deux demi-mappemondes en guise de décolleté. Il chante sous la fenêtre de Charite et reçoit des pierres. Assistant à une pastorale dramatique, il monte sur scène pour participer à l'action, comme don Quichotte sur les tréteaux de Maître Pierre. Il part pour le Forez, arrive en Brie où il prend le Morin pour le Lignon, et s'y jette comme Céladon, non sans s'être pourvu de deux vessies de porc salvatrices, car il n'est fou qu'à demi. Il monte à un arbre creux, tombe dedans et se croit métamorphosé en saule. Il veut initier son valet Carmelin, qui est son Sancho, au langage précieux ; d'où ce pastiche : « Belle bergère, puisqu'un bienheureux sort m'a ici amené et que vos yeux semblent ne me vouloir blesser qu'avec des coups délectables, il faut que je vous manifeste que j'ai été surpris dans tous vos attraits qui se font bien sentir malgré qu'on en ait » — et, Carmelin répétant en pataquès, cette parodie : « Belle bergère, puisqu'un bienheureux sot m'a ici amené et que vos yeux semblent ne me vouloir laisser qu'avec des fous détestables, il faut que je vous manie les fesses ; car j'ai été surpris dans les trous de vos retraits qui se font bien sentir, malgré qu'on en ait ». Après divers épisodes de mystification burlesque, et controverse pédante sur les mérites et les dangers des romans, on décide de désabuser Lysis en lui révélant les supercheries dont il a été victime. A peu près guéri, on le marie à Charite. Il voudrait bien garder au moins son habit de berger, mais on lui objecte victorieusement que dans les romans les bergers ne se marient point, « le rendant sage par les maximes de sa folie » comme le bachelier Carrasco utilisait les maximes du duel chevaleresque pour obliger don Quichotte à rentrer au logis.

Ce bref sommaire suffit sans doute à exposer tout ce que le *Berger extravagant* doit, *mutatis mutandis,* au *Quichotte.* Outre la platitude du style et l'indigence des inventions, la principale différence est sans doute dans la moindre dose de folie attribuée à Lysis (dont il faut préparer la guérison facile et le mariage heureux pour un *happy end* qui contraste avec la fin mélancolique du *Quichotte*), d'où une plus forte part attribuée à la mystification extérieure — qui chez

Cervantes ne commençait à jouer ce rôle que dans la seconde partie. C'est une autre variante, plus subtile et plus originale, qu'exploite *Pharsamon ou les Nouvelles folies romanesques* de Marivaux [1]. Pierre Bagnol dit Pharsamon, jeune gentilhomme de campagne, a trop lu, comme don Quichotte, « les anciens romans, les Amadis de Gaule, l'Arioste et tant d'autres livres », mais il n'en prend pour modèle que la conduite amoureuse, sans s'attacher à leur versant héroïque : « Il n'en aimait que cette espèce de tendresse avec laquelle ils faisaient l'amour ; leurs aventures lui faisaient plaisir, je parle de celles où les jetaient, et la rigueur de leurs maîtresses, ou la perte qu'ils en faisaient. Voilà celles qu'il souhaitait d'éprouver, n'ayant point encore poussé l'extravagance jusqu'à s'imaginer qu'ils pourfendaient de véritables géants, et qu'ils combattaient contre des enchanteurs. » En quête d'aventures, il rencontre dans une forêt une jeune fille, Cidalise, dont le discours dénote la même folie : « Non, ma chère Fatime, dit-elle à sa suivante en parlant d'un autre soupirant, son cœur et le mien ne sont point faits l'un pour l'autre, sa tendresse est d'une espèce trop commune ; il m'aime beaucoup, j'en conviens ; mais sa manière d'aimer ne me satisfait pas. Je ne veux point un amour ordinaire... » Il se met en tête de la retrouver et part à sa recherche en compagnie de son valet Colin rebaptisé Cliton. La chance les conduit au château de Cidalise, où il défait en duel un rival. Blessé, Cidalise l'héberge pour quelques jours de cour amoureuse doublée et caricaturée par les amours de Cliton et Fatime : « Cliton parlait avec tant de véhémence que Pharsamon et Cidalise ne s'entendaient presque plus. Ils criaient de leur côté pour que leur voix surmontât le bruit ; le maître soupirait ; l'écuyer soupirait aussi ; les deux filles s'égosillaient, de sorte que cela composait un tintamarre dans la chambre... » La mère de Cidalise revient de voyage et met les soupirants à la porte. Rentré chez son tuteur, Pharsamon joue les chevaliers pensifs tandis que Cliton raconte à sa façon leurs aventures. Une deuxième « sortie » aboutit à une nouvelle rencontre inopinée des deux couples : pâmoisons symétriques, encore redoublées par les manèges de « tendresse subalterne » à l'étage domestique : « Pharsamon embrassait seulement les genoux de sa maîtresse, qui, d'un air tendrement penché, le regardait en souriant. Cliton ne se donna pas le temps d'examiner comment s'y prenait son maître : il se met à genoux, ou plutôt se jette à terre, et au lieu des genoux, embrasse goulûment les pieds de Fatime... » Nouveau retour de la mère, quiproquos nocturnes, charivari burlesque, etc. Les deux héros et leurs deux répliques

---

1. Terminé en 1712 ; première édition, 1737. *Œuvres de jeunesse*, Pléiade, 1972.

seront finalement guéris par quelque empirique, et Pharsamon s'empresse d'oublier Cidalise. Ce dénouement brusqué et peu romanesque n'est peut-être pas de Marivaux, qui inaugurerait ici sa pratique de l'inachèvement. Contrairement à Cervantes et à Sorel, Marivaux n'oppose pas à son héros un entourage lucide et goguenard : non seulement son valet partage à moitié sa folie, mais encore — et surtout — sa Dulcinée la surpasse : « Notre jeune demoiselle avait le cerveau encore plus dérangé que Pharsamon, quoique le jeune homme fût passablement extravagant. Les romans ne lui avaient pas manqué non plus qu'à lui, mais l'imagination d'une femme, dans ces sortes de lectures, soit dit sans les offenser, va bien plus vite que celle d'un homme, et en est bien plus tôt remplie... » : voilà l'un des chaînons manquants entre *Don Quichotte* et *Madame Bovary*. Pharsamon n'ayant pas, dans sa relation à Cidalise, à affronter la réalité prosaïque, les deux héros se conforment ensemble au modèle romanesque. Leur conduite fonctionne donc simplement comme une caricature des conduites romanesques, renforcée par la charge au second degré qu'en donnent Cliton et Fatime. Le thème de l'illusion est le plus souvent supplanté par celui de l'imitation : Cliton imite Pharsamon, qui imite Amadis. Au contraste déceptif entre illusion et réalité se substitue donc un contraste d'alternance entre les scènes « romanesques » et les scènes « réalistes », ou plutôt burlesques, de batailles d'office et de chahut nocturne. La tradition du *Roman comique* vient ici se mêler aux premières esquisses du jeu de miroir marivaudien.

Le genre, si c'en est un, constitué (entre autres, et si l'on néglige leurs variances) par ces trois textes, a parfois été baptisé, d'un terme employé par Sorel en titre à l'une des éditions du *Berger extravagant* : « antiroman ». D'un point de vue théorique, ce terme est à la fois trop étroit et trop vague. Trop étroit, parce que le même procédé pourrait s'appliquer à d'autres genres nobles, épopée ou tragédie ; trop vague, parce que ce terme d'antiroman ne désigne nullement la spécificité du procédé, que décrit un peu mieux le sous-titre de *Pharsamon* : folie romanesque. La folie, ou plus précisément le délire, est évidemment le principal opérateur du type d'hypertextualité propre à l' « antiroman » : un héros à l'esprit fragile et incapable de percevoir la différence entre fiction et réalité prend pour réel (et actuel) l'univers de la fiction, se prend pour l'un de ses personnages, et « interprète » en ce sens le monde qui l'entoure.

La relation d'un tel genre avec la parodie est évidente, encore que le plus souvent masquée par une assimilation hâtive : comme dans la parodie, et mieux encore dans la parodie mixte, il arrive aux héros vulgaires de l'antiroman des aventures analogues à celles des héros de genres nobles. Mais dans les parodies il s'agit d'une analogie réelle, inconsciente et purement diégétique : Chapelain est insulté comme don Diègue, Pierrot engrosse Agnès comme don Pèdre fait un enfant à Inès, mais sans qu'aucun d'eux perçoive, et a fortiori déclare, la relation qu'il entretient avec son « modèle », qu'il ignore, et que connaît seul l'auteur, puis le public. Dans l'antiroman au contraire, l'analogie est métadiégétique, entièrement située dans l'esprit et le discours du héros, qui la perçoit non seulement comme une analogie mais comme une identité, et dénoncée (et reçue) comme illusoire par l'auteur et par le public : « Don Quichotte *s'imagine* que le plat à barbe *est* l'armet de Membrin. » A l'*analogie réelle* (c'est-à-dire, bien sûr, fictive) de la parodie se substitue donc ici une *identité imaginaire*. Entre ce romanesque imaginaire où croient vivre don Quichotte, Lysis ou Pharsamon, et la réalité prosaïque où nous les voyons vivre et où ils retombent à leur grand dam après chacun de leurs « exploits » ou chacune de leurs « sorties », s'établit pour nous (auteurs ou lecteurs, c'est ici tout un : spectateurs extradiégétiques) un contraste comique proche de celui de la parodie, mais à peu près inverse de celui du travestissement, où nous voyons se conduire et parler vulgairement des personnages que nous savons être Énée ou Didon : ici, nous voyons se conduire et parler comme des héros de roman des personnages que nous savons n'être que des hidalgos ou des petits bourgeois. Proche de la parodie, l'antiroman l'est donc aussi du poème héroï-comique, qui repose sur un contraste similaire entre l'histoire et le discours (du narrateur, mais aussi des héros) : pour faire du *Lutrin* un antiroman, ou plutôt une anti-épopée, il suffirait que l'horloger, non content d'y parler comme un héros de Virgile, aille jusqu'à se prendre pour tel. Et, puisqu'il l'imite en paroles sans (de sa part) aucune marque d'ironie, qui nous dit qu'il ne s'identifie pas à lui ?

L'antiroman s'apparente donc, grâce à cette sorte de transforma-teur hypertextuel qu'est le délire, aux formes dignifiantes du burlesque plutôt qu'à sa version dégradante qu'est le travestisse-ment : mieux vaut, dirait Boileau, nous montrer un hidalgo qui agit comme un chevalier, que l'inverse. Et il se pourrait bien que la tendresse, évidente sous le sarcasme, de Cervantes pour son héros, procédât d'un tel mouvement de sympathie pour la grandeur chimérique du chevalier à la triste figure. Je lirais volontiers quelque chose d'analogue chez Marivaux, et qui n'attendra guère pour s'exprimer ailleurs. Rien de tel, en revanche, chez Sorel — d'où peut-être la sécheresse et la mesquinerie du trait.

Mais le délire n'est que l'opérateur principal de l'antiroman, nous en avons rencontré d'autres :

— La mystification extérieure, qui prend appui sur le délire du héros pour en multiplier ou en aggraver les effets ; c'est le procédé dominant du *Berger,* et celui de la seconde partie du *Quichotte,* où des comparses instruits par la renommée (et par la lecture de la première partie) montent à don Quichotte des canulars qui exploitent sa folie : duègne amoureuse, statue qui parle, cheval volant, etc.

— L'imitation consciente et (presque) lucide, procédé dominant de *Pharsamon,* déjà présent chez Cervantes, où don Quichotte, par exemple, ne *se croit* pas dès l'abord chevalier, mais chercher à *le devenir,* et ne se tient pour tel qu'une fois adoubé par un aubergiste qu'il prend pour un châtelain : et *simule* volontairement la folie dans la Sierra Morena, non parce qu'il se prend pour Amadis, mais simplement pour faire comme lui ; et l'on sait combien ambiguë est sa relation à Dulcinée, qu'il se garde bien de « reconnaître », malgré les incitations de Sancho, dans la première pécore venue.

— Le pastiche ou la charge, dans les innombrables discours, billets et poèmes par lesquels nos anti-héros perpétuent le langage de leurs idoles ; et mieux, sans doute, dans les deux admirables chapitres où don Quichotte, d'abord à l'adresse de Sancho, puis à celle du chanoine [1], se lance dans une évocation synthétique de l'aventure chevaleresque : pastiche de genre s'il en fut jamais, et d'une sublime ambiguïté où se fondent l'exaltation quichottesque et l'ironie cervantine.

— La critique sérieuse, enfin, au XIVe livre du *Berger,* et lors de l'autodafé qui termine la première sortie de don Quichotte, et de ses disputes avec le chanoine et le curé [2]. Mais l'hypertexte, ici, se fait commentaire, c'est-à-dire métatexte. Et à ce titre il échappe à notre (présente) enquête.

L'antiroman est donc une pratique hypertextuelle complexe, qui s'apparente par certains de ses traits à la parodie, mais que sa référence textuelle toujours multiple et générique (le roman de chevalerie, le roman pastoral en général, même si cette référence diffuse se condense volontiers autour d'un texte eidétique comme

1. Première partie, chapitres XXI et L.
2. I, chapitres XLVIII-XLIX et II, chapitre I.

Amadis ou *l'Astrée*) empêche de définir comme une transformation de texte. Son hypotexte est en fait un hypogenre. On pourrait cependant envisager l'application à un texte singulier du procédé fondamental de l'antiroman — que rien a priori ne condamne à une référence générique, si ce n'est peut-être le poids du modèle cervantin, qui en avait ainsi décidé pour *Don Quichotte*. Un lecteur (trop) enthousiaste pourrait fort bien s'identifier, non pas au chevalier ou au berger en général, mais précisément à Amadis ou à Céladon, et s'imaginer qu'il revit ses aventures, pour peu qu'il décelât entre sa situation et celle de « son » héros une analogie sur quoi greffer son délire interprétatif. Le cours de l'action serait dès lors prescrit par celui du modèle, comme dans une parodie ou un travestissement, ou mieux, dans une parodie mixte, chaque épisode de l'hypertexte reproduisant à sa manière l'épisode correspondant de son hypotexte, selon un ordre identique et un enchaînement semblable. On aurait ainsi un anti-*Amadis* ou une anti-*Astrée*, qui seraient plutôt un *Pseudo-Amadis* ou une *Pseudo-Astrée,* comme l'antiroman est plutôt, on voit en quel sens, un *pseudo-roman*. Cette idée semble avoir effleuré l'esprit de Subligny, s'il est bien, comme le pensait Émile Magne, l'auteur, précisément, de la *Fausse Clélie*[1], que son titre même apparente à notre type jusqu'ici hypothétique. Après diverses aventures, l'héroïne lit la *Clélie* et s'émerveille de la conformité qu'elle découvre entre ce roman et sa propre vie : « Il a prédit, dit-elle, dans ce roman les aventures que je devais avoir. Elle ne pouvait cesser d'admirer ce rapport surprenant de celles de Clélie avec les siennes. Elle les lut jour et nuit deux ans durant. » Mais la découverte de l'analogie par l'héroïne est ici rétrospective, l'analogie elle-même était donc, comme dans une parodie, purement pragmatique et inconsciente, et la suite de l'action, assez hétéroclite, ne se ressent guère de cette révélation. Cette *Fausse Clélie* reste donc une fausse *Pseudo-Clélie*, ou peut-être une *Pseudo-Clélie* avortée. Le *Télémaque travesti* de Marivaux[2], en revanche, est un *Pseudo-Télémaque* fort abouti, et même fort réussi — et incidemment une des rares œuvres narratives achevées par Marivaux.

Le principe en est simple, quoique d'application malaisée : le jeune campagnard Timante Brideron, dont le père, nouvel Ulysse, est parti s'engager dans on ne sait trop quelle·guerre de Sept ou de Trente ans, est resté seul avec sa Pénélope de mère, accablée de prétendants, et son Mentor d'oncle Phocion, demi-savant qui perçoit le premier l'analogie de cette situation avec celle de

---

1. 1671. *Clélie*, de Mme de Scudéry, 1654-1660.
2. Écrit en 1714-1715, publié en 1736. *Œuvres de jeunesse*, Pléiade.

l'*Odyssée*, et par suite de *Télémaque*. « Le voilà donc pénétré de l'envie d'achever la conformité que le hasard semblait avoir si bien ébauchée. » Phocion prend cette marotte, la communique à son neveu, et les voilà partis à la recherche du père. Dès lors, et comme s'en flatte à propos Marivaux, « on trouvera dans cette histoire même liaison et mêmes aventures que dans le vrai *Télémaque* » — à la vulgarisation près. Arrivés d'abord dans une métairie, comme Télémaque et Mentor chez Aceste, Brideron et Phocion sont arrêtés et jugés, comme leurs modèles en Égypte. Ils s'échappent en une charrette (le vaisseau chyprien) qui les conduit à un bal (séjour à Chypre). A un jeu de village (jeux en Crète), Brideron gagne un prix qu'il refuse, comme Télémaque le royaume. Assaillis par des brigands (naufrage), ils trouvent asile chez une dame mûre, Mélicerte, entourée de ses deux filles et de ses deux nièces (Calypso et ses nymphes). Ancienne maîtresse de Brideron père, elle s'éprend du fils, qui s'éprend de la jeune Charis (Eucharis). Jalouse, Mélicerte offre à Phocion une barque pour reprendre leur voyage, puis la brûle. Phocion force son neveu à gagner à la nage un chaland qui passe (vaisseau d'Adoam). Égaré par l'ivresse (Vénus), le pilote les conduit au château d'Oménée (Idoménée), que Phocion conseille sur la tenue de sa maison (maximes de gouvernement de Mentor). Brideron prête main-forte à Oménée dans ses querelles avec des voisins huguenots (guerre contre les Manduriens) et règle le conflit. Épris maintenant de la fille d'Oménée (Antiope), il l'épousera après être rentré chez lui (Ithaque) et avoir retrouvé son père, Phocion s'étant à point nommé « métamorphosé » (Mentor se révèle Minerve) en changeant de bonnet. A s'en tenir à un tel résumé, on pourrait voir dans le *Télémaque travesti* une parodie mixte narrative, et même l'illustration parfaite de la parodie telle que la définira Victor Fournel. Mais le ramener à cette formule serait en oublier l'élément essentiel, qui est encore ici, comme dans les antiromans, le délire des deux héros, ou pour le moins cette folie douce qui constamment leur fait interpréter tout ce qui leur arrive comme l'équivalent d'une aventure de Télémaque (à quoi, bien sûr, se prête un enchaînement des faits qui est la contribution de Marivaux), et leur enjoint de se conformer eux-mêmes au modèle fénelonien. Il s'agit donc ici, sinon d'une identité imaginaire (puisque Phocion et Brideron ne sont pas assez fous pour le croire), au moins d'une analogie consciente — ce qui n'advient jamais dans les parodies. Malgré son titre, le *Télémaque travesti* n'est nullement un travestissement burlesque, mais bien une variante de l'antiroman, savoir : un antiroman à hypotexte singulier, et (donc) à action prescrite.

172

Sur cette base constante, l'essentiel des variations provient des changements dans le type et le degré d'analogie, et dans la manière dont elle est marquée, ou provoquée. La plupart du temps, elle est notée par les héros eux-mêmes, soit en tant que narrateurs, puisque, comme dans *Télémaque*, les premières aventures de Brideron sont racontées par Brideron lui-même, chez Mélicerte, aux livres I à IV (ainsi : « Le vaisseau de Télémaque fut arrêté par une flotte égyptienne : écoutez ce que le hasard fit pour nous attraper comme ce prince »), soit en tant que personnages (ainsi : « Là-dessus, ils me firent monter dans leur charrette, disant que je vinsse avec eux. Je dis alors en moi-même : cette voiture est mise pour moi à la place du vaisseau des Chypriens avec lesquels Télémaque se trouva en sortant de Tyr »). Ici s'établit un net clivage entre eux et les comparses : eux seuls perçoivent le caractère télémachique des actions et des situations, les autres en sont aussi inconscients que des personnages de parodie, et s'étonnent de rapprochements dont le sens leur échappe : « Je vous apprendrai bien, dit Phocion, quel est ce pays : c'est assurément Salente, ville fondée par le fugitif Idoménée, roi de Crète. — Je ne connaissais point du tout ce roi-là ni sa royauté, répliqua un des bateliers ; il faut qu'il se soit donc établi depuis peu. (...) Oménée ne savait plus ce qu'il en devait penser, car il n'avait pas lu *Télémaque,* et il ne savait pas qu'il en avait logé un. »

Comme toute analogie, celles-ci comportent à la fois « présence et absence », ressemblance et différence, et selon des degrés variables. Mélicerte s'éprend de Brideron tout à fait comme Calypso de Télémaque ; mais ils ne sont pas tout à fait Télémaque et Calypso ; la descente réelle de Télémaque aux Enfers devient un simple rêve de Brideron, etc. Devant l'inévitable imperfection de ces à-peu-près, les héros ont le choix de se féliciter, comme on a vu, de la ressemblance, ou de s'accommoder en maugréant de la différence sur le mode du « il faut se contenter de ce qu'on a » : « Ce siècle est plus dur que celui de Télémaque... Il faut s'ajuster au temps... Les mœurs sont changées, etc. » Phocion adapte à la modeste situation d'Oménée le discours politique de Mentor, mais il souffre d'en rabattre : « Franchement il était un peu dérouté, et ne savait comment faire pour donner autant de conseils et d'enseignements à son lieutenant que Mentor en avait donné à Idoménée. Que diantre, disait-il, cet homme-ci n'a point de villes, de ministres, de sujets ni de terres ; il n'a qu'un saloir, une cave, une cuisine, des meubles, des lieux communs, un jardin, et trois ou quatre domestiques. » Brideron est « extrêmement mortifié » de ne pouvoir brûler sur un bûcher le corps de son ami Hidras (= Hippias) ; mais « il faut suivre la règle, et boire de l'eau quand les fontaines sont à la mode » : autrement dit, il se contentera de l'ensevelir.

Faute de trouver toujours sur leur chemin, malgré tous les efforts de l'auteur, les mêmes lieux, les mêmes objets et les mêmes personnes que les héros de Fénelon, Phocion et Brideron peuvent compenser cette approximation par une plus étroite fidélité dans leur propre conduite. Aussi ont-ils sans cesse leur *Télémaque* en poche afin d'y mieux conformer leurs actes. Brideron est moins un avatar qu'un « imitateur » de Télémaque, son émule et son « apprenti ». Phocion surtout veille à la rigueur de l'imitation, si bien qu'à son rôle premier de Mentor (remontrances édifiantes) se superpose un rôle second de gardien de l'orthodoxie fénelonienne : rappel à l'hypotexte : « Prenez votre livre... Lisez *Télémaque*... Il y a un quart d'heure que vous devriez m'avoir dit... », etc., quitte à se résigner là aussi à l'imperfection, et deux fois en ces termes : « Vous êtes un Télémaque de merde et moi un Mentor de bran. »

On ne saurait mieux figurer la nature et l'effet de l'inévitable transposition. Mais seuls Phocion et Brideron souffrent du décalage. Pour le lecteur, au contraire, tout le prix de ce texte est dans son rapport ambigu à l'hypotexte, « imitation » toujours imparfaite, analogie toujours décevante, mais transposition toujours ingénieuse et pittoresque. Moyennant quoi le *Télémaque travesti* reste l'incontestable chef-d'œuvre du burlesque français, et, en passant, l'un des plus savoureux romans paysans du XVIIIe siècle, et donc de tous les temps. On appréciera, par exemple, au livre XII, la description du bouclier de Brideron, dernier maillon d'une vénérable série inaugurée comme on sait par Homère ; ou le récit des prouesses de Brideron à la fête de village (livre IV) ; ou encore cette charmante vulgarisation de l'incipit fénelonien (« Calypso ne pouvait se consoler du départ d'Ulysse. Dans sa douleur, elle se trouvait malheureuse d'être immortelle. Sa grotte ne résonnait plus de son chant ; les nymphes qui la servaient n'osaient lui parler... ») : « Mélicerte, triste et rêveuse, réfléchissait toujours au bonheur dont elle avait joui du temps de ses amours avec M. Brideron le père ; ses chagrins la réveillaient souvent avant jour ; les fleurettes de ceux qui lui en contaient lui donnaient de l'ennui ; elle était brusque avec eux et le soin de son teint, de sa parure, ne l'occupait plus ; coiffée le plus souvent en mauvais battant-l'œil, elle ne dédaignait plus d'aller affronter la poudre qui s'élevait des tas de blés remués ; le soleil le plus ardent ne lui faisait plus de peur ; elle courait les risques du hâle pour aller voir moissonner ; ce n'était plus cette beauté délicate, qui redoutait si fort le grand air : des habits de fatigue, plus de masques, plus de bracelets, plus de pendants d'oreilles ; elle ne voulait plaire à personne...[1] »

Le Télémaque travesti est à ma connaissance le seul cas d'antiroman *singulatif,* je veux dire à hypotexte singulier, à moins qu'on ne veuille en trouver quelque écho involontaire dans un hypertexte beaucoup plus récent, et plus ambitieux, que nous rencontrerons en son temps — et à sa place. J'imagine en revanche que la formule de l'antiroman générique a trouvé à s'appliquer à toutes sortes de sousgenres romanesques un peu marqués par l'intensité déjà caricaturale de leur thématique : mésaventures pitoyables et ridicules d'un personnage qui se prendrait pour un héros de thriller, de roman d'espionnage, de science-fiction, et qui interpréterait en ce sens les menus incidents de sa plate existence. Le roman « gothique » anglais, cible idéale, a au moins suscité la verve de Jane Austen dans quelques chapitres de *Northanger Abbey* (1798) : l'héroïne a trop lu d'Ann Radcliffe et, lors d'un séjour dans un vieux château, elle passe quelques nuits en frayeurs et horribles soupçons que l'auteur qualifie justement de « livresques », jusqu'au moment où son hôte la ramène à un sentiment plus sobre de la réalité[2]. Je rêve parfois de consacrer une année sabbatique (? !) à écrire un nouvel antiroman qui serait un anti-Nouveau Roman : l'histoire d'un pékin à qui la lecture de Robbe-Grillet aurait troublé la cervelle, et qui prétendrait vivre selon ce modèle (répétitions, variantes, parcours en boucle, analepses, prolepses, métalepses, etc.) dans un monde réfractaire à son délire. Il lui arriverait sans doute quelques aventures aussi plaisantes que celles du chevalier imaginaire aux prises avec les moulins à vent de la réalité — et aussi déplaisantes, car s'il y a plus pénible que d'être enfermé dans un labyrinthe, c'est peut-être de se croire dedans lorsqu'on est dehors : on risque en effet, en cherchant la sortie, de trouver l'entrée.

XXVI

Le titre du film de Woody Allen, *Play it again, Sam* (1972), fonctionne comme un contrat d'hypertextualité cinématographique

1. P. 730.
2. Trad. fr. par F. Fénéon, Gallimard, 1946.

(hyperfilmicité) pour les connaisseurs qui y reconnaissent la plus célèbre réplique du *Casablanca* de Michael Curtiz, où Humphrey Bogart demande au pianiste de bar de lui rejouer « son » air, emblème de sa passion sacrifiée pour Ingrid Bergman : c'est la sonate de Vinteuil du cinéma *tough*. Le film tient les promesses de son titre, qui pourrait à son tour servir d'emblème à toute l'activité hypertextuelle : il s'agit toujours de « rejouer », d'une manière ou d'une autre, l'inusable vieille chanson.

Ce film peut s'analyser en première instance comme une sorte d'équivalent cinématographique de l'antiroman : Woody Allen (ou son personnage, dont j'ai oublié le nom) est à Humphrey Bogart (c'est-à-dire au type de personnages qu'incarnait généralement celui-ci) ce que don Quichotte est à Amadis, et plus généralement aux héros de romans de chevalerie : fanatique du genre et de l'acteur qui l'incarne — le héros cynique qui séduit les femmes par sa dureté même et qui ne s'en laisse jamais conter —, il ne rêve que de ressembler en tous points à son idole, qui est aussi l'antipode de son propre personnage, laid, timide, hypersensible, grand nerveux, gaffeur et maladroit, systématiquement grotesque devant les femmes. Dès qu'il est seul, le fantôme de Bogart lui apparaît, incarné tant bien que mal par Jerry Lacy à grand renfort d'imper mastic, de chapeau mou rabattu sur l'œil, de cigarette désabusée, de rictus, d'élocution chuintante et heurtée. Il lui donne d'excellents conseils que Woody enregistre en tentant à son tour d'imiter le pseudo-Bogart, à qui il ressemble comme je ressemble à Robert Redford. D'où quelques mésaventures qui sont exactement à l'art de la séduction moderne ce que le combat de don Quichotte contre les moulins à vent est à la pratique de la chevalerie errante, et d'où Woody sort tantôt éconduit, tantôt moulu et froissé comme le chevalier à la triste figure.

Mais, comme dans *le Télémaque travesti,* la référence n'est pas seulement générique (le film noir bogartien), mais singulière, car il s'agit plus précisément du Bogart de *Casablanca,* dont nous revoyons au début du film la dernière séquence, en compagnie d'un Woody cinéphile tétanisé d'admiration : c'est la scène où Bogart, héroïque, remet Ingrid Bergman à son époux légitime, et s'éloigne sans faiblir dans la nuit marocaine. Le trait de génie de *Play it again,* c'est que pendant toute la suite du film le spectateur oublie cette référence initiale (qui est à proprement parler une citation, et qui fonctionne d'abord comme une simple épigraphe), et que seulement à la fin se révèle l'analogie de situation entre l'hyperfilm et son hypofilm : sans l'avoir vraiment cherché, Woody séduit — par sa maladresse même — la femme de son meilleur ami, dont il tombe vraiment amoureux. Pendant toute cette aventure, le modèle bogartien intervient pour brusquer les choses, les compromettre par ses trop bons conseils, et cahin-caha les mener à leur terme. Enfin, comprenant que sa bien-aimée n'aime en fait que son mari, qui n'aime vraiment qu'elle, Woody la lui restitue dans une dernière scène dont le dialogue reproduit mot pour mot celui de la dernière scène de *Casablanca*. On passe donc ici de l'antiroman au travestissement — le texte inchangé étant travesti par le seul changement d'interprètes : retour à la source à la fois inattendu et irrécusable, d'une habileté magistrale, et qui n'est plus seulement drôle.

Cette farcissure est un peu hors de mon champ, mais je ne m'excuse pas d'évoquer ce chef-d'œuvre après ceux de Cervantes et de Marivaux. Pour avoir quelque idée de l'art parodique à son sommet, il faut avoir vu et entendu Woody Allen répéter à Diane Keaton éberluée, avec l'accent qui convient, cet énoncé bogartien, Sésame supposé de la séduction *hard boiled* (je cite de mémoire) : *I've sheen a lot of damesh'in my life, shweetheart, but you are really shomeshing shpeshal.*

XXVII

Dans l'ordre des hypertextes mimétiques, *la Chasse spirituelle* occupe une place paradoxale et irritante. Je parle, bien sûr, non du texte hypothétique de Rimbaud dont Verlaine assure qu'il s'intitulait ainsi et dont nul ne sait aujourd'hui s'il est (définitivement ou non) perdu, ou si ce titre ne désignait qu'une partie de l'œuvre aujourd'hui connue et publiée — mais de celui que le Mercure de France publia en 1949. Ce n'est pas ici le lieu de revenir en détail sur une « affaire » qui secoua Landerneau pendant plusieurs semaines, et où s'illustrèrent quelques « spécialistes » et quelques journalistes. Elle a été très exhaustivement racontée par Bruce Morrissette dans un livre [1] paru aux États-Unis voici plus de vingt-cinq ans, et dont l'absence de traduction française en dit long sur nos mœurs

1. *The Great Rimbaud Forgery. The Affair of « La Chasse spirituelle »*, Washington University Press, St Louis, 1956. Je tire de ce livre mon information historique et ma connaissance du texte lui-même, publié en appendice avec d'autres pastiches de Rimbaud.

éditoriales. Je rappelle seulement que, le 19 mai 1949, le Mercure de France mit en vente une plaquette attribuée à Rimbaud et intitulée *la Chasse spirituelle,* avec une présentation de Pascal Pia qui identifiait ce texte à l'œuvre « perdue » jadis mentionnée par Verlaine. Le même jour, la page littéraire de *Combat,* alors dirigée par Maurice Nadeau, faisait écho à cette publication et en donnait des extraits. Le 21 mai, *le Figaro* révèle que deux comédiens, Mlle Akakia-Viala et Nicolas Bataille, revendiquent la paternité de ce texte, qu'ils auraient écrit pour prouver leur compétence rimbaldienne (contestée par les « spécialistes » quelques mois auparavant lors de la création, par leurs soins, d'une version dramatique de la *Saison en Enfer*), et qu'ils auraient très momentanément attribuée à Rimbaud pour mystifier les mêmes spécialistes, et/ou d'autres, et montrer ainsi où était l'incompétence (de fait, le texte avait été remis par eux à Maurice Saillet qui l'avait transmis à Pascal Pia). Pia dément aussitôt cette version des faits, et prétend que le texte qu'il a publié est conforme à un original qu'il connaissait depuis trente ans (et dont on n'entendra plus jamais parler). Ici commence une longue polémique qui opposera les tenants de la thèse Pia (cette *Chasse* est de Rimbaud) et ceux de la thèse Akakia-Bataille (cette *Chasse* est de nous). Côté Pia, Saillet et Nadeau, trop engagés pour se dédire, ainsi que, dit-on, Mauriac et Duhamel, dont l'avis aurait fortement contribué à l'acceptation du Mercure ; aucune preuve externe, puisque, malgré les premières allégations de Pia, on ne dispose d'aucun manuscrit autographe et attribuable à Rimbaud, mais une suspicion paradoxale, mais somme toute légitime, que Nadeau exprime en ces termes : « Il ne suffit pas de se proclamer faussaire, il faut le prouver », et une présomption interne : ce texte est trop rimbaldien pour n'être pas de Rimbaud. En face, non plus de preuve matérielle : Akakia-Bataille produisent bien leurs « manuscrits », mais on leur objecte non moins légitimement qu'ils peuvent avoir été fabriqués après coup et, en somme, substitués au manuscrit authentique de Rimbaud ; mais, là aussi, une certitude qui relève de l'intuition et de la critique interne : ce texte est trop mauvais pour être de Rimbaud. Cette certitude est d'abord exprimée, péremptoirement comme il se doit, par André Breton dans une lettre envoyée à *Combat* dès le 19 mai, c'est-à-dire avant même qu'Akakia et Bataille n'aient revendiqué la paternité de la *Chasse :* ce texte, affirme-t-il, est « un faux de caractère particulièrement méprisable » ; avis réitéré dans *le Figaro* du 28-29 mai, puis en juillet dans le pamphlet *Flagrant délit,* où Breton précise ses arguments : d'une part, le texte est médiocre et vulgaire, et d'autre part il contient des emprunts littéraux à l'œuvre authentique de Rimbaud. A ces deux jugements se ramène peu ou prou l'argumentation des autres tenants du pastiche [1] : Rolland de Renéville (« Je ne crois pas que l'on puisse soutenir sérieusement que Rimbaud ait pu accepter de faire dans *la Chasse spirituelle* ce qu'il n'a jamais fait ailleurs, c'est-à-dire de se recopier lui-même » — *Combat,* 26 mai), Cocteau (« Ce texte est-il authentique ? est-il apocryphe ? En ce qui me concerne, je l'estime laborieux et sans âme »), un certain G.A. dans *Franc-Tireur* du 26 mai (« *La Chasse spirituelle* est peut-être de Rimbaud, mais ce n'est point du bon Rimbaud. On n'y retrouve pas la respiration, le souffle, l'image fulgurante... C'est du studieux pastiche, ou du mauvais Rimbaud »), Paulhan (« L'œuvre est inconsistante, les métaphores sont tonitruantes et vulgaires, les idées banales. Pas une image qui ne se trouve déjà dans la *Saison* ou dans les *Illuminations.* C'est la poésie moderne comme on se l'imagine dans les provinces lointaines » — *Combat,* 26 mai), Luc Estang (« Rimbaldisme caricatural et réminiscent » — *la Croix,* 29-30 mai). C'est peut-être André Maurois qui condense le mieux cette opinion (« J'ai l'impression que c'est trop Rimbaud pour être Rimbaud. On retrouve toutes les expressions que nous connaissons, qui sont prises dans les textes déjà anciens, et vraiment un homme ne se répète pas lui-même de cette façon » — *Tribune de Paris,* 21 mai). Opinion qui a pris avec le temps, et toujours en l'absence inévitable de toute preuve [2], le poids d'un fait : plus personne, à ma connaissance, ne croit à l'authenticité de *la Chasse spirituelle,* et la « version » de ses auteurs probables [3] a fini par triompher — mais, comme on le voit, non sans dommage pour la réputation de leur travail, et pour la finalité première de leur opération : ils avaient écrit la *Chasse* pour prouver qu'ils étaient capables d'écrire comme Rimbaud, et l'opinion leur accorde finalement qu'ils ont bien dû en effet l'écrire, car elle est tout à fait indigne de Rimbaud.

Cet amer chassé-croisé illustre bien, me semble-t-il, l'ambiguïté du statut hypertextuel de cette œuvre : Akakia et Bataille n'ont écrit

---

1. Certains, dont J. Marcenac (*Lettres françaises,* 26 mai), avancent un autre argument de critique interne qui — s'il était confirmé — aurait à peu près la force d'une preuve matérielle : la présence d'anachronismes linguistiques. Mais celui qu'on met en avant (*becs de gaz*) n'en est peut-être pas un.
2. Akakia et Bataille ont écrit sous contrôle, en juin 1949, un nouveau texte intitulé *Amours bâtardes,* tout à fait de la même veine, et qui démontre sans doute qu'ils pouvaient avoir écrit la *Chasse,* mais non qu'ils l'ont effectivement écrite.
3. Personne n'ayant, toujours à ma connaissance, soutenu une troisième thèse — un peu contournée, je l'avoue —, selon laquelle ce texte ne serait ni de Rimbaud ni d'Akakia-Bataille. Mais, par exemple, de Saillet, de Pia... ou de Breton.

— et, je suppose, n'ont voulu écrire — qu'un *pastiche* de Rimbaud. En tant que tel, leur texte n'est en rien plus mauvais ni meilleur que bien d'autres, et par exemple que les dix-huit autres que Morrissette publie avec lui en appendice de son étude. Pour laisser le lecteur en juger, j'en reproduis ici la dernière demi-page, qui est assez représentative de la performance d'ensemble :

> J'ai oublié des armes, des ruses, des charmes en cette chasse d'adorable magie. Je reviens aveugle, les mains glacées et mortes, sans proie étincelante à produire, sans trophées, aux clairières funèbres d'arbres déchus. Je me gorgerai de dégoûts — et que faire, rendu aux abrutissements magistraux, aux disciplines, aux nécessités de l'époque béante à ces pieds durcis.
>
> Je me suis vu grelottant, accroupi au carrefour des inquiétudes anciennes, en main le sceptre, au front la couronne écarlate, accessoires exigeants des messies. Faut-il se lever aujourd'hui, courir ? S'affairer ? C'est la vieille mode.
>
> Chairs ineffables, j'ai gagné, dans le pur élan des vagabondages, vos surprises, vos chaleurs, vos impiétés radieuses, vos absolus maléfiques, vos écrasantes inepties, telles les vagues jusqu'au dernier homme.
>
> Expérience figée au soir dérobé sur l'absence.
>
> Ce ne fut qu'aimable complot d'enfance, un saccage d'innocence. Après les effrois extatiques, je vois franchement les draps blancs, l'escale rutilante de quelque fièvre, les plaies adorables, les tisanes mortuaires des vieilles balbutiantes, la miséricorde des injuriés de jadis.
>
> Ni regrets, ni démence désormais.
>
> La mort sanctifiée à leur manière. Ce n'était pas la mienne.
>
> Certes il est d'autres rives.

Mais il se trouve — et c'est ici que les deux pasticheurs pâtissent de leur propre machination — que ce pastiche a d'abord été présenté comme un texte authentique, ce qui a suffi à déplacer tout son horizon de lecture et à fausser les critères de son appréciation. Sauf génie mimétique exceptionnel — dont je ne trouve guère trace que chez Proust —, un bon pastiche est fort loin de répondre aux exigences de lecture que l'on applique à un texte authentique, ou à un texte présenté comme tel, c'est-à-dire un apocryphe. Et en particulier, nous l'avons vu, l'essence même du pastiche implique une saturation stylistique considérée non seulement comme acceptable, mais comme souhaitable, puisqu'elle fait l'essentiel de son agrément, en régime ludique, ou de sa vertu critique, en régime satirique. Cette saturation, très sensible dans *la Chasse spirituelle*, est précisément ce qu'on lui « reproche » aussitôt pour montrer qu'il ne peut être authentique : « trop Rimbaud pour être Rimbaud », cette (juste) critique de Maurois est pour ainsi dire la règle du pastiche et a fortiori de la charge, et j'imagine que Maurois aurait appliqué de bonne grâce à son *Côté de Chelsea* une formule analogue : trop Proust pour être de Proust. La saturation signe le pastiche et la charge comme tels — et avec elle une dose inévitable de vulgarisation, puisqu'il est toujours vulgaire d' « en faire trop ». Elle dénonce donc l'apocryphe comme tel, c'est-à-dire comme apocryphe manqué. La mésaventure de *la Chasse spirituelle* illustre donc la différence, et mesure la *distance* entre le pastiche, si réussi soit-il, et la véritable forgerie, c'est-à-dire l'imitation parfaite, que rien par définition, comme le notait déjà Platon, ne laisse distinguer de son modèle. Le véritable pasticheur veut être reconnu — et apprécié — comme tel. L'auteur d'apocryphe ne le veut pas. Il veut *disparaître*. C'est sans doute plus difficile, mais, surtout, c'est tout autre chose. Akakia et Bataille ont voulu faire les deux à la fois (ou plutôt : les deux successivement, mais avec le même texte), d'où leur déconvenue : qui va à la chasse perd sa place, et tout est dans la place.

XXVIII

Contrairement à ce qui se passe en peinture, le « faux littéraire », l'apocryphe que *la Chasse spirituelle* voulait être, et a été pendant quarante-huit heures, n'est assurément pas le principal investissement de l'imitation sérieuse. Cet investissement est bien plutôt à chercher dans la pratique que le Moyen Age (qui ne l'a pas inventée) a baptisée *continuation*.

Avec sans doute plus de rigueur que l'usage commun, le *Dictionnaire des synonymes* de d'Alembert nous invite à distinguer la continuation d'une pratique voisine qui est la *suite* : « on donne la continuation de l'ouvrage d'un autre et la suite du sien » : Waucher, Menessier, Gerbert et d'autres donnent des continuations au *Perceval* de Chrétien de Troyes, Corneille écrit lui-même la *Suite du Menteur*.

Cette différence génétique (suite autographe, continuation allographe) procède d'une différence fonctionnelle et structurale que précise fort bien Littré : « Ces mots désignent la liaison d'une chose avec ce qui la précède. Mais *suite* est plus général, n'impliquant pas que ce à quoi on donne une suite soit on non achevé, au lieu que *continuation* exprime positivement que la chose était restée à un certain point qui ne la terminait pas. » Lorsqu'une œuvre est laissée inachevée du fait de la mort de son auteur, ou de toute autre cause d'abandon définitif, la continuation consiste à l'achever à sa place, et ne peut être que le fait d'un autre. La *suite* remplit une tout autre fonction, qui est en général d'exploiter le succès d'une œuvre, souvent considérée en son temps comme achevée, en la faisant rebondir sur de nouvelles péripéties : ainsi la *Suite du Menteur* ou (sans le nom) la seconde partie de *Robinson Crusoé* ou celle du *Quichotte*, ou *le Mariage de Figaro* et *la Mère coupable,* ou *Vingt ans après* et *le Vicomte de Bragelonne,* etc. Il ne s'agit plus là d'un achèvement, mais plutôt d'une prolongation, et, si l'on voulait réformer ici la terminologie traditionnelle, le plus pertinent serait sans doute de rebaptiser *achèvement* ce que Littré nomme continuation et *prolongation* ce qu'il nomme suite, et qui n'implique pas nécessairement une fin. Mais on verra que la distinction théorique se brouille assez souvent dans les faits : on ne peut terminer sans commencer par continuer, et à force de prolonger on finit souvent par achever.

La pratique de la continuation a donc été fréquemment mise en œuvre pour donner à un texte littéraire ou musical interrompu un achèvement autant que possible conforme aux intentions attestées de l'auteur : ainsi fait Baro pour *l'Astrée* ou Süssmayr pour le *Requiem* de Mozart. Ces achèvements posthumes ne sont considérés comme des faux ou des apocryphes que lorsque leur paternité est frauduleusement attribuée à l'auteur disparu ou défaillant — et que la supercherie vient à être démasquée. Mais, supercherie ou non, la structure textuelle est évidemment la même : un (ou plusieurs) auteur capable d'imiter aussi fidèlement que possible la manière du texte inachevé met cette compétence stylistique au service d'une performance textuelle très spécifique ; la continuation n'est pas une imitation comme les autres, puisqu'elle doit se soumettre à un certain nombre de contraintes supplémentaires : d'abord, bien sûr, toute charge satirique étant en principe proscrite, l'imitation doit être ici d'une fidélité et d'un sérieux absolus, ce qui arrive rarement dans le pastiche courant. Mais surtout, l'hypertexte doit rester constamment dans le prolongement de son hypotexte, qu'il doit seulement mener jusqu'à une conclusion prescrite ou congruente, en veillant à la continuité de certaines données comme la disposition des lieux, l'enchaînement chronologique, la cohérence des caractères, etc. [1]. Le continuateur travaille donc sous le contrôle constant d'une sorte de scripte intérieure, qui veille à l'unité de l'ensemble et à l'imperceptibilité des raccords.

La continuation est donc une imitation plus contrainte que l'apocryphe autonome, et plus précisément une imitation à sujet partiellement imposé. Mais cette contrainte même peut être fort différente selon que l'auteur disparu ou défaillant a laissé ou non, et laissé plus ou moins, d'indications sur la suite qu'il entendait donner à son œuvre — ou qu'il souhaitait qu'on lui donnât. Il ne s'agit pas tellement du degré de liberté, et donc d'invention, dont jouit le continuateur : je pense à la situation du texte complémentaire lui-même, qui tantôt se borne à continuer un texte interrompu, tantôt doit en outre (à moins que le continuateur n'en tienne aucun compte, ou ne s'y plie qu'autant qu'il lui plaît) exécuter le programme d'intentions qui accompagne le texte inachevé : soit l'indication d'un dénouement obligé, auquel il faut aboutir, et qu'il faut préparer ; soit bien souvent un plan général, qu'il faut suivre et exécuter, soit, plus souvent encore, sans doute, quelques esquisses partielles plus ou moins rédigées, qu'il faut intégrer. Autant de relations spécifiques que le lecteur, la plupart du temps, n'est plus à même d'apprécier, car les continuateurs d'autrefois ne poussaient pas le scrupule jusqu'à exhiber leur fabrique et leur dette, et détruisaient les projets dont ils s'étaient plus ou moins directement inspirés. Et inversement, depuis le XIXᵉ siècle, le respect des œuvres inachevées interdit le plus souvent toute tentative de continuation.

J'ai cité presque au hasard ces deux exemples canoniques de continuation posthume : celle de *l'Astrée* par Baro et celle du *Requiem* par Süssmayr. Il se trouve que l'un et l'autre donnent une bonne idée de la complexité de ce genre de situations paratextuelles.

Pour le *Requiem,* on croit savoir que Mozart n'a pu composer intégralement que les deux premiers numéros (*Requiem* et *Kyrie*), et que Süssmayr a dû orchestrer les parties médianes sur des ébauches laissées par Mozart, et que nous connaissons au moins partiellement. Quant au trois derniers numéros (si l'on ne tient pas compte de la reprise finale du *Kyrie*), on les tient généralement pour l'œuvre

---

1. Je cite spontanément des éléments qui relèvent de la fiction narrative ou dramatique : je ne connais aucun exemple de continuation littéraire hors de ce domaine. Les *Continuation* (1555) et *Nouvelle continuation* (1556) des *Amours* de Ronsard sont plutôt des suites, et pas seulement parce qu'autographes — le piquant étant qu'on y passe d'une inspiratrice (Cassandre) à une autre (Marie).

du seul Süssmayr (il s'agit du *Sanctus,* du *Benedictus* et de l'*Agnus Dei*), encore que celui-ci ait toujours nié sa part d'invention — ce qui verse cette part de son travail au compte de la continuation apocryphe. Mais, ce qui empêche les musicologues d'ajouter foi à ses dénégations, ce n'est pas la qualité intrinsèque de ces trois morceaux, qui ne déparent nullement le *Requiem,* mais seulement l'absence d'esquisses de la main de Mozart. Si pastiche il y a, c'est donc un pastiche réussi, à moins de prêter à Süssmayr une manœuvre tortueuse qui aurait consisté à piller des esquisses, puis à les détruire, précisément pour jeter le doute sur ses propres dénégations et induire les musicologues en erreur. Toujours est-il que le doute subsiste, ce qui est tout à la gloire, méritée ou non, du fidèle disciple.

Pour *l'Astrée,* qui n'a pas eu un seul continuateur mais au moins deux, voici l'exposé succint que donne Maurice Magendie [1] : « Quand d'Urfé mourut, en 1625, il laissait une quatrième partie, qui était, paraît-il, entièrement rédigée, et que son secrétaire Baro donna en 1627. Baro se serait borné, s'il faut l'en croire, à corriger les fautes d'impression ; mais, en réalité, nous ne savons pas quel fut son rôle, parce que nous ignorons dans quel état était le manuscrit de d'Urfé à sa mort ; était-il tout à fait achevé, revu, prêt à être imprimé, ou n'était-il qu'une ébauche plus ou moins avancée ? Ce petit problème demeurera sans doute insoluble. D'Urfé était à peine mort que, avec un privilège du 10 juillet 1625, un certain Borstel de Gaubertin publiait une cinquième et une sixième partie de *l'Astrée.* Baro, qui affirmait être le seul dépositaire des intentions véritables de l'auteur, protesta contre une publication qu'il dénonçait comme une contrefaçon ; mais il ne put donner qu'en 1627 la conclusion du roman, qu'il qualifiait de « vraye suite », et qu'il prétendait avoir composé d'après des brouillons authentiques de d'Urfé. Baro conduit l'intrigue jusqu'à son dénouement, Gaubertin n'a pas terminé son travail ; le volume de Baro est encombré d'un merveilleux puéril et compliqué, celui de Gaubertin est plus humain et vraisemblable ; Baro reproduit fidèlement les procédés de d'Urfé, Gaubertin a plus d'indépendance. Ce qui est certain, c'est que, dès le xviie siècle, seule la suite de Baro a été admise par les éditeurs de la totalité de *l'Astrée ;* mais il est fort probable que Gaubertin a eu entre les mains les papiers de d'Urfé. Où est la vérité, dans cet imbroglio ? Voilà encore un msytère qui risque de n'être jamais éclairci. »

Mais comme les continuations de Baro et de Gaubertin n'ont à

---

1. Notice de ses extraits en Classiques Larousse.

peu près rien en commun, il faut apparemment en déduire que les mêmes « brouillons authentiques » autorisaient deux achèvements différents. En fait, comme la continuation de Gaubertin est elle-même inachevée (le projet d'achèvement n'est apparemment pas une garantie d'immortalité), celle de Baro s'est imposée, qui vise essentiellement à fournir un dénouement gratifiant : fin de la guerre, puis Adamas décide de forcer les choses : il amène Astrée à évoquer Céladon, qu'elle croit mort. A cet appel, Céladon se présente. Astrée, effrayée de ce qu'elle a naguère permis à Céladon-Alexis, le repousse et lui ordonne de mourir. Chacun des deux amants se rend à la Fontaine de Vérité d'Amour pour la délivrer en se laissant dévorer par les lions. Comme amants parfaits, les lions les épargnent, le dieu Amour les marie. Allégresse générale. Solution assez habile au problème du *dénouement* : comment dénouer les fils noués par d'Urfé (commandement d'Astrée, déguisement de Céladon) ? Le premier obstacle est levé par stratagème, le second par un *deus ex machina* qui ordonne, et donc absout.

La cinquième partie de *l'Astrée* est donc un bon exemple de continuation avouée, ou non apocryphe, et prétendue (sans certitude pour nous) fidèle aux intentions de l'auteur. Un autre cas est celui des continuations apocryphes, faussement attribuées à l'auteur défaillant, publiées frauduleusement sous son nom et — toute concertation étant en l'occurrence exclue [1] — entièrement inventées par leur véritable auteur : ainsi des diverses continuations des romans de Marivaux.

XXIX

Ces continuations ont toutes en commun, déjà, de n'être pas posthumes, et de mener (plus ou moins) à leur terme des récits abandonnés, pour des raisons que nous ignorons, par un auteur en pleine force, et capable de juger, et donc d'approuver ou de

---

1. On peut à vrai dire imaginer le cas d'une continuation à la fois apocryphe et inspirée par les esquisses de l'auteur continué : il suffirait qu'un Baro ou un Süssmayr dissimule entièrement sa part de travail et prétende offrir au public une œuvre entièrement écrite par l'auteur disparu. Ce cas doit bien exister, mais, sans doute faute d'enquête, je n'en connais pas d'exemple assuré : rien que des soupçons.

désavouer, ces continuations (plus ou moins) apocryphes. En fait, il semble que Marivaux n'ait daigné exprimer son avis qu'à propos de la *Suite de Marianne* avouée (quoique non officiellement signée) par Mme Riccoboni — et donc, en l'occurrence, non apocryphe : d'après un rédacteur de la *Bibliothèque des romans*, « le manuscrit fut d'abord présenté à M. de Marivaux ; et ce fut l'auteur même de cet extrait qui le lui porta. L'académicien, très surpris de se voir si parfaitement imité, exprima son étonnement en termes très flatteurs, et approuva très fort que ce morceau piquant passât à l'impression. Il promit le secret, et le garda pendant quelque temps [1]. »

En délaissant son roman après la onzième partie de mars 1742, Marivaux n'avait apparemment communiqué aucune indication sur une suite dont il n'avait peut-être lui-même aucune idée bien précise. Mais le statut même du roman pseudo-autobiographique, le sous-titre (*les Aventures de Mme la comtesse de ***) et les premières pages indiquaient sans équivoque possible un aboutissement, qui était Marianne devenue comtesse, quinquagénaire, retirée du monde et occupant sa retraite à ce récit fait par écrit à l'une de ses amies. Ce *terminus ad quem* de la narration rétrospective faisait obligation aux continuateurs, mais il ne fournissait à proprement parler aucun dénouement précis sur les deux points laissés en suspens par Marivaux : le mystère de la naissance de Marianne et l'issue de ses amours avec Valville après la trahison de celui-ci. Dès 1738, d'ailleurs, alors que Marivaux faisait attendre depuis plus d'un an la suite de son récit, une neuvième partie anonyme avait paru à La Haye. Marianne y apprenait le mariage de Valville avec sa rivale Mlle Varthon et épousait l'officier qui la courtise déjà chez Marivaux. Vite déçu et trompé par sa nouvelle épouse, Valville cassait son mariage et se faisait chartreux après avoir en vain imploré le pardon de Marianne, qui retrouvait la véritable identité de son père, propre frère de sa protectrice (et mère de Valville) Mme de Miran, héritant du tout à la mort de celle-ci. Amer triomphe, donc, et plus satisfaisant pour l'orgueil que pour le sentiment.

Sans autrement réagir à cette contrefaçon, Marivaux publie donc en 1742 ses trois dernières parties, qui n'apportent aucune lumière sur l'issue de l'action principale, puisqu'elles se consacrent entièrement, sans d'ailleurs l'achever non plus, à l'histoire rapportée de la religieuse ex-Tervire. En 1745, paraît à Amsterdam une douzième partie également anonyme, qui dénoue l'intrigue d'une manière sensiblement différente : Valville, embastillé à la demande de sa

---

1. Éd. Deloffre, Garnier, p. 584.

mère qui veut empêcher son mariage avec la Varthon, tombe malade et reçoit en prison le pardon de Marianne, qui se révèle peu après la petite-fille d'un duc anglais, épouse néanmoins son infidèle repenti et trouve avec lui le bonheur.

Ces deux continuations visaient essentiellement, comme il se doit, à achever le récit, et pourraient bien avoir été commandées par des éditeurs désireux de fournir au public le dénouement qu'il attendait : dans les deux cas, bien sûr, et conformément aux lois du genre et aux indications initiales du roman, Marianne retrouve son identité et son rang social, mais, sur le plan sentimental où le forfait de Marivaux laissait ouverte la question essentielle (Marianne pardonnera-t-elle à Valville ?), les deux conclusions se font antithèse, et l'on peut supposer que la première avait déçu ses lecteurs — d'où la seconde, plus gratifiante aux âmes sensibles, qui fonctionne donc comme une correction de la première.

La *Suite de Marianne* procède d'un tout autre dessein et répond à une tout autre demande. On avait disputé devant Mme Riccoboni des mérites et des défauts de la caricature de *Marianne* produite par Crébillon dans *l'Écumoire,* et du caractère plus ou moins imitable du style de Marivaux. Apparemment mise au défi de faire mieux que Crébillon, elle se piqua au jeu, relut « deux ou trois parties de *Marianne,* s'assit à son secrétaire et fit cette suite[1] ». Même si le rédacteur de cet Avertissement exagère manifestement la désinvolture du propos et la facilité de l'exécution, il s'agit bien essentiellement d'un pastiche en forme de suite. « Suite », au sens classique, et non « continuation », puisque l'action n'y est pas menée à son terme. L'Avertissement rappelle même avec une insistance notable que Mme Riccoboni, à qui on a depuis demandé plusieurs fois de *poursuivre* et d'*achever* le récit de *Marianne,* n'a jamais eu l'intention « de continuer ni de finir » ce roman, et qu'elle « n'achèvera jamais ni les ouvrages de M. de Marivaux, ni ceux d'aucun autre auteur » — tâche apparemment trop subalterne.

L'intérêt le plus évident de cette suite est en effet dans l'imitation, généralement fidèle et sans exagération caricaturale, du style marivaudien et des motifs caractéristiques de *La Vie de Marianne :* fréquentes et indiscrètes « réflexions » de la narratrice, pointes, subtilités psychologiques, insistance ambiguë, à la fois critique et complaisante, sur la vanité et la coquetterie de l'héroïne, protestations féministes, et jusqu'au suspens feuilletonnesque des dernières lignes (« Mais avant d'entrer dans la partie la plus intéressante de ma vie, permettez-moi de me reposer un peu. En vérité, marquise,

1. P. 583.

la foule d'événements que j'ai à vous présenter m'effraie ; comment ferai-je pour raconter tout cela ? Il faut que j'y rêve, adieu »), dont la nécessité rendait a priori incompatibles le propos d'imitation et celui d'achèvement : concerté ou non, l'inachèvement est après tout l'un des traits spécifiques de *Marianne,* qu'un pastiche fidèle se doit d'imiter aussi.

En toute rigueur, bien sûr, cette aporie rend logiquement impossible la tâche de tout continuateur, à moins qu'il ne renonce à l'imitation — renonciation assez rare (mais j'y reviendrai), car le modèle implicite est ici la continuation apocryphe. Mais *la Vie de Marianne* pose une difficulté particulière, que l'on ne retrouve déjà plus au même degré dans *le Paysan parvenu,* du fait que presque chacune de ses « parties », y compris la dernière, s'interrompt sur un « à suivre » très marqué et passablement racoleur (« J'approche ici d'un événement qui a été à l'origine de toutes mes autres aventures... C'est ici que mes aventures vont devenir nombreuses et intéressantes », etc.). Une dernière partie qui se terminerait par un dénouement définitif serait donc spécialement atypique. En tout cas, il est évident que Mme Riccoboni a préféré le plaisir d'un suspens en clin d'œil à l'ennui d'une issue un peu trop prévisible, et que sa propre contribution laisse d'ailleurs entrevoir sans grande difficulté : courtisée par le marquis de Sineri, Marianne oppose aux infidélités de Valville une affectation d'indifférence qui suffit à la venger, mais, lorsqu'elle reçoit une lettre passionnée, elle se sent « touchée », et s'avise que, si elle revoyait Valville, « tout était dit ». Elle a « satisfait sa vanité aux dépens de son cœur », mais son cœur « se révolte ». « C'est que j'étais encore plus tendre que vaine, et que dans une âme sensible et vivement touchée, le sentiment gémit toujours des triomphes de l'amour-propre » : observation bien conforme à la problématique marivaudienne, et qui annonce assez, me semble-t-il, un « triomphe » final du sentiment. *Assez,* c'est-à-dire, peut-être, juste autant qu'il le faut pour nous épargner la reconnaissance et les épousailles en *happy end* que Marivaux s'était épargnées à lui-même, et pour projeter sur le bonheur à venir l'ombre d'une inquiétude et la trace d'une blessure — mais aussi l'esquisse d'une future stratégie.

Car sur un point au moins Mme Riccoboni apporte au texte de Marivaux un complément qui n'est pas tout à fait de l'ordre de la simple continuation, mais presque de la correction. Chez Marivaux, l'infidélité de Valville — fort inattendue selon les canons romanesques auxquels l'action de *Marianne* semblait jusque-là se plier — restait à proprement parler inexpliquée. Marianne se contentait, au début de la huitième partie, de rappeler l'authenticité de son récit, et que Valville n'est donc nullement « un héros de roman », mais bien « un homme », « un Français », « un contemporain », et pour cette triple raison forcément volage, « un peu rassasié du plaisir de m'aimer, pour en avoir trop pris d'abord ». Mme Riccoboni trouve sans peine une motivation plus spécifique, et plus efficace : Valville est « de ces gens pour qui les obstacles ont un charme attirant. La contrariété, les difficultés, l'impossibilité même, voilà ce qui les flatte ; ils se plaisent dans les embarras d'une intrigue compliquée ; ils veulent poursuivre et semblent craindre d'atteindre. Il y a des esprits qu'il est bon de tenir en suspens, des cœurs qu'il faut obstiner, parce qu'ils goûtent moins, dans une passion, la douceur de sentir, que l'amusement de projeter ; désirent moins d'être heureux, que de s'occuper des moyens de le devenir. Figurez-vous Valville un de ces caractères-là. J'avais été admirable pour lui : avec moi tout s'opposait à ses désirs, cent barrières s'élevaient entre la petite orpheline et lui ; il fallait combattre, surmonter mille et mille obstacles : il voyait le bonheur en perspective, cela était charmant. La complaisance de sa mère gâta tout. On lui dit : Tu veux le cœur de Marianne, elle te le donnera ; tu veux sa main, on y consent, la voilà. Tout fut dit alors, l'amour s'endormit dans le sein du repos [1] ». Si l'on trouve trop élémentaire une telle psychologie, qu'on se rappelle en tout cas que Marivaux s'était contenté de moins, et que Stendhal et Proust ne trouveront pas beaucoup mieux.

L'inachèvement du *Paysan parvenu* lègue aux continuateurs une situation à la fois fort semblable et à peu près inverse : Marivaux indique dans sa cinquième et dernière partie (1735) que la fortune de Jacob sera l'œuvre du comte d'Orsan, mais son avenir sentimental reste en revanche tout à fait indéterminé. Il va de soi que la première épouse, ex-Mlle Habert, doit faire place à une partenaire plus gratifiante, mais l'identité de cette partenaire est encore indécise : Mme d'Orville est fort présentable, mais apparemment convoitée par d'Orsan — qui pourrait toutefois y renoncer par gratitude envers son sauveur, mais cela ferait deux bienfaits contre un seul. Ce sera donc la d'Orville ou une autre, selon la délicatesse des continuateurs.

La première continuation, adjointe à une traduction allemande de 1753, opte pour d'Orville, après expédition des deux conjoints obstacles, et Jacob, fortune faite, se retire dans sa campagne natale. La troisième et (à ma connaissance) dernière, brochée pour

1. P. 615.

l'adaptation anglaise de 1765, se fend d'une jeune femme inédite, secourue (c'est un tic) par Jacob à la Comédie. La deuxième, parue dans une édition de La Haye en 1756, est beaucoup plus développée : trois parties complémentaires. Jacob y plaît à une grande dame rencontrée après la Comédie, qu'il épouse peu de temps après la mort de l'ex-Habert, tandis que d'Orsan épouse d'Orville. Devenu fermier général de sa province et seigneur de son village natal, Jacob y fait un retour triomphal qui constitue l'un des plus naïfs et des plus réjouissants scénarios d'autoglorification de toute la littérature romanesque : à sa manière, un des chefs-d'œuvre de ce que Freud appellera « Sa Majesté le *moi* ». A part cette embardée fortement investie sur laquelle on aurait aimé connaître le sentiment de Marivaux, l'imitation est ici très appliquée, et très soignée la continuité diégétique : les caractères et leurs idiolectes sont fidèles, toutes les amorces sont bouclées dans un laborieux épilogue qui nous mène scrupuleusement jusqu'au moment de la narration. Mais la verve et la vivacité d'action caractéristiques du *Paysan parvenu* font cruellement défaut.

Ces infirmités, vivement ressenties par les contemporains, n'ont pas empêché plusieurs éditeurs d'attribuer à Marivaux ces trois dernières parties. Et, somme toute, elles sont leur seul indice d'inauthenticité. En 1756, Marivaux avait encore sept ans à vivre, mais il n'était plus au meilleur de sa forme. S'il avait voulu, après vingt ans, achever lui-même son *Paysan,* qui sait ce qu'il en aurait été ? Question futile, sans doute, et/ou sacrilège, mais qui a du moins le mérite d'en suggérer quelques autres : si la *Suite (et fin) de Jacob* (ou de *Marianne*) était l'œuvre de Marivaux, qu'adviendrait-il de son statut de continuation ? Qu'en est-il de la *continuation autographe ?* Le délai de vingt ans supplée-t-il la condition d'allographie ? Quel serait le délai minimum ? Si aucun n'est requis, pourquoi ne pas considérer le second livre du *Rouge et le Noir* comme une continuation autographe du premier ? Etc. Et que penser d'un genre où le statut générique de chaque œuvre dépendrait totalement de l'identité de son auteur ? « Il faut que j'y rêve, adieu. »

J'ai eu tort, d'ailleurs, de clore si vite la liste des continuations pseudo-marivaudiennes : la plus ingénieuse, et la plus économique à tous égards (un dénouement pour deux romans), est proposée par Henri Coulet dans son fort sérieux *Marivaux romancier*[1], et elle tient en une phrase : « Veut-on connaître le vrai dénouement du *Paysan parvenu* et de *la Vie de Marianne ?* Le fermier général Jacob épouse la noble demoiselle Marianne... » J'y vois quelques obsta-

1. Colin, 1975.

cles, bien sûr, mais aussi quelques avantages, et là encore de quoi rêver. Sans compter les ressources éventuelles d'une généralisation du procédé : premier degré, Julien Sorel acquitté épousant Lamiel, ou la comtesse Mosca ; deuxième degré : Vautrin sauvant et adoptant Gavroche ; troisième (?) degré : Ulysse couchant avec Molly Bloom, et Leopold avec Pénélope...

XXX

La « loi » historique énoncée plus haut, et qui donne pour incompatibles et exclusives l'existence d'une continuation allographe et la conservation de projets et d'esquisses autographes, admet fort heureusement quelques exceptions. C'est au moins partiellement, en musique, le cas du *Requiem,* et totalement de *Turandot,* que nous retrouverons. En littérature, j'en connais au moins un exemple, ou plutôt un et demi si l'on tient compte de la situation très particulière d'*Heinrich von Ofterdingen.*

Ce roman comporte, on le sait, deux parties, dont la première *(l'Attente)* fut achevée fin mars 1800. Pendant l'été, Novalis entreprit d'écrire la seconde *(l'Accomplissement),* dont il ne put rédiger avant sa mort (25 mars 1801) qu'une vingtaine de pages de notes préparatoires, plus souvent de l'ordre du poème ou de l'aphorisme que de l'indication narrative — sans qu'il soit toujours possible de distinguer, parmi celles-ci, ce qui se rapporte à l'existence réelle d'Henri et ce qui se rapporte à ses rêves. Tout juste apprenons-nous qu'Henri devient homme de guerre en Italie, qu'il se rend à Lorette et à Jérusalem, et que la fin se passe dans un paysage allégorique où les fleurs et les bêtes parlent, et où il devient lui-même « fleur-bête-pierre-étoile ». À la place de ces notes éparses, l'édition originale de 1802 comportait une postface de Tieck où celui-ci, s'appuyant davantage sur les confidences orales de son ami que sur ses ébauches écrites, tentait de « donner au lecteur une idée du plan et de la matière de cette seconde partie [1] » : Henri se rend à Lorette, en Grèce, en Orient, revient en Italie, pénètre à la cour de l'empereur Frédéric et lie amitié avec lui, découvre le pays merveilleux où il peut enfin cueillir la fleur bleue jadis vue en

---

1. Trad. fr. par Robert Rovini, Bibliothèque 10/18.

rêve, délivre sa bien-aimée Mathilde et, finalement investi d'un pouvoir divin, détruit l'empire du soleil et rassemble les saisons — aboutissement bien conforme au dessein révélé à Frédéric Schlegel en avril 1800 : « le roman doit tourner progressivement en conte ». Cette continuation sommaire (une dizaine de pages), dont rien n'induit à suspecter la fidélité, ne fait pas vraiment double emploi avec les esquisses aujourd'hui annexées avec elle dans toutes les éditions sérieuses du roman de Novalis, et dont elle précise et ordonne de manière décisive certaines indications vagues ou trop erratiques. Mais ce n'est évidemment qu'un croquis, et il va de soi que Tieck n'a jamais songé à en faire davantage : « L'achèvement de cette œuvre grandiose eût été le monument impérissable d'une poésie nouvelle. Pour cette simple notice, j'ai préféré la sécheresse et la concision au danger de rien y ajouter de mon imagination. Peut-être le côté fragmentaire de ces vers, de ces quelques traits, touchera-t-il certains lecteurs autant que moi, qui ne mettrais pas plus de ferveur attristée à contempler quelque vestige d'une toile détruite de Raphaël ou du Corrège. » Cette *ferveur attristée*, c'est déjà la poésie des ruines, et le respect, sinon le culte, voué à l'inachèvement. Aussi ne pouvons-nous pas tout à fait compter la contribution — ou plutôt, s'il faut l'en croire, le *témoignage* — de Tieck au nombre des continuations allographes en coexistence avec des esquisses autographes. En revanche, ce cas est parfaitement illustré, quoique non sans un sourire, par le récit publié en 1966[1] par Jacques Laurent sous le titre explicite de *la Fin de Lamiel*.

Jacques Laurent se défend[2] d'avoir voulu écrire un pastiche de Stendhal. Mais c'est qu'il donne ici à ce mot, contrairement à ce qu'il faisait dans son *Éloge du pasticheur*[3], le sens canonique (et restrictif) de pastiche satirique, où le pasticheur « grossit les singularités de son modèle afin de les rendre évidentes à tous ». *La Fin de Lamiel* ne comporte effectivement pas ce genre d'effets satiriques ; en revanche, l'imitation (mi-ludique mi-sérieuse) du style stendhalien y est évidente de bout en bout, et Laurent en admet implicitement, quoique métaphoriquement, la présence, ou du moins l'intention, en déclarant : « je n'ai voulu qu'écrire sous sa dictée ». A cet égard, l'effet n'est, me semble-t-il, pas trop indigne de la visée, si l'on tient compte de l'extrême difficulté de la chose — Stendhal étant peut-être le plus inimitable, parce que, avec Saint-

---

1. Et repris depuis, mais sans les esquisses de Stendhal, dans l'édition 10/18 de *Lamiel*.
2. Avertissement, p. 183-184.
3. Préface à *Dix Perles de culture*, Table Ronde, 1952.

Simon, le plus imprévisible des écrivains. Si l'imitation de *la Fin de Lamiel* pèche par quelque défaut, ce n'est effectivement pas, comme on pourrait s'y attendre, par excès de beylisme, abus des tics les plus notoires et chute dans la caricature, mais peut-être au contraire par trop de retenue ou de timidité : le résultat est paradoxalement un Stendhal (trop) bien tempéré, et comme amorti.

La partie (définitivement?) rédigée de *Lamiel,* telle que l'a établie Henri Martineau, s'interrompt au début des aventures parisiennes de l'héroïne. Stendhal a daté du 25 novembre 1839 un « plan » de la suite fort désordonné, mais d'où l'on peut tirer, moyennant quelques coups de serpe, l'action suivante : Lamiel prend pour amants de parade (dans l'ordre?) un danseur de l'Opéra et un certain comte d'Aubigné, mais découvre le véritable amour avec un bandit nommé Valbayre, entré une nuit chez elle pour cambriolage. Le docteur Sansfin la fait adopter par un noble provençal, le marquis d'Orpierre, et finalement épouser par le duc de Miossens, qui l'avait enlevée de Carville à Paris. Valbayre est pris par la police et condamné à mort. Pour le venger, Lamiel incendie le Palais de justice où l'on retrouve ses ossements « à demi calcinés » : *happy end* pour *happy few.*

Il faudrait bien peu connaître Stendhal pour imaginer qu'il aurait inévitablement suivi ce plan — si ce n'est pour la découverte (plus ou moins) tardive de la passion, qui est le sujet constant de tous ses grands romans ; mais en l'absence d'une rédaction ultérieure, nous sommes condamnés à tenir ce projet pour sa dernière intention sur la fin de *Lamiel,* comme nous devons penser que Leuwen finira par épouser Madame de Chasteller pardonnée puis disculpée. Jacques Laurent, sachant bien que « Stendhal ne suivait jamais les plans et qu'il s'en est expliqué », a choisi de s'appuyer sur celui-ci tout en le modifiant. Sa Lamiel, adoptée par un comte d'Orpier, vieux libertin provençal qu'elle a séduit par sa désinvolture, épouse sans amour le comte d'Aubigné et s'ennuie. « Prenez un amant », lui conseille son père adoptif. Elle choisit un danseur, s'ennuie encore, le trompe avec un peintre, s'ennuie toujours, et continue de s'ennuyer dans des orgies de convention. L'irruption de Valber lui révèle la passion, elle l'aide dans ses brigandages et le cache blessé dans sa ruelle, un peu comme Vanina Vanini faisait avec Missirili. Pour l'éprouver, il lui demande de l'aider à cambrioler le château de Miossens, et la revoici sur le terrain de ses débuts. Pendant la nuit, le docteur Sansfin s'introduit dans sa chambre pour la violer. Parade risquée, mais ici efficace, elle s'offre à lui ; il fait fiasco et s'enfuit à moitié mort de ridicule. Pendant le cambriolage, le jeune duc intervient et tue Valber. Lamiel pourrait se disculper et sauver sa vie, mais

193

l'ennui des suites la saisit, elle poignarde Miossens et meurt en incendiant le château. Jacques Laurent a donc conservé les passades préliminaires, l'adoption et le mariage aristocratique (en substituant d'Aubigné à Miossens), mais il a reculé devant un dénouement trop spectaculaire. Dans une des notes qui accompagnent sa contribution, et qui sont un plaisant pastiche de l'érudition beyliste, il s'en justifie en prêtant à Stendhal, auteur ici présumé de cette continuation, un mouvement de recul devant l'excès romantique : « J'aurais préféré le P.d.J. au château de la Miossens, c'était une plus jolie flambée ! Mais il est toujours un moment où j'écris comme mon personnage agit, aussi naturellement (du moins j'essaie) et certaines choses nous deviennent à l'un et à l'autre impossibles. C'eût été du Pix(érécourt). » L'incendie du château est encore une flambée sortable, avec l'avantage de boucler le destin de l'héroïne, de Carville à Carville. Le fiasco de Sansfin est éminemment beyliste, mais cet effet ordinaire de l'amour-passion devient ici la punition d'un ridicule amour de vanité, à moins qu'il ne hausse rétroactivement Sansfin au rang des vrais passionnés. Mérimée est censé avoir peu apprécié cette récidive en défaillance : « Après Octave, Sansfin ! vous êtes en train de créer une chevalerie du godmiché. » Mais la différence essentielle me semble être le soin qu'a mis Laurent à retarder l'entrée en scène de Valber, et la découverte, maintenant finale, de l'amour.

La vie de Lamiel ne trouve qu'alors son sens, et son suicide s'enchaîne directement sur la mort de Valber — encore qu'assorti d'un sursaut caractéristique d'ambiguïté, ou d'incertitude : voyant tomber son amant, Lamiel ne ressent aucune émotion, aucun regret, mais seulement de l'admiration : « la mort convient aux héros ». Tout cela me semble fort bien venu et d'un esprit plus stendhalien que Stendhal lui-même.

Une continuation réussie, fidèle — plutôt qu'aux intentions suspendues — au style et au mouvement de l'œuvre, n'est pas l'intrusion scandaleuse que vitupèrent les sacristains de l'authenticité. C'est même à mon goût l'un des plus respectables investissements de l'hypertexte. Mais l'inachèvement (nous l'avons entrevu à propos de la *Vie de Marianne*) est parfois aussi la vérité de l'œuvre. La continuation ne devrait donc se proposer qu'en parallèle avec la mutilation, et ses séquelles d'ébauches, auxquelles elle ne se substituerait pas, mais s'adjoindrait, comme la postface de Tieck à *Ofterdingen,* en complément, ou à titre d'alternative possible.

De cette alternative, l'histoire de la musique offre un émouvant exemple avec *Turandot*. Tandis qu'il composait son dernier opéra, Puccini, déjà gravement malade, eut un jour une sorte de pressentiment, et déclara, mi-prévision mi-testament : « L'opéra sera représenté incomplet et quelqu'un s'avancera sur la scène pour dire : " À ce moment, le Maestro est mort ". » Après sa mort en novembre 1924, Franco Alfano achève la partition en s'aidant des esquisses laissées par lui, et c'est cette version que l'on joue aujourd'hui sur toutes les scènes du monde. Mais, pour la création à la Scala le 26 avril 1926, Toscanini adopte symboliquement l'autre parti. Aussitôt après la mort de Liu, il pose sa baguette, se tourne vers la salle et déclare : « Ici s'achève l'œuvre du maître. Il en était là quand il est mort. » Et le rideau tombe dans le silence [1].

XXXI

Mais la continuation n'a pas toujours pour fonction de terminer une œuvre manifestement et, pour ainsi dire, officiellement inachevée. On peut toujours juger qu'une œuvre, en principe terminée et publiée comme telle par son auteur, appelle néanmoins une prolongation et un achèvement. Ainsi en a jugé par exemple l'auteur anonyme de la *Segunda parte del Lazarillo de Tormes,* parue un an (1555) après l'authentique, et tout aussi anonyme, *Lazarillo*. Ainsi encore Juan de Luna, qui publie en 1620, sous le même titre, une nouvelle continuation plus réussie, et à vrai dire plus émancipée, puisqu'il prétend y améliorer le style un peu trop francisant de Lazarillo, et tourne son récit en une violente satire de l'Église et de l'Inquisition : nous retrouverons ce point de la continuation infidèle ou correctrice. Quoi qu'il en soit, voilà *Lazarillo* pourvu d'une ou deux continuations qu'il n'appelait peut-être pas, mais que sa structure purement linéaire et sa dernière phrase fort peu conclusive (« C'était le temps de ma prospérité, et j'étais au comble de toute

---

1. Quant à l'achèvement de la *Lulu* de Berg, on ne sait que trop quels obstacles il dut surmonter jusqu'à la création de 1979 ; mais ces obstacles n'étaient pas d'ordre musical, et l'essentiel du travail de Friedrich Cerha fut d'instrumentation.

bonne fortune ») autorisaient d'un implicite « à suivre » : le temps de sa prospérité semble bien révolu, et donc suivi de nouvelles périodes d'infortune, matière à nouveaux récits [1].

On peut sans doute en dire autant du *Neveu de Rameau,* qui s'interrompt de la manière abrupte que l'on sait, d'un « Rira bien qui rira le dernier » qui suspend le dialogue davantage qu'il ne le clôt. Mais Diderot connaissait aussi cet autre proberbe, selon lequel il ne convient pas de prolonger indéfiniment les meilleures plaisanteries. Aussi n'y revint-il pas — n'éprouvant d'ailleurs même pas le besoin de publier sa « satire seconde », qui ne vit le jour, dans son texte français, qu'en 1823, après avoir paru en 1805 dans la célèbre traduction allemande de Goethe, et en 1821 sous la forme d'une version française, fort infidèle, de cette traduction. Cette première fortune quelque peu tératologique [2] ne pouvait s'arrêter là : en 1861, Jules Janin publia dans la *Revue européenne* une continuation qui portait ce titre à la fois explicite et équivoque : *la Fin d'un monde et du Neveu de Rameau* [3]. Fin du Neveu ou fin du *Neveu ?* Les deux à la fois, puisque Janin conduit l'histoire jusqu'à la mort, mélodramatique à souhait, de son héros, qui périt victime de sa passion — toute musicale ? — pour une de ses élèves, fille abandonnée de Jean-Jacques et de Thérèse Levasseur. À ce dénouement près [4], *la Fin d'un monde* est un excellent pastiche de Diderot, où la conversation entre le philosophe et le parasite se prolonge et rebondit de rencontre en rencontre et de chapitre en chapitre, dans un style et dans un esprit souvent dignes du modèle :

> D'où venait son rire et d'où venaient ses larmes ? Je ne saurais vous le dire. Je lui disais souvent : « Rameau, tu n'es pas un homme, tu es, tout au plus, un automate de Vaucanson ; Rameau, tu es le cousin germain du *flûteur* et du *canard* qui digère ! » Il riait, il ne disait pas que j'avais tort, seulement il soutenait qu'il était un chef-d'œuvre d'automate, et qu'il n'avait pas son pareil. « Certes, disait-il en frappant sa poitrine, j'ai là des ressorts, des poulies, des rouages, des machines qui se montent et se démontent à volonté (...). J'étouffe, en ce moment, de sympathie et de tendresse... Attendez à demain,

---

1. Le cas des continuations de *Guzman,* et a fortiori du *Quichotte,* est différent, et je les évoquerai plus loin.
2. La traduction de Goethe et l'édition Brière reposaient d'ailleurs sur une copie fautive ; le manuscrit autographe, on le sait, ne fut découvert et publié par Georges Monval qu'en 1891.
3. Repris en volume (345 p.) la même année ; le texte de cette édition a été republié et présenté par J. M. Bailbé, Klincksieck, 1977.
4. Tout imaginaire, bien sûr : de la véritable mort du véritable Neveu, on ne connaît ni la date ni les circonstances.

attendez une heure : crac, un cran de moins au rouage ! et vous reverrez le bouffon, le boursouflé, le butor, le coquin ! Aujourd'hui je suis triste et tendre, et je ne saurais vous amuser : bonsoir [1]. »

Dignes du modèle, à ceci près sans doute que la continuation est ici trois ou quatre fois plus longue que son hypotexte. De la leçon de Diderot, Janin a tout retenu, sauf ce qu'aucun continuateur, par destination ou par définition, ne veut apprendre : l'art de s'interrompre et de tourner court. Où l'on retrouve la contradiction fondamentale de toute continuation : qu'on ne peut achever l'inachevé sans trahir, au moins, ce qui lui est parfois essentiel — l'inachèvement, bien sûr.

A l'inverse de cette prolongation bavarde, il faut peut-être citer l'achèvement fort concis (et cette fois infidèle par concision) donné après coup à *la Nouvelle Héloïse*. Ce roman, je le rappelle, se termine aussi dramatiquement que possible sur la mort de Julie ; pourtant, les quatre dernières lettres, adressées à Saint-Preux par M. de Wolmar, Mme d'Orbe et Julie elle-même, qui lui demande de venir assurer après sa mort l'éducation de ses enfants, nous laissent dans une curieuse ignorance des sentiments et de la décision du héros. Lacune comblée après trois ans (1764) par Louis-Sébastien Mercier, qui rédigea dans le style qui convenait une dernière lettre [2], de Saint-Preux à Wolmar : il lui apprend qu'il a manqué se tuer de désespoir, mais qu'il a finalement résolu de survivre pour exécuter les dernières volontés de Julie : il viendra donc à Clarens pour élever ses enfants. C'est un épilogue respectueux et peu inventif ; nous en rencontrerons un autre, de ton fort différent.

Respectueuses ou non, toutes ces continuations n'ajoutent à leur hypotexte que la prolongation et l'achèvement que le continuateur croit devoir (ou trouve profit à) leur apporter. Mais on peut aussi bien estimer qu'une œuvre pèche par insuffisance de commencement, voire — dirait Aristote — de milieu, ou d'à-côtés, et entreprendre d'y remédier. Il y a donc lieu de distinguer, outre la continuation par l'avant (c'est-à-dire l'*après*) ou, pour parler français, *proleptique* (la plus répandue, et qu'illustraient tous les exemples évoqués jusqu'ici), une continuation *analeptique* ou par l'arrière (c'est-à-dire l'*avant*), chargée de remonter, de cause en cause, jusqu'à un point de départ plus absolu, ou du moins plus

1. Éd. Bailbé, p. 95-96.
2. Recueillie en 1784 dans *Mon bonnet de nuit*.

satisfaisant, une continuation *elleptique* chargée de combler une lacune ou une ellipse médiane, et une continuation *paraleptique*, chargée de combler d'éventuelles paralipses, ou ellipses latérales (« Que faisait X pendant que Y... »). Ces monstres semblent peut-être forgés à plaisir ; il n'en est rien, et toutes les variétés que je viens de citer se trouvent illustrées dans le cycle épique post- ou para-homérique dit *Cycle troyen,* qui fut écrit après ou autour d'Homère par des poètes soucieux de compléter et d'étendre le récit dont l'*Iliade* et l'*Odyssée* n'auraient été que deux épisodes ou fragments erratiques. Continuation analeptique, donc, les *Chants cypriens,* qui remontent aux causes « premières » de la guerre de Troie (enlèvement d'Hélène, d'où, régressivement, jugement de Pâris, noces de Thétis et de Pélée) ; continuations elleptiques, celles de Leschès dans la *Petite Iliade* et d'Arctinos dans l'*Éthiopide* et l'*Ilioupersis,* qui prolongent l'*Iliade,* de Penthésilée en Memnon, de retour de Philoctète en arrivée de Pyrrhus, de cheval de Troie en massacre et incendie final, jusqu'à son terme « nécessaire », c'est-à-dire jusqu'au début de l'*Odyssée,* comblant ainsi la « lacune » laissée par Homère entre l'action de ses deux poèmes ; paraleptique, celle d'Hégias dans ses *Nostoï,* qui complètent l'*Odyssée* en lui adjoignant le récit de tous les autres retours ; proleptique enfin celle d'Eugammon dans sa *Télégonie,* qui prolonge l'histoire d'Ulysse au-delà de son retour à Ithaque : il épouse la reine des Thesprotes, guerroie contre les Bryges, et meurt par méprise de la main de son second fils (et fils de Circé) Télégonos ; *happy end* pourtant, si l'on veut : Télémaque épousera Circé, et Télégonos Pénélope, qui n'a sans doute survécu que pour ce chassé-croisé para-œdipien. « Que d'invraisemblances ! s'écriera un commentateur moderne, que de mauvais goût ! quelle déchéance profonde et définitive de l'épopée, qui durant tant de siècles avait charmé les oreilles et les cœurs, quelle mort lamentable d'un genre qui avait montré les adieux d'Hector et d'Andromaque, le roi Priam aux pieds d'Achille, la radieuse agonie de Penthésilée, l'apparition virginale et fugitive de Nausicaa, la mort du vieux chien sur son fumier... [1]. »

Cette prolifération maligne de continuations en chaîne est apparemment le destin universel des grandes épopées, vouées après coup à cet acharnement « cyclique », c'est-à-dire totalisant : on en trouve

---

1. A. Séveryns, *Le Cycle épique dans l'école d'Aristarque,* Liège-Paris 1928, p. 410. Le critique ne semble pas percevoir dans cette « déchéance de l'épopée » la gestation, si monstrueuse soit-elle, du roman. Et pourtant sa propre liste des plus belles pages de l'épopée grecque procède d'un choix tout moderne, fort teinté de romanesque, et qui ne consonne plus guère à l'âme épique.

le pendant, par exemple, dans les divers cycles composés dès le milieu du XIIᵉ siècle autour de quelques chansons de geste : cycle de Charlemagne autour de la *Chanson de Roland,* cycle de Guillaume autour de la *Chanson de Guillaume,* cycle des barons révoltés autour de Raoul de Cambrai et de Girart de Roussillon [1]. Mais la relation du cycle troyen à l'œuvre d'Homère n'est pas indubitablement ou totalement de l'ordre de la continuation, puisqu'on peut encore en supposer certains éléments contemporains et concurrents de l'*Iliade.* Et, de toute façon, le texte de ces épopées est aujourd'hui perdu, nous ne les connaissons que par d'infimes fragments et par les sommaires de scoliastes et de mythographes ultérieurs : leur situation d'écriture nous reste donc impossible à apprécier, même s'il est certain qu'elles étaient écrites dans le même dialecte conventionnel, le même mètre et le même style que les poèmes homériques.

La continuation posthomérique la plus caractérisée est donc pour nous, aujourd'hui, la *Suite d'Homère* de Quintus de Smyrne, qui date sans doute du IIIᵉ siècle de notre ère [2]. Le dialecte et le style sont aussi strictement homériques que faire se pouvait après dix siècles (mais dix siècles pendant lesquels la tradition s'en était fidèlement transmise), l'action s'insère rigoureusement entre les funérailles d'Hector et le départ d'Ulysse, donc entre la fin de l'*Iliade* et le début de l'*Odyssée,* et les données de ces deux poèmes sont presque toujours scrupuleusement respectées. Avec tout cela, Quintus n'a pu échapper à l'inévitable choix entre le contenu thématique (et l'allure narrative) de ses deux hypotextes. Ou plutôt, son choix était fait d'avance, et l'*Odyssée* n'est ici qu'une source d'informations rétrospectives et un *terminus ad quem ;* pour le reste, aucun doute n'est possible, la *Suite d'Homère* est en fait à la fois une continuation et une imitation de la seule *Iliade,* chargée d'ajouter à sa longue série de mêlées, de combats singuliers, d'interventions divines, d'aristies sanglantes et de jeux funèbres une autre suite de mêlées, de combats, d'interventions divines, etc. Seuls éléments déviants, le dénouement légué par l'*Odyssée,* les poèmes cycliques, les tragiques et l'*Énéide* (le sac et l'incendie de Troie), et l'ouverture, empruntée sans doute à l'*Éthiopide* (dont Quintus lui-même n'avait déjà plus qu'une connaissance indirecte), sur les exploits de Penthésilée, sa mort et le chagrin d'Achille : présence féminine et

---

1. Le même travail de totalisation cyclique affectera au XIIIᵉ siècle, dans l'ordre romanesque, le *Lancelot* et le *Perceval* de Chrétien de Troyes ; j'y reviendrai un peu plus loin.
2. Trad. fr., Les Belles Lettres, 1963.

thème amoureux qui amorcent eux aussi la dérive de l'épique au romanesque. Pour le reste, la continuation ici se nourrit de répétition, ou pour le moins de ressassement : non qu'elle revienne sur les mêmes événements, mais parce qu'elle croit devoir les continuer par une longue série d'événements semblables. D'où résulte que dix livres sur quatorze apparaissent à la lecture, et à coup sûr en dépit des intentions, comme une interminable et accablante caricature, qui ne profite ni à l'auteur ni à son modèle. Après quoi le travail d'achèvement consiste en fait — situation assez rare, et pour le coup fort privilégiée — à rejoindre l'*Odyssée*, et donc à (re)passer le relais à Homère lui-même. Car l'*Odyssée*, bien sûr, est elle aussi, à sa manière, une sorte de continuation de l'*Iliade*. Mais cette manière, justement, n'est pas celle de Quintus, entre autres parce qu'elle n'est déjà plus celle de l'*Iliade*.

Iliade/Odyssée : le plus fort argument en faveur de l'unité d'auteur est peut-être justement le fait que la seconde ne soit pas tout platement un démarquage de la première, mouvement naturel d'un épigone ou d'un concurrent, que l'auteur lui-même aura davantage la force et le goût d'éviter, plus tenté par une œuvre toute différente, et dont la relation à la précédente est ici assez oblique : dix ans après, comparse devenu héros, changement du thème d'action (de l'exploit à l'aventure) et de l'attitude narrative, soudain presque entièrement focalisée sur le seul héros — et secondairement, dans la *Télémachie,* sur son fils —, ce qui rompt totalement avec l'objectivité olympienne (« défilé extérieur », dit Hegel) du mode épique. Quasi changement de genre, donc, car Homère fait ici plus de la moitié du chemin qui sépare l'épopée du roman : passage du thème guerrier au thème de l'aventure individuelle, réduction du personnel multiple à un héros central, focalisation dominante du récit sur ce héros, et enfin inauguration, si contraire au régime narratif de l'*Iliade* (et, plus tard, de l'épopée médiévale), du début *in medias res* compensé, aux chants IX à XII, par un récit autodiégétique à la première personne. Rupture, donc, changement à vue, et, comme dira Proust à propos d'autre chose, prodigieux « coup de barre », qui sont la trace même du génie — et, tout nous porte à le croire, du *même* génie : car il faut le même génie pour produire, à la même époque et à partir d'une première œuvre, une seconde œuvre aussi différente. L'*Odyssée* n'est donc exactement ni une continuation ni une suite : par son infidélité souveraine, elle bouscule et récuse d'avance cette frontière, et quelques autres.

Avec tout cela, l'*Odyssée* est bien cependant une œuvre hypertextuelle, et, symboliquement, la première en date que nous puissions pleinement recevoir et apprécier comme telle. Son caractère *second* est inscrit dans son sujet même, qui est une sorte d'épilogue partiel de l'*Iliade,* d'où ces renvois et allusions constants, qui supposent clairement que le lecteur de l'une doit avoir déjà lu l'autre. Ulysse lui-même est constamment dans une situation seconde : on parle sans cesse de lui devant lui sans le reconnaître, et chez les Phéaciens il peut entendre ses propres exploits chantés par Démodokos, ou bien il raconte lui-même ses aventures, si bien qu'une grande part de l'œuvre (récits chez Alkinoos) est comme rétrospective à l'égard d'elle-même : en fait, l'essentiel de ce qui traite des aventures d'Ulysse proprement dites, le reste en étant plutôt comme l'épilogue : retour et vengeance finale. Et ce récit à la structure complexe et comme tournoyante pose quelques problèmes de jointure : nous avons deux récits du séjour chez Calypso, du départ et de la tempête (au chant V par Homère, au chant XII par Ulysse), et nous avons failli en avoir un troisième au chant XII, à la fin du récit d'Ulysse ; cette insistance rend l'épisode omniprésent, et provoque d'avance sa reprise par Fénelon — comme le voyage de Télémaque, qui amorce lui aussi un redoublement de l'action. Ajoutons-y les diverses occasions où Ulysse déguisé raconte des aventures imaginaires et se mentionne lui-même comme un autre qu'il aurait connu. Et les épisodes annoncés par prophétie (Protée, Tirésias, Circé), et donc encore racontés deux fois — d'où une certaine confusion narrative qui trouble et dis-loque notre mémoire du récit (« où se trouve tel épisode[1] ? »), et qui fait un peu plus qu'autoriser les reprises ironiques, soupçonneuses, volontairement vertigineuses d'un Giraudoux, d'un Joyce, d'un Giono, d'un John Barth. L'*Odyssée* n'est pas pour rien la cible favorite de l'écriture hypertextuelle.

Inversement, l'effort de totalisation cyclique, continuation généralisée, peut sembler le fait d'une inspiration subalterne, appliquée, scolaire et décadente. Hegel décrit avec sévérité cette situation, qu'il marque au fer rouge du *prosaïsme,* c'est-à-dire d'une conception pédante et comme administrative de l'unité, contraire à la discontinuité abrupte et hautaine du véritable récit épique. Cette

---

1. Le rapiéçage rhapsodique et les probables interpolations plus ou moins tardives ont sans doute leur part dans ces effets, qu'une étude de genèse conjecturale pourrait assigner. Mais je considère ici le texte tel que la tradition l'a fixé, adopté, puis entraîné dans sa dérive.

conception se concentre à merveille dans le souci — que Flaubert, de son côté, qualifiera d'inepte — de conclure : « Chaque événement peut se prolonger par ses causes et ses effets à l'infini, de même qu'il peut être prolongé dans le passé et dans le futur, par un enchaînement de circonstances et d'actions, beaucoup plus loin que ne le comporte cet événement tel qu'il est envisagé à un moment donné ou dans une occasion donnée. En ne tenant compte que de la succession pure et simple de circonstances et d'actions, on peut admettre qu'un poème épique puisse être prolongé en avant et en arrière et se prêter en outre à toutes sortes d'interpolations. Mais c'est justement cette double possibilité qui caractérise une œuvre prosaïque. Pour ne citer qu'un exemple, les poètes cycliques ont, chez les Grecs, chanté tout ce qui se rapporte à la guerre de Troie et, par conséquent, continué là où Homère s'était arrêté, pour recommencer par l'œuf de Léda ; mais, à cause même de cela, leurs œuvres sont, si on les compare aux poèmes homériques, d'un caractère purement prosaïque[1]. »

Un tel souci, en tout cas, est évidemment fort loin de l'insouciance souveraine et presque désinvolte de l'*Iliade,* qui ne daigne pas même suivre son héros jusqu'à sa mort, pourtant si proche, et si certaine.

XXXII

C'est à l'écart de la totalisation cyclique, mais bien évidemment dans sa lignée, que s'inscrivent deux entreprises de continuation très caractéristiques de l'esprit classique, à ses débuts et à son déclin : l'*Énéide* de Virgile et le *Télémaque* de Fénelon. L'une et l'autre

---

1. *Esthétique*, trad. fr., Aubier, *la Poésie*, I, p. 207. Les prolongations « en avant » et « en arrière » sont évidemment nos continuations proleptiques et analeptiques, et les « interpolations » nos continuations elliptiques et paraleptiques. On admirera l'assurance avec laquelle Hegel « compare » aux poèmes homériques des textes disparus depuis deux millénaires ; cette assurance proprement théorique, pour laquelle les choses sont inévitablement ce qu'elles doivent être, est le privilège du philosophe. Je préfère cependant ménager l'hypothèse déviante, mais peu coûteuse, de quelques beautés ou « magies partielles » dans l'*Éthiopide* ou la *Petite Iliade :* l'épisode de Penthésilée, par exemple.

viennent combler ce que l'on peut décider de considérer comme une lacune latérale, ou paralipse, du texte homérique.

Parmi les héros troyens, l'*Iliade* mentionne, aux côtés d'Hector et de Pâris, Énée, fils d'Anchise et d'Aphrodite. Au dernier chant, Énée est encore vivant et Poséidon, le sauvant des coups d'Achille, a mentionné une prophétie selon laquelle lui et ses descendants régneront sur (une nouvelle) Troie. Mais l'*Odyssée* ne dit rien de ce qu'il est advenu de lui après ce combat. Ce sont donc les épopées cycliques, *Petite Iliade, Éthiopide,* et à leur suite Quintus de Smyrne, qui prennent le relais : pendant le sac de Troie, Énée combat vaillamment puis quitte la ville en emmenant son père et son fils. La suite, qui reste à écrire, constitue donc un *Retour,* parallèle à ceux d'Ulysse, de Ménélas ou d'Agamemnon, et incidemment le seul qu'on puisse raconter du côté troyen, où Énée est le seul adulte mâle rescapé. C'est ce retour, topos épique traditionnel, que raconte Virgile, qui y trouve l'occasion de deux propos essentiels : l'un, « patriotique », consiste à capter au profit de Rome l'héritage troyen et le capital de sympathie qu'il comporte (j'y reviendrai), en attribuant à Énée la fondation de Rome et la semence de la *gens Julia,* lignée de César et d'Auguste ; l'autre, purement poétique et proprement classique dans son esprit, consiste en une synthèse des deux modèles homériques : celui de l'*Iliade* (combats et exploits) et celui de l'*Odyssée* (errances et aventures) ; les six derniers livres de l'*Énéide* seront une *Iliade,* les six premiers une *Odyssée,* avec un développement marqué du thème féminin esquissé par les apparitions de Calypso, de Circé, de Nausicaa. Cette synthèse constituera pour toute l'ère classique le modèle académique, et d'ailleurs stérile, de l'épopée — la véritable inspiration épique s'étant, entre-temps, manifestée à nouveaux frais dans la chanson de geste ou le romancero[1].

Les Aventures de Télémaque[2] s'insèrent, quant à elles, dans une paralipse de l'*Odyssée,* dont elles constituent donc une continuation latérale : Homère raconte aux chants I à IV les premières tribulations de Télémaque en quête d'informations sur le sort de son père, jusqu'à son séjour à Sparte chez Ménélas. Puis, plus rien sur Télémaque, que nous ne retrouvons qu'au chant XV, lorsqu'il

---

1. La seule épopée vivante de l'âge classique, la *Jérusalem délivrée,* doit d'ailleurs l'essentiel de sa force (et de sa grâce) au ressourcement médiéval qui l'écarte du modèle néo-antique.
2. Rédigées en 1694-1696, publiées en 1699. Fénelon avait déjà écrit pour son élève le duc de Bourgogne un *Précis de l'Odyssée* qui comprenait un résumé des chants I à IV et XI à XXIV, et une traduction des chants V à X.

revient à Ithaque pour reconnaître Ulysse. C'est donc à la question : qu'est-il arrivé à Télémaque pendant ce laps de temps ? que répond *Télémaque,* dont les cinq premiers livres ont d'ailleurs été d'abord publiés sous le titre *Suite du Quatrième livre de l'Odyssée d'Homère.* Comme Virgile, Fénelon s'efforce de rétablir l'équilibre épique en introduisant, aux livres XIII et surtout XV et XVI, une véritable guerre ; mais, comme Virgile encore, il déporte d'autre part le modèle vers le romanesque avec une captivité en Égypte qui sent son Héliodore, et les sentiments de Calypso pour Télémaque, portrait rajeuni d'Ulysse, et de Télémaque pour la nymphe Eucharis, puis pour la princesse Antiope. Fénelon ne prétendait d'ailleurs pas écrire une véritable épopée avec ce récit en prose qu'il qualifiait plus modestement de « narration fabuleuse en forme de poème héroïque ». Et surtout, on sait que son propos essentiel était d'ordre pédagogique : à travers les erreurs, les tentations surmontées, les épreuves, les bons et mauvais exemples et les leçons opportunes de Mentor, Télémaque subit un véritable apprentissage, évidemment destiné, par procuration, au duc de Bourgogne, et dont le principe même (évolution et formation d'un caractère) est tout à fait étranger au fixisme résolu de l'épopée [1] (Achille est bouillant, Hector est généreux, Ulysse est astucieux, Énée est pieux, et, comme dira Hegel, « cela doit suffire »), et constitue l'un des traits les plus marqués d'une dérive de l'épique au romanesque — fût-il édifiant : le thème de l'apprentissage était déjà manifeste chez Chrétien de Troyes. On peut donc définir *Télémaque* comme une greffe sur l'épopée antique d'un (si j'ose ce monstre) *Bildungsroman ad usum delphini.* Mais est-ce bien nécessaire ?

XXXIII

Une autre piste posthomérique concerne le sort indéterminé de la veuve et du fils orphelin d'Hector. Le traitement de ce sujet implique, rétroactivement, toute une conception, ou interprétation, de l'éthos épique.

---

1. Ce fixisme psychologique est bien un trait de genre plutôt que de civilisation — on le retrouve d'ailleurs dans l'épopée médiévale. La tragédie, en un sens et dans les limites temporelles de son action, est plus évolutive : Œdipe, Créon ou Xerxès y reçoivent au moins ce qu'on appelle une *bonne leçon,* dont tout indique qu'ils se souviendront, en cas de survie.

Hegel, qui définit le contenu historique, ou plus exactement l' « état du monde » spécifique de l'épopée, par l'état de guerre entre deux nations, précise avec beaucoup d'insistance qu'une guerre civile ou une révolution ne peuvent en aucun cas fournir un sujet épique (mais en revanche d'excellents sujets dramatiques), parce que l'épopée exige que chacun des camps exprime l' « unité substantielle » d'un peuple dans un conflit qui met en jeu son individualité spécifique — d'où, bien sûr, échec esthétique de tentatives comme la *Pharsale* ou la *Henriade*. Avec la même insistance, il pose en condition supplémentaire que l'un des deux peuples affrontés agisse au nom d'une « nécessité supérieure », même si cette nécessité peut être « déclenchée par un prétexte extérieur, par un apparent désir de vengeance », et observe que toutes les grandes épopées européennes, depuis l'*Iliade*, « glorifient le triomphe de l'Occident sur l'Orient, du sens de la mesure européenne, de la beauté individuelle, de la raison connaissant ses limites, sur l'éclat asiatique, sur la magnificence d'une unité patriarcale n'ayant pas encore réalisé un état d'organisation parfait ou dont les liens encore très lâches sont toujours prêts à se rompre [1] » : glorification naturellement sanctionnée par une victoire totale, « qui ne laisse rien subsister des vaincus », du « principe supérieur ayant sa justification dans l'histoire universelle ».

Cette description pourrait convenir à la *Chanson de Roland* (que Hegel ne connaissait pas) et au *Romancero du Cid*, où la lutte contre les Maures est effectivement présentée comme l'affrontement d'un bon et d'un mauvais camp. Elle est déjà plus discutable en ce qui concerne le *Roland furieux* et la *Jérusalem délivrée* (que Hegel range ici, exceptionnellement, parmi les véritables épopées), où la supériorité de principe du camp chrétien ne conduit nullement le poète à déprécier son adversaire, qui lui fournit quelques-uns de ses plus beaux héros. Quant à l'*Iliade*, qui selon Hegel « nous montre les Grecs partant en campagne contre des Asiatiques pour les premières luttes légendaires provoquées par la formidable opposition entre deux civilisations », on a souvent remarqué, au contraire, à quel point les deux « civilisations » en présence y sont proches l'une de l'autre, voire identiques dans leur état matériel, dans leur organisation sociale, dans leur langue et surtout dans leur religion, même si — ou plutôt : si bien que — l'Olympe se divise à leur sujet : division qui n'aurait pas lieu d'être si chacun des camps avait son propre Olympe. S'il existe quelque chose comme une civilisation homérique, la guerre de Troie y apparaît bien comme un conflit fratricide

---

1. *Esthétique,* trad. fr., Aubier, t. VIII-1, p. 166.

— et l'on sait d'ailleurs combien d'amis et de parents s'affrontent au pied des remparts.

Quant au partage des camps selon une échelle de valeurs, il paraît bien difficile de trouver, même implicitement, dans l'*Iliade* l'exaltation d'une nation grecque « supérieure » à la nation troyenne. La victoire des Achéens, qui tient surtout à la vaillance d'Achille, puis (hors *Iliade*) à celle de son fils Néoptolème, à l'astuce d'Ulysse et à une aide divine plus efficace, n'est en rien présentée comme celle du « bon » camp sur le « mauvais » et moins encore comme celle d'une civilisation plus « avancée » que l'autre. La cause grecque n'est la plus juste qu'autant que les droits de Ménélas sur la personne d'Hélène surpassent ceux de Pâris, et l'on sait comme la légitimité du lien conjugal attire peu de sympathie sur l'époux trahi, plutôt méprisé pour sa mésaventure et détesté pour avoir entraîné tout un peuple dans une expédition punitive dont il se serait bien passé, n'était l'espoir supplémentaire d'un riche butin. Le seul fait de l'injustice d'Agamemnon à l'égard d'Achille contrebalance d'ailleurs, pour le moins, le bien-fondé de la cause des Atrides. En vérité, tout se passe pour le lecteur comme si la guerre opposait ici un camp d'envahisseurs brutaux et sans scrupules et une cité paisible qui n'avait rien mérité de cette persécution.

Pierre Vidal-Naquet [1] observe que le nombre de morts nommés est de cent cinquante du côté troyen contre quarante-quatre du côté achéen, ce qui indique une supériorité militaire et annonce la victoire finale. Il ajoute que les comparaisons collectives sont toutes en faveur des Grecs : abeilles contre sauterelles, lions invincibles contre moutons bêlants, biches effarées, faons apeurés : « d'une façon générale, c'est l'ordre et l'efficacité militaire qui caractérisent les assiégeants, le désordre et la confusion qui sont incarnés chez les Troyens ». Tel est en effet le (seul) terrain de la supériorité achéenne, qui est à la fois celle du plus fort et du mieux organisé : « les Troyens sont des civils, des *dompteurs de cavales,* et les Achéens *aux belles jambières* sont des soldats ». Et Vidal-Naquet ajoute que « la cité grecque débutante est trop profondément liée aux vertus militaires pour qu'il y ait lieu d'hésiter beaucoup » sur la valorisation qu'implique, pour Homère, un tel contraste. Mais il convient aussitôt que cette valorisation comporte « pour nous » une certaine ambiguïté, « qui permit très tôt au lecteur de faire d'Hector le héros de l'*Iliaae* ». Sans aller jusque-là, observons que le « très tôt » corrige fortement, et heureusement, le « pour nous ». Le renversement s'effectue en tout cas dès Euripide, et je ne suis pas

1. L'*Iliade sans travesti,* préface à l'édition « Folio » de l'*Iliade*, Gallimard, 1975.

sûr que l'idée n'en ait pas déjà effleuré l'esprit des premiers auditeurs de l'*Iliade*, dont les valeurs n'étaient peut-être déjà plus aussi « liées aux vertus militaires » que celles de la « cité grecque débutante ». Comme le reconnaît Vidal-Naquet lui-même, « chez Homère, face aux Achéens, les Troyens en guerre forment, contrairement à leurs ennemis, une société complète. Il n'y a pas une seule épouse légitime, pas un seul enfant dans le camp danaen ». Si « débutante » soit-elle, une cité est d'abord et au moins le lieu où les guerriers, entre deux batailles, retrouvent dans leurs maisons leurs femmes et leurs enfants. Dans l'*Iliade*, comme après tout (avant tout) l'indique son titre, la seule cité est Troie, les Achéens n'ont pour eux qu'un « camp » : des tentes et des vaisseaux.

L'essentiel est sans doute dans cette opposition du *camp* grec et de la *ville* troyenne : rien, dans l'*Iliade*, n'évoque une *civilisation* achéenne, mais une horde de guerriers établis, avec leurs serviteurs, leurs captives et leurs dépouilles antérieures, entre leurs navires et leurs cantonnements. C'est en face, derrière les murailles d'Ilion, que vit un peuple, avec ses palais, ses murailles, ses temples, ses soldats-citoyens, ses épouses tremblantes et ses enfants effrayés, tous en attente de pillage et d'incendie, de massacre, de servitude, d'exil dans le meilleur des cas. Si une civilisation consiste dans la vie d'un peuple, la seule civilisation présente dans l'*Iliade* est évidemment la troyenne, et les tableaux d'Ithaque, de Pylos, de Sparte et de la cour d'Alkinoos, dans l'*Odyssée*, ne compenseront qu'après coup ce déséquilibre. La guerre de Troie est bien la guerre faite à Troie, et toute la sympathie du récit (quelle que soit celle du narrateur) se porte sur le camp des vaincus.

On ne peut donc sérieusement soutenir, comme le fait Hegel, que la supériorité militaire des Grecs est ici celle d'une civilisation sur une barbarie, mais bien plutôt l'exact contraire, comme le dit à peu près Thersite dans *Troïlus et Cressida,* et selon un paradoxe assez fréquent, qui n'aurait pas dû excéder les capacités de la dialectique hégélienne. Comme dit profondément Vidal-Naquet, dans l'*Iliade* les Troyens sont des *civils,* et il n'est somme toute que de peser ce mot. Je dis bien « dans l'*Iliade* », et cette précision aggrave le fait : quant à la réalité historique de la guerre de Troie, nous ne savons rien, et sans doute a-t-il existé, à certains moments de l'histoire, des peuples de guerriers sans cité (les Huns, les Tartares ?), ou dont la cité n'était qu'une vaste caserne (Lacédémone) ; mais rien ne prouve que tel ait été le cas des vainqueurs de Troie : l'*Odyssée* indique plutôt (mais plus tard) qu'il n'en est rien. Cette vision du monde achéen est donc bien le fait de l'*Iliade,* et de l'*Iliade* seule. La barbarie grecque est un artefact épique, un *effet d'épopée.* Le thème (purement poétique) de la supériorité morale et, au sens fort, culturelle de Troie n'aurait sans doute jamais vu le jour si l'*Iliade* n'y avait prêté la main. Curieuse contribution à l'édification nationale hellénique.

Cette partialité paradoxale et peut-être involontaire s'accentue dans l'immense postérité littéraire de l'*Iliade,* à commencer par les tragiques grecs, ou du moins Euripide, qui n'a pas consacré moins de trois tragédies — *les Troyennes, Hécube, Andromaque* — au sort des captives meurtries par la guerre, puis par la défaite, le massacre et l'exil. Virgile n'aura pas à intervenir beaucoup pour faire des survivants troyens les héros d'avance légitimes d'une nouvelle quête, et les glorieux fondateurs de la puissance romaine. A travers lui, Dictys, Darès et quelques autres, le Moyen Age héritera cette vulgate qui nourrit le *Roman d'Énéas,* le *Roman de Troie* et toute leur postérité médiévale et renaissante en Allemagne, en Italie, en Angleterre, et surtout en France où Ronsard, après Lemaire des Belges [1], capte à « notre » profit le mythe valorisant de l'origine troyenne (*Franciade,* 1572), où Racine exalte la vertu et la tendresse d'Andromaque, où Giraudoux tente, pendant deux actes, de conjurer l'inévitable.

Andromaque, je pense à vous... Depuis le sixième chant de l'*Iliade,* notre vision de la guerre de Troie se focalise sur cette silhouette douloureuse qui repousse à l'arrière-plan toutes les prouesses dans la plaine, tous les glorieux carnages au bord du Xanthe. Homère n'avait sans doute ni voulu ni prévu cette distorsion qui fut — chez Virgile et à sa suite pendant des siècles d'oubli du texte homérique — une infidélité d'écriture avant de devenir une infidélité de lecture : nous lisons aujourd'hui l'*Iliade* avec une sensibilité formée, entre autres, par toute une tradition de réinterprétation et de récriture de son texte, jusqu'à ce récent commentaire, combien révélateur, au dos de la couverture d'une édition populaire [2] : « A travers le personnage d'Achille, c'est tout le parfum sauvage des cultures primitives que le livre nous restitue, mais voici Hector, et avec lui commence l'humanité moderne. » Homère, certes, n'avait pas voulu cela, mais c'est peu d'ajouter que son texte s'y prête, et autorise sans le vouloir cette singulière dérive de l'héroïque à l'élégiaque, et cet ironique renversement de ce que

1. *Illustrations de la Gaule et Singularités de Troie,* 1512-1513.
2. « Folio », mais Pierre Vidal-Naquet me précise qu'il n'en est pas responsable.

Hegel, presque seul et à contre-courant, s'obstine à qualifier de « supériorité » de la civilisation grecque. A moins justement que cette supériorité — celle d'Homère, celle d'Euripide — ne consiste déjà dans ce retournement poétique de la fureur à la pitié, de la glorification des vainqueurs à l'exaltation des vaincus. L'hypertexte, ici, suit et accentue, en la prolongeant, la secrète pente du texte. Comme le dit Cassandre à la fin de *La guerre de Troie n'aura pas lieu* : « Le poète troyen est mort... La parole est au poète grec », et le poète grec, sans doute plus qu'il n'en avait conscience, a parlé, et laissé parler presque tous ses héritiers et successeurs pour la cause troyenne.

Il suit peut-être de là que l' « état du monde » héroïque, l'affrontement guerrier, ne soutient l'inspiration du poète épique qu'à la condition de laisser transparaître cet envers pathétique où il est dit, par la voix d'une femme, que l'héroïsme n'est pas la plus profonde, ou la plus haute vocation de l'homme. Gilbert Durand — assez proche ici du schéma historique hégélien — désigne comme le « moment romanesque » celui où l'héroïsme épique cède la place à l'intimisme lyrique. Romanesque ou non, ce moment vient peut-être plus tôt qu'il n'y paraît, au cœur même de la première (?) et plus rigoureuse épopée occidentale. L'*Odyssée*, l'*Énéide*, la *Jérusalem délivrée* appuieront encore ce trait. On peut ici parodier une nouvelle fois le mot de Barrès : grattez l'épique, vous trouvez l'élégiaque. Mais on ne gratte que ce qui, déjà, démange.

Andromaque, je pense à vous... Cette pieuse pensée elle-même a trouvé sa paraphrase ironique dans un roman de Marcel Aymé, *Uranus,* qui ne vaut guère que par là. Au lendemain de la Seconde Guerre mondiale, le collège de Blémont étant détruit, les classes se font dans des cafés réquisitionnés ; Léopold Lajeunesse, patron du café du Progrès, héberge la troisième, classe où, en ces temps bien révolus, on étudiait *Andromaque* (aujourd'hui, dans le meilleur des cas, on y étudierait plutôt *Uranus*). A force d'entendre réciter les élèves, ce géant inculte et alcoolique (« Quoique à bien réfléchir, je n'ai jamais bu que ce qu'il me fallait : c'était rare que je dépasse mes douze litres par jour ») se prend de passion pour le texte et, à travers lui, pour le personnage. Il rêve bientôt de s'immiscer dans la diégèse (il n'emploie pas ce mot), et de favoriser une évasion : « Arrivant un soir au palais de Pyrrhus, il achetait la complicité du portier, et, la nuit venue, s'introduisait dans la chambre d'Andromaque... Léopold l'assurait de son dévouement respectueux, promettant qu'elle serait bientôt libre sans qu'il lui en coûte seulement un sou, et finissant par lui dire : " Passez-moi Astyanax, on va filer en douce. " »

Découvrant avec ravissement qu'il vient de composer un alexandrin, il décide de pousser plus loin la tentative et d'écrire lui-même la continuation dont il serait le héros. Quelques jours plus tard, mettant à profit l'inspiration qu'il puise dans sa boisson favorite, il écrit presque d'une traite les deux vers suivants :

LÉOPOLD

Passez-moi Astyanax, on va filer en douce,
Attendons pas d'avoir les poulets à nos trousses.

ANDROMAQUE

Mon Dieu, c'est-il possible ! Enfin voilà un homme !

Un peu plus tard encore, il trouve la rime à *homme* et poursuit ainsi :

Vous voulez du vin blanc ou vous voulez du rhum ?

LÉOPOLD

Du blanc.

ANDROMAQUE

C'était du blanc que buvait mon Hector
Pour monter aux tranchées, et il n'avait pas tort.

Ici s'arrête la scène, car Léopold, appréhendé par les gendarmes pour un tout autre délit, résiste et se fait massacrer sur place, à deux pas de son *opus interruptum,* avatar tragi-comique du mythe troyen, dans l'interminable lignée de tous ceux qui se sont souciés, avec ou sans arrière-pensée personnelle, de ce que Leo Bersani appelait récemment l'*avenir d'Astyanax* [1].

J'ai écrit un peu vite *continuation,* mais le cas est plus complexe. Comme texte produit par Léopold, il s'agit d'abord d'une œuvre métadiégétique à l'intérieur de l'histoire racontée dans *Uranus.* Mais cette métadiégèse, qui rejoint la diégèse racinienne (et par là

1. *A Future for Astyanax, Character and Desire in Literature,* Little Brown and C°, Boston-Toronto, 1976.

l'homérique), est ouverte à la diégèse uranienne, puisque Léopold en est à la fois l'auteur et le héros, en ayant été jusque-là le simple auditeur : métalepse, ou je ne m'y connais pas. Ensuite, cette continuation se fait correction, car Léopold entend bien, s'étant introduit dans l'intrigue d'*Andromaque,* en trancher le fil par son intervention inopinée : Andromaque échappera sans doute aux instances de Pyrrhus, qui se rabattra peut-être sur Hermione, qui échappera par là même à Oreste, qui dans tous les cas devient fou. Après quoi elle (Andromaque) décidera d'elle-même si elle doit ou non, et comment, récompenser son sauveur. Mais cette correction reste inachevée, par le fait des gendarmes et la mort de Léopold, qui restitue Andromaque à son sort de captive et Astyanax à son avenir incertain. Correction avortée, donc, et retour au destin racinien, qui, comme dans les parodies ironiques (au sens tragique du terme) de Giraudoux, finit par s'accomplir là où on ne l'attendait plus, *Andromaque* s'étant simplement offert, au passage, une victime de plus.

Formellement, le fragment composé par Léopold est d'un statut aussi complexe. Léopold n'est pas seulement inspiré par sa sympathie pour l'héroïne menacée, mais aussi par son admiration pour l'auteur. Il rivalise à la fois, comme héros, avec Pyrrhus, et, comme poète, avec Racine : « Racine, par le fait, c'est un peu mézigue. Naturellement, je ne vais pas me comparer à un homme qui a écrit trente ou quarante mille vers, moi qui n'en ai encore écrit que trois, mais lui aussi a commencé par le commencement. » Son texte, écrit à l'imitation du seul auteur qu'il connaisse, veut donc être un pastiche — comme la plupart des continuations. Mais son inculture et sa grossièreté dévient l'exécution vers un résultat que nul, même à Port-Royal, n'irait attribuer à Racine. La distance entre l'intention et l'exécution détermine le comique du texte, un comique dont le pauvre cabaretier fait tous les frais : c'est sa tournée. Version imprévue du pastiche héroï-comique, fondé sur le contraste entre la bassesse du contenu et l'élévation du style — élévation ici réduite à la seule forme de l'alexandrin, puisque Léopold n'a pas perçu l'incompatibilité de son vocabulaire avec la dignité du style noble. L'héroï-comique sombre donc dans le vulgaire, et retombe en parodie burlesque : Andromaque et Léopold parlent ici exactement comme ils le feraient dans une *Andromaque travestie.*

Dans la seconde préface d'*Andromaque,* Racine se justifie d'avoir fait vivre Astyanax « un peu plus qu'il n'a vécu ». « J'écris, ajoute-t-il, dans un pays où cette liberté ne pouvait pas être mal reçue. Car, sans parler de Ronsard qui a choisi ce même Astyanax pour le héros de sa *Franciade,* qui ne sait que l'on fait descendre nos anciens rois de ce fils d'Hector, et que nos vieilles chroniques sauvent la vie à ce jeune prince, après la destruction de son pays, pour en faire le fondateur de notre monarchie ? »

Cette tradition, qui remonte au Moyen Age, est évidemment, pour ce qui concerne la filiation troyenne des « anciens rois » de France, d'inspiration virgilienne. C'est une légende, on s'en doute, plutôt savante que populaire, d'ailleurs aussi attestée en Angleterre, et qui a son pendant linguistique : ainsi dérivait-on volontiers l'anglais et le français du celte, et le celte du phrygien. Comme Virgile avait donné aux Julii Ascagne-Iule pour ancêtre, on confisque au profit des Tudor, ou des premiers rois de France, l'autre enfant sauvé du massacre de Troie. Cette version du sort d'Astyanax est considérée comme « tardive » par les mythographes modernes, et beaucoup moins attestée que l'autre. Le fait est que la *Petite Iliade* voit Néoptolème arracher Astyanax aux bras de sa nourrice, le brandir par un pied et le précipiter du haut des remparts [1], que l'*Ilioupersis,* selon le résumé de Proclos [2], le fait précipiter par Ulysse en application d'une décision générale des Grecs, et qu'Euripide, dans *les Troyennes,* attribue encore à Ulysse le même forfait ; Apollodore [3], Quintus de Smyrne [4] et Ovide [5] ne se prononcent pas sur l'identité de l'exécuteur mais confirment la décision, et Quintus, comme Polygnote dans la fresque de Delphes décrite par Pausanias, fait arracher l'enfant des bras, non de sa nourrice, mais de sa mère. L'autre version est mentionnée dans une scolie homérique [6] : « Les *Néôtéroï* disent qu'il fut plus tard fondateur de Troie et autres villes. » Cette « Troie » serait sans doute une colonie troyenne, peut-être construite à l'imitation de la cité de Priam, comme celle d'Hélénus dans l'*Énéide ;* une scolie d'Euripide [7] confirme : « Certains disent qu'Astyanax fonda des villes et fut roi : l'opinion de ces auteurs est rapportée par Lysimachos en son second livre des *Nostoï* » ; l'origine de cette version serait donc, ainsi que conclut A. Séveryns [8] à qui j'emprunte ces indications, chez des poètes post-

1. Fr. 19. A cité par Pausanias X, 25, 9 et par un scoliaste de Lycophron 1268.
2. *Chrestomathie,* 108.
3. *Épitomé,* V, 23.
4. *Suite d'Homère,* XIII, v. 251-253.
5. *Mét.* XIII.
6. TV en Ω 735.
7. MOA Eur. *Andr.* 10.
8. *Op. cit.,* p. 369.

homériques (*Néôtéroï*) antérieurs au vᵉ siècle avant J.-C., mais « non cycliques, et aujourd'hui perdus ».

C'est donc cette variante qui resurgira dans les « vieilles chroniques » invoquées par Racine, pour donner à la monarchie française une filiation prestigieuse. A vrai dire, la filiation troyenne pourrait subister en contournant le douteux Astyanax, qu'on laisserait mourir sous les remparts de Troie conformément à la tradition cyclique : il suffirait de lui supposer un frère, qui aurait survécu au massacre. C'est cette voie qu'ouvre Dictys, qui attribue à Hector deux fils, Astyanax-Scamandrios et Léodamas. Lemaire des Belges reprend à son compte cette addition, et donne à Léodamas pour second nom Francus et pour royaume la Gaule celtique. Mais cette conciliation sent un peu trop l'expédient pour satisfaire l'imagination ; de surcroît, elle ne trouve aucun appui chez Homère, qui ne mentionne nulle part un frère d'Astyanax, mais au contraire suggère irrésistiblement qu'Astyanax est le seul enfant, ou pour le moins le seul fils d'Hector. Aussi Ronsard revient-il à l'hypothèse d'une survie d'Astyanax : sauvé du massacre, l'enfant est élevé, après la mort de Pyrrhus-Néoptolème, par Andromaque et Hélénus dans leur nouvelle Troie d'Épire, et c'est de là qu'il part pour la Gaule, où il épousera la fille du roi Dicée, d'où sa postérité franque : Pharamond, Mérovée, et la suite.

Mais sur un sort aussi controversé, quel était donc le parti adopté par Homère lui-même (c'est évidemment pour en revenir là que j'ai minutieusement suivi tous les fils de cette si filandreuse histoire) ? Aucun, justement. Ou plus précisément les deux, et là est la caution ambiguë dont se réclament les deux versions post-homériques : au chant XXIV de l'*Iliade,* aussitôt après la mort d'Hector, Andromaque évoque avec une troublante précision les deux éventualités : « Et toi aussi, mon petit, ou bien tu me suivras pour vaquer avec moi à des corvées serviles et peiner sous les yeux d'un maître inclément, ou bien quelque Achéen, te prenant par la main, t'ira — horrible fin ! — précipiter du haut de nos remparts... [1] » Comme si Homère, dans cette prolepse dubitative, se référait lui-même à une tradition ambiguë, ou plutôt — car rien en ce cas ne l'empêchait de choisir, comme feront après lui ses continuateurs — comme s'il voulait leur laisser le champ libre en leur indiquant seulement les deux voies possibles. Comme pour confirmer cette incertitude par un silence, l'*Odyssée,* qui dans d'autres cas fournit à l'*Iliade* son épilogue rétrospectif, reste ici délibérément muette [2]. Massacré,

1. Trad. Mazon.
2. Virgile respecte et prolonge ce silence : pendant le sac de Troie, nulle mention d'Astyanax puis, au chant III, Andromaque, devenue épouse d'Hélénus, règne sur le

épargné pour fonder une nouvelle Troie à qui chaque peuple pourra mythiquement s'identifier, ouvert à toutes les interventions de l'hypertexte, disponible pour la déploration tragique, pour le cruel jeu racinien, pour cette étrange récupération épique : ultime écho du malheur troyen, le destin d'Astyanax — et par contrecoup celui d'Andromaque, captive sans espoir ou reine-mère garante du destin troyen — reste définitivement incertain. Chacun en dispose à sa guise, ou selon ses fantasmes : ainsi en a ironiquement disposé le texte homérique[1].

Par une curieuse coïncidence, le mythe, d'abord monarchique, de l'origine troyenne se survit, très inconsciemment, dans le symbole de la République française : Marianne coiffée d'un bonnet phry-gien. Cette coiffure, portée dans l'Antiquité classique par les Phrygiens, lointains descendants s'il en subsiste des Troyens d'Ho-mère, puis par les esclaves affranchis, devient sous la Révolution l'emblème de la liberté, puis, par métonymie, de la République et, finalement, de la nation française. Relation des plus indirectes, mais qui peut se lire comme l'écho très assourdi d'une filiation mythique irremplaçable, comme si l' « Occident vainqueur » n'en finissait pas ici d'expier sa victoire et de s'identifier symboliquement à ses premières victimes : *aux captifs, aux vaincus... à bien d'autres encore !...*

XXXIV

Le *Roman de la Rose* offre l'exemple rare (j'ai dit pourquoi), quoique nullement exclu en principe, d'une continuation officielle émancipée de tout mimétisme stylistique, voire de toute fidélité idéologique. Je rappelle les faits : quelque part vers 1230, la mort de Guillaume de Lorris interrompt à son 4058e vers le récit allégorique des épreuves d'Amant en quête de la Rose dont il est épris. Ses

---

Simoïs menteur d'une nouvelle Troie dont on ne sait si elle abrite ou non le fils d'Hector. Mais bien sûr, dans l'*Énéide*, la survie troyenne passe par une autre voie, et le sort d'Astyanax n'a plus la même importance.
1. Cf. P. Bénichou, « Andromaque captive puis reine », *l'Écrivain et ses travaux*, Corti, 1967.

ennemis Danger, Honte et Peur ont emprisonné dans une tour son indispensable allié Bel Accueil, et le héros reste seul et désespéré. On sait, et d'ailleurs on peut deviner que l'intention de l'auteur était de faire délivrer Bel Accueil et de laisser enfin Amant cueillir la Rose. Tel quel et malgré son inachèvement, le poème connut un immense succès pendant une quarantaine d'années. Sous la fiction narrative, il offrait comme on le sait une sorte de bréviaire d'amour courtois, un Art d'aimer chevaleresque. Aux environs de 1275, Jean de Meung entreprend d'achever le poème. Ainsi naît le second *Roman de la Rose,* dont le propos officiel et la structure générale sont bien typiquement ceux d'une continuation. La couture est marquée avec le maximum de révérence et de probité :

> *Cy endroit trépassa Guillaume*
> *De Lorris, et n'en fit plus psaume*
> *Mais après plus de quarante ans*
> *Maître Jean de Meun ce roman*
> *Parfit, ainsi comme je treuve*
> *Et ici commence son œuvre.*

Le dénouement prévu est scrupuleusement exécuté : Franchise et Pitié délivrent Bel Accueil, le héros cueille la Rose, et son rêve — car c'était un rêve — s'achève là. Mais à cela se borne la fidélité du continuateur : car entre cet enchaînement respectueux et cette conclusion conforme s'interposent près de dix-huit mille octosyllabes d'un style et d'un enseignement fort étrangers à ceux du modèle — et parfois à ses antipodes, puisque la philosophie de Jean de Meung, marquée par un retour aux sources du naturalisme antique, prend à bien des égards le contre-pied de l'idéal courtois, entre autres, et ne craint pas d'exprimer une méfiance et un mépris tout bourgeois à l'égard de l'éternel féminin. Si l'on tient compte de l'énorme disproportion quantitative entre l'œuvre inachevée et sa continuation, celle-ci apparaît bien comme un acte caractérisé de détournement, voire de trahison, même si rien ne permet d'en attribuer à Jean de Meung la pleine conscience et la volonté délibérée. Imaginez Voltaire — j'exagère à dessein — se chargeant d'achever les *Pensées* de Pascal et y raboutant son *Dictionnaire philosophique.*

Le cas des *continuations de Perceval* — ou du moins, parmi les trois ou quatre textes ainsi baptisés, de celui du manuscrit de Mons, qui répond le mieux à la définition du genre, et qui en constitue même, si l'on excepte l'achèvement de *Lancelot* par Geoffroy de

Lagny, mais selon les instructions de Chrétien de Troyes lui-même, le prototype français — est plus subtilement paradoxal. Chrétien avait abandonné son héros juste après sa rencontre avec le prudhomme qui lui révèle la nature de son péché et le laisse en pénitence et en communion. Le continuateur le relance sur les chemins et, après divers épisodes, le ramène au château du roi pêcheur où il avait, précédemment, vu passer la procession du graal sans oser s'enquérir de sa signification (plus précisément : pourquoi la lance saigne-t-elle et, non pas : qu'est-ce que ce graal lumineux, mais simplement : à qui le porte-t-on ?). On sait de reste que ç'avait été de sa part une grande faute : non point toutefois parce qu'une telle discrétion l'avait privé d'une information, voire d'une révélation indispensable à sa propre édification ; mais seulement parce que le fait de poser la question était l'acte attendu de lui, l'événement libérateur, nécessaire à la guérison du roi et au désenchantement de son royaume dévasté. C'est ce que lui révèle dès le lendemain la « pucelle » qu'il rencontre dans la forêt, ce que lui confirme devant la cour d'Arthur la demoiselle hideuse, et encore le susdit prudhomme des dernières pages. Je dis bien *le fait de poser la question,* et non celui d'obtenir une réponse, laquelle réponse, chez Chrétien, n'est pas une fois mentionnée comme importante en elle-même — ce qui va d'ailleurs de soi puisqu'elle est déjà parfaitement connue de celui dont le sort est ici en cause, et qu'il aurait fallu interroger, c'est-à-dire le roi pêcheur lui-même. « *Ton silence* nous fut un malheur, dit la demoiselle hideuse. Il fallait *poser la question :* le roi pêcheur à triste vie eût été guéri de sa plaie, posséderait en paix sa terre dont plus jamais il ne tiendra même un lambeau [1]. » Nul ne sait comment Chrétien aurait terminé les aventures de Perceval, ni même, après tout, s'il aurait jamais ramené son héros au château du graal. A défaut, le texte ultérieur du *Parziwal* de Wolfram von Eschenbach peut nous donner une idée de ce qu'aurait été un aboutissement conforme à ces prémisses : Parzival y demande simplement à Amfortas : « Bel oncle, quel est donc ton tourment ? » — et le roi guérit instantanément, ce qui le dispense *ipso facto* d'une réponse devenue purement rétrospective, et donc oiseuse [2]. Dédain peut-être hyperbolique, mais qui fait bien ressortir par contraste la distorsion inverse opérée par le continuateur français. Ici Perceval, revenu au château du méhaigné, s'enquiert aussitôt de « la vérité de toutes choses », et c'est maintenant le roi

---

1. *Perceval,* trad. J.-P. Foucher et A. Ortais, Gallimard, « Folio », 1974, p. 121 ; je souligne.
2. Trad. E. Tonnelat, Aubier-Montaigne, 1977, livre XVI.

qui se dérobe, objectant que le moment n'est pas encore venu de répondre, pressant Perceval de d'abord se restaurer, et lui reprochant même d'en « demander beaucoup [1] », comme si l'interrogation tardive de Perceval était maintenant devenue une indiscrétion coupable, et non plus une action salvatrice. Et, de fait, aucune guérison ne suit, ni de la question ni de la réponse. Il faudra que Perceval vainque et décapite Pertinax, l'ennemi du roi pêcheur, pour que celui-ci guérisse de sa blessure et la terre gaste de sa stérilité. De toute évidence, le continuateur a entre-temps complètement oublié, ou n'a jamais vraiment compris, ou cherché à comprendre, l'intention première de Chrétien de Troyes. A l'attente d'une conduite appropriée se substitue chez lui, plus vulgairement, le suspens lié à la recherche d'un secret, recherche magnifiée par les commentateurs sous le terme, évidemment absent chez Chrétien et ici fort impropre, de *quête* : c'est seulement dans le *Lancelot en prose* que le graal lui-même (et non la vérité sur le graal) sera l'objet d'une quête. La nature du graal éblouissant et de la lance sanglante devient donc dans la *Continuation* ce qu'elle n'était nullement chez Chrétien : une énigme à résoudre, un mystère à pénétrer.

C'est là la première intervention décisive du continuateur anonyme. La seconde en découle presque inévitablement : c'est la réponse donnée à cette énigme, et que chacun aujourd'hui connaît : la lance qui saigne est celle dont le Romain Longin perça le flanc de Jésus, le graal est le vase où fut recueilli le saint sang, les deux objets miraculeux sont donc liés à la Passion du Christ et au sacrement de l'Eucharistie. Si Chrétien, sans doute par force, peut-être par lassitude, avait laissé son *Conte du graal* dans une remarquable ambiguïté, son continuateur se charge de le désambiguïser de la façon la plus orthodoxe, et sans trop s'arrêter aux difficultés que depuis les générations de médiévistes se repassent comme une pomme de terre (toujours) chaude : un graal (plat creux) peut-il servir de calice, où diable le continuateur a-t-il pris que la lance de Longin continuait de pleurer le sang du Christ, que faire des origines païennes (celtiques) de ces motifs, etc. L'effort de *christianisation* du graal [2] et de la chevalerie arthurienne apparaît à l'évidence dans les premières tentatives d'intégration cyclique de Robert de Boron,

---

1. *Perceval,* « Folio », p. 264.
2. Je dis bien : du graal, et de la lance aux larmes de sang, motifs empruntés par Chrétien à la légende celtique. Comme l'écrit assez nettement Julien Gracq dans la préface de son *Roi pêcheur,* « les deux grands mythes du Moyen Age, celui de Tristan et celui du Graal, ne sont pas chrétiens : par beaucoup de leurs racines ils sont préchrétiens ; les concessions dont leur affabulation le plus souvent porte la marque ne

dans le *Didot-Perceval*, a fortiori dans le *Lancelot-Graal* en prose du XIIIe siècle, et plus particulièrement dans la fort mystique *Queste del Saint Graal* — et ainsi de suite jusqu'à Wagner, qui (quoi qu'on en dise) révise en messe, si équivoque soit-elle, la version qui s'y prêtait le moins, celle de Wolfram ; et sans compter certaine récente adaptation « cinématographique », à qui il faut reconnaître le (seul) mérite de dédaigner les continuations, mais qui les remplace, bon poids, par une fort abusive et fort ridicule mise en scène de la Passion. Mais il est intéressant de l'observer à l'œuvre dès la première continuation, où elle ne peut s'établir que sur un lourd contresens, volontaire ou non, quant au texte qu'elle prétend achever. Bref, encore une continuation à fonction corrective : non plus, comme dans le second *Roman de la Rose*[1], dans un sens contestataire et frondeur, mais dans le sens de ce qu'on appellera plus tard la *récupération*. Et ici, pour le coup, la récupération *par excellence*.

XXXV

Encore se souvient-on (un peu) de l'existence propre de ces deux textes continués, dont les continuations (et, pour *Perceval,* les innombrables réfections ultérieures) n'ont pas tout à fait réussi à

---

peuvent nous donner le change sur leur fonction essentielle d'alibi. L'étrangeté absolue de *Tristan* tranchant sur le fond idéologique d'une époque si résolument chrétienne a été mise en évidence par Denis de Rougemont. A toute tentative de baptême à retardement et de fraude pieuse, le cycle de la Table Ronde se montre, s'il est possible, plus rebelle encore » (cette affirmation scandalise M. Armand Hoog, « Folio », p. 18, ce qui me la rend encore plus convaincante). Je ne prétends certes pas que Chrétien ne fût pas chrétien, ni même qu'il n'aurait pas finalement, après pénitence et communion de Perceval, donné lui-même une réponse « chrétienne » à ses questions, lui qui fait déjà qualifier (par le prudhomme) le graal de « saint », et préciser qu'on y transporte une hostie pour la nourriture du père du roi pêcheur. J'observe seulement qu'il ne l'a pas fait, et qu'on l'a fait pour lui.
1. Cette homologie entre la relation qui unit le premier *Roman de la Rose* au second et « celle qui unit la chanson de geste aux romans « courtois » du XIIe siècle, puis (et plus nettement encore) ceux-ci avec le roman en prose du XIIIe » est suggérée par Zumthor, *Langue, Texte, Énigme*, p. 264, qui ajoute : « La manière dont Jean de Meung, en le déconstruisant, refait le *Roman de la Rose* de Guillaume de Lorris au niveau d'un discours explicatif est à peine différente de celle dont Robert de Boron réinvente la donnée du *Conte del graal* de Chrétien de Troyes, réinterprétée ensuite dans les deux cycles en prose qui furent tirés du conte de cet humble auteur. » Plus humble encore, mais déjà hardi interprète, le premier continuateur.

effacer la trace. Et si le *Perceval* de Chrétien reste, sans doute incurablement, marqué par son interprétation posthume, l'image courante du *Roman de la Rose* reste celle d'une « allégorie courtoise », c'est-à-dire conforme à l'esprit de Guillaume de Lorris. Tout se passe donc comme si la part de correction que contenait le travail de Jean de Meung était restée — ou devenue — inefficace : l'hypotexte remonte à la surface, et abolit son hypertexte. Mais il arrive au contraire — il est au moins arrivé deux fois, et, par une étrange coïncidence, ces deux exemples portent la même date : 1532 — que la continuation oblitère presque totalement l'œuvre continuée.

L'un de ces deux cas est celui du *Roland furieux,* que chacun connaît et révère au moins par ouï-dire ; mais qui, hors des spécialistes, sait qu'il s'agit là d'une continuation du *Roland amoureux* de Boiardo ? Et cette occultation, sans doute, ne date pas d'hier : j'observe que le *Roland amoureux* n'a été traduit en français qu'en 1769, et que Stendhal, si féru comme on sait de l'Arioste, ne mentionne pas une seule fois Boiardo, ni dans *Henri Brulard* ni dans ses œuvres italiennes, non plus que Hegel ne songe à lui dans ses commentaires de l'Arioste.

Roland furieux, pourtant, commence exactement où la mort de Boiardo avait interrompu, en 1494, l'action de *Roland amoureux,* et il lui doit tous ses principaux personnages : Charlemagne et Agramant, Roland, Renaud, Roger, Astolphe, Angélique et Brada-mante, et le réseau de leurs relations, guerrières et amoureuses. Il lui doit surtout l'essentiel, qui est la contamination, apparemment inédite, de l'épopée carolingienne et du roman courtois. Cet amalgame spécifique, à l'équilibre si instable et si explosif, vient tout entier de Boiardo, et l'Arioste n'a eu qu'à en prolonger *ad libitum* les mirobolantes péripéties. On raconte que son protecteur le cardinal d'Este lui demanda un jour, mi-admiratif, mi-réproba-teur, où donc il allait chercher *tante coglionerie.* L'histoire ne rapporte pas ce que répondit messer Ludovic, mais il aurait pu dire au moins, et sans fausse modestie, qu'en fait de couillonnades ce n'était pas lui qui avait commencé, et qu'il n'avait fait que reprendre et continuer celles d'un autre. Le cardinal, apparemment, n'en savait déjà plus rien. Il est vrai que Boiardo, entre autres mauvaises fortunes, avait eu celle d'écrire dans une langue, dit-on, un peu trop populaire et marquée de dialecte lombard. Si bien que Francesco Berni, la même année 1532 où paraissait l'édition définitive du *Roland furieux,* put donner un *Rifacimento dell'Orlando innamorato* qui en était une réfection linguistique, et pour tout dire une traduction en bon toscan. Je trouve un peu amer le sort de ce texte sacrifié, qui ne survit, si l'on peut dire, qu'à coup de corrections humiliantes — et de continuations ironiques : car telle est, comme chacun sait, l'attitude constante de l'Arioste à l'égard de sa « matière » empruntée.

Encore Boiardo avait-il disposé, avant de se voir ainsi ravalé (dans tous les sens du mot) et supplanté auprès du public cultivé, de quelques décennies de succès populaire. L'autre triomphe de la continuation fut beaucoup plus rapide, et même foudroyant : il s'agit évidemment du *Pantagruel* de Rabelais, qui n'est en sa genèse qu'une suite opportune, et même opportuniste, des anonymes *Grandes et inestimables chroniques du grand et énorme géant Gargantua,* parues à Lyon au début de 1532. De toute évidence, le propos de Rabelais est d'exploiter le succès d'un autre en battant le fer à chaud. Aussi broche-t-il en quelques mois une continuation dont le principe, vieux comme le récit, est le *passage à la génération suivante :* Pantagruel, fils de Gargantua.

Mais la relation de l'œuvre de Rabelais à sa source populaire est plus complexe que celle de l'Arioste à Boiardo : déjà le passage de Gargantua à Pantagruel lui avait permis — geste thématiquement décisif — d'arracher le motif gigantique au milieu légendaire que lui avait donné son prédécesseur (peut-être inspiré de quelques modèles folkloriques) : celui du roman breton, où Gargantua, miraculeux petit-fils (via Grandgousier et Galamelle) de l'enchanteur Merlin, guerroyait pendant plus de deux siècles au service du roi Arthur avant de trouver son Élysée chez les fées Morgane et Mélusine. Les exploits de Pantagruel auront, on le sait, un tout autre théâtre, plus proche dans le temps comme dans l'espace, et par là même une tout autre résonance. Toute comparaison de génie mise à part, *Pantagruel* est déjà, sur ce plan, une continuation corrective. Mais la suite de son travail montre que Rabelais ne se satisfait pas d'avoir donné au géant pseudo-arthurien une descendance plus actuelle : avant d'en suivre le cours, il lui faut d'abord le remonter pour effacer définitivement son « modèle » en le récrivant à neuf : d'où le *Gargantua* de 1534, qui est une correction meurtrière des *Grandes chroniques,* et par quoi Rabelais donne à Pantagruel un père digne de lui — et de leur auteur. Après quoi pourront venir, avec le *Tiers* et le *Quart Livre,* et peut-être le cinquième, deux ou trois livres qui ne seront plus en rien la continuation allographe des *Grandes chroniques,* mais bien la suite (et fin ?) autographe de *Pantagruel.*

Des *Grandes chroniques*, il ne sera plus jamais question que chez les érudits spécialistes. Le *Gargantua-Pantagruel* n'est pas seulement une histoire de géants, c'est aussi une œuvre-ogre, et parricide, bref patrophage, comme la horde primitive de *Totem et Tabou* ; mais — ainsi qu'il convient à l'ingratitude de l'artiste — sans vergogne, et sans remords post-prandial.

L'existence de ces continuations infidèles, voire meurtrières, pose quelques questions théoriques qu'il ne faut peut-être pas éluder trop longtemps. Observons d'abord qu'il existe une gradation insensible entre la fidélité, disons (au bénéfice du doute) de Baro, et l'infidélité de Jean de Meung ou de l'Arioste ; ensuite, que les fidélités thématique et stylistique sont généralement indépendantes l'une de l'autre : l'Arioste, qui écrit non seulement dans un autre style, mais dans un autre dialecte que Boiardo, ne prétend nullement s'écarter de l'esprit de son œuvre ; inversement Jean de Meung ou le premier continuateur de *Perceval* respectent, autant que le permet l'évolution rapide de la langue, la manière stylistique de leur hypotexte.

Or la continuation thématiquement infidèle déborde de la catégorie de l'imitation sérieuse sur celle de la transposition, et même d'une variante très forte, et parfois très agressive, de la transposition, qui est la correction thématique, voire la réfutation. Je ne puis trop anticiper ici sur l'étude de cette pratique, mais il doit aller de soi que l'on peut aussi bien renverser la signification d'un texte en lui donnant une suite qui la réfute qu'en modifiant son cadre, son allure ou son action. J'en trouve une illustration assez probante dans une continuation du *Misanthrope* inspirée par le commentaire très polémique de Rousseau dans la *Lettre sur les spectacles,* dont la thèse est, je le rappelle, que Molière est du côté de Philinte, qui n'est pourtant qu'un égoïste et un hypocrite. Il s'agit de la comédie de Fabre d'Églantine, *Philinte de Molière ou la Suite du Misanthrope* (1790). Stylistiquement, c'est une continuation classique, c'est-à-dire fidèle. Thématiquement, c'est la réfutation d'un *Misanthrope* supposé partisan de Philinte : Alceste se dévoue généreusement, sous les sarcasmes de Philinte, pour un inconnu qui se révèle être... Philinte lui-même : triomphe et sermon final d'Alceste[1].

---

1. C'est en revanche, malgré le titre, une continuation confirmatrice que donne du même *Misanthrope* la *Conversion d'Alceste* de Courteline (1905), qui est encore, stylistiquement, une imitation fidèle : Alceste converti à l'indulgence et à l'hypocrisie mondaines n'en tire que des déboires. Célimène (il fallait y penser) le trompe avec Philinte ; écœuré, il se retire définitivement du monde.

Rousseau lui-même a trouvé, pour *la Nouvelle Héloïse*, son continuateur iconoclaste en la personne de Jules Lemaitre, qui imagine[1] un autre dénouement : « il suffit, dit-il lui-même, de supposer que Julie ne meurt point et que le roman continue » ; c'est donc une continuation greffée sur ce que j'appellerai plus loin une transformation pragmatique (changement dans le cours des événements) qu'elle n'énonce pas, mais qu'elle présuppose. Julie rescapée, Saint-Preux revient néanmoins à Clarens pour élever ses enfants. Il courtise et séduit Mme d'Orbe, qu'il refuse pourtant d'épouser par fidélité à Julie ; puis il séduit derechef Julie elle-même ; puis la servante Fanchon Anet ; il s'apprête à séduire la très jeune cousine de celle-ci, etc., toutes frasques rapportées dans le style enthousiaste et vertueux de l'hypotexte, ici très habilement pastiché, mais ironiquement démystifié comme paravent hypocrite de conduites moins édifiantes. Cette « disconvenance » entre les actes et le discours produit quelques effets savoureux. Ainsi lorsque Saint-Preux écrit à Julie, à propos de son mari : « Je respecte Wolmar : mais que les embrassements d'un athée doivent être froids ! », quand Mme d'Orbe pardonne à Saint-Preux en ces termes : « Julie est tellement plus intelligente, plus instruite et plus vertueuse que moi ! », ou quand Saint-Preux décrit comme suit, pour Julie, ses escapades avec Fanchon : « Fanchon, c'est la tasse de lait que boit en passant le voyageur altéré. Ce n'est point un crime d'y tremper ses lèvres. Et il me semble que, moi aussi, je fais du bien à Fanchon : insensiblement, dans nos brefs entretiens, je forme à la vertu cette âme primitive et sincère, et je lui enseigne la religion du cœur. » Pour aimer la vertu je n'en suis pas moins homme, sans doute, et bien au contraire. Ce Saint-Preux devenu Tartuffe fait une continuation fort insolente, et somme toute vengeresse.

Moins insolente, mais au fond bien plus contestataire, la nouvelle de D. H. Lawrence, *L'Homme qui était mort* (1930), puisque l'homme en question n'est autre que Jésus ressuscité qui s'en va par le monde et découvre l'amour physique — et à travers lui tout l'évangile propre de Lawrence. Ce très beau conte est donc bien à la fois une continuation et une réfutation de l'évangile chrétien — à moins qu'il ne faille, comme j'y suis enclin, prendre dans le sens lawrencien le précepte « aimez-vous les uns les autres[2] ».

1. « Le tempérament de Saint-Preux », in *la Vieillesse d'Hélène* (1914).
2. Trad. fr., Gallimard, 1934. Plus purement continuatif, le *Barrabas* de Pär Lagerkvist (1950) raconte la vie et la mort du larron amnistié, mais hanté par son destin trop heureux, et qui finira lui aussi sur la croix : sa grâce n'était donc qu'un sursis.

Pratiques mixtes, donc, ou ambiguës, dont nous rencontrerons d'autres cas. Ce sont inévitablement les plus intéressantes et les plus réussies, car il va de soi qu'un artiste un peu doué, quelle que soit sa piété envers un grand aîné, ne peut se satisfaire d'une tâche aussi subalterne que la simple continuation. On dit que Schönberg refusa de terminer *Lulu* à cause d'une réplique antisémite : prétexte honorable. Mais un vrai créateur ne peut toucher à l'œuvre d'un autre sans y imprimer sa marque. La continuation devient ainsi, dans les meilleurs cas, prétexte à récriture oblique.

Ce que j'ai appelé continuation meurtrière ou parricide pose un autre problème, qui n'est pas de simple taxinomie (« où mettez-vous les continuations infidèles ? »), mais de méthode et de principe : « fidèle » ou non, une continuation du type *Pantagruel* ou *Roland furieux* a pour effet, nous l'avons vu, de faire oublier, injustement ou non et à l'exception des spécialistes, son hypotexte. Mais qu'est-ce qu'un hypertexte dont l'hypotexte est oublié, et que tout un chacun lit comme un texte autonome ? Il est clair que, dans ce cas, le statut d'hypertexte s'évanouit dès lors que le lecteur n'a plus à l'esprit, en lisant Rabelais ou l'Arioste, les *Grandes chroniques* ou le *Roland amoureux*. Voilà donc deux œuvres à statut variable, selon les époques ou les publics : reçues au départ comme des continuations, elles cessent très vite de l'être pour la majorité des lecteurs, et leur hypertextualité n'est plus aujourd'hui qu'un effet de culture, voire d'érudition. Mais comme je persiste à penser que l'hypertextualité ajoute une dimension à un texte, il me semble qu'ici — pour une fois — l'érudition peut enrichir la lecture. Il est vrai que bientôt peut-être Rabelais lui-même (pour l'Arioste, au moins en France, c'est déjà fait) ne sera plus qu'une lecture d'érudits.

XXXVI

Le Chevalier inexistant[1] dérive évidemment de l'Arioste, et donc de Boiardo, et donc de beaucoup d'autres. Sa Bradamante est bien la belle guerrière du *Roland furieux,* mais sans Roger, et vouée à l'amour naïf de Rimbaud de Roussillon. Le cadre est le camp de Charlemagne, avec ses illustres paladins, mais le héros, si l'on peut

1. 1959, trad. fr. par M. Javion, Seuil, 1962.

dire, est de pure invention. Le statut approximatif de continuation paraleptique (récit *en marge* de l'Arioste, aurait dit Lemaitre) n'entraîne aucun essai d'imitation stylistique, et le climat d'ensemble serait plutôt celui d'un travestissement moderne — travestissement non d'une œuvre singulière, mais du roman chevaleresque en général. D'une fantaisie souvent cocasse et proche de Giraudoux : la bataille se reconnaît à la toux que provoque la poussière, et la plaine « retentit du fracas des gorges et des lances » ; les échanges rituels d'insultes entre Chrétiens et Sarrasins se font par le truchement d'interprètes professionnels, aptes à traduire *fils de pute* dans deux ou trois langues et réciproquement, et autorisés à glaner, le soir venu, les débris cabossés dont ils font brocante ; Rimbaud voudrait venger son père sur l'émir Izoard, mais la Surintendance des Duels, Vengeances et Atteintes à l'Honneur le déboute pour vice de forme (le règlement et la paperasse sévissent fort au camp) ; l'émir, privé de ses besicles, n'en mourra pas moins ; Bradamante s'isole pour un pipi d'amazone et Rimbaud, qui la surprend, tombe aussitôt amoureux de ses lunes harmonieuses, de son duvet tendre et de son humeur limpide. Mais parfois plus agressive et « démystificatrice » : la confrérie des Chevaliers du Graal est une immonde compagnie de reîtres acharnés à piller et massacrer les villageois auxquels elle impose sa protection. Le héros lui-même, cet oxymore occit-mores, est plutôt une sorte d'hyperbole métaphysique, j'allais dire incarnée, mais justement : ce qu'il pousse à la limite, c'est le doute qui nous saisit tous devant des armures resplendissantes (la sienne, comme il se doit, est blanche) et retentissantes : et s'il n'y avait rien là-derrière, c'est-à-dire personne là-dedans ? Agilulfe Edme Bertrandinet des Guildivernes et autres de Carpentras et Syra, chevalier de Sélimpie Citérieure et de Fez (c'est son nom) n'est précisément qu'une armure vide mue par l'extrême contention de volonté et de conscience professionnelle d'un chevalier qui n'y est pas, mais qui serait encore moins ailleurs et qui, faute d'existence, se cramponne à son matricule et s'arc-boute au rituel, qu'il sait par cœur et se récite pendant ses nuits d'insomnie, car comment dormir si l'on n'existe pas ? Son état civil et sa fonction hiérarchique contestés, il n'aura plus qu'à s'évanouir loin (?) de sa ferblanterie dispersée : comme quoi la discipline et le règlement ne font pas seulement la force principale des armées, mais l'être même du soldat. A l'inverse, son écuyer d'occasion Gourdoulou, alias Omébé, alias Goudi-Yousouf, etc., parfait pékin, *uomo qualunque* qui n'a ni statut ni patronyme fixe, se perd constamment en toutes choses, répond pour Charlemagne quand Charlemagne lui parle, et ne sait s'il doit manger sa soupe ou s'il faut que sa soupe le mange.

Bradamante, donc, croyait aimer Agilulfe, et se donne par méprise à Rimbaud, héritier de la cuirasse blanche vacante. La supercherie découverte, elle disparaît folle de rage ; mais non pour toujours. La ruse la plus subtile de ce récit tissé de ruses est d'ordre, si l'on veut, technique ; mais la technique est ici comme la fable d'une moralité qui nous échappe : le narrateur, transparent et omniscient — jusqu'à savoir ce que pense une armure vide — se révèle à mi-parcours être une narratrice, vaguement contemporaine des faits : la sœur Théodora, attablée à sa tâche conventine. Puis l'humble nonne s'assure progressivement, se prend à son récit, s'enhardit aux commentaires. Pour finir, il se révèle... Mais si par grâce ou disgrâce quelque lecteur de cette plate paraphrase se trouvait n'avoir pas encore lu Calvino, je ne veux pas risquer de lui en voler la surprise. Je dirai seulement, en code, qu'on passe un peu brusquement, par une hardie métalepse, de l'hétérodiégétique à l'autodiégétique, et que deux instances se rejoignent pour la plus grande joie d'une troisième et du lecteur bien né. Lequel, pourtant, n'est ici — non pas *ici*, bien sûr, mais là-bas — que par indiscrétion : car le destinataire du récit (le narrataire, disent les pédants) n'est autre que le récit lui-même : « Livre, voici venue la fin... Eh bien oui, livre. Sœur Théodora, qui contait cette histoire, etc. » A ma connaissance, mais je n'ai pas encore lu tous les livres, c'est la première fois que l'un d'eux, invité à se lire soi-même, joue le rôle de son propre public. C'est parfois plus sûr, et cela aussi, sans doute, a quelque chose à voir avec l'hypertextualité.

XXXVII

En général, les continuations infidèles se gardent bien d'afficher une trahison qui n'est peut-être pas toujours consciente et volon-taire, et leur titre (*Roland furieux*) ou à plus forte raison leur absence de titre (second *Roman de la Rose*) proclame une fonction plus modeste et respectueuse : celle d'un simple *complément*.

En vertu d'une ambiguïté bien connue, le terme de *supplément* porte une signification plus ambitieuse : le post-scriptum est ici tout disposé à suppléer, c'est-à-dire à remplacer, et donc à effacer ce qu'il complète. Je ne sais si Diderot avait tout à fait en vue cette connotation lorsqu'il choisit d'intituler *Supplément au voyage de Bougainville* la version étendue et dramatisée d'un compte rendu écrit en 1771 pour la *Correspondance littéraire* de Grimm du *Voyage de Bougainville* [1]. Mais enfin *supplément* évoque bien l'idée d'une addition facultative, ou pour le moins excentrique et marginale, où l'on apporte à l'œuvre d'un autre un surplus qui relève plutôt du commentaire ou de l'interprétation libre, voire ouvertement abusive. Selon un cliché qu'il faut ici prendre à la lettre, l'hypotexte n'est plus ici qu'un prétexte : le point de départ d'une extrapolation déguisée en interpolation.

Diderot met d'abord en scène deux interlocuteurs, dont l'un (B) présente à l'autre (A) ce « supplément » comme un texte tout à fait authentique, contenant entre autres le discours d'adieux d'un vieillard tahitien et l'entretien entre Orou et l'aumônier. Le véhément vieillard était effectivement mentionné par Bougainville, qui décrivait son « air rêveur et soucieux », lequel « semblait annoncer qu'il craignait que ces jours heureux, écoulés pour lui dans le sein du repos, ne fussent troublés par l'arrivée d'une nouvelle race » ; Diderot se contente donc de donner la parole à ce muet reproche au moment du départ des Français. L'aumônier était aussi nommé par Bougainville, et Diderot lui prête une aventure qui s'insère avec quelque vraisemblance dans le tableau des mœurs tahitiennes. Ces deux morceaux, et quelques autres qui ne sont que mentionnés, forment donc le prétendu « supplément » interpolé dans le *Voyage autour du monde* publié par Bougainville en 1771. Mais l'œuvre de Diderot comprend aussi le dialogue entre A et B qui encadre ces interpolations fictives, dialogue qui, bien évidemment, ne peut prétendre au même statut, et dont Diderot ne renie nullement la paternité. L'attribution à Bougainville est donc de pure convention et ne revendique aucune créance. La relation de voyage du célèbre navigateur n'est pour Diderot que l'occasion d'un commentaire dialogué, et le cadre opportun à la mise en scène d'une tirade fort éloquente *(Adieux du vieillard)* contre les débuts d'une colonisation condamnée comme spoliation forcée, et surtout comme pollution physique et morale d'un état de nature tout sain et tout innocent : « L'idée de crime et le péril de la maladie sont entrés avec toi parmi nous. Nos jouissances, autrefois si douces, sont accompagnées de remords et d'effroi. Cet homme noir qui est près de toi, qui m'écoute, a parlé à nos garçons ; je ne sais ce qu'il a dit à nos filles ; mais nos garçons hésitent ; mais nos filles rougissent... » ; puis d'une confrontation réjouissante et dévastatrice entre cet

---

1. *Œuvres philosophiques*, éd. Vernière, Garnier, p. 445-516.

idyllique état de nature et un état de civilisation en fort piteuse posture, puisque incarné en un malheureux religieux (c'est l' « homme noir » lui-même) qui n'a pas su résister (« Mais ma religion ! Mais mon état ! ») aux instances d'une jeune et jolie Tahitienne, fille de son hôte : c'est l'*Entretien de l'aumônier et d'Orou*, qui porte, comme le dit bien le sous-titre général de l'œuvre, « sur l'inconvénient d'attacher des idées morales à certaines actions physiques qui n'en comportent pas », et tourne, inévitablement, à la confusion de l'aumônier et de la morale qu'il tente maladroitement de défendre, et qu'il ne saura pas mieux appliquer les nuits suivantes (« Mais ma religion ! Mais mon état ! ») avec les autres filles, et la propre épouse du généreux Orou. La leçon de cet épisode est ainsi tirée par l'un des interlocuteurs du dialogue-cadre : « Voulez-vous savoir l'histoire abrégée de presque toute notre misère ? La voici : il existait un homme naturel ; on a introduit au-dedans de cet homme un homme artificiel ; et il s'est élevé dans la caverne une guerre continuelle qui dure toute la vie. »

Comme chacun le sait, ce *Supplément*, à son tour et à quelque distance, en a inspiré un autre, qui en est une version dramatique amplifiée et modernisée, mais dont le titre porte un contrat ambigu : c'est le *Supplément au voyage de Cook*, écrit par Giraudoux en 1935. L'œuvre fictivement supplémentée est donc cette fois le *Voyage autour du monde* du capitaine Cook (1777), qui fournit quelques personnages, mais l'œuvre réellement transposée est bien le *Supplément* de Diderot, dont l'Orou devient Outourou, et l'aumônier anonyme et défaillant le digne marguillier-naturaliste Banks (effectivement présent chez Cook), ici flanqué, innovation féconde, de sa non moins digne et fort soupçonneuse épouse.

Le déplacement thématique est, comme il se doit, presque imperceptible. Le motif de la morale sexuelle est d'abord élargi en la trinité occidentale : travail, propriété, « moralité ». Le premier terme est exploité d'une manière qui rappelle certaines pages (que nous retrouverons) de *Suzanne et le Pacifique :* le travail n'est pas seulement inconnu à Tahiti, il y serait néfaste. « Dès que nous bêchons ici, ou labourons le sol, il devient stérile... Nous avons eu autrefois, dans l'île, un travailleur. Il allait chercher ses coquillages au large, alors que la côte en est tapissée. Il creusait des puits, alors que tout ruisselle ici de sources. Il détournait les cochons de notre herbe pour les engraisser avec une bouillie spéciale, et les faisait éclater. Tout dépérissait autour de lui. Nous avons été obligés de le tuer. Il n'y a pas de place ici pour le travail. » A quoi Mr Banks, en bon héritier de Crusoé, rétorque que « la grandeur de l'homme est justement qu'il peut trouver à peiner là où une fourmi se repose-

227

rait » ; et de faire distribuer des bêches à de jeunes Tahitiens qu'épuise le seul énoncé du mot *travail.* L'enseignement de la propriété aura plus de chance, car Mr Banks a eu l'imprudence de révéler qu'il existe un moyen (blâmable) de se procurer le bien d'autrui, et Outourou ravi, et peu frappé par la clause condamnatoire, s'empresse d'aller répandre la nouvelle. La « moralité » (sexuelle) elle aussi a ses dangereux détours : Mr Banks en voit le fondement dans le fait qu'un homme ne doit approcher une femme que pour avoir un enfant, ce qui le désigne infailliblement lui-même pour le service de la jeune Tahiriri, jusqu'alors stérile, avec qui son épouse le surprendra en apparence de coupable position ; d'où scène conjugale et renversement de situation, Mrs Bank en butte aux avances du jeune Vaïturou, avec qui son époux la surprendra, etc. Le rideau tombe au moment où les leçons de morale du marguillier, reçues à contresens par le chef tahitien, vont mettre tout l'équipage anglais à la merci de leurs hôtes et de leurs hôtesses. Au lieu de simplement subir, comme chez Diderot, une réfutation polémique, la morale occidentale est aussi, plus subtilement, prise à son propre piège et subvertie par une interprétation enthousiaste et fautive. Première apparition (pour nous) du procédé cher à l'hypertexte giralducien, qui consiste à retrouver l'aboutissement du texte modèle au terme d'un détour dont on attendrait logiquement (naïvement) une issue contraire. En termes sadiens, c'est ici pour avoir trop bien su « expliquer ce qu'est la nature pervertie » que le missionnaire occasionnel se retrouve « perverti par la nature ».

Deux œuvres suffisent-elles à constituer un genre ? Il est assez connu des spécialistes que le genre *chantefable* se réduit à l'individu *Aucassin et Nicolette,* et ne s'en porte pas plus mal. Mais on pourrait sans trop d'inconvénients rapporter à la catégorie du supplément quelques autres hypertextes[1] dont le statut hésite de même entre celui, complémentaire, de la continuation et celui, substitutif, de la transformation : complémentaires par la forme puisqu'ils se présentent comme de simples interpolations, substitutifs par le contenu

---

1. Dont, par exemple, le « drame philosophique » de Renan, *Caliban* (1878 — et sa propre suite *l'Eau de jouvence,* 1880), où l'action de *la Tempête* se prolonge en une fable politique fort claire dans son scepticisme optimiste : Caliban de nouveau révolté renverse Prospero, prend le pouvoir au nom des masses populaires... et ne tarde pas à gouverner à peu près comme gouvernait son prédécesseur, qu'il prend sous sa protection. Réconciliation des masses et de l'esprit, c'est évidemment le vœu de Renan en ces débuts de IIIe République. Se demander quel sens aurait eu un tel vœu pour Shakespeare est sans doute une question elle-même vide de sens.

parce qu'à la faveur de cette interpolation ils opèrent sur leur hypotexte une véritable transmutation de sens et de valeur. *La guerre de Troie n'aura pas lieu,* par exemple, ou le *Faust* de Valéry, pourraient d'une certaine manière ressortir à ce genre complexe. Mais l'importance de leur hypotexte, entre autres, y majore la part de la transposition, et nous oblige à attendre, pour les considérer, d'avoir fait plus ample connaissance avec les pratiques transpositives.

XXXVIII

La *suite,* nous l'avons vu, diffère de la continuation en ce qu'elle ne continue pas une œuvre pour la mener à son terme, mais au contraire pour la relancer au-delà de ce qui était initialement considéré comme son terme. Le mobile en est généralement le désir d'exploiter un premier, voire un second succès (*le Vicomte de Bragelonne* prolonge *Vingt ans après* comme *Vingt ans après* prolongeait *les Trois Mousquetaires*), et il est tout naturel qu'un auteur veuille profiter lui-même d'une telle aubaine : le cas de Defoe pour la deuxième partie de *Robinson Crusoé* est ici tout à fait exemplaire, et d'une parfaite clarté. Pour Cervantes, qui annonçait dès les dernières lignes de la première partie du *Quichotte* une relation à venir de la « troisième sortie » de son héros, la situation est plus complexe : on peut considérer que la seconde partie donne à l'aventure un achèvement nécessaire et qu'elle n'est donc à proprement parler ni une continuation (puisque autographe) ni une suite (puisqu'elle termine un récit explicitement interrompu et suspendu). Ou bien, ce serait un cas de ce que j'envisageais à propos de Marivaux sous le terme de continuation autographe. Mais il faut ajouter que Cervantes, qui ne se pressait pas de tenir la promesse faite en 1605 et s'était apparemment plus volontiers consacré à la rédaction des *Nouvelles exemplaires,* se trouva poussé à conclure par la sortie inopinée, en 1614, d'une continuation tout à fait allographe et fort abusive, puisque écrite du vivant de l'auteur et en concurrence ouverte avec lui : le *Segundo Tomo* signé de l'inidentifiable Alonso Fernandez de Avellaneda. D'où publication en 1615 de l'authentique seconde partie. Mais si l'on ajoute que Cervantes devait mourir en avril 1616, on doit peut-être conclure que nous devons l'auto-continuation cervantine à la contrefaçon avellane-dine. Laquelle est bien, comme souvent les continuations ordinaires, plus imitative que continuatrice : le pasticheur intimidé (quoique impudent) croit devoir constamment tremper sa plume dans l'encrier de sa victime (il ne saurait sans doute la tremper ailleurs), et répéter *ad nauseam* sa manière et ses procédés. Don Quichotte d'abord guéri, puis rassotté par Sancho, allonge indéfiniment ici la liste de ses folies et de ses mésaventures. Cervantes au contraire, et Cervantes seul, pouvait donner à sa seconde partie la liberté transcendante que l'on sait. Toutes choses égales d'ailleurs, le *Segundo Tomo* est au premier *Quichotte* ce que la *Suite d'Homère* est à l'*Iliade* : une prolongation ressassante, et l'authentique seconde partie lui est au contraire comme une *Odyssée,* avec ce privilège du génie qu'est une continuation imprévisible.

Mais je digresse, ayant rencontré cet hapax d'une continuation autographe [1]. J'allais parler du contraire : malgré l'avis de d'Alembert, rien n'oblige à ce qu'une suite soit nécessairement autographe. Le second *Lazarillo,* le second *Guzman* de Sayavedra, le *Segundo Tomo* d'Avellaneda sont bien autant des suites que des continuations, par leur mobile commercial comme par leur contenu répétitif. Et de nos jours, on a vu des héritiers avisés donner d'interminables suites à des aventures déjà mille fois terminées.

Au dénouement près, qu'on diffère indéfiniment pour ne pas tuer la poule aux œufs d'or, la suite allographe se ramène à une continuation. La suite autographe, à prendre les choses de façon stricte, échappe à notre enquête puisqu'elle ne procède pas par imitation. Ou plus exactement, pas davantage que la seconde partie d'un roman comme le *Rouge et le Noir* ne procède d'une imitation de la première, le deuxième chapitre d'une imitation du premier, la deuxième phrase d'une imitation de la première, etc. (etc. ?). Un auteur qui se prolonge s'imite sans doute d'une certaine façon, à moins qu'il ne se transcende, ne se trahisse ou ne s'effondre, mais tout cela n'a plus grand-chose à voir avec l'hypertextualité.

Reste que la suite, et les innombrables formes d'intégration narrative qui s'y rattachent (cycles locaux du type Walter Scott ou Fenimore Cooper, d'où dérive, avec un plus grand souci de totalisation, *la Comédie humaine* ou, plus concertés, *les Rougon-*

---

1. La seconde partie de *Guzman d'Alfarache* présente en fait un cas assez analogue : la première, effectivement intitulée *Première partie de Guzman d'Alfarache,* avait paru en 1559. En 1602 paraît une insipide « seconde partie » signée Sayavedra (pseudonyme de Juan Jose Marti). Piqué au jeu, Mateo Aleman publie en 1603 sa propre suite, où le prétendu Sayavedra apparaît sous les traits d'un voleur.

Macquart et les diverses sagas qui, de Galsworthy à Mazo de la Roche, en procèdent, puis, plus rigoureusement consécutifs, les « romans fleuves » du type *Thibault, Hommes de bonne volonté* ou *Pasquier)*, soulèvent des questions que l'on ne peut guère enfermer dans la fameuse « immanence » du texte. Il y a là, fussent-ils signés du même nom [1], *plusieurs textes* qui, de quelque manière, renvoient les uns aux autres. Cette « autotextualité », ou « intratextualité », est une forme spécifique de transtextualité, qu'il faudrait peut-être considérer pour elle-même — mais rien ne presse.

Si la continuation est en principe un achèvement allographe et la suite une prolongation autographe, l'*épilogue* a pour fonction canonique d'exposer brièvement une situation (stable) postérieure au dénouement proprement dit, d'où elle résulte : par exemple, les deux héros réunis, après quelques années, contemplent, attendris et apaisés, leur nombreuse progéniture. « Cela, dit à peu près Hegel, est bien prosaïque et n'a plus rien de romanesque. » Mais ce jugement implique une définition forte du romanesque, propre à l'âge romantique. Dans un régime plus classique, à la fois sentimental et volontiers moralisant, l'épilogue heureux et assagi peut être un des lieux privilégiés de la gratification du lecteur : voyez, par exemple, celui de *Tom Jones* [2] ou de *Guerre et Paix*.

Bien entendu, ces épilogues autographes ne relèvent pas précisément de l'hypertextualité ; mais un épilogue allographe, s'il en existe, est une variante de la continuation. À sa manière, *la Fin de Robinson Crusoé*, de Michel Tournier [3], illustre assez bien cette notion. C'est un épilogue allographe à l'aventure insulaire de Robinson. Ce bref récit commence à peu près là où se termine la première partie de Defoe : Robinson revient en Angleterre au bout de vingt-deux ans et se marie. Après avoir commis divers forfaits dans le voisinage, Vendredi disparaît, sans doute retourné, suppose Robinson, dans leur île. La femme de Robinson meurt. Crusoé part pour la mer des Caraïbes, d'où il revient après plusieurs années — sans avoir retrouvé son île, dont il connaissait pourtant fort bien l'emplacement géographique. À qui veut l'entendre, il se plaint et

---

1. Ou pseudonyme, bien sûr. Mais Walter Scott a longtemps préféré un type de signature plus retors, *L'auteur de Waverley*, qui importe à notre propos, puisqu'il contribuait, volontairement ou non, à sceller l'unité des *Waverley Novels*.
2. Fort bref (XVIII, 13), mais on publie en 1750 *The History of Tom Jones the Foundling in His Married State*, qui en est l'amplification. Suite allographe, donc, mais plus moralisante que romanesque.
3. Nouvelle recueillie dans *le Coq de bruyère*, Gallimard, 1978.

s'étonne de cette stupéfiante disparition. Un vieux timonier lui donne enfin la clé du mystère : son île n'a nullement disparu, et il a bien dû passer vingt fois devant sans la reconnaître ; elle a tout simplement changé, comme lui, qu'elle n'a sans doute pas reconnu non plus. Le regard de Robinson se fait soudain triste et hagard. Cet anti-épilogue enseigne l'impossibilité de tout épilogue, autographe ou allographe : on ne visite jamais deux fois la même île (la même femme, bien sûr) ; ce n'est plus elle, on n'est plus soi.

« En septembre 1816, Charlotte Kestner, née Buff, matrone assez mûre, un peu grasse, affligée d'un branlement de tête point trop disgracieux, s'arrête à l'hôtel de l'Éléphant, à Weimar. L'aubergiste l'identifie dès la fiche de police remplie : en cette vieille dame aux yeux bleus — et non pas noirs (mais comme tout le monde à Weimar il sait ce qu'est une licence poétique), il a devant lui, à quarante-quatre ans de distance, la Lotte de *Werther*[1]. »

En principe, *Lotte à Weimar* n'est pas une continuation des *Souffrances du jeune Werther,* mais bien l'épilogue fictif d'une autre aventure, réelle, plus banale et moins romanesque : l'idylle avortée de Wetzlar entre le jeune Goethe et Charlotte Buff. Il s'agirait donc, comme dans *le Voyage de Shakespeare, Pour saluer Melville,* ou *la Mort de Virgile,* d'une fiction biographique, d'un roman greffé sur la vie d'un personnage historique, qui se trouve être en l'occurrence un écrivain.

En fait, la situation est plus complexe, car entre l'idylle de Wetzlar et la visite à Weimar s'interpose le texte de *Werther,* sans lequel le voyage de Mme Kestner n'aurait pas le même sens, ni le même retentissement. Pour chacun à Weimar — sauf pour Goethe lui-même, qui a voulu depuis longtemps oublier non seulement l'épisode, mais encore et davantage l'œuvre « pathologique » qu'il lui a inspirée — la visiteuse aux yeux bleus est bien « la Lotte de *Werther* », et aucun des deux principaux intéressés n'y peut rien changer. Aussi la relation s'établit-elle inévitablement, dans l'esprit des témoins, non pas entre la Charlotte de 1816 et celle de 1772, qu'ils n'ont point connue, mais entre la visiteuse et sa lointaine réplique romanesque, la Charlotte aux yeux noirs. Il en va de même pour le lecteur, et symétriquement la comparaison va du majestueux conseiller d'État au pâle héros mélancolique en habit bleu et gilet jaune. Inévitablement aussi, nous éprouvons le contraste entre le

---

1. Prière d'insérer de la trad. fr., par L. Servicen, Gallimard, 1945, de *Lotte à Weimar* (1939).

suicide désespéré du second et la vieillesse sereine et prospère du premier. « J'ai survécu à mon Werther », écrivait Goethe (le vrai) en 1805 : c'est bien cette survie qui est ici en cause, et, sans que toujours on le veuille, en sourde accusation ; on ne survit pas impunément à un suicide simulé ou fictif, et cette situation, nécessairement, frappe d'ironie toute manifestation d'existence du glorieux génie, et rétablit au profit de Mme Kestner l'équilibre un moment compromis par sa maladroite démarche. Devant Charlotte, Goethe est plus ridicule de se bien porter que Charlotte d'être venue à Weimar sous un prétexte, et même de se produire dans une toilette blanche à laquelle manque un célèbre ruban rose. Cette relation psychologique peut se traduire en termes textuels : Mme Kestner est pour nous aussi « la Lotte de *Werther* », M. le Conseiller ne peut en aucun cas être Werther. Il y a entre eux, non plus, comme autrefois, un fiancé, mais un héros de roman, c'est-à-dire le roman lui-même, auquel, paradoxalement ou non, elle est restée plus fidèle que lui. Un texte, une fiction les sépare, et c'est le statut équivoque de cette séparation — de cette distance — qui fait de *Lotte à Weimar* un ironique épilogue à *Werther ;* un épilogue qui vaut peut-être pour un supplément : quelque chose comme *les Prospérités du vieux Werther.*

XXXIX

J'ai déjà mentionné, me semble-t-il, la part (évidente) d'hypertex-tualité mimétique qui entre dans la constitution des traditions génériques : comme phénomène d'époque, qu'il est toujours entre autres, un genre ne répond pas seulement à une situation et à un « horizon d'attente » historiquement situés ; il procède également (pour réconcilier ici Durkheim et Tarde) par contagion, imitation, désir d'exploiter ou détourner un courant de succès et, selon la locution vulgaire, de « prendre le train en marche ». L'histoire (fort brève : guère plus d'un demi-siècle) du roman picaresque espagnol est aussi bien celle de diverses imitations d'un modèle initial surgi comme un aérolithe, *Lazarillo de Tormes ;* la diffusion de ce type en Europe, de *Moll Flanders* à *Gil Blas,* relève encore largement de cette activité mimétique. Mais la chose est encore plus manifeste lorsque à quelques siècles de distance un auteur s'avise de ressusciter un genre depuis longtemps endormi ou déserté : c'est par exemple ce qui, au XVIᵉ siècle, survient au roman de chevalerie avec les *Amadis* ou le *Roland amoureux.* Ce dernier cas est toutefois plus complexe, car, en mêlant les deux héritages de l'épopée carolingienne et du roman arthurien, c'est, je l'ai dit, à une véritable *contamination générique* que se livre Boiardo. Et la contamination, qui est une imitation double (ou multiple) est évidemment aussi, nous l'avons vu, une technique de transformation : aussi bien est-ce comme un nouveau genre que produit Boiardo (ou tel de ses prédécesseurs aujourd'hui oublié) en introduisant à la cour de Charlemagne les mœurs et les passsions du romanesque breton, ou courtois.

Le propos de réactivation générique est aussi sensible dans le *Persiles* de Cervantes (1617), qui reprend après plus de dix siècles les motifs et les procédés (amours contrariées, séparations, enlèvements, naufrages, captivités, etc.) du roman grec selon Héliodore et Achille Tatius ; ou encore, en pleine ère victorienne, chez Thackeray, dont le *Barry Lyndon* (1844) s'inspire largement du modèle picaresque [1].

C'est encore le même modèle (évidemment l'un des plus contagieux, entre autres parce que l'un des plus *typés* de notre tradition littéraire) qui resurgit dans le *Félix Krull* de Thomas Mann (1937), dont le titre complet vaut pour un contrat générique : *les Confessions du chevalier d'industrie Félix Krull* [2] indiquent clairement l'autobiographie d'un intrigant (*Hochstapler*) charmeur et sans scrupule : Félix est un picaro moderne, qui découvre dès son enfance buissonnière le don de simulation qui lui permettra d'échapper à la conscription, puis d'endossser avec son consentement la personnalité d'un jeune aristocrate. À quoi s'ajoute un don des langues, une habileté manuelle de pick-pocket, et des aptitudes érotiques qui l'aident à vivre aux dépens des femmes sensibles, miamant de cœur mi-gigolo, apte à séduire en même temps, à l'occasion, la mère et la fille. Nul ne sait, je crois, où nous aurait conduit ce roman inachevé — sinon que l'une des étapes de ce *rake's progress* devait être la prison ; mais la volonté d'y ressusciter le roman picaresque est évidente, encore que parfois débordée,

---

1. Thackeray a beaucoup pratiqué l'écriture hypertextuelle : *Henry Esmond* (1852), autobiographie fictive, est écrit dans la langue du XVIIIᵉ siècle, et *Rebecca and Rowena, a Romance upon Romance* est, comme l'indique son superbe titre, une continuation d'*Ivanhoe.* Et même *Vanity Fair* recourt largement aux attitudes narratives chères à Fielding.

2. Trad. fr. par L. Servicen, Albin Michel, 1956.

comme toujours chez Thomas Mann, par une thématique plus personnelle, qui envahit ici les dernières pages rédigées.

Le cas du *Sot-Weed Factor* de John Barth[1] est plus complexe : l'écriture est un pastiche d'époque (xviiie siècle), mais le type thématique et narratif n'a rien de picaresque : le récit est à la troisième personne, le sujet est la biographie conjecturale d'un obscur (mais réel) poète colonial du Maryland, qui, malgré ses nombreuses mésaventures, reste toujours honnête, et même naïf, au demeurant puceau jusqu'au mariage final ; et surtout, aux antipodes des enchaînements à la va-comme-je-te-pousse du roman picaresque, l'intrigue est nouée d'une manière aussi serrée que possible — ce qui n'exclut pas, bien au contraire, les péripéties et les coïncidences les plus extravagantes : comme dans *Henry Esmond,* le modèle est donc ici plutôt Fielding, et Barth dit volontiers lui-même qu'il a tenté de produire une intrigue encore plus compliquée que celle de *Tom Jones.* D'autre part, les productions poétiques du héros, de style hudibrastique (le plus souvent authentiques, mais parfois fictives, et donc mimétiques) parsèment le récit ; enfin, le célèbre Journal du capitaine Smith, où des générations d'Américains ont lu l'édifiante histoire de ses amours avec la jeune Indienne Pocahontas, est soumis par diverses voies à une récriture réfutative, et passablement dévastatrice pour ce pieux mythe fondateur. Ce sont donc plusieurs types stylistiques que Barth s'applique (et s'amuse) à pasticher, dans un exercice de haute voltige littéraire qui au demeurant n'épuise nullement la portée de cette immense (et souvent poignante) farce philosophique.

A plusieurs reprises, et particulièrement dans son article « The literature of replenishment : postmodernist fiction[2] », l'auteur s'est expliqué sur ses intentions dans ce roman et dans ses autres œuvres[3], et plus généralement sur ce qu'il nomme, non sans réserves, la fiction postmoderne. La pertinence de ce concept n'est pas ici des plus évidentes, et la frontière que Barth tente de tracer entre les littératures moderne et postmoderne semble bien fragile. De Joyce ou Thomas Mann à Borges, Nabokov, Calvino ou Barth

---

1. 1960 ; le titre, intraduisible dans ses connotations, et emprunté à l'une des œuvres du héros, désigne le planteur de tabac qu'il est censé devenir une fois rentré en possession de ses terres.
2. *The Atlantic Monthly,* janvier 1980 ; trad. fr., *Poétique,* 48, novembre 1981.
3. Je dirai plus loin un mot de sa nouvelle, *Ménélaïade.* Son dernier livre *Letters,* paru en 1980, est (entre autres) un nouveau pastiche de genre, cette fois du roman par lettres (sous-titre : *An Old Time Epistolary Novel...*) : sept épistoliers dont Barth lui-même, et divers héros ou descendants de héros de ses romans précédents. *Letters* fonctionne donc partiellement comme une suite.

lui-même (et bien d'autres romanciers américains comme Barthelme, Coover ou Pynchon), toute une littérature contemporaine, qui ne se réduit pas à la pratique hypertextuelle mais y recourt avec une visible prédilection, se définit volontiers par son refus des normes et des types hérités du XIXᵉ siècle romantico-réaliste, et par un retour aux allures « prémodernes » (ou prépostmodernes ?) des XVIᵉ, XVIIᵉ et XVIIIᵉ siècles [1]. On sait quel cas et quelles délices les Formalistes russes, de leur côté, faisaient déjà d'œuvres comme *Don Quichotte* ou *Tristram Shandy,* que l'on retrouve dans le Panthéon barthien. Dans un mouvement caractéristique du fameux (et fort ambigu) « refus d'hériter », chaque époque se choisit ses précurseurs, de préférence dans une époque plus ancienne que celle où vivait la détestable génération précédente. Les Formalistes auraient pu dire : refus du père (Balzac, Dickens) et élection de tel oncle jusque-là méconnu (James, Melville, Carroll), du grand-père (Fielding, Sterne, Diderot) ou de l'arrière-grand-père (l'Arioste, Cervantes, l'âge baroque). Le tour du père (re)viendra peut-être, quand la génération suivante aura épuisé les joies du baroquisme « postmoderne » et cherchera, qui sait, à se ressourcer, ou à se cautionner, chez ses ancêtres naturalistes, par exemple. Cet âge postpostmoderne sera alors celui d'un « retour » aux charmes, pour nous fort discrets, d'un Zola ou d'un Theodore Dreiser. Cette évolution en saute-mouton est bien connue, et je n'ai aucun motif à m'y attarder ici. Mais, son perpétuel maître-mot étant la boutade de Verdi, *Torniamo all'antico, sarà un progresso,* il s'ensuit bien clairement qu'il reste quelques beaux jours à la réactivation générique, et à l'hypertextualité en général, qui en est l'une des ressources majeures. Ce qui ne signifie pas, comme on l'avance parfois niaisement, que certaines époques n'ont « rien à dire » : l'œuvre de John Barth, entre autres, est une bonne illustration du contraire.

---

1. Un ou deux (ou trois) crans au-dessous, mais à un titre encore plus manifeste, on trouve une autre performance de réactivation dix-huitiémisante dans le *Fanny Hackabouts-Jones* (1979) d'Erica Jong, croisement si l'on veut de *Tom Jones* et de *Fanny Hill.* L'édition française étant ce qu'elle est, c'est ce livre qui est traduit (*Fanny,* Acropole, 1981), et non le *Sot-Weed Factor.*

XL

La transformation sérieuse, ou *transposition,* est sans nul doute la plus importante de toutes les pratiques hypertextuelles, ne serait-ce — nous l'éprouverons chemin faisant — que par l'importance historique et l'accomplissement esthétique de certaines des œuvres qui y ressortissent. Elle l'est aussi par l'amplitude et la variété des procédés qui y concourent. La parodie peut se résumer à une modification ponctuelle, voire minimale, ou réductible à un principe mécanique comme celui du lipogramme ou de la translation lexicale ; le travestissement se définit presque exhaustivement par un type unique de transformation stylistique (la trivialisation) ; le pastiche, la charge, la forgerie ne procèdent que d'inflexions fonctionnelles apportées à une pratique unique (l'imitation), relativement complexe mais presque entièrement prescrite par la nature du modèle ; et, à l'exception possible de la continuation, chacune de ces pratiques ne peut donner lieu qu'à des textes brefs, sous peine d'excéder fâcheusement la capacité d'adhésion de son public. La transposition, au contraire, peut s'investir dans des œuvres de vastes dimensions, comme *Faust* ou *Ulysse,* dont l'amplitude textuelle et l'ambition esthétique et/ou idéologique va jusqu'à masquer ou faire oublier leur caractère hypertextuel, et cette productivité même est liée à la diversité des procédés transformationnels qu'elle met en œuvre.

Cette diversité nous contraint à introduire ici un appareil de catégorisation interne qui eût été tout à fait inutile — et d'ailleurs inconcevable — à propos des autres types d'hypertextes. Cette sous-catégorisation ne fonctionnera cependant pas comme une taxinomie hiérarchique destinée à distinguer au sein de cette classe des sous-classes, genres, espèces et variétés : à quelques exceptions près, toutes les transpositions singulières (toutes les *œuvres* transpositionnelles) relèvent à la fois de plusieurs de ces opérations, et ne se laissent ramener à l'une d'elles qu'à titre de caractéristique dominante, et par complaisance envers les nécessités de l'analyse et commodités de la disposition. Ainsi, le *Vendredi* de Michel Tournier ressortit à la fois (entre autres) à la transformation thématique (retournement idéologique), à la *transvocalisation* (passage de la première à la troisième personne) et à la translation spatiale (passage de l'Atlantique au Pacifique) ; je l'évoquerai seulement, ou essentiellement, à propos de la première, qui est sans doute la plus importante, mais il illustre aussi bien les deux autres, auxquelles on pourrait aussi légitimement le rattacher : toutes les cotes qui suivent seront plus ou moins mal taillées.

Il ne s'agit donc pas ici d'une classification des pratiques transpositionnelles, où chaque individu, comme dans les taxinomies des sciences naturelles, viendrait nécessairement s'inscrire dans un groupe et un seul, mais plutôt d'un inventaire de leurs principaux procédés élémentaires, que chaque œuvre combine à sa guise, et que je tenterai simplement de disposer dans ce qui me semble être un ordre d'importance croissante, ordre qui ne relève guère que de mon appréciation personnelle, et que chacun est en droit de contester — et en mesure de renverser, au moins mentalement. Je dispose donc ces pratiques élémentaires dans un ordre croissant d'intervention sur le sens de l'hypotexte transformé, ou plus exactement dans un ordre croissant du caractère manifeste et assumé de cette intervention, distinguant de ce fait deux catégories fondamentales : les transpositions en principe (et en intention) purement *formelles,* et qui ne touchent au sens que par accident ou par une conséquence perverse et non recherchée, comme chacun le sait pour la traduction (qui est une transposition linguistique), et les transpositions ouvertement et délibérément *thématiques,* où la transformation du sens fait manifestement, voire officiellement, partie du propos : c'est le cas, déjà mentionné, de *Vendredi.* A l'intérieur de chacune de ces deux catégories, j'ai tâché de progresser encore selon le même principe, si bien que les derniers types de transposition « formelle » seront déjà très fortement, et non toujours à leur corps défendant, engagés dans le travail du (sur le) sens, et que la frontière qui les sépare des transpositions « thématiques » semblera bien fragile, ou poreuse. A quoi je ne trouve aucun inconvénient — bien au contraire.

XLI

La forme de transposition la plus voyante, et à coup sûr la plus répandue, consiste à transposer un texte d'une langue à une autre : c'est évidemment la *traduction,* dont l'importance littéraire n'est guère contestable, soit parce qu'il faut bien traduire les chefs-d'œuvre, soit parce que certaines traductions sont elles-mêmes des chefs-d'œuvre : le *Quichotte* d'Oudin et Rosset, l'Edgar Poe de Baudelaire, l'*Orestie* de Claudel, les *Bucoliques* de Valéry, les Thomas Mann de Louise Servicen par exemple et pour ne citer que des traductions françaises, sans compter les écrivains bilingues comme Beckett ou Nabokov (et parfois, je crois, Heine ou Rilke), qui se traduisent eux-mêmes et produisent, d'emblée ou à distance, deux versions de chacune de leurs œuvres.

Il n'est pas question de traiter ici des fameux « problèmes théoriques », ou autres, de la traduction : il y a là-dessus de bons et de mauvais livres, et tout ce qu'il faut entre les deux. Nous suffise que ces « problèmes », largement couverts par certain proverbe italien, existent, ce qui signifie simplement que, les langues étant ce qu'elles sont (« imparfaites en cela que plusieurs »), aucune traduction ne peut être absolument fidèle, et tout acte de traduire touche au sens du texte traduit.

Une variante minimale du *traduttore traditore* accorde à la poésie et conteste à la prose le glorieux privilège de l'intraduisibilité. La racine de cette vulgate plonge dans la notion mallarméenne de « langage poétique » et dans les analyses de Valéry sur l'« indissolubilité », en poésie, du « son » et du « sens ». Rendant compte d'un ouvrage qu'il traitait (sévèrement) comme une traduction en prose des poèmes de Mallarmé, Maurice Blanchot énonçait jadis cette règle d'intraduisibilité radicale : « L'œuvre poétique a une signification dont la structure est originale et irréductible... Le premier caractère de la signification poétique, c'est qu'elle est liée, sans changement possible, au langage qui la manifeste. Alors que, dans le langage non poétique, nous savons que nous avons compris l'idée dont le discours nous apporte la présence lorsque nous pouvons l'exprimer sous des formes diverses, nous rendant maîtres d'elle au point de la libérer de tout langage déterminé, au contraire, la poésie exige pour être comprise un acquiescement total à la forme unique qu'elle propose. Le sens du poème est inséparable de tous les mots, de tous les mouvements, de tous les accents du poème. Il n'existe que dans cet ensemble et il disparaît dès qu'on cherche à le séparer de cette forme qu'il a reçue. Ce que le poème signifie coïncide exactement avec ce qu'il est... [1]. »

A ce principe, je ne reprocherai que de (sembler) placer le seuil de l'intraduisibilité à la frontière (selon moi bien douteuse) entre poésie et prose, et de méconnaître cette remarque de Mallarmé lui-même, qu'il y a « vers » dès qu'il y a « style », et que la prose elle-

1. « La poésie de Mallarmé est-elle obscure ? » *Faux Pas,* Gallimard, 1943.

même est un « art du langage », c'est-à-dire de la langue. A cet égard, la formule la plus juste est peut-être celle du linguiste Nida, qui désigne l'essentiel sans distinguer entre prose et poésie : « Tout ce qui peut être dit dans une langue peut être dit dans une autre langue, sauf si la forme est un élément essentiel du message [1]. » Le seuil, s'il en est un, serait plutôt à la frontière du langage « pratique » et de l'emploi littéraire du langage. Cette frontière aussi est à vrai dire contestée, et non sans raison : mais c'est qu'il y a déjà, souvent, du jeu (et donc de l'art) linguistique dans le « langage ordinaire » — et que, tout effet esthétique mis à part et comme l'ont montré maintes fois les linguistes depuis Humboldt, chaque langue a (entre autres) son partage notionnel spécifique, qui rend certains de ses termes intraduisibles en quelque contexte que ce soit. Il vaudrait mieux, sans doute, distinguer non entre textes traduisibles (il n'y en a pas) et textes intraduisibles, mais entre textes pour lesquels les défauts inévitables de la traduction sont dommageables (ce sont les littéraires) et ceux pour lesquels ils sont négligeables : ce sont les autres, encore qu'une bévue dans une dépêche diplomatique ou une résolution internationale puisse avoir de fâcheuses conséquences.

Si l'on voulait préciser davantage les termes du piège à traducteurs, j'en décrirais volontiers comme suit les deux mâchoires. Côté « art du langage », tout est dit depuis Valéry et Blanchot : la création littéraire est toujours au moins partiellement inséparable de la langue où elle s'exerce. Côté « langue naturelle », tout est dit depuis l'observation de Jean Paulhan sur l' « illusion des explorateurs » devant l'énorme teneur des langues, « primitives » ou non, en « clichés », c'est-à-dire en catachrèses, ou figures passées dans l'usage. L'illusion de l'explorateur, et donc la tentation du traducteur, est de prendre ces clichés à la lettre, et de les rendre par des figures qui, dans la langue d'arrivée, ne seront point d'usage. Cette « dissociation des stéréotypes » *accentue* à la traduction le caractère figuratif de l'hypotexte. Un exemple classique de cette accentuation est la traduction par Hugh Blair d'une harangue indienne : « Nous sommes heureux d'avoir enfoui sous terre la hache rouge que le sang de nos frères a teinté si souvent. Aujourd'hui, dans ce fort, nous enterrons la hache et nous plantons l'arbre de la paix ; nous plantons un arbre dont le sommet s'élèvera jusqu'au soleil, dont les branches s'étendront au loin, et seront vues à une grande distance. Puisse-t-il n'être ni arrêté ni étouffé dans sa croissance ! Puisse son feuillage ombrager à la fois votre pays et le nôtre ! Préservons ses racines, et

---

1. E. A. Nida et C. Taber, *The Theory and Poetics of Translation*, Leyde, 1969.

dirigeons-les jusqu'aux extrémités de vos colonies, etc. [1]. » Mais la conduite inverse (traduire les images figées par des tournures abstraites, soit ici : « Nous venons de conclure une belle et bonne alliance, que nous souhaitons durable ») n'est pas plus recommandable, car elle fait litière (tiens tiens...) de la connotation virtuelle contenue dans toute catachrèse, belle au bois dormant toujours prête à être réveillée. Si en émanglon *taratata* signifie littéralement « langue fourchue » et couramment « menteur », aucune de ces deux traductions ne sera satisfaisante ; c'est donc le choix entre une accentuation abusive et une neutralisation forcée.

A cette aporie, Paulhan ne voyait qu'une issue : « Ce n'est pas, bien entendu, de substituer aux clichés du texte primitif de simples mots abstraits (car l'aisance et la nuance particulière de la formule s'y perdent) ; et ce n'est pas non plus de traduire mot à mot le cliché (car l'on ajoute ainsi au texte une métaphore qu'il ne comportait pas) ; mais il faut obtenir du lecteur qu'il sache *entendre en cliché* la traduction comme avait dû l'entendre le lecteur, l'auditeur primitif, et à tout instant *revenir* de l'image ou du détail concret, loin de s'y attarder. La chose exige, je le sais, une certaine éducation du lecteur, de l'auteur lui-même. Peut-être n'est-ce pas trop exiger de l'homme, si cet effort est aussi celui qui permettra de remonter de la pensée immédiate jusqu'à la pensée authentique. Si ce n'est point seulement sur l'*Iliade* qu'elle va nous renseigner exactement, mais sur ce texte plus secret que chacun de nous porte en soi. On a reconnu, au passage, le *traitement* rhétorique [2]. » Je ne suis pas sûr que cette solution en soit une, ou plus précisément je ne crois pas qu'elle soit autre chose qu'une formule, et je crains bien qu'ici comme ailleurs la cure (le « traitement rhétorique ») ne coûte plus cher qu'elle ne rapporte. Le plus sage, pour le traducteur, serait sans doute d'admettre qu'il ne peut faire que mal, et de s'efforcer pourtant de faire aussi bien que possible, ce qui signifie souvent faire *autre chose*.

A ces difficultés en quelque sorte horizontales (synchroniques) que pose le passage d'une langue à une autre, s'ajoute pour les œuvres anciennes une difficulté verticale, ou diachronique, qui tient à l'évolution des langues. Lorsqu'on ne dispose pas d'une bonne traduction d'époque et qu'il s'agit par exemple de produire au xxe siècle une traduction française de Dante ou de Shakespeare, une nouvelle aporie se présente : traduire en français moderne, c'est supprimer la distance de l'historicité linguistique et renoncer à

1. *Leçons de rhétorique,* 1783, trad. fr., 1845, I, p. 114.
2. *Œuvres Complètes,* Cercle du livre précieux, II, p. 182.

mettre le lecteur français dans une situation comparable à celle du lecteur italien ou anglais de l'original ; traduire en français d'époque, c'est se condamner à l'archaïsme artificiel, à l'exercice « difficile et dangereux » de ce que Mario Roques appelait la « traduction-pastiche », et qui est à la fois, en termes scolaires, version (de l'italien de Dante au français) et thème (en ancien français). Ce dernier parti est peut-être quand même le moins mauvais ; on lui doit par exemple le Dante d'André Pézard :

> *Au milieu du chemin de notre vie*
> *je me trouvai par une selve obscure*
> *et vis perdue la droiturière voie*

> *Ha, comme à la décrire est dure chose*
> *cette forêt sauvage et âpre et forte,*
> *qui, en pensant, renouvelle ma peur !*

> *Amère est tant, que mort n'est guère plus ;*
> *mais pour traiter du bien que j'y trouvai,*
> *telles choses dirai que j'y ai vues*[1].

qu'avait d'ailleurs, on le sait moins, précédé (d'un siècle) une tentative plus radicale de Littré :

> *En mi chemin de ceste nostre vie*
> *Me retrovai par une selve oscure ;*
> *Car droite voie ore estoit esmarie.*

> *Ah ! ceste selve, dire m'est chose dure*
> *Com ele estoit sauvage et aspre et fors,*
> *Si que mes cuers encor ne s'asseüre !*

> *Tant est amere, que peu est plus la mors :*
> *Mais, por traiter du bien que j'i trovai,*
> *Des autres choses dirai que je vi lors*[2].

Dans ces deux cas, le parallélisme historique des langues s'impose de lui-même, pour le meilleur ou pour le pire. Mais la traduction de textes antiques — antérieurs, par exemple, à l'existence même d'une langue française — pose un problème plus ardu : on ne peut évidemment pas traduire l'*Iliade* en un français d'époque. Il est pourtant dommage de priver le lecteur français moderne de la

---

1. Pléiade, 1965.
2. Dante, *L'Enfer* mis en vieux langage français par Émile Littré, Paris, 1879.

distance linguistique (« rumeur des distances traversées », disait Proust) que doit éprouver un lecteur grec, sans compter les analogies stylistiques (style formulaire) et thématiques (contenu épique) qui militeraient, par exemple, en faveur d'une traduction d'Homère dans la langue de nos chansons de geste. Littré, de nouveau, a fort bien plaidé cette cause, et prêché d'exemple pour le premier chant dans une langue qui veut être celle du XIIIe siècle, et dans un dodécasyllabe (ici groupé en « couplets », ou laisses point tout à fait monorimes) qui fut celui de certaines chansons de geste. La langue de Turold ou celle de Chrétien de Troyes (XIIe siècle) et le décasyllabe du *Roland* auraient sans doute fourni un dépaysement plus rigoureux, mais le compromis historique est sans doute ici une concession à la lisibilité pour le lecteur moderne : il eût été maladroit de lui offrir une traduction qui eût exigé à son tour une traduction. Tel qu'il est, l'essai de Littré ne manque pas de saveur, et je me demande s'il ne mériterait d'être un jour prolongé. A titre d'incitation, ou de dissuasion, en voici les trois premiers couplets :

> *Chante l'ire, ô deesse, d'Achille fil Pelée,*
> *Greveuse et qui douloir fit Grece la louée*
> *Et choir eus en enfer mainte âme desevrée,*
> *Baillant le cors as chiens et oiseaus en curée.*
> *Ainsi de Jupiter s'acomplit la pensée,*
> *Du jour où la querelle se leva primerin*
> *D'Atride roi des hommes, d'Achille le divin.*
>
> *D'entre les immortels qui troubla leur courage ?*
> *Apollons. Vers le roi si eut-il mautalent*
> *Que mit la peste en l'ost et perissoit la gent,*
> *Puisqu'Atride à Chrysès prouvere fit outrage.*
> *Chrysès s'en vint as nefs qui font lointain voyage,*
> *Jeter à raançon sa fille de servage,*
> *Du dieu de longue archie entre ses mains portant*
> *Bandel et sceptre d'or, et tous les Greux priant,*
> *Surtout les deux Atrides, qui tant ont seignorage.*
>
> *Atride, et vous, portant beaus jambars, Acheen,*
> *Fassent li dieu qui sus ont manoir olympien,*
> *Gastiez la cit Priam et repairiez à bien !*
> *Mais prenez raançon, rendez ma fille amie,*
> *Doutant le fil Latone, Phebus à longue archie*[1].

---

1. « La poésie homérique et l'ancienne poésie française », *Revue des deux mondes*, juillet 1847, repris dans l'*Histoire de la langue française*, I, Didier, 1863.

XLII

Une touchante tradition qui remonte au *Phédon* veut que Socrate condamné à mort ait employé ses derniers jours en prison à mettre en vers les fables d'Ésope. Nous n'avons évidemment pas trace de cet incertain passe-temps carcéral, et ne pouvons savoir si ce travail de *versification* (le terme est, pour une fois, reçu) s'accompagnait, comme plus tard chez Phèdre ou La Fontaine, d'opérations plus

> DYMAS
>
> Ah, Seigneur ! quels terribles ordres ! Vous m'en voyez frémir. Non, je n'aurai jamais la force de vous obéir.
>
> ŒDIPE
>
> Rassure-toi, Dymas. Je te sais gré de tes larmes, mais qu'elles ne l'emportent pas sur ta fidélité. Exécute avec courage les volontés de ton roi, et, ce qui est encore plus sacré, les dernières volontés d'une victime des Dieux. Va, je te l'ordonne absolument, va avertir le Pontife de préparer l'autel et l'encens, et d'assembler le peuple dans le temple, où je vais me dévouer pour sa délivrance.
>
> DYMAS
>
> Eh quoi, Seigneur ! Est-il possible que vous soyez résolu à ce barbare dévouement ? Qui donc vous a demandé une si précieuse victime ?
>
> ŒDIPE
>
> Apollon lui-même. Trois fois cette nuit il m'est apparu. Ce n'était point un songe, le sommeil avait déjà fui de mes yeux. Trois fois je l'ai vu, les yeux ardents de colère, et ses traits enflammés à la main. Je suis encore frappé de sa voix...

complexes et plus ambitieuses. A tout hasard, créditons Socrate d'une retenue exemplaire, et donc d'une transposition minimale : versification pure aux moindres frais. C'est déjà, en toute langue, une tâche délicate, et je ne me hasarderai pas à en produire un exemplaire fictif.

D'autant que la lacune est ici elle-même exemplaire. Curieusement, la versification a laissé dans l'histoire des textes moins de traces que l'opération inverse, que nous retrouverons. À l'âge « classique », où certains versifiaient par nécessité générique (épopée, tragédie) davantage que par vocation poétique, on devait bien parfois (souvent) rédiger d'abord en prose et s'auto-versifier après

DYMAS

Quels ordres ! Non, Seigneur, ce serait vous trahir,
Non, l'horreur que je sens me défend d'obéir.

ŒDIPE

Rassure-toi, Dymas. Touché de tes alarmes,
Ton roi, je l'avouerai, te sait gré de tes larmes.
Mais quelque trouble ici qui puisse t'émouvoir,
Peut-il un seul instant balancer ton devoir ?
Va, ne perds point de temps, avertis le grand-prêtre
De l'effort que le Ciel exige de ton maître,
Qu'il prépare les vœux et l'autel et l'encens,
Et qu'au temple appelés, les Thébains gémissants
Viennent me voir calmer la céleste vengeance
Et des jours de leur roi payer leur délivrance.

DYMAS

Ah ! ne m'accablez pas de cet ordre absolu !
Seigneur, ce dévouement est-il donc résolu ?
Quel dieu vous a parlé ? Par quelle loi suprême
Êtes-vous donc forcé...

ŒDIPE

　　　　　　C'est Apollon lui-même.
Je l'ai vu cette nuit de ses flèches armé,
Le front terrible et l'œil de courroux enflammé,
Trois fois dans mes esprits répandre l'épouvante.
Je suis encore frappé de sa voix menaçante.
Ce n'était point un songe : à l'éclat qui m'a lui
De mes yeux étonnés le sommeil avait fui...

coup ; mais on jetait l'infamant brouillon, et nous voici sans hypotexte prosaïque. A une exception près.

Antoine Houdar de La Motte, classique moderniste (au sens de la Querelle), écrivit en 1726 une tragédie sur le sujet d'Œdipe, que nous retrouverons pour d'autres raisons, et qui est une des premières tragédies en prose française. Ses raisons, qu'il expose dans un *Discours sur la tragédie* qui accompagne cette pièce [1], étaient celles que l'on peut imaginer : vraisemblance, naturel, commodité. Mais deux autres raisons, qui n'en font qu'une, l'empêchèrent d'en « risquer la représentation » : « l'habitude des auditeurs qui n'entendent des tragédies qu'en vers ; l'habitude des acteurs mêmes qui n'en représentent pas d'autres ». Bref : la routine. Aussi La Motte, désireux d'innover mais aussi désireux d'être joué, s'empressa-t-il (après un premier refus ?) de versifier sa tragédie, qui fut représentée sous cette nouvelle forme. Mais à sa tentative malheureuse nous devons la conservation du texte en prose [2], qui fut (et reste) l'hypotexte de la tragédie en vers, et la possibilité de les comparer.

On comparera donc les deux versions de la première scène, entre Œdipe et son confident Dymas, telles qu'elles figurent ici même, côte à côte, p. 244-245. L'auto-versification est vraiment ici, on le voit, une pure mise en vers : il s'agit, au prix d'un aménagement minimal (suppressions, additions, inversions), d'adapter le discours au rythme de l'alexandrin, et d'introduire, ou dégager au bon endroit, les mots (*larmes, pleurs*) qui recevront une rime (*alarmes, fureurs*). Rien de plus, si ce n'est une légère intensification du récit, qui dans la seconde version tourne un peu plus à l'hypotypose racinienne. De toute évidence, La Motte ne considère pas que le vers tragique doive s'accompagner d'un état particulier du langage qui serait notre fameux « langage poétique ». Ce dont il s'explique au reste fort bien à l'occasion d'un autre exercice, dont le bénéficiaire, ou la victime, est cette fois Racine lui-même. Exercice inverse : c'est — on le verra plus loin — une mise en prose de la première scène de *Mithridate*.

XLIII

Je l'ai déjà dit, la mise en prose, ou *prosification,* est paradoxalement plus courante que la versification, sinon comme moment

1. *Œuvre,* Prault, 1745, t. IV. — 2. *Ibid.,* t. VIII.

génétique enfoui dans le secret des brouillons disparus, au moins comme pratique culturelle ouverte et consommable — destinée qu'elle est en effet, et par nature, à la consommation ; sans compter la masse des traductions (translinguistiques) en prose d'œuvres poétiques, comme l'Eschyle de Mazon, sans doute plus nombreuses que les traductions en vers, et qui sont à la fois des traductions et des prosifications. La pratique inverse est évidemment peu plausible, mais on me signale des cas de traductions en vers anglais des *Lettres portugaises*.

Pratique culturelle ; il faudrait ajouter, si cela ne va de soi, pratique historique. Il y a, dans l'histoire des textes, des moments de ce qu'on pourrait appeler le *passage à la prose*. Comme chacun le sait depuis Vico — en fait, depuis toujours —, les littératures commencent par la poésie, non parce que, comme on aimait à le dire au xviiiᵉ siècle, le sentiment précède la raison, mais tout simplement (surtout si l'on simplifie encore, comme je fais ici) parce que la transmission orale (voire chantée), qui précède l'écrite, appelle, pour des raisons (mnémo)techniques, une expression formulaire et versifiée. Là-dessus aussi, de Vico à Zumthor en passant par Milman Parry, vaste bibliographie que je vous épargne. Mais après ces périodes « archaïques » de la récitation versifiée, viennent des époques plus silencieuses, où un autre public préfère lire par lui-même. La suppression de l'intermédiaire récitant entraîne celle de la diction poétique, car, sentiment ou non, le lecteur moyen, quand on lui offre le choix, préfère la prose. Vient donc l'âge des mises en prose et, après les aèdes et les jongleurs, viennent les prosificateurs.

Pour l'épopée homérique, la chose se passe, au moins perceptiblement, au ivᵉ siècle après J.-C. Paraît alors, sous la plume d'un Lucius Septimius, la prétendue traduction latine des *Éphémérides de la guerre de Troie*, rédigées, dit-on, en phénicien, par un guerrier grec, compagnon d'armes d'Achille et de Diomède, Dictys de Crète. Mais pour une fois le menteur n'est peut-être pas le Crétois. L' « auteur » de ce journal de tranchées, traduit du phénicien en grec, puis du grec en latin, pourrait bien être l'Ossian ou le Sally Mara de l'Antiquité, et ses *Éphémérides* l'œuvre de son prétendu traducteur. Ce texte, quoi qu'il en soit, est manifestement une prosification d'Homère, ou plus exactement du cycle troyen dans toute son ampleur, prenant l'affaire à l'enlèvement d'Hélène et la conduisant jusqu'au meurtre d'Ulysse par son fils Télégonos.

L'idée d'un journal tenu par un combattant de la guerre de Troie, et publié comme tel, est éminemment séduisante. La relation d'Homère à ce qui est pour nous son œuvre serait ici savoureusement retournée : l'un de ses personnages, chez lui anonyme, un parmi des milliers d'obscurs et de sans grade, se lève d'entre ses vers et entreprend de raconter cette guerre qui fut sienne, et de dire, sous la foi du témoignage et un peu comme plus tard l'Elpénor de Giraudoux, ce qu'il en fut vraiment de la colère d'Achille, des funérailles de Patrocle ou de la mort d'Hector. Pour nous qui recevons toujours l'*Iliade* comme une fiction, pareille situation a quelque chose d'irrésistiblement fantastique, comme si quelque érudit borgésien découvrait aujourd'hui le Journal de Julien Sorel ou les Mémoires du prince André, et nous invitait à comparer ces documents authentiques aux affabulations douteuses de Stendhal et de Tolstoï.

Le texte de « Dictys » n'est malheureusement pas tout à fait conforme à cette description imaginaire. Le narrateur est bien du camp grec, et il lui arrive de dire « nous », « nos ambassadeurs », ou d'appeler les Troyens « ces barbares » (ce que ne faisait pas Homère), mais sa présence dans le texte [1] s'arrête là : il n'est jamais personnellement en scène, et son récit reste piètrement hétérodiégétique. Et sa brièveté relative (145 petites pages dans ma traduction française) en fait non seulement une prosification, mais aussi une *réduction* (nous retrouverons cette pratique pour elle-même). C'est donc plutôt un résumé en prose du cycle troyen, agrémenté de quelques inventions de son (?) cru, dont celle, promise à résurgence, du mariage final de Télémaque et de Nausicaa. Dans la *Télégonie,* Télémaque épousait Circé : épilogue un peu plus œdipien (où le père a passé...), mais un peu moins romanesque.

Deux siècles plus tard, on attribuera une autre mise en prose, mais encore plus condensée (une vingtaine de pages) à un soldat troyen : c'est de *De excidio Trojae historia* de « Darès le Phrygien », qui remonte un peu plus haut que Dictys (à l'expédition des Argonautes) et s'arrête avant lui : au départ de Troade. Ces deux étranges textes ont été avec l'*Énéide,* pendant tout le Moyen Age et jusqu'à la redécouverte d'Homère, la principale source d' « informations » sur la guerre de Troie, et d'inspiration pour sa reprise romanesque, dont le *Roman de Troie* de Benoît de Sainte-Maure (v. 1165) et tout ce qui en dérive, jusqu'à Chaucer et Shakespeare pour *Troïlus et Cressida* (j'y reviendrai sous un autre angle). Et longtemps encore on y verra une relation fidèle, authentique et initiale. En

---

1. Il faut peut-être avouer que je lis Dictys, ou Septimius, dans une traduction française du XVIe siècle dont je n'ai pas vérifié la fidélité. Cet hyper-hypertexte s'intitule *les Histoires de Dictys crétensien, traitant des Guerres de Troye et du Retour des Grecs en leurs Païs après Ilion ruiné, interprétées en Français par Ian de La Lande,* Groulleau, Paris, 1556.

1670, le Père Le Moyne, dans son traité *De l'Histoire,* écrit sans broncher : « L'*Iliade* d'Homère, comme chacun sait, n'est presque qu'une copie en vers sur ce que Darès et Dictys ont écrit en prose des guerres de Troie. » C'est l'hypertexte hypotextifié, et l'épopée d'origine lue, à l'envers, comme une versification dérivée. Borges n'est décidément pas loin.

La chanson de geste et surtout le roman médiévaux ont connu de semblables traitements : « Au xve siècle, écrit Paul Zumthor, l'épopée française s'est définitivement éteinte. Des princes demandent à leurs hommes de lettres de rajeunir en prose quelques groupes de chansons de l'époque précédente : c'est ainsi que David Aubert offre au duc de Bourgogne ses *Cronicques et Conquestes de Charlemagne.* Ces mises en prose, dernier et lointain avatar de la matière épique, seront la source de beaucoup de romans français et étrangers des xve et xvie siècles, et, au-delà de ceux-ci, de toute une littérature populaire qui, jusqu'au xviiie siècle, circulera sous forme de livres de colportage, dans plusieurs régions d'Europe[1]. »

Ici encore, on le voit, la mise en prose s'applique tout naturellement à la totalisation cyclique : Aubert est à Turold ce que Septimius est à Homère. Même processus en ce qui concerne le roman breton. Nous avons déjà rencontré quelques continuations du *Conte du Graal* de Chrétien de Troyes, dont celle de Robert de Boron. Prosifié dès la fin du xiie siècle, ce cycle aboutit, début xiiie, à l'ensemble baptisé depuis *Didot-Perceval,* puis (?), par contamination avec *le Chevalier à la charrette,* à l'immense monument qu'est le *Cycle de Lancelot* ou *Lancelot en prose,* vaste totalisation qui embrasse toute la « matière de Bretagne » depuis les origines du « graal » (la Crucifixion) jusqu'à la mort d'Arthur. Le *Tristan* en prose du xiiie siècle, compilation de Béroul et de Thomas, viendra même s'y rabouter comme il pourra.

L'ampleur et l'ambition du propos interdisent évidemment de considérer ces hypertextes comme de fidèles traductions en prose d'hypotextes au reste trop multiples ou trop diffus pour autoriser une comparaison de détail. Cette occasion rare, nous l'allons trouver grâce au serviable Houdar, qui nous fournit, je l'ai dit, l'exemple d'une prosification rigoureuse, et même scrupuleuse. Mais peut-être faut-il d'abord considérer une performance intermédiaire, qu'il faudrait baptiser plus modestement *dérimaison :* c'est le fait de supprimer les rimes sans détruire le rythme métrique. Il y suffit évidemment de quelques substitutions de mots (une par distique, ni plus ni moins). Voici comment (et pourquoi) Voltaire,

---

1. *Essai de poétique médiévale,* Seuil, 1972, p. 466.

dans la Préface à son *Œdipe*, dérime quatre vers de *Phèdre* : « Chaque langue a son génie déterminé par la nature de la construction de ses phrases, par la fréquence de ses voyelles ou de ses consonnes, ses inversions, ses verbes auxiliaires, etc. Le génie de notre langue est la clarté et l'élégance ; nous ne permettons nulle licence à notre poésie, qui doit marcher, comme notre prose, dans l'ordre précis de nos idées. Nous avons donc un besoin essentiel du retour des mêmes sons pour que notre poésie ne soit pas confondue avec la prose. Tout le monde connaît ces vers :

> *Où me cacher ? fuyons dans la nuit infernale ;*
> *Mais que dis-je ? mon père y tient l'urne fatale ;*
> *Le sort, dit-on, l'a mise en ses sévères mains ;*
> *Minos juge aux enfers tous les pâles humains.*

XIPHARÈS

On nous faisait, Arbate, un fidèle rapport.
Rome en effet triomphe, et Mithridate est mort.
Les Romains, vers l'Euphrate, ont attaqué mon père
Et trompé dans la nuit sa prudence ordinaire.
Après un long combat, tout son camp dispersé
Dans la foule des morts en fuyant l'a laissé,
Et j'ai su qu'un soldat dans les mains de Pompée
Avec son diadème a remis son épée.
Ainsi ce roi qui seul a durant quarante ans
Lassé tout ce que Rome eut de chefs importants,
Et qui, dans l'Orient balançant la fortune,
Vengeait de tous les rois la querelle commune,
Meurt, et laisse après lui, pour venger son trépas
Deux fils infortunés qui ne s'accordent pas.

ARBATE

Vous, Seigneur ! Quoi ? l'ardeur de régner en sa place
Rend déjà Xipharès ennemi de Phernace ?

XIPHARÈS

Non, je ne prétends point, cher Arbate, à ce prix
D'un malheureux empire acheter les débris.
Je sais en lui des ans respecter l'avantage,
Et, content des États marqués pour mon partage,
Je verrai sans regret tomber entre ses mains
Tout ce que lui promet l'amitié des Romains...

Mettez à la place :

> *Où me cacher? fuyons dans la nuit infernale ;*
> *Mais que dis-je ? mon père y tient l'urne funeste ;*
> *Le sort, dit-on, l'a mise en ses sévères mains ;*
> *Minos juge aux enfers tous les pâles mortels.*

Quelque poétique que soit ce morceau, fera-t-il le même plaisir dépouillé de l'agrément de la rime ? »

On en jugera, mais Houdar va beaucoup plus loin, prosifiant toute une scène de Racine et offrant en regard les deux versions sous le titre : « Comparaison de la première scène de *Mithridate* avec la même réduite en prose, d'où naissent quelques réflexions sur les vers. » Je ne puis mieux faire que d'en reproduire ici la première page.

XIPHARÈS

On nous faisait, Arbate, un récit fidèle. Rome triomphe en effet, et Mithridate est mort. Les Romains ont attaqué mon père vers l'Euphrate, et ils ont trompé dans la nuit sa prudence ordinaire. Tout son camp dispersé, et fuyant après une longue bataille, l'a laissé dans la foule des morts, et j'ai su qu'entre les mains de Pompée un soldat a remis son épée avec son diadème. Ainsi, ce roi qui durant quarante ans a lassé lui seul tout ce que Rome eut de chefs considérables, et qui, balançant la fortune dans l'Orient, vengeait la querelle commune de tous les rois, meurt, et laisse après lui, pour venger sa mort, deux fils malheureux qui ne s'accordent pas.

ARBATE

Vous, Seigneur ? Eh quoi, l'ardeur de régner en la place de votre père vous rend déjà ennemi de Pharnace ?

XIPHARÈS

Non, Arbate, je ne prétends point acheter à ce prix les débris d'un malheureux empire. Je sais respecter en lui l'avantage des ans et, satisfait des Etats marqués par mon partage, je verrai tomber sans regret entre ses mains tout ce que l'amitié de Rome lui promet...

(Houdar de La Motte, *Œuvres*, t. IV, p. 397-420.)

251

Comme on le voit, l'hypertexte est ici plus littéral encore que dans l'exercice inverse de la versification : il y suffit à peu près de désinverser les inversions raciniennes pour supprimer la rime et casser le mètre ; quelques substitutions (*importants→considérables, trépas→ mort*) parachèvent la traduction, faisant apparaître (c'est le propos même de La Motte dans le commentaire qui accompagne cet exercice) combien le vers de Racine n'est ici qu'une prose rythmée et rimée. Un autre type de poésie, plus lyrique et plus imagé, lui aurait sans doute donné plus de fil à retordre — ou détordre —, et posé un dilemme assez proche de celui que nous avons rencontré à propos de la traduction : conserver les figures poétiques, mais elles jureraient dans un discours en prose ; les supprimer (les traduire), mais la prosification deviendrait ici davantage qu'une déversification. Aussi Houdar n'a-t-il pas laissé au hasard le soin de choisir l'hypotexte : une scène d'exposition exceptionnellement sobre et peu figurée. Quoi qu'il en dise [1], cette littéralité n'est pas tout à fait la norme constante du discours racinien.

Ni sans doute d'aucun discours poétique. Il faut ici analyser les images, et la prosification se fait commentaire, comme dans la traduction en prose des *Solitudes* de Góngora par Damaso Alonso [2] ; ou bien il faut trouver au poème, à nouveaux frais, un équivalent en prose qui recourre à de tout autres moyens. La prosification se fait alors « poème en prose », et c'est à quoi Baudelaire s'est appliqué au moins par deux fois, pour *la Chevelure* (→ *Un hémisphère dans une chevelure*) et pour l'*Invitation au voyage*. La comparaison des deux états de chacun de ces deux poèmes est un exercice rituel des études baudelairiennes, auquel Barbara Johnson a donné récemment [3] un accomplissement remarquable, quoique parfois un peu trop ingénieux. Pour le détail, je renvoie à son livre, dont je retiendrai seulement ici le concept essentiel et titulaire, celui de « défiguration » — que je rebaptiserais volontiers, selon un modèle que nous retrouverons plusieurs fois (et sans aucun égard pour l'acception courante de ce terme), *transfiguration*. En effet, et

1. « J'entends par poésie les expressions audacieuses, les figures hyperboliques, tout ce langage reculé de l'usage ordinaire, et particulier aux écrivains qui font profession d'idées rares et de peintures énergiques. Si l'on cherche cette sorte de poésie dans Racine, on en trouvera infiniment moins qu'on ne pense, et son grand mérite est qu'en effet il n'y en ait guère. Il a fait parler des personnages occupés de divers intérêts et agités de passions violentes. Il a dû suivre la nature, et ne leur prêter que des discours convenables à leur dignité et à leur situation ; beaucoup de noblesse et d'élégance, puisque l'état des acteurs (= personnages) le demande ; mais nul effort, nulle recherche d'ornements ambitieux. »
2. Madrid, 1927.
3. *Défigurations du langage poétique*, Flammarion, 1979, chap. II et IV.

comme le montre bien Barbara Johnson elle-même, Baudelaire ne se contente pas, pour passer du poème en vers au poème en prose, de « dé-figurer » le premier, c'est-à-dire de supprimer ses figures, ou plutôt son système implicite de figuration : il lui en substitue un autre ; défiguration + refiguration, c'est ce double travail qui mérite le terme de transfiguration, ou transposition figurative. Pour *la Chevelure*, passage d'un système essentiellement métaphorique (la chevelure aimée *est* « forêt aromatique », « mer d'ébène », « port retentissant », « noir océan » ; « pavillon de ténèbres », « oasis » et « gourde » où humer « à longs traits le vin du souvenir ») à un système simplement comparatif (« *comme* un homme altéré », « *comme* l'âme des autres hommes », « il me *semble* que je mange des souvenirs ») et métonymique (la chevelure *contient* un rêve, de grandes mers où le poète entrevoit un port, retrouve des langueurs, respire des odeurs). Dans l'*Invitation* en prose, prolifération du modalisateur *comme* et des clichés d'époque (*tulipe noire, dahlia bleu, pays de Cocagne, revenez-y, invitation à la valse),* substitution de l'amitié sage (« avec une vieille amie ») à la passion incestueuse (« mon enfant, ma sœur »), et d'évocations culinaires, économiques et moralisantes (« honnête ») à l'initiale extase esthétique.

Ce serait bien mal connaître la thématique baudelairienne, dans les *Petits poèmes* et dans le reste de son œuvre en prose, que de lire dans ces transpositions la trace d'une dégradation. Il y a chez Baudelaire, spécifique et d'une égale — sinon supérieure — dignité esthétique, comme chez Flaubert, ou plus tard chez Proust, une véritable *poétique de la prose,* qui fait de lui un grand prosateur, et dont un des traits majeurs — et l'une des vertus — est précisément d'être *prosaïque,* comme cette peinture hollandaise à quoi réfère explicitement *l'Invitation au voyage,* en des termes qui évoquent de près (et jusque dans l'insistance sur les vertus bourgeoises) les pages célèbres de Hegel sur le goût nordique pour la « prose de la vie » — et certaines autres pages, de Proust, sur Chardin. Tout se passe donc comme si Baudelaire avait résolu, ayant compris que l'un n'allait pas (bien) sans l'autre, non seulement de prosifier ces deux poèmes, mais encore de les *prosaïser.* En quoi il fit bien, un poème en prose devant être aussi un poème *de* prose.

XLIV

Entre autres pratiques d'érudition perverse et d'hypertextualité sournoise, Borges prête à l'infatigable Pierre Ménard une « transposition en alexandrins du *Cimetière marin* ». Cette transposition d'un mètre à l'autre, ou *transmétrisation*, peut passer, à l'état libre, pour un pur exercice d'école, mais je rappelle qu'elle est un des ingrédients du travestissement burlesque, qui réduit un hexamètre latin en octosyllabe français. Borges n'a point produit d'illustration de l'imaginaire performance ménardienne, et Georges Blin, qui attribue à Jean Pommier des exercices analogues [1], n'en donne pas la référence.

Mais, comme pour la bombe atomique, il suffit de savoir que quelqu'un l'a fait et donc que la chose est possible. Elle n'est même, à vrai dire, que trop facile : alexandriniser un décasyllabe n'exige pas d'autre effort que l'addition de deux pieds supplémentaires aux quatre premiers pour en faire un hémistiche classique. La facilité s'appelle donc ici, comme souvent, épithète, et le résultat risque fort de s'appeler platitude. Par exemple :

> *Ce* vaste *toit tranquille où marchent des colombes*
> *Entre les* sveltes *pins palpite, entre les tombes ;*
> Voyez, *Midi le juste y compose de feux*
> *La mer, la mer,* la mer, *toujours recommencée !*
> *O* pleine *récompense après une pensée*
> *Qu'un* immense *regard sur le calme des dieux !*

Les tentatives de Ménard et de Pommier étaient sans doute plus glorieuses ; mais c'est que leurs auteurs, sans doute aussi, y avaient consacré plus de temps. Je ne suis d'ailleurs pas vraiment mécontent de mon quatrième vers où la mer, on l'aura noté, recommence une fois de plus que dans l'original. Il fallait y penser.

---

1. « Quel autre eût récrit la première strophe du *Cimetière matin* suivant d'autres coupes du décasyllabe ou, plus bravement, en alexandrins ? » (*la Cribleuse de blé*, Corti, 1968, p. 33).

Valéry s'était peut-être attiré de tels traitements en critiquant les heptasyllabes de *l'Invitation au voyage* et en proposant de les allonger d'un pied : « Il fait $5 + 5 + 7$ — c'est inharmonique. J'aurais fait $5 + 5 + 8$, et au lieu de *D'aller là-bas vivre ensemble* = 7, mis : *D'aller vivre là-bas ensemble* = 8, ou autre chose qui fasse 8 — car son vers de 7 est prose [1]. » Une telle suggestion excuse d'avance les pires rétorsions. Mais Jean Prévost a voulu appliquer l'expérience à toute la première strophe, ce qui donne :

> *Mon enfant, ma sœur,*
> *Songe à la douceur*
> *De partir là-bas vivre ensemble,*
> *Aimer à loisir,*
> *Aimer à mourir,*
> *Dans le pays qui te ressemble.*
> *Les soleils mouillés*
> *De ces ciels brouillés*
> *Offrent à mon esprit les charmes*
> *Si mystérieux*
> *De tes traîtres yeux*
> *Qui brillent à travers leurs larmes...*

« L'indécision (ajoute-t-il), l'allure fuyante du vers impair, au lieu d'être vaincues à la fin de la strophe par les rimes symétriques du refrain, seraient ainsi conjurées, dominées quatre fois au cours de la strophe elle-même par la ferme carrure de l'octosyllabe. *Ordre et beauté,* au lieu de nous sourire à la fin d'une longue incertitude, nous offriraient la fête d'une continuelle victoire. En cette critique d'un mince détail, ce sont deux tempéraments qui s'opposent — deux manières de voir et d'exprimer le monde [2]. »

On ne saurait mieux caractériser l'effet esthétique d'une telle transmétrisation : le rythme, c'est l'homme. Mais sur cette lancée, le même Prévost imagine qu'un critique exigeant, un Nisard ou un Lanson, trouve dans *Recueillement* quelques gaucheries, pléonasmes et répétitions. Je ne puis que renvoyer à cette critique imaginaire et exemplairement drastique, qui occupe deux pages de son livre. Mais je ne vous priverai pas de son résultat, qui est un *Recueillement* par ses soins « corrigé, allégé, réduit exactement d'un tiers sans qu'une seule des beautés de détail en fût sacrifiée » :

---

1. *Cahiers* (1943), Pléiade, II, p. 1140.
2. *Baudelaire*, Mercure, 1948, p. 329.

Ma Douleur, tiens-toi plus tranquille.
Tu voulais le Soir ; le voici :
L'air obscur verse sur la ville
Plus de paix ou plus de souci.

Cependant que la foule vile
Que fouette un plaisir sans merci
S'écœure à la fête servile,
Prends-moi la main ; viens par ici.

Aux balcons du ciel, mainte année
Se penche en robe surannée ;
Émerge un regret souriant ;

Le Soleil s'endort contre une arche ;
Un linceul traîne à l'Orient :
Entends la douce Nuit qui marche.

A vrai dire, la présentation avantageuse qui précédait ici le nouveau poème n'était qu'une *captatio benevolentiae* toute provisoire. Le véritable jugement de Prévost sur son octosyllabisation (car c'en est une) est plus sévère ; trop sévère, peut-être. Le voici : « Le critique aura moins à blâmer peut-être, mais l'amateur de poèmes ne trouvera dans le second sonnet qu'un débris du premier. Les images restent, et la suite des idées. Mais presque rien ne subsiste, dans le sonnet amaigri, de l'exquise et lente incantation du chagrin ; les pensées consolantes ne descendent plus en nous avec la même douceur que ce bain de rosée des premières ténèbres ; le chatoiement des souvenirs n'a plus la paresse du soleil couchant sur le fleuve. Les délices de l'adieu au plaisir, le linceul qui apaise l'âme et le ciel, la confiance filiale dans la nuit endormeuse, ont perdu leur magie ; il ne reste plus que des paroles comme les autres, et nous cessons de nous prêter à une séduction. »

Je m'avise maintenant de deux choses. La première est que ces divers exercices de transmétrisation ne dépareraient pas le florilège oulipien, et ressortiraient aussi bien à la transformation ludique. Mais n'avais-je pas reconnu d'avance la précarité des régimes ? Et la part du sérieux, ici, est évidemment la leçon technique ou esthétique qu'un connaisseur, ou même un amateur, peut tirer de telles manipulations. Rien n'est plus utile que ces jeux. La seconde : une transmétrisation procède presque toujours d'une augmentation (par exemple, de dix à douze pieds) ou d'une réduction (par exemple, de douze à huit) du texte. Transformation quantitative, donc : vaste continent hypertextuel dont nous n'avons touché ici, presque par

256

hasard, qu'une pointe avancée — un cas particulier. Nous l'explorerons plus longuement, une fois reconnue cette autre avancée qu'est la *transtylisation*.

XLV

Comme l'indique clairement son nom, la transtylisation est une récriture stylistique, une transposition dont la seule fonction est un changement de style. Le *rewriting* journalistique ou éditorial en est évidemment un cas particulier, dont le principe est de substituer un « bon » style à un... moins bon : correction stylistique, donc. En régime ludique, nous l'avons vu, les *Exercices de style* de Queneau sont des transtylisations réglées, où le style de chaque performance est prescrit par un choix qu'indique le titre. En régime sérieux, la transtylisation se rencontre rarement à l'état libre, mais elle accompagne inévitablement d'autres pratiques comme, nous l'avons vu, la traduction. Et la transmétrisation est aussi une forme de transtylisation, si l'on admet cette évidence que le mètre est un élément du style. Mais on peut aussi transtyliser en prose, ou transtyliser un poème sans le transmétriser. Je donnerai un exemple de chacun de ces deux cas.

« Vers 1892, le Dr Edmond Fournier se trouvait avec Stéphane Mallarmé chez leur amie commune Méry Laurent. Il parcourait les *Contes* de Mary Summer, auxquels il trouvait du charme, mais dont il déplorait le style. Mme Méry Laurent émit le souhait de les voir récrits par Mallarmé qui, ravi de faire plaisir à son hôtesse, emporta le petit volume dont il choisit les meilleurs contes et les récrivit à sa manière [1]. »

Il s'agit donc des *Contes et Légendes de l'Inde ancienne* de Mary Summer [2], devenus partiellement les quatre *Contes indiens* de Mallarmé, exercice typique de correction stylistique. Cet exercice, comme tel, a été étudié jadis par Claude Cuénot, et plus récemment

---

1. Mallarmé, *Œuvres Complètes*, Pléiade, p. 1606.
2. Paris, Leroux, 1878.

et de manière plus systématique par Guy Laflèche [1]. Ici encore, je ne puis que renvoyer à ces deux études, dont les conclusions se rejoignent à peu près en ces termes : Mallarmé raccourcit un peu (d'un sixième) les contes de Summer — son travail est donc, accessoirement, une réduction — mais il en enrichit (d'un dixième) le lexique, réduisant le vocabulaire « stylistique » (mots grammaticaux, verbes à haute fréquence) et augmentant le vocabulaire « thématique » (substantifs, adjectifs) ; il nominalise les syntagmes nominaux et épithétise les relatives ; il multiplie les phrases nominales et réduit le nombre total des phrases en concaténant souvent deux ou plusieurs phrases de Summer. Tout cela, comme on peut s'y attendre, contribue à une écriture plus riche et plus « artiste », sinon encore très « mallarméenne », dont la brève comparaison ci-dessous, que j'emprunte à Laflèche, peut donner quelque idée.

Si l'on juge, comme Edmond Fournier, « déplorable » ou simplement banale l'écriture de Summer, on décrira volontiers le travail de

---

1. C. Cuénot, « L'origine des *Contes indiens* de Mallarmé », *Mercure*, 15 novembre 1938 ; G. Laflèche, *Mallarmé, Grammaire générative des « Contes indiens »*, P.U. Montréal, 1975.

APPARITION DE DAMAYANTI
Summer, p. 120-121

C'était l'heure du repos ; les femmes de Damayanti s'empressaient encore autour d'elle. Les lampes venaient de s'éteindre et les œils-de-bœuf laissaient pénétrer librement la fraîcheur du soir. La vierge royale était étendue sur une couche de soie et de duvet de cygne aussi légère que les nuées qui flottent dans l'air après les pluies d'automne. Les rayons de la lune caressaient doucement la gerbe dénouée d'une chevelure incomparable ; les prunelles étaient cachées sous les pointes vacillantes des cils noirs et les deux grands yeux, fermés au milieu de cette tête charmante, semblaient un lotus dans la corolle duquel se serait endormie une abeille. Les lèvres brillaient comme des rubis ; rien n'avait encore terni leur rougeur éclatante, et la bouche d'un vainqueur ne leur avait jamais fait sentir son avide pression. Le pâle contour des joues ressemblait au bouton du Tchampaka avant qu'il ne soit devenu vermeil. Quelques gouttes de sueur glissaient çà et là sur les épaules, sur les bras et sur le sein que soulevait le feu de la jeunesse. Le corps souple reposait dans une attitude languissante et négligée.

Mallarmé comme une *stylisation :* il met *du style* (artiste) là où il n'y en avait guère, ou fort neutre. Au rebours, je qualifierai plutôt de *déstylisation* l'opération mémorable à laquelle se livra jadis sur le *Cimetière marin,* cible décidément vulnérable, un certain colonel Godchot. Cet *Essai de traduction en vers francais* (sic) *du Cimetière marin de Paul Valéry* parut en juin 1933 dans la revue *l'Effort clartéiste* (resic). Le colonel envoya évidemment sa « traduction » à Valéry, qui répondit en des termes d'une ironique gratitude (« Votre travail m'a fort intéressé par le scrupule qui y paraît de conserver le plus possible de l'original. Si vous l'avez pu, c'est donc que mon ouvrage n'est pas aussi obscur qu'on le dit »), et autorisa un mois plus tard une publication, dans la propre revue dirigée par Godchot, *Ma Revue* (reresic), des deux textes côte à côte, approuvant la disposition en ces termes : « Très habile. On comparera. » De cette confrontation au sommet, je retiendrai pour l'exemple la première et la dernière strophe, dont je présenterai plus brutalement (p. 260) les deux états sous la forme, encore plus parlante, d'un texte biffé et corrigé.

APPARITION DE DAMAYANTI
Mallarmé, p. 618

Repos, éventails agités par les femmes de Damayanti, autour d'elle ; les lampes éteintes, la fraîcheur du soir inonde librement chaque ouverture. Légère comme les nuées flottant après une nuit d'automne, la vierge royale ondule sur l'argent et la soie d'un duvet de cygne, on croirait la blancheur semée par l'envol du cher messager, dont la confidence la trouble encore. La lune infiltrait ses rayons dans l'ombre dénouée d'une chevelure incomparable et jusqu'à ses prunelles cachées sous les points vacillants de cils noirs : les yeux s'y ferment, au milieu de cette tête pâlie ils évoquent un lotus avec une abeille double endormie dans sa corolle. Seules brillent les lèvres avec un feu de rubis, sur leur chaste grenade la bouche d'un vainqueur n'a jamais désaltéré sa soif. Plutôt le bouton du Tchampaka avant de devenir vermeil, le contour clair des joues. Quelques gouttes de sueur, ingénu collier glissé, perlent aux bras, aux épaules ; au sein, que soulève l'avenir.

```
Cette eau                glissent
Ce toit tranquille où marchent des colombes,

Entre les pins palpite, entre les tombes;
     d'aplomb apaise      ses
Midi le juste y compose de feux
                    nouvelée
La mer, la mer toujours recommencée!
Ah! quel bonheur! détendre ma
O récompense après une pensée
Dans ce tableau calme comme 1
Qu'un long regard sur le calme des dieux!...


                         vivre ma vie
Le vent se lève!... Il faut tenter de vivre!
L'immensité remplit ma poésie
L'air immense ouvre et referme mon livre,

Le flot se brise          sur 1
La vague en poudre ose jaillir des rocs!

              dans les splendeurs, mes
Envolez-vous, pages tout éblouies!
Et que la mer de ses joyeux tapages
Rompez, vagues! Rompez d'eaux réjouies

Rompe l'eau calme où vont danser 1
Ce toit tranquille où picoraient des focs!
```

On aura comparé, et sans doute apprécié, comme Valéry lui-même, le maintien intégral du second vers, apparemment irréprochable [1]. Comme l'indiquait le titre, le propos essentiel était une transposition du style « obscur » de l'original en un style plus clair. On voit assez que la clarification passe ici par une substitution de termes « propres » aux métaphores supposées. La déstylisation y est donc, pour le coup, et proprement, défiguration.

J'ajouterai à la décharge du colonel que l'*auto-transtylisation* est une pratique courante, et bien connue. Valéry lui-même (en attendant Godchot) et bien d'autres nous ont laissé plusieurs versions du même poème, dont chacune transtylise la précédente. Dans le Mallarmé de la Pléiade, on trouve entre autres trois états du *Faune*, deux du *Guignon*, de *Placet futile*, du *Pitre châtié*, de *Tristesse d'été*, de *Victorieusement fui...* Voici (p. 262), toujours disposées selon le principe (abusif) biffure-correction, les deux versions (1868 corrigée 1887) du sonnet en *x*.

Je n'entreprendrai pas de commenter ici ce travail de mallarméisation ; c'est l'affaire des généticiens, qui n'y ont déjà pas manqué ; ni de théoriser sur la fonction paratextuelle de l'avant-texte, ou auto-hypotexte : ce sera peut-être l'objet d'une autre enquête. Je voulais seulement faire apparaître, sur ce nouvel exemple, un fait si évident qu'il passe généralement inaperçu : toute transtylisation qui ne se laisse ramener ni à une pure réduction ni à une pure augmentation — et c'est évidemment et éminemment le cas lorsque l'on s'astreint, comme Godchot corrigeant Valéry ou Mallarmé corrigeant Mallarmé, à conserver le mètre et donc la quantité syllabique — procède inévitablement par *substitution*, c'est-à-dire, selon la formule liégeoise, *suppression + addition*. Il urge décidément d'aborder la *translongation*, ou transformation quantitative.

---

1. Une strophe entière (la seizième) a trouvé grâce au tribunal Godchot. Le numéro 25, « Paul Valéry vivant », des *Cahiers du Sud* (1946) a publié sur cet épisode un petit dossier auquel j'emprunte l'essentiel de ma science, avec un choix de sept strophes transtylisées.

~~SONNET ALLEGORIQUE DE LUI-MEME~~

Ses purs ongles très haut dédiant leur
~~La nuit approbatrice allume les~~ onyx,

L'Angoisse, ce minuit, soutient,
~~De ses ongles au pur Crime~~ lampadophore,

Maint rêve vespéral brûlé par le
~~Du soir aboli par le vespéral~~ Phœénix

Que ne recueille pas
~~De qui la cendre n'a~~ de cinéraire amphore

    l   crédences, au   vide
Sur ~~des~~ ~~consoles, en le noir~~ Salon: nul ptyx,

Aboli bibelot
~~Insolite vaisseau~~ d'inanité sonore,

                         des pleurs au
Car le Maître est allé puiser ~~l'eau du~~ Styx

      ce seul   Néant
Avec ~~tous ses~~ objets dont le ~~rêve~~ s'honore.

Mais proche
~~Et selon~~ la croisée au nord vacante, un or

Agonise selon peut-être le
~~Néfaste incite pour son beau cadre une rixe~~

Des licornes ruant du feu contre
~~Faite d'un dieu que croit emporter~~ une nixe,

Flle, défunte nue en le miroir
~~En l'obscurcissement de la glace~~, (Décor)

Que, dans l'oubli fermé par le cadre,
~~De l'absence, sinon que sur la glace~~ (encor)

                s sitôt
De scintillation le septuor (se fixe).

XLVI

Un texte, littéraire ou non, peut subir deux types antithétiques de transformation que je qualifierai, provisoirement, de *purement quantitative,* et donc a priori purement formelle et sans incidence thématique. Ces deux opérations consistent, l'une à l'abréger — nous la baptiserons *réduction* —, l'autre à l'étendre : nous l'appellerons *augmentation.* Mais il y a, bien entendu, plusieurs façons de réduire ou d'augmenter un texte.

On dirait aussi bien — ou mieux — qu'il n'en existe aucune : j'entends aucune qui soit purement quantitative au sens où des procédés mécaniques, ou autres, permettent de produire d'un objet matériel, voire d'une œuvre plastique, un « modèle réduit » (pratique courante, dont la version parisienne de la Liberté de Bartholdi peut offrir un exemple canonique), ou au contraire un « agrandissement » (pratique plus rare, sauf en photographie, mais bien des œuvres plastiques ne sont que des amplifications ultérieures de leur propre maquette initiale). Une telle description fait sans doute bon marché des imperfections inévitables de toute réplique « à l'échelle » — encore que ces imperfections soient peut-être plus étroitement liées à l'acte de « copier », même en « grandeur nature », qu'à celui de réduire ou d'amplifier. Du moins peut-on *concevoir* ce qu'est, dans l'ordre plastique, une version purement réduite ou agrandie.

Rien de tel en littérature, ni d'ailleurs en musique. Un texte — au sens, peut-être décisif, où ce terme désigne aussi bien une production verbale et une œuvre musicale — ne peut être ni réduit ni agrandi sans subir d'autres modifications plus essentielles à sa textualité propre ; et ce, pour des raisons qui tiennent évidemment à son essence non-spatiale et immatérielle, c'est-à-dire à son idéalité spécifique. On peut, sans difficultés et presque sans limites, agrandir ou miniaturiser la présentation graphique d'un texte littéraire ou musical ; plus difficile, déjà, d'agrandir ou de diminuer sa présentation phonique, mais du moins peut-on dire ou jouer plus ou moins vite, ou plus ou moins fort (ici, déjà, se marque une différence de statut entre le texte littéraire et musical : le tempo et la nuance dynamique font partie du texte musical autant que le rythme ou la mélodie, et sont généralement prescrits par la partition ; cette contrainte est ignorée du texte littéraire, dont l'idéalité est ici plus radicale que celle de la musique). Mais le texte lui-même, dans la structure et la teneur de ses phrases, n'en est nullement réduit ou amplifié : modifications spatiales ou temporelles qui, en ce qui le concerne, n'ont tout simplement aucune signification.

Il se fait pourtant tous les jours que l'on réduise ou que l'on augmente un texte. C'est donc que l'on entend par là autre chose que de simples changements de dimension : des opérations plus complexes, ou plus diverses, et que l'on ne baptise, un peu grossièrement, réductions ou augmentations, qu'eu égard à leur effet global, qui est bien en effet de diminuer ou d'augmenter sa longueur — mais au prix de modifications qui, de toute évidence, n'affectent pas seulement sa longueur, mais aussi, cette fois, sa structure et sa teneur. Réduire ou augmenter un texte, c'est produire à partir de lui un autre texte, plus bref ou plus long, qui en dérive, mais non sans l'*altérer* de diverses manières, à chaque fois spécifiques, et que l'on peut tenter d'ordonner, symétriquement ou à peu près, en deux ou trois types fondamentaux d'altérations réductrices et augmentatrices.

Cette symétrie même exclut toute précédence ou préséance de principe entre les deux ordres. Mais je crois savoir d'avance que les investissements littéraires de l'augmentation l'emportent de loin sur ceux de la réduction — qui ne sont pourtant pas négligeables ; et de plus loin encore ses répercussions thématiques. J'explore donc d'abord, à tâtons, les procédures de réduction.

XLVII

On ne peut donc réduire un texte sans le diminuer, ou plus précisément sans en soustraire quelque(s) partie(s). Le procédé réducteur le plus simple, mais aussi le plus brutal et le plus attentatoire à sa structure et à sa signification, consiste donc en une suppression pure et simple, ou *excision*, sans autre forme d'intervention. L'attentat n'entraîne pas inévitablement une diminution de valeur : on peut éventuellement « améliorer » une œuvre en en supprimant chirurgicalement telle partie inutile et donc nuisible. Toujours est-il que la réduction par *amputation* (excision massive et unique) constitue une pratique littéraire, ou en tout cas éditoriale, fort répandue : il existe [1] mainte édition pour enfants de *Robinson Crusoé* qui réduit ce récit à sa seule partie proprement « robinsonnienne » au sens courant du terme, c'est-à-dire au naufrage et à l'existence insulaire de Robinson : suppression, donc, des premières aventures (avant le naufrage) et des dernières (après le départ) que racontait la version initiale, et a fortiori de tout ce qu'y ajoutait la seconde partie. C'est évidemment sur ce modèle ainsi réduit (par l'effet d'une amputation double) que s'est édifiée, de Campe à Tournier, l'immense tradition de la « robinsonnade » ; et il ne fait pas de doute, ici comme souvent ailleurs, que cette pratique de récriture s'appuie sur (et à son tour conforte) une pratique de *lecture*, au sens fort, c'est-à-dire de choix de l'attention : même dans une édition complète, bien des lecteurs passent vite (sur) les aventures pré- et post-insulaires du héros. Et cette infidélité spontanée, qui n'est, à tout le moins, pas sans raisons, altère la « réception » de bien d'autres œuvres : combien de lecteurs du *Rouge* ou de la *Chartreuse* (puisque l'amputation porte aussi volontiers sur les titres) accordent-ils autant d'attention qu'au reste de ces œuvres aux « épisodes » de Mme de Fervacques ou de la Fausta ? Et combien lisent scrupuleusement dans sa continuité la *Recherche du temps perdu ?* Lire, c'est bien (ou mal) *choisir*, et choisir, c'est *laisser*. Toute œuvre est plus ou moins amputée dès sa véritable naissance, c'est-à-dire dès sa première lecture [2].

Je vois bien qu'en écrivant cela j'ai glissé d'un type à peu près pur d'amputation massive à un type, beaucoup plus fréquent, qui consiste en excisions multiples et disséminées au long du texte. Un dernier exemple d'amputation caractérisée : c'est la suppression drastique, par Boïto dans son livret pour l'opéra de Verdi, du premier acte vénitien d'*Othello*. Ce n'est évidemment pas la seule modification opérée par Boïto, mais c'est la plus ostensible, et nous sommes quelques-uns, je suppose, à mieux connaître l'opéra que la tragédie, et à éprouver rétroactivement, et sans doute abusivement, le premier acte de celle-ci comme un prologue dispensable : pour nous, l'action d'*Ot(h)ello* est à Chypre.

J'avais glissé, donc, de l'amputation à l'*élagage*, ou *émondage*. Il faudrait toute une vie pour seulement parcourir le champ de ces « éditions » — en fait, versions — *ad usum dèlphini* dont se composent fort couramment (quoique non toujours ouvertement)

---

1. Depuis 1719, trois mois après la sortie du livre.
2. Dans son Introduction à *Guerre et Paix* (« Folio », p. 38), Boris de Schloezer signale que, du vivant de Tolstoï et avec son accord, sa femme en publia une édition expurgée de ses « digressions » philosophiques et historiques.

les collections de littérature « pour la jeunesse » : Don Quichotte allégé de ses discours, digressions et nouvelles rapportées, Walter Scott ou Fenimore Cooper de leurs détails historiques, Jules Verne de ses tartines descriptives et didactiques, autant d'œuvres réduites à leur trame narrative, succession ou enchaînement d' « aventures ». La notion même de « roman d'aventures » est en grande partie un artefact éditorial, un effet d'élagage. Ses grands fondateurs se croyaient presque tous voués à une tâche plus noble, ou plus sérieuse.

Mais le public juvénile n'est pas le seul à inspirer de tels allégements. Au XVIIIe siècle, Houdar de La Motte produisit de l'*Iliade* une version française en douze chants (sur vingt-quatre), qui supprimait non pas la moitié, mais deux bons tiers du texte homérique : discours redondants et fastidieux, combats peu conformes au goût classique, qui se révèle ou se confirme par là fort éloigné de l'âme épique : faire, dans une épopée, la chasse aux batailles et aux répétitions, c'est marquer assez infailliblement son aversion pour l'essentiel de sa matière, et de son style. Mais toute époque n'est pas tenue d'apprécier tout genre, et l'*Iliade en douze chants* témoigne assez bien pour le goût de son temps.

Je n'oserais trop défendre en les mêmes termes la version élaguée, plus rudement encore, que l'auteur de ces lignes donna voici quelques années de *l'Astrée*. Le principe de cette sélection était simple, quoique d'exécution plus délicate : dans ce roman de structure typiquement « baroque », c'est-à-dire surchargé d'épisodes rapportés et de récits enchâssés qui occupent plus des neuf dixièmes de son texte, contraint par les limites d'une édition de poche à n'en présenter qu'un dixième, je résolus de ne garder que l'intrigue centrale constituée par les amours d'Astrée et Céladon. C'était à coup sûr le seul moyen de produire une « réduction au dixième » offrant l'intérêt d'un récit continu ; mais il va de soi que cet intérêt même constitue un anachronisme, et une trahison du style narratif urféen aussi « grave » que les allégements opérés par Houdar sur Homère. C'est sans doute ainsi qu'en a jugé l'éditeur, ou son héritier, qui en a très vite interrompu la diffusion, préparant sans nul doute une nouvelle édition — populaire ? — du texte intégral.

L'*auto-excision* (j'entends par là l'amputation ou l'élagage d'un texte non pas certes par lui-même — ce serait pourtant l'idéal — mais, à défaut, par son propre auteur) est évidemment un cas particulier de l'excision.

Comme chacun le sait, il arrive très fréquemment que le texte d'une pièce de théâtre soit écourté à la scène. Lorsque ces suppressions sont de pure commodité scénique, elles restent le plus souvent tacites, même si l'auteur y a consenti et prêté la main, et ces « versions pour la scène » ne passent pas à l'écrit, et échappent, parfois irrémédiablement, à la curiosité des historiens et des critiques. Mais il existe au moins un témoignage d'auto-excision scénique dûment consignée, et légitimement intégrée à l'œuvre complète de l'auteur : il s'agit des « versions pour la scène » du *Soulier de satin* (1943), de *Partage de midi* (1948) et de *l'Annonce faite à Marie* (1948). A vrai dire, ces trois versions scéniques n'ont pas tout à fait le même statut. Seule celle du *Soulier de satin* est essentiellement une réduction, comme l'indique suffisamment la différence de longueur entre les 286 pages de la version originale (écrite entre 1919 et 1924 et publiée après une première série de corrections en 1929) et les 162 pages de la version de 1943 dans le même volume de l'édition Pléiade ; aussi bien, seul le *Soulier* dépassait massivement les dimensions alors acceptables à la scène : « L'essentiel du travail, indique Jacques Petit, consista en un resserrement de l'ensemble, obtenu surtout par la suppression de presque toute la IVe journée [1] » ; d'où une « première partie comprenant le *raccourci* des première et deuxième journées de l'édition intégrale », et une « deuxième partie et épilogue comprenant le *raccourci* des troisième et quatrième ». Le sentiment de Claudel sur ce travail était parfaitement net, et il l'indiquait très clairement dans une allocution de 1944, parlant de « dépeçage », de « coupures impitoyables », se désignant lui-même comme « à la fois opérateur et victime », et la version scénique comme « ce qui reste de la pièce », « viscère unique et pantelant », et « unique fragment [2] ». Le cas de *Partage de midi* est un peu différent : de la version de 1905 à celle des représentations de 1948, la réduction est peu sensible (de 80 à 75 pages) ; il va de soi que la longueur n'est pas toujours le seul obstacle à la représentation, mais la vérité est plutôt qu'après quarante-trois ans Claudel souhaitait remanier profondément (thématiquement) son drame, et que les exigences de la scène n'y étaient qu'un prétexte. Jean-Louis Barrault obtint même le maintien de « certaines scènes que le poète souhaitait réécrire. Cette version est, d'une certaine manière, un compromis. Les représentations renforcèrent en Claudel le désir de composer une

1. Pléiade, p. 1469.
2. *Ibid.*, p. 1476.

version entièrement nouvelle [1] ». Cette troisième version, baptisée
« version nouvelle » (86 pages), fut écrite à la fin de 1948, et c'est
évidemment elle que l'on doit considérer comme la version « définitive », la seconde n'ayant joué qu'un rôle de transition ; c'est
également elle que Claudel souhaitait désormais faire jouer, même
si ce souhait n'a encore jamais été accompli. Version donc à la fois
« définitive » et « pour la scène », comme l'est officiellement la
seconde de l'*Annonce*, ou, si l'on préfère, la quatrième de *la Jeune
Fille Violaine* [2]. Ici encore, les différences de longueur sont faibles :
1892, 76 pages ; 1899, 86 pages ; 1911, 102 pages ; 1948, 83 pages. La
dernière version est même, on le voit, comme pour *Partage,*
légèrement plus longue que la première. Même chose pour
l'Echange et pour *Protée.* Les seules réfections réductrices sont donc
celle (purement scénique) du *Soulier* et celle, bien antérieure, de *la
Ville* (1891, 109 pages ; 1898, 74 pages [3]). *Tête d'or,* entre 1889 et
1894, n'a perdu que cinq pages. C'est donc céder à une idée
préconçue que d'avancer, comme le fait Jacques Madaule, qu'« en
général, (ces transformations tardives) tendent à élaguer la trop
luxuriante végétation lyrique. On dirait que le poète, en un premier
temps, n'est pas maître de son abondance verbale... Les secondes
versions sont plus claires, plus aptes à la représentation, mais moins
riches à la lecture », et de conclure à une victoire finale du
dramaturge efficace sur le poète diffus [4]. La seule « victoire » est
celle de Claudel vieux sur Claudel jeune, et d'ordre plus souvent
thématique que formel.

Mais ce préjugé, qui tombe à faux sur Claudel, répond bien à une
réalité, sinon chez lui, du moins chez quelques autres. Lorsqu'un
écrivain, pour telle ou telle raison, « reprend » et corrige une de ses
œuvres antérieures ou simplement le « premier jet » d'une œuvre
en cours, cette correction peut avoir pour tendance dominante soit
la réduction soit l'amplification. Réservons pour plus tard les
révisions à dominante amplificatrice ; de la révision essentiellement
réductrice, nous pouvons trouver un cas très caractéristique chez
Flaubert.

1. J. Petit, *ibid.*, p. 1335.
2. Ou troisième et cinquième, si l'on tient compte d'une version scénique de 1938,
qui comportait seulement une réfection de l'acte IV, reconduite en 1948.
3. Un cas proche de celui des « versions pour la scène » se rencontre dans les
« reading versions » de certains romans de Dickens, destinées aux lectures publiques
que l'auteur effectua à partir de 1858 (voir Philip Collins éd., *Charles Dickens : The
Public Readings,* Oxford U. P., 1975). Ce sont des versions fortement abrégées,
essentiellement par élagage — ainsi *Great Expectations* se trouve-t-il réduit à une
cinquantaine de pages. Mais l'intervention est plus complexe, et j'y reviendrai.
4. *Ibid.*, p. XIV.

L'effet castrateur des avis, généralement sévères, de ses mentors Bouilhet et Du Camp est bien connu, et facile à mesurer. Il n'est que de comparer le texte définitif de *Madame Bovary* publié en 1857 à la version « originale » (re)constituée par Pommier et Leleu [1] ; ou — comparaison plus légitime, car les divers états sont ici d'une authenticité indiscutable — de rapprocher les trois (ou quatre) versions successives de *la Tentation de saint Antoine*. Plus légitime, mais déjà faite, voici plus de quarante ans, par Demorest et Dumesnil [2], à qui je renvoie pour les détails. La première *Tentation* a été lue par Flaubert en 1849 à ses amis qui lui conseillent de « jeter cela au feu et n'en reparler jamais ». Ce premier état devait ressembler de très près à celui que présente le manuscrit NAF 23.664 de la Bibliothèque nationale, qui comporte 541 feuillets ; or ce manuscrit porte la marque de nombreuses décisions de suppression, qui laissent fort bien lire l'état initial, mais témoignent d'une première relecture déjà sévère. On pourrait publier ce texte en opérant les coupures indiquées [3], et l'on aurait ainsi une seconde *Tentation*, impossible à dater, mais évidemment intermédiaire, dans le temps et dans le procès de réduction, entre celle de 1849 et celle de 1856, qu'on appelle couramment « Deuxième *Tentation* » (sauf quand on la publie, en suivant le mauvais exemple donné en 1908 par Louis Bertrand, sous le titre fallacieux de « Première *Tentation* »). Celle-ci, qui pousse à son terme le travail de réduction, constitue le manuscrit NAF 23.665, qui ne contient plus que 193 feuillets. La chute est brutale, mais les inégalités de graphie la surévaluent : en fait, la *Tentation* de 1856 n'est guère que deux fois plus courte que celle de 1849. Elle procède vraiment, à quelques raccords près, d'un travail de suppressions pures et simples. Voici comment Demorest et Dumesnil décrivent ce travail : « (Flaubert) taille et rogne, biffe ce qui est redondant, intempestif, osé, déclamatoire, inutile, il ôte les métaphores trop développées ou trop fréquentes, les épithètes, les interjections, débarrasse le texte de tout ce qui l'alanguit ou l'alourdit, de tout ce qui fausse la couleur locale ou historique, il recherche la mesure, l'harmonie, la conci-

---

1. *Madame Bovary, nouvelle version* établie par J. Pommier et G. Leleu, Corti, 1949. Malgré mes guillemets (de précaution et non de citation), c'est moi qui qualifie cette version d' « originale », et non ses éditeurs, qui la présentent simplement, et sans dissimuler l'hétérodoxie du procédé, comme un choix fait dans les brouillons pour dégager « un texte continu » et « qui offrît, sous une forme suffisamment écrite » et lisible, « un état antérieur aux corrections et aux sacrifices » susdits.
2. *Bibliographie de Gustave Flaubert*, Giraud-Badin, 1937.
3. Personne ne l'a fait, mais l'édition du Club de l'honnête homme indique les coupures et permet donc d'apprécier cet état 2, ou 1 *bis*.

sion, la clarté, essaie de mettre en relief le plan, de multiplier les préparations, les liaisons, de développer le personnage d'Antoine en lui donnant une place plus importante dans le dialogue et dans l'action. » La version définitive de 1874 témoigne d'un travail plus complexe où l'excision, qui continue, ne domine plus, compensée par de nombreuses additions et compliquée de plusieurs permutations ; d'où une œuvre toute nouvelle, mais de dimensions très proches de celle de 1856.

La « réception » des œuvres est ici le lieu d'un singulier renversement de perspective : le plus souvent (c'est évidemment le cas pour Flaubert), le lecteur (historiquement, le public) a d'abord accès à la version « définitive », c'est-à-dire autoréduite, qui détermine durablement sa « vision », ou son idée de l'œuvre. Puis, la curiosité (ou la possibilité) lui vient d'en lire la version primitive, qui lui en paraît inévitablement une amplification, plus ou moins bien venue selon les cas, et selon les goûts : entre les tenants de la dernière et de la première *Tentation,* ou de *Madame Bovary* et de sa version Pommier-Leleu, le débat est sans trêve — et sans issue. Mais rien ne peut effacer l'*effet d'amplification* qui tient à l'inversion des ordres du temps de la genèse à celui de la lecture. Peut-être faudrait-il, comme on aimait y rêver du temps de Condillac, imposer expérimentalement à de jeunes lecteurs un ordre de lecture conforme à celui de la genèse. Mais ce serait sans doute, entre autres inconvénients, les priver d'une illusion bénéfique ; car il peut y avoir bénéfice à l'illusion, quand elle est, comme ici, consciente, et qu'elle procure donc une double vision : la spontanée et la savante, ou corrigée. Nous rencontrerons bientôt, d'ailleurs, l'illusion inverse.

L'*expurgation,* qui produit évidemment les « versions expurgées », est entre autres une espèce de l'excision (par amputation massive ou émondage dispersé) : c'est une réduction à fonction moralisante ou édifiante, généralement encore *ad usum delphini.* On n'y supprime pas seulement ce qui pourrait ennuyer le jeune lecteur ou excéder ses facultés intellectuelles, mais aussi et surtout ce qui pourrait « choquer », « troubler » ou « inquiéter » son innocence, c'est-à-dire bien souvent lui livrer des informations qu'on préfère lui soustraire encore pour quelque temps : sur la vie sexuelle, il va de soi, mais aussi sur bien d'autres réalités (« faiblesses » humaines) dont il n'est pas urgent de l'avertir et de lui donner l'idée. Je ne pense pas qu'il y eût beaucoup de ce genre de traits chez Verne ou Cooper, mais chez Scott, peut-être... Assez en tout cas chez bien d'autres grands auteurs pour entretenir une industrie florissante. La censure, évidemment, est la version pour adulte de la même pratique.

De ce que les ciseaux d'Anastasie sont devenus le symbole de la censure et de l'expurgation, il ne faudrait pas, toutefois, inférer qu'elles ne procèdent que par excision : il est parfois plus efficace d'ajouter un commentaire explicatif, ou justificatif, ou de quelque manière apotropaïque. Un simple blâme peut suffire à exonérer l'auteur et/ou à détourner le lecteur des « fautes du héros ». Stendhal, on le sait, s'y amusait parfois lui-même sous couleur d'égarer la police, et nous en recontrerons d'autres exemples en d'autres occasions.

Cas particulier, à la fois de l'expurgation et de l'auto-excision : l'*auto-expurgation,* où l'auteur produit lui-même une version censurée de sa propre œuvre. J'ignore si cette pratique est répandue (à vrai dire j'en doute) ; mais tout existe, et nous en connaissons au moins un exemple : c'est *Vendredi ou la vie sauvage,* de Michel Tournier. J'en dirai deux mots un peu plus loin, à propos de son original, qui nous intéressera davantage, et à un tout autre titre.

XLVIII

De l'excision, qui peut à la limite se dispenser de toute production textuelle et procéder par simples biffures ou coups de ciseaux, il faut distinguer la *concision*[1], qui se donne pour règle d'abréger un texte sans en supprimer aucune partie thématiquement significative, mais en le récrivant dans un style plus concis, et donc en produisant à nouveaux frais un nouveau texte, qui peut à la limite ne plus conserver un seul mot du texte original. Aussi la concision jouit-elle, dans son produit, d'un statut d'*œuvre* que n'atteint pas l'excision : on parlera d'une version abrégée de *Robinson Crusoé,* sans toujours pouvoir nommer l'abréviateur, mais on parlera de l'*Antigone* de Cocteau, « d'après Sophocle ».

---

1. Ce terme ne désigne couramment qu'un *état* de style : on parle de la concision de Tacite ou de Jules Renard. Je profite de son opposition préfixale à *excision* pour lui faire désigner un procès, celui bien sûr par lequel on rend concis un texte qui ne l'était pas dès l'abord.

Cocteau, donc, a pratiqué par trois fois cet exercice, dont à vrai dire je ne connais pas d'autre exemple : en 1922 sur *Antigone*, en 1924 sur *Roméo et Juliette*, et en 1925 sur *Œdipe Roi*. Il désigne lui-même son *Antigone* comme une « contraction » de celle de Sophocle, et ce terme conviendrait assez bien s'il ne désignait déjà un exercice scolaire qui relève d'une autre technique. Toujours à propos d'*Antigone*, Cocteau dit avoir voulu traduire cette pièce comme on « photographie la Grèce en aéroplane [2] ». L'image est un peu vague, mais elle connote bien l'époque, la manière et le climat.

A quelques modifications près (anachronismes, familiarismes dans la tradition du travestissement, réduction plus forte des parties chorales, une addition thématique dans *Antigone* où Hémon, selon le récit du messager, crache au visage de son père), *Antigone* et *Œdipe Roi* sont bien essentiellement des contractions stylistiques : presque chaque réplique est conservée, mais dans un style plus bref et plus nerveux. Voici deux ou trois exemples typiques, pour lesquels je juxtapose la traduction (littérale) de Mazon et la concision de Cocteau. Mazon : « *Créon à Ismène :* À toi, maintenant ! Ainsi tu t'étais glissée à mon foyer, tout comme une vipère, pour me boire mon sang ? » ; Cocteau : « Ah ! te voilà, vipère. » Mazon : « *Antigone :* Non, non, je ne veux pas que tu meures avec moi. Ne t'attribue pas un acte où tu n'as pas mis la main. Que je meure, moi, c'est assez » ; Cocteau : « Ne meurs pas avec moi et ne te vante pas, ma petite. C'est assez que moi, je meure. » Mazon : « Ces deux filles sont folles, je le dis bien haut. L'une vient à l'instant de se révéler telle. L'autre l'est de naissance » ; Cocteau : « Ces deux filles sont complètement folles. » Mazon : « Il n'est pas de pire fléau que l'anarchie. C'est elle qui perd les États, qui détruit les maisons, qui, au jour du combat, rompt le front des alliés, provoque les déroutes ; tandis que, chez les vainqueurs, qui donc sauve les vies en masse ? la discipline. Voilà pourquoi il convient de soutenir les mesures qui sont prises en vue de l'ordre, et de ne céder jamais à une femme, à aucun prix. Mieux vaut, si c'est nécessaire, succomber sous le bras d'un homme, de façon qu'on ne dise pas que nous sommes aux ordres des femmes » ; Cocteau : « Il n'y a pas de plus grande plaie que l'anarchie. Elle mine les villes, brouille les familles, gangrène les militaires. Et si l'anarchiste est une femme, c'est le comble. Il vaudrait mieux céder à un homme. On ne dira pas que je me suis laissé mener par les femmes. »

1. *Œdipe Roi* est simplement qualifié d' « adaptation libre d'après Sophocle » et *Roméo* « prétexte à mise en scène d'après William Shakespeare ».

Comme ces citations suffisent peut-être à l'indiquer, la « contraction » opérée ici (et pareillement dans *Œdipe Roi*) par Cocteau ne fait qu'accentuer, exagérer, et au fond actualiser la concision sophocléenne, que les traductions littérales ont plus de mal à rendre. Cocteau pousse Sophocle à bout, mais dans son propre sens : exemple inattendu de cette pratique jusqu'ici introuvable, la récriture en charge, la parodie en hyperpastiche. Sophocle récrit par Cocteau est plus Sophocle que nature. L'effet est concluant : c'était peut-être la meilleure façon de le traduire. Le cas de *Roméo* est très différent : comme le dit Cocteau lui-même, « je voulais opérer un drame de Shakespeare, trouver l'os sous les ornements. J'ai donc choisi le drame le plus orné, le plus enrubanné ». Mais, comme l'essentiel était précisément dans ces ornements lyriques supprimés, l'effet est de toute évidence moins heureux : *Roméo et Juliette* réduit à son os d'action devient peu de chose. Paradoxalement donc, la concision réussirait mieux aux textes déjà concis. Mais ce paradoxe renvoie à une observation que l'on peut faire sur d'autres types de pratiques hypertextuelles : mieux vaut pousser un texte à son extrême que d'atténuer son caractère, ce qui revient à le normaliser, et donc à le *banaliser*. La sécheresse volontaire du style de Cocteau (qu'il faudrait écouter dans sa voix métallique et tranchante) sert Sophocle, dessert Shakespeare. Pour bien traduire *Roméo*, il fraudrait peut-être au contraire l'amplifier, le sur-orner, forcer sur les rubans. Il y eût fallu un Pichette.

Comme l'auto-excision était un cas particulier de l'excision, l'*auto-concision* est un cas particulier de la concision. Plus fréquent, sans doute parce qu'il y a là l'une des formes les plus constantes du « travail du style ». Voyez, entre autres, Chateaubriand.

A défaut de manuscrits détruits ou perdus, sa pratique bien connue du remploi nous donne quelques occasions d'observer, d'une œuvre à l'autre, son travail de correction, en particulier sur ces pages polyvalentes et baladeuses qui errent du *Voyage en Amérique* à l'*Essai sur les révolutions*, au *Génie du christianisme*, à *René* ou *Atala*, voire aux *Mémoires d'outre-tombe*. Un premier exemple en est la célèbre description des chutes du Niagara, dans sa version première de 1797 (*Essai*), puis dans sa version corrigée en 1801 pour l'Épilogue d'*Atala*. Nous disposons seulement des deux états publiés, mais rien n'interdit, ici encore, de les disposer et de les considérer ensemble sous la forme fictive d'une page de 1797 biffée et raturée en 1801. De ce brouillon imaginaire, voici une transcription qui nous dispensera de bien des commentaires inutiles.

Elle est formée par la rivière Niagara, qui sort du lac Érié, et
le lac
se jette dans ~~l'~~Ontario. ~~A environ neuf milles de ce dernier lac~~
                                     est de cent quarante-
~~se trouve la chute~~; sa hauteur perpendiculaire ~~peut être d'environ~~
quatre
~~deux cents~~ pieds. ~~Mais ce qui contribue à la rendre si violente,~~
    D   au saut
~~c'est que,~~ depuis le lac Érié jusqu'~~à la cataracte~~, le fleuve ~~ar-~~
accourt
~~rive toujours en déclinant~~ par une pente rapide, ~~dans un cours de~~
            et   de la chute
~~près de six lieues; en sorte qu'~~au moment ~~même du saut~~, c'est moins
un fleuve
~~une rivière~~ qu'une mer ~~impétueuse~~, dont les ~~cent mille~~ torrents se
pressent à la bouche béante d'un gouffre. La cataracte se divise en
deux branches, et se courbe en ~~un~~ fer à cheval ~~d'environ un demi-~~
                      une île
~~mille de circuit~~. Entre les deux chutes s'avance ~~un énorme rocher~~
    e   arbres
creusé en dessous, qui pend, avec tous ses ~~sapins,~~ sur le chaos des
ondes. La masse du fleuve, qui se précipite au midi, ~~se bombe et~~
       en
s'arrondit ~~comme~~ un vaste cylindre ~~au moment qu'elle quitte le~~
~~bord~~, puis se déroule en nappe de neige et brille au soleil de tou-
                .C   levant
tes les couleurs ~~du prisme:~~ ~~c~~elle qui tombe au ~~nord~~ descend dans
           ; on dirait   Mille
une ombre effrayante~~,~~ ~~comme~~ une colonne d'eau du déluge. ~~Des~~ arcs-
en-ciel ~~sans nombre~~ se courbent et se croisent sur l'abîme, ~~dont~~
~~les terribles mugissements se font entendre à soixante milles à la~~
    F   l'eau
~~ronde~~. ~~L'onde,~~ ~~f~~rappant le roc ébranlé, rejaillit en tourbillons
         èvent   comme les
d'écume qui~~,~~ s'él~~èvent~~ au-dessus des forêts, ~~ressemblent aux~~ fumées
      Des pins, des noyers sauvages, d
épaisses d'un vaste embrasement. ~~D~~es rochers ~~démesurés et gigantes-~~
~~ques,~~ taillés en forme de fantômes, décorent la scène ~~sublime; des~~
~~noyers sauvages, d'un aubier rougeâtre et écailleux, croissent ché-~~
~~tivement sur ces squelettes fossiles. On ne voit auprès aucun ani-~~
              D
~~mal vivant, hors des~~ aigles, ~~qui, en planant au-dessus de la cata-~~
~~racte où ils viennent chercher leur proie, sont~~ entraînés par le
                      ent   du gouffre;
courant d'air, ~~et forcés de~~ descendr~~e~~ en tournoyant au fond ~~de l'a-~~
et des   s   e   leurs   s
~~bîme. Quelque~~ carcajou ~~tigré~~ se suspend~~a~~nt par ~~sa longue~~ queue ~~à~~
flexibles au bout   pour saisir dans l'abîme, les
~~l'extrémité~~ d'une branche abaissée, ~~essaie d'attraper les débris~~
cadavres brisés
~~des corps noyés~~ des élans et des ours ~~que la remole jette à bord.~~

Comme on peut le voir, la correction est bien ici essentiellement réductrice : quelques suppressions pures et simples, quelques substitutions réductrices, pour ainsi dire aucune addition pure ou substitution amplificatrice — moyennant quoi le texte passe, sauf erreur, de 367 à 244 mots, soit une ablation d'un tiers. Au passage disparaissent quelques répétitions, doublets redondants, adjectifs, chiffres sans doute jugés inutiles ou douteux, détails estimés oiseux. Certains pourtant nous laissent des regrets : la teinte rougeâtre et la forme tourmentée des noyers sauvages suspendus sur l'abîme, le tigré du carcajou, les débris noyés des animaux que la remole jetait au bord. La seconde version est évidemment plus nette et plus châtiée, mais elle a un peu perdu en couleurs, en pittoresque et en saveur d'écriture. Ce mouvement est encore plus sensible dans une autre évocation du nouveau continent, la non moins fameuse « nuit américaine » de l'*Essai,* que l'on retrouve en 1800 dans le *Génie,* où elle subira d'édition en édition divers amendements jusqu'à la version ultime de 1809, et enfin dans une page des *Mémoires* rédigée en 1822. Cette série de variantes est un pont-aux-ânes du genre, qui a été fort soigneusement étudié par les spécialistes [1]. Je néglige les états intermédiaires pour présenter (p. 276, 277 et 278), selon la même fiction que pour la page précédente et en ne conservant que la partie centrale de ce passage, la version 1800 en correction de la version 1797, puis la version 1809 en correction de la version 1800, et enfin la version 1822 en correction à la version 1809.

De 1797 à 1809, les deux versions extrêmes de ce que l'on peut encore appeler « la même page », la réduction est une fois de plus d'un tiers. Mais, après tout, Chateaubriand n'a aucune raison, ici et là, de viser la réduction pour elle-même ; aussi bien remplace-t-il ici *la lune* par *l'astre solitaire.* La réduction, dans les deux cas, est non un but mais un effet secondaire. Le texte final est plus court parce que Chateaubriand a de nouveau supprimé ou remplacé par des indications plus sobres des détails qui lui paraissaient inutiles, ou indiscrets, ou juvéniles. Ici encore, on peut regretter la vivacité insolite des *grands intervalles épurés,* la comparaison de la voûte aérienne à une grève ridée par le flux et le reflux, la précision de *céruléen,* la lune flottant sur la cime des forêts, le ruban de moire et d'azur semé de crachats de diamants et coupé transversalement de bandes noires, détail d'une extraordinaire netteté, le *fond de craie*

1. A. Albalat, « Les corrections de Chateaubriand », *le Travail du style,* Colin, 1903 ; V. Giraud, « Histoire des variations d'une page de Chateaubriand », *Chateaubriand, études littéraires,* Hachette, 1904.

monta peu à peu au zénith
La lune ~~était au plus haut point~~ du ciel; ~~on voyait çà et là, dans~~
                r   elle
~~de grands intervalles épurés, scintiller mille étoiles.~~ Tantôt ~~la~~
               s
~~lune~~ reposait sur un groupe de nu~~ages~~ qui ressemblait à la cime de
                      tantôt elle s'enveloppait dans
hautes montagnes couronnées de neige; ~~peu à peu ces nues s'allonge-~~
ces mêmes nues, qui
~~aient,~~ se déroulaient en zones diaphanes ~~et onduleuses~~ de satin
blanc, ~~ou~~ se transformaient en légers flocons d'écume~~, en innombrab-~~
                       Quelquefois
~~les troupeaux errants dans les plaines bleues du firmament. Une au-~~
un voile uniforme s'étendait sur   azurée
~~tre fois,~~ la voûte ~~aérienne paraissait changée en une grève où l'on~~
~~distinguait les couches horizontales, les rides parallèles tracées~~
                    mais soudain
~~comme par le flux et le reflux régulier de la mer;~~ une bouffée de
           ant ce réseau, on voyait   er
vent ~~venait encore~~ déchir~~er le voile et partout~~ se form~~aient~~ dans
                     s
les cieux de ~~grands~~ bancs d'une ouate éblouissante de blancheur, si
doux à l'œil, qu'on croyait ressentir leur mollesse et leur élasticité.
                         :   bleuâtre
La scène sur la terre n'était pas moins ravissante; le jour ~~céruléen~~ et
velouté de la lune ~~flottait silencieusement sur la cime des forêts et,~~
 i   et
descendait dans les intervalles des arbres, poussait des gerbes de
                       ; une
lumière jusque dans l'épaisseur des plus profondes ténèbres. ~~L'étoit~~
rivière   devant nos huttes, tantôt se perdait dans le
~~ruisseau~~ qui coulait ~~à mes pieds, s'enfonçant tour à tour sous des~~
bois, tantôt   i
~~fourrés de chênes-saules et d'arbres à sucre, et~~ reparaissa~~it~~ ~~un peu~~
                      e
~~plus loin dans des clairières tout~~ brillant des constellations de la
qu'elle répétait dans son sein
nuit, ~~ressemblait à un ruban de moire et d'azur, semé de crachats de~~
~~diamants et coupé transversalement de bandes noires.~~ De l'autre côté
cette
de ~~la~~ rivière, dans une vaste prairie naturelle, la clarté de la lune
dormait sans mouvement sur les gazons ~~où elle était étendue comme~~
        ; d   agités par les brises, et
~~des toiles.~~ ~~D~~es bouleaux dispersés çà et là dans la savane, ~~tantôt~~
~~selon le caprice des brises se confondaient avec le sol en s'enve-~~
~~loppant de gazes pâles, tantôt se détachaient du fond de craie en se~~
~~couvrant d'obscurité, et~~ formaient comme des îles d'ombres flottantes
sur une mer immobile de lumière. Auprès, tout était silence et repos,
hors la chute de quelques feuilles, le passage brusque d'un vent subit, les gémissements rares et interrompus de la hulotte; mais au
loin, par intervalles, on entendait les roulements solennels de la
cataracte de Niagara qui, dans le calme de la nuit, se prolongeaient
de désert en désert, et expiraient à travers les forêts solitaires.

L'astre solitaire   dans le   :   il suivait pai-
~~La lune~~ monta peu à peu ~~au zénith du~~ ciel; tantôt ~~elle~~ reposait
siblement sa course azurée; tantôt il
sur ~~un~~ groupe de nues qui ressemblait à la cime des hautes monta-
    des   s   en   C
gnes couronnées de neige; ~~tantôt elle s'enveloppait dans~~ des ~~mêmes~~
    ployant et déployant leurs voiles,
nues, ~~qui~~ se déroulaient en zones diaphanes de satin blanc, ~~ou~~ se
dispers   , ou
~~transform~~aient en légers flocons d'écume. ~~Quelquefois un voile uni-

forme s'étendait sur la voûte azurée; mais soudain une bouffée de

vent déchirant ce réseau, on voyait se~~ form~~er~~ aient dans les cieux des

bancs d'une ouate éblouissante ~~de blancheur~~, si doux à l'oeil,

qu'on croyait ressentir leur mollesse et leur élasticité.

La scène sur la terre n'était pas moins ravissante: le jour bleu-

âtre et velouté de la lune descendait dans les intervalles des ar-

bres, et poussait des gerbes de lumière jusque dans l'épaisseur
                        . La   à mes pieds
des plus profondes ténèbres; ~~une~~ rivière qui coulait ~~devant nos~~
tour à tour   tour à tour
~~huttes, tantôt~~ se perdait dans le bois, ~~tantôt~~ reparaissait bril-

lante des constellations de la nuit qu'elle répétait dans son sein.
d   la   D   savane
~~D~~e l'autre côté de ~~cette~~ rivière, ~~dans une vaste prairie naturelle~~,
                                                          :
la clarté de la lune dormait sans mouvement sur les gazons, des

bouleaux agités par les brises, et dispersés çà et là ~~dans la sa-~~
                                                      cette
~~vane~~, formaient des îles d'ombres flottantes sur ~~une~~ mer immobile
                        aurait été   sans
de lumière. Auprès, tout ~~était~~ silence et repos, ~~hors~~ la chute de

quelques feuilles, le passage ~~brusque~~ d'un vent subit, les gémisse-

ment~~s rares et interrompus~~ de la hulotte; ~~mais~~ au loin, par inter-
                        sourds mugissements
valles, on entendait les ~~roulements solennels~~ de la cataracte de

Niagara, qui, dans le calme de la nuit, se prolongeaient de désert

en désert, et expiraient à travers les forêts solitaires.

                               gravit
  L'astre solitaire ~~monta~~ peu à peu dans le ciel: tantôt il suivait
                     ,   franchissait
~~paisiblement~~ sa course ~~azurée~~; tantôt il ~~reposait sur~~ des groupes
                  ,   au sommet d'une chaîne de
de nues qui ressemblaient ~~à la cime de hautes~~ montagnes couronnées
de neige. ~~Ces nues, ployant et déployant leurs voiles, se dérou-~~
laient en zones diaphanes de satin blanc, se dispersaient en légers
flocons d'écume, ou formaient dans les cieux des bancs d'une ouate
éblouissante, si doux à l'oeil qu'on croyait ressentir leur mollesse
et leur élasticité.

  Le scène sur la terre n'était pas moins ravissante: le jour bleuâtre et velouté de la lune descendait dans les intervalles des arbres, et poussait des gerbes de lumière jusque dans l'épaisseur des
plus profondes ténèbres. La rivière qui coulait à mes pieds tour à
tour se perdait dans le bois, tour à tour reparaissait brillante
des constellations de la nuit qu'elle répétait dans son sein. Dans
une savane, de l'autre côté de la rivière, la clarté de la lune
dormait sans mouvement sur les gazons; des bouleaux agités par les
brises, et dispersés çà et là, formaient des îles d'ombres flottantes
                                               T
~~sur cette mer immobile de lumière. Auprès,~~ Tout aurait été silence
et repos, sans la chute de quelques feuilles, le passage d'un vent
subit, le gémissement de la hulotte; au loin ~~, par intervalles,~~ on
entendait les sourds mugissements de la cataracte de Niagara, qui,
dans le calme de la nuit, se prolongeaient de désert en désert, et
expiraient à travers les forêts solitaires.

de la savane, et plus que tout peut-être cette lune étendue sur l'herbe *comme des toiles* qui aurait, je suppose, séduit Proust comme telles cocquecigrues lunaires de Mme de Sévigné, et qui lui aurait fait découvrir chez Chateaubriand aussi un « côté Dostoïevski ». Tout cela est *vu* (en Amérique ou ailleurs) et ne s'invente pas. Mais c'est manifestement cette intensité de vision et cette fraîcheur de style qui gênent l'auteur vieillissant, et qui cèdent la place à des évocations plus fades et plus convenues : astre solitaire, nues, jour bleuâtre, sourds mugissements. Comme bien d'autres écrivains dans leur maturité, Chateaubriand élimine assez systématiquement de ses textes anciens les traits d'invention juvénile dont il est revenu. Mais non définitivement : le style à venir des *Mémoires* et de *Rancé* montre qu'il en est encore capable. Ses corrections quelque peu timorées de 1802-1809 répondraient peut-être à une phase d'académisme dont il sortira plus tard, vif et brusque comme le jeune homme qu'il sera redevenu. Quant à la page de 1822, elle peut à peine passer pour une dernière variante : on dirait que Chateaubriand, ayant publié la version définitive de cette page en 1809, ne la reprend dans les *Mémoires* que, précisément, pour mémoire, et sous une forme non tant réduite qu'abrégée : plutôt renvoi allusif que citation ou reprise : je ne vais pas vous chanter encore une fois un air que vous connaissez par cœur ; juste le début et la fin pour référence.

XLIX

Si distinctes soient-elles dans leur principe, l'excision et la concision ont toutefois ceci de commun qu'elles travaillent directement sur leur hypotexte pour lui imposer un procès de réduction dont il reste la trame et le support constant : et même la concision la plus émancipée ne peut produire en fait de texte qu'une nouvelle rédaction, ou version, du texte original. Il n'en va plus de même dans une troisième forme de réduction, qui ne s'appuie plus sur le texte à réduire que de manière indirecte, médiatisée par une opération mentale absente des deux autres, et qui est une sorte de synthèse autonome et à distance opérée pour ainsi dire de mémoire sur l'ensemble du texte à réduire, dont il faut ici, à la limite, oublier chaque détail — et donc chaque phrase — pour n'en conserver à l'esprit que la signification ou le mouvement d'ensemble, qui reste le seul objet du texte réduit : réduction, cette fois, par *condensation,* dont le produit est ce que le langage courant nomme justement *condensé, abrégé, résumé, sommaire,* ou, plus récemment et dans l'usage scolaire, *contraction de texte.*

On m'objectera à juste titre que la concision, telle que je l'ai moi-même décrite, procède elle aussi par synthèse et condensation autonome, non asservie à la littéralité de l'hypotexte. Mais elle le fait phrase à phrase, au niveau des microstructures stylistiques, et non au niveau de la structure d'ensemble : on peut grossièrement décrire une concision comme une série de phrases dont chacune résume une phrase de l'hypotexte ; donc comme une série de résumés partiels ; en face, le résumé proprement dit (global) pourrait à la limite condenser l'ensemble de ce texte en une seule phrase. J'avais jadis proposé, pour la *Recherche du temps perdu :* « Marcel devient écrivain. » Légitimement choquée par le caractère hyper-réducteur de ce résumé, Evelyne Birge-Vitz propose cette correction : « Marcel *finit* par devenir écrivain[1] » ; cette fois, me semble-t-il, tout y est.

Ces termes de *condensé, abrégé, résumé* ou *sommaire,* l'usage les considère comme sensiblement équivalents. Peut-être faudra-t-il cependant introduire là quelques nuances, voire davantage. Mais commençons innocemment par décrire, comme si elle était la seule existante, la forme la plus fréquente de la condensation, pour laquelle nous conserverons le terme, lui aussi le plus fréquent, de *résumé.*

Il va presque de soi que la pratique du résumé ne peut donner naissance à de véritables œuvres ou textes littéraires — et naturellement cette quasi-évidence est en partie trompeuse : j'y reviens dès que possible[2].

Les principales fonctions du résumé sont, bien entendu, d'ordre didactique : extralittéraire et métalittéraire. Laissons de côté ces

1. « Marcel *finally* becomes a writer. » L'adverbe exprime ici le fait que le héros, après maintes difficultés, erreurs ou déceptions, devient enfin *ce qu'il désirait devenir.*La thèse générale d'E.B.V. est qu'une histoire (*story*) est « un énoncé où se produit une transformation *attendue* ou *désirée* ». C'est une définition forte, et qui soulève quelques objections. Mais on ne peut nier qu'elle s'applique à la *Recherche.* (« Narrative analysis of medieval texts », *MLN* 92, 1977.)

2. Le principe d' « indissolubilité » de la forme et du sens conduit généralement à décréter qu'un poème n'est pas plus résumable qu'il n'est traduisible. « Est poème, dit Valéry, ce qui ne se peut résumer. On ne résume pas une mélodie. » L'argument, en l'occurrence, est plutôt faible : un poème n'est pas une mélodie et, au surplus, on

investissements extralittéraires que sont les condensés administratifs et autres rapports de synthèse, encore que ce genre puisse comporter son esthétique propre et ses chefs-d'œuvre. Je qualifie de métalittéraires les résumés d'œuvres littéraires dont le discours sur la littérature fait à la fois grande consommation et grande production. Fonctionnellement, le résumé métalittéraire est un instrument de la pratique et/ou un élément du discours métalittéraire.

On le trouve à l'état à peu près pur ou, comme on dit en chimie, *libre,* dans des encyclopédies spécialisées (si j'ose cet oxymore) telles que le *Dictionnaire des œuvres* Laffont-Bompiani, qui consacre à chaque œuvre traitée un article en principe essentiellement informatif ou descriptif, lequel prend le plus souvent la forme d'un résumé au taux de réduction très variable, mais dont la moyenne pourrait se situer quelque part entre 0,5 et 1 %. On le trouve encore, cette fois intégré à un texte didactique plus vaste, dans les notices de certaines éditions savantes ou scolaires, où il se pare volontiers, par une antiphrase étrange mais évidemment valorisante et passée dans l'usage, du titre d'*analyse.* En contexte semblable, ou de manière plus isolée, les résumés, parfois traditionnels, de pièces de théâtre, s'intitulent volontiers *argument;* comme *analyse,* mais par une autre voie (comme si c'était là le scénario sur lequel avait travaillé le dramaturge), *argument* est un euphémisme : l'acte de résumer n'a pas une très bonne image ; parce qu'incontestablement subalterne (au service d'autre chose), il passe à tort pour intellectuellement inférieur, et l'on cherche toujours à le déguiser, ou camoufler, sous quelque terme plus flatteur. Quant à la pratique même du résumé de pièce, elle présente cette particularité qu'on dira « évidente » dès que je l'aurai signalée, mais qui n'est peut-être pas si « naturelle » qu'il y paraît, qu'elle impose au texte qu'elle résume deux transformations à la fois, dont l'une fait oublier l'autre : une réduction, bien sûr, mais aussi une « adaptation », comme on dit lorsqu'un roman ou une pièce passent au cinéma, c'est-à-dire un changement de *mode;* ici, donc, passage du mode

---

peut presque toujours résumer, ou du moins réduire une mélodie par concision, en ne retenant que ses notes principales, le reste étant omis comme transition ou ornement. On peut également presque toujours réduire un poème, de cette manière (nous en avons déjà rencontré quelques exemples) ou d'une autre, plus synthétique, et je me méfie un peu de ceux qui s'y prêtent le plus mal, et qui ne sont, par exemple, qu'une poussière d' « images » incohérentes. Inversement, on peut toujours augmenter (développer) un poème, ou — toute la musique classique en témoigne — une mélodie. L'*intangibilité* du poétique est une idée « moderne » qu'il serait temps de bousculer un peu. L'Oulipo y contribue sur le mode ludique, et c'est un de ses mérites.

dramatique au mode narratif. Ce trait mérite (pour commencer) une minute d'attention : à ma connaissance, il n'existe pas — et a priori je doute qu'il puisse exister — un seul exemple de résumé de pièce sous forme de pièce (a fortiori, pas de résumé de récit sous forme dramatique). Le mode d'énonciation du résumé d'une œuvre « représentative » (dramatique ou narrative) est toujours narratif. Cette loi (c'est une loi) ne tient probablement pas à une impossibilité matérielle : on pourrait, maintenant que quelqu'un y a pensé, faire l'effort de réduire à quelques répliques une pièce de théâtre, et l'on obtiendrait ainsi une maquette un peu plus proche, dans son esprit, d'un résumé que d'une « contraction » à la Cocteau. Mais plutôt à la fonction didactique du mode narratif, ou plus précisément d'un certain type de mode narratif, et que ne pourrait assumer aussi bien le mode dramatique : j'y reviens tout de suite.

Troisième et (j'espère) dernier type d'investissement du résumé métalittéraire, le plus fortement investi, justement, et *pris* dans un discours dont il ne constitue qu'une utilité préliminaire ou plus habilement dissimulée : le discours « critique » en général et sous toutes ses formes, de la plus pédante (universitaire : bien des thèses de doctorat ne sont que des séries de résumés « savamment » raboutés, et ce livre lui-même...) à la plus populaire : le compte rendu journalistique.

A quelques nuances près, toutes ces variétés du résumé didactique, ou résumé proprement dit, se caractérisent par quelques traits formels communs, qui sont tous des traits pragmatiques, c'est-à-dire les marques d'une attitude d'énonciation. Ces traits se ramènent tous, me semble-t-il, à deux principaux, qui sont la narration au présent, même lorsque l'œuvre résumée était rédigée au passé, et la narration « à la troisième personne » (hétérodiégétique), même lorsque l'œuvre résumée était autodiégétique : non pas « Je devins écrivain », mais bien « Marcel devient écrivain ». La coprésence, et très probablement la convergence, ici, du présent et de la troisième personne montre bien que l'opposition entre l'énonciation narrative de l'hypotexte et celle de son résumé ne se laisse pas exactement ramener au contraste établi par Benveniste entre *histoire* et *discours* : les marques de discours (présent et première personne) sont également réparties de part et d'autre. Un autre couple, proposé par Harald Weinrich, cerne de plus près la situation : c'est l'opposition entre le monde du *récit* (qui supporte fort bien la première personne) et celui du *commentaire,* qui peut fort bien s'en passer, mais impose l'emploi du présent. Voici précisément en quels termes Weinrich lui-même applique cette catégorie au résumé didactique : « Le résumé de roman... ne se présente jamais isolément. Il figure dans des guides de lecture en forme de dictionnaire ; l'ordre alphabétique ou chronologique y fait déjà contexte. Un résumé peut certes n'aspirer modestement qu'à rafraîchir la mémoire du lecteur ; mais en général, il sert d'appui au *commentaire* de l'œuvre littéraire. L'auteur d'un tel condensé ne peut avoir pour ambition de reproduire en plus bref et en plus mal ce qui a été raconté mieux, et plus en détail. Résumer le contenu d'un roman n'est pas faire un *reader's digest*. Il s'agit bien plutôt de commenter une œuvre ou de donner à d'autres la possibilité de le faire sans défaillance de mémoire. Le résumé s'insère donc dans une situation commentative plus vaste dont il est un élément [1]. » Weinrich remarque la même attitude pragmatique dans ces sortes de résumés anticipés que sont les esquisses, scénarios et autres plans rédigés le plus souvent pour eux-mêmes par les romanciers au cours de l'élaboration de leur œuvre, et qui relèvent de la même attitude générale de commentaire. Cette catégorisation me semble impeccable, mais je substituerais volontiers à la notion de *commentaire,* tout en reconnaissant que le résumé didactique est toujours explicitement ou implicitement pris dans un contexte critique ou théorique, celle de *description,* qui rend plus précisément compte de la situation à peine narrative du résumé didactique, telle qu'elle s'oppose à celle, pleinement narrative en revanche, que Weinrich évoque sous le terme de *reader's digest.* Comme ces deux types ne se peuvent bien caractériser que dans leur contraste, je dois indiquer dès maintenant les traits fondamentaux du *digest* — pratique pour laquelle, ne disposant d'aucun terme français suffisamment clair, nous en sommes réduits à ce franglisme. Je ne suis pas certain que tous les condensés publiés dans le *Reader's Digest* et dans ses imitations ultérieures répondent systématiquement aux normes ici décrites, mais cela n'a évidemment aucune importance : je décris deux *types* dont l'opposition structurale est tout à fait claire, quels que soient les accidents de leur répartition pratique ; il arrive inversement qu'un critique, bousculant les normes et bravant le ridicule, « raconte » l'action d'un roman ou d'un film en style *digest.*

Le *digest,* donc, se présente comme un récit parfaitement autonome, sans référence à son hypotexte, dont il prend directement l'action en charge. Rien par conséquent ne lui impose les contraintes d'énonciation du résumé didactique. Il peut à sa guise conserver la situation narrative (présent ou passé, première ou troisième personne) ou lui en substituer une autre. Bref, le *digest* raconte à sa manière, nécessairement plus brève (c'est sa seule

1. *Le Temps,* Seuil, 1973, p. 41-42.

contrainte), la même histoire que le récit ou le drame qu'il résume, mais qu'il ne mentionne et dont il ne s'occupe pas davantage. Le résumé, au contraire, ne la perd jamais de vue ni, si je puis dire, de discours : à proprement parler, il ne raconte pas l'action de cette œuvre, il décrit son récit ou sa représentation, sans s'interdire les mentions explicites du texte lui-même, du genre : « Au premier chapitre, l'auteur raconte... Au lever du rideau, nous voyons... » Cette attitude descriptive suffit à exclure toute forme narrative trop vive (prétérit), a fortiori toute forme dramatique, et à commander l'emploi du présent, temps obligé pour la description d'un objet considéré non pas tant comme actuel que comme intemporel. L'énonciateur de cette description est évidemment l'auteur (réel ou putatif) du résumé, ce qui suffit encore à exclure une prise en charge du récit par l'un de ses personnages, et donc une narration de forme autodiégétique : le *je* d'un *digest* peut être le héros, le *je* (ou le *nous* académique) d'un résumé, même s'il n'apparaît jamais, reste la propriété exclusive du résumeur.

Le terme le plus approprié pour désigner ce type de réduction serait donc *résumé descriptif*, à condition de bien percevoir ici comme objet de la description l'œuvre en tant que telle. En pratique, bien sûr, cette description ne peut guère se séparer d'une description du texte lui-même : non seulement, donc : « Au début de *l'Étranger*, Meursault apprend la mort de sa mère », mais aussi, par exemple : « *L'Étranger* est écrit au passé composé. »

Comme instrument ou auxiliaire du discours métalittéraire, le résumé descriptif ne prétend évidemment pas au statut d'œuvre littéraire. Ce qui n'exclut nullement qu'il y accède, pour peu — entre autres — qu'il soit lui-même rédigé par un grand écrivain (nous avons parfois de ces critères ingénus), qui y ait mis, volontairement ou non, une part de son talent. C'est le cas de ce résumé, relativement étendu (quelque part entre 5 et 10 %) de *la Chartreuse de Parme* qui occupe une cinquantaine de pages d'un article consacré par Balzac à ce roman et publié dans la *Revue parisienne* en septembre 1840[1]. Ce résumé n'est pas nécessairement et en soi l'essentiel d'une étude qui contient quelques propositions théoriques importantes (distinction entre une « littérature des images » qu'illustreraient les romans de Hugo et une « littérature

---

1. « Études sur M. Beyle, analyse de *la Chartreuse de Parme*. » Ce texte peu répandu se trouve, au moins, en annexe de l'édition de la *Chartreuse* donnée par F. Gaillard, coll. « L'univers des livres », Presses de la Renaissance, 1977.

des idées » dont la *Chartreuse* serait le chef-d'œuvre) et quelques remarques critiques sur la composition de ce roman, que Stendhal reçut avec humilité et gratitude, et entreprit quelque temps de suivre pour une réimpression ultérieure ; la plus intéressante, et très caractéristique de l'opposition entre la savante construction balzacienne et le mouvement naturel à la « chronique » stendhalienne, était la suggestion de commencer le récit à Waterloo et de traiter, en l'abrégeant, tout ce qui précède en analepse assumée soit par le narrateur soit par Fabrice. Mais ce qui nous importe ici, c'est le résumé lui-même. Il est rédigé, selon les normes, au présent, et contient de nombreuses citations plus ou moins littérales, dont certaines, assez copieuses, sont un peu moins conformes aux habitudes du genre. Contrairement à ce que l'on pourrait attendre, Balzac n'amorce nullement ici une transcription en style balzacien ; il semble au contraire avoir subi dans une large mesure la contagion stendhalienne, et peut-être (nous connaissons ses aptitudes à la charge) l'a-t-il volontairement accentuée. En revanche — et c'est là son principal intérêt — ce résumé témoigne d'une réinterprétation, et même d'une réorganisation toute particulière de l'action de la *Chartreuse* — que confirment d'ailleurs certains des commentaires qui l'émaillent.

Le résumé balzacien est presque entièrement focalisé, non sur Fabrice, mais sur Gina, et accessoirement sur Mosca : exemple caractéristique de *transfocalisation* narrative. Tout ce qui précède le premier mariage de Gina est retranché, Waterloo expédié en trois mots, et l'essentiel s'attache aux intrigues de la cour de Parme. Fabrice passe au second plan, et toute la fin (Fabrice prédicateur, amours avec Clélia) est résumée en cinq lignes, comme « plutôt esquissée que finie » chez Stendhal lui-même (ce qui est peut-être vrai), et surtout comme secondaire à l'action ; ou bien, ajoute Balzac, c'eût été le sujet d'un autre livre : le drame de « l'amour chez un prêtre[1] » ; quelque chose comme une *Faute de l'abbé Mouret* sans Paradou. En réalité, prêtre amoureux ou pas, Fabrice n'intéresse pas Balzac : jeune, fade, sans envergure ni ambition politique, on ne pourrait attacher à lui l'attention du lecteur qu'en lui donnant un sentiment qui le mît au-dessus des êtres qui l'entourent : de toute évidence, pour Balzac, la passion de Fabrice

---

1. Cette notion est évidemment étrangère à la vision stendhalienne : le fait que Fabrice soit « prêtre » (un del Dongo archevêque est-il un prêtre ?) n'a rien à voir avec l'issue, effectivement dramatique, qui tient bien plutôt aux remords de Clélia — non pas de faire l'amour avec Monseigneur, ni certes de tromper son mari, mais de violer son serment à la Madone et donc de trahir son père.

pour Clélia n'est pas ce sentiment-là. Le roman de Stendhal aurait donc dû être « ou plus court ou plus long » — et le résumé balzacien réalise à sa manière la première suggestion. Le trait essentiel de ce résumé est dans ce déplacement d'intérêt et de point de vue [1]. Preuve, s'il en fallait une, qu'aucune réduction, n'étant jamais simple réduction, ne peut être transparente, insignifiante — innocente : dis-moi comment tu résumes, je saurai comment tu interprètes.

L'interprète (même involontaire) peut être, aussi bien, l'auteur lui-même produisant une (auto)condensation de sa propre œuvre. Le cas n'est sans doute pas trop rare, et on en trouve quelques embryons dans la correspondance de maint romancier. Le plus développé et le plus intéressant est peut-être ce résumé du *Rouge et le Noir* [2] rédigé par Stendhal en octobre ou novembre 1832 à l'intention de son ami italien Salvagnoli, et très probablement pour servir de brouillon à un article qui ne vit jamais le jour. Le taux de réduction est plus fort que dans l'article de Balzac (environ 2 %), et l'auteur présumé n'est pas Stendhal, mais un journaliste italien s'adressant au public italien et présentant le roman comme un tableau des nouvelles mœurs, rigides et étouffantes, établies en France par la Révolution, l'Empire et la Restauration, en tant qu'elles s'opposent aux allures plus libres de l'Ancien Régime. D'où une très forte insistance sur les déterminations historiques (du caractère de Julien par sa lecture des *Confessions*, de celui de Mme de Rénal par le moralisme de province, de celui de Mathilde par la vie parisienne), et une opposition très insistante entre l' « amour de cœur » de la provinciale (*asinus asinum fricat*) et l' « amour de tête » de la parisienne (*asinus fricat se ipsum*) : commentaire brutal, un peu dans la manière de certaines confidences à Mérimée ou notes marginales de *Leuwen,* qui vient imposer de l'extérieur, mais du fait de l'auteur lui-même, une sorte d'interprétation indigène, officielle ou officieuse, bien propre à la fois à conforter et à inquiéter le lecteur qui y retrouve la sienne. Mais le

1. Au passage, une ou deux erreurs de lecture significatives : selon Balzac, Fabrice « fait l'amour avec Clélia » lors de son premier séjour à la tour Farnèse ; cela peut désigner un simple manège amoureux ; mais il ne semble pas percevoir, a contrario, l'abandon passionné par lequel Clélia se donne à Fabrice à son retour. Il prétend encore que Gina échappe à l'exécution de sa promesse à Ranuce-Ernest V, montrant ainsi qu'il n'a pas saisi l'ellipse du chapitre XXVII. Bons témoignages sur une différence presque physique entre les rythmes d'action, et de perception.

2. Publié en appendice de l'éd. Martineau du *Rouge,* Garnier, 1957.

plus troublant est sans doute ici, je l'ai dit ailleurs et ne puis que le répéter, ce « redoublement du récit qui tout à la fois le conteste et le confirme, et à coup sûr le déplace, non sans un curieux effet de *bougé* dans le rapprochement des deux textes ». Ce « rapprochement » troublant entre deux versions autographes est beaucoup plus fréquent que je ne l'imaginais jadis ; mais le paradoxe est ici dans le fait que la version condensée est la plus tardive, écrite après coup (et non avant, comme dans les scénarios et esquisses dont nous considérerons plus loin le statut hypertextuel), comme sous l'effet d'un remords, lui aussi paradoxal, d'avoir été trop nuancé, ou trop elliptique, et d'un désir de tout clarifier et tout trancher en deux mots.

Autre exemple de résumé autographe, avec un effet de désambiguïsation un peu analogue : celui de *Sylvie* par Nerval dans une lettre à Maurice Sand du 6 novembre 1853 : « Le sujet est un amour de jeunesse : un Parisien, qui au moment de devenir épris d'une actrice se met à rêver d'un amour plus ancien pour une fille de village. Il veut combattre la passion dangereuse de Paris, et se rend à une fête dans le pays où est Sylvie, à Loisy près d'Ermenonville. Il retrouve la belle mais elle a un nouvel amoureux, lequel n'est autre que le frère de lait du Parisien. C'est une sorte d'idylle... »

Ou celui d'*Un cœur simple* par Flaubert (à Mme Roger des Genettes, 19 juin 1876) : « L'*Histoire d'un cœur simple* est tout bonnement le récit d'une vie obscure, celle d'une pauvre fille de campagne, dévote mais mystique, dévouée sans exaltation et tendre comme du pain frais. Elle aime successivement un homme, les enfants de sa maîtresse, un neveu, un vieillard qu'elle soigne, puis son perroquet : quand le perroquet est mort, elle le fait empailler et, en mourant à son tour, elle confond le perroquet avec le Saint-Esprit. Cela n'est nullement ironique comme vous le supposez, mais au contraire très sérieux et très triste. Je veux apitoyer, faire pleurer les âmes sensibles, en étant une moi-même. »

Mais le plus saisissant du genre, peut-être parce qu'intégré en abyme à l'œuvre même, est sans doute la synthèse cavalière des *Rougon-Macquart* effectuée dans le *Docteur Pascal* sous le prétexte d'une révélation par Pascal à Clotilde de son dossier d'observations sur la famille. C'est une reprise interprétative et explicative (par l'hérédité, bien sûr) de toute la série à la lumière de la science. Et sur un mode narratif très exceptionnel : l'imparfait de style indirect libre par lequel Zola réassume et récrit l'exposé de Pascal dans son propre style épico-lyrique si caractéristique : « C'étaient d'abord les origines, Adélaïde Foulque, la grande fille détraquée, la lésion nerveuse première... Ensuite, la meute des appétits se trouvait lâchée... Chez Aristide Saccard, l'appétit se ruait aux basses jouissances, à l'argent, à la femme, au luxe... Et Octave Mouret victorieux révolutionnait le petit commerce, tuait les petites boutiques prudentes de l'ancien négoce, plantait au milieu de Paris enfiévré le colossal palais de la tentation... Plus loin s'ouvrait une échappée de vie douce et tragique, Hélène Mouret vivait paisible avec sa fillette Jeanne, sur les hauteurs de Passy... Avec Lisa Macquart commençait la branche bâtarde, fraîche et solide en elle, étalant la prospérité du ventre... Et Gervaise Macquart arrivait avec ses quatre enfants, etc. » Ne dirait-on pas que Zola décrit ici son œuvre à travers le discours de Pascal comme il décrit ailleurs, à grands coups de brosse, le carreau des Halles ou le jardin du Paradou ? C'est vraiment Zola revu et récrit par Zola, Zola au carré, ou peut-être Zola puissance Zola — ce qui fait sans doute beaucoup plus.

L

Hypertextuel, le *digest* l'est, dans sa genèse, tout autant que le résumé, puisqu'il dérive lui aussi d'un hypotexte dont il présente une version condensée. Mais il est beaucoup moins, et même en toute rigueur il n'est nullement métatextuel, puisqu'il ne parle pas de son hypotexte, qu'il ne mentionne nulle part (si ce n'est dans son titre), et qu'il ne prétend nullement décrire. Et c'est précisément le mutisme de cette relation sans référence qui fait de lui, plus rigoureusement et plus purement que du résumé, une *version condensée*, et peut-être ce qui se rapproche le plus de l'idéal inaccessible du modèle réduit [1].

Pas plus que les résumés descriptifs, les *digest* de consommation courante ne prétendent à un statut littéraire. Mais ici encore la modestie n'exclut nullement un éventuel accomplissement, et l'histoire de la littérature fait au moins une place honorable à deux

---

1. Le long (près de 50 %, mais avec des citations littérales et des amorces de commentaire) résumé de *Gradiva* par Freud (*Délire et rêves...*, 1907, trad. par M. Bonaparte, Gallimard, 1949) est d'un statut hybride : fondamentalement descriptif mais non sans quelques démangeaisons de digest au prétérit.

œuvres qui répondent toutes deux au modèle du *digest* (qu'elles ont peut-être contribué à fonder) : ce sont les *Tales from Shakespear* (1807) et les *Adventures of Ulysses* (1808) de Charles et Mary Lamb. La première est la plus célèbre, et même, semble-t-il, la seule traduite en français, la seconde est évidemment l'exploitation transposée d'un filon analogue ; mais son principe de réduction est plus simple, puisque son hypotexte est déjà narratif, alors que les *Contes* narrativisent pour les condenser des textes originellement dramatiques.

The Adventures of Ulysses sont, comme on s'en doute, un condensé de l'*Odyssée*, d'une longueur approximativement égale à 20 % du texte homérique : pour des raisons évidentes, le *digest* qui veut offrir à son public un objet de lecture réduit mais substantiel pratique un taux de réduction beaucoup plus faible que le résumé. Il s'agit, comme dans les *Contes*, d'une version à l'usage des jeunes gens, et Lamb ne se pique nullement d'une fidélité absolue dans la condensation, à l'occasion de quoi il opère bien des changements d'accent, de proportion ou de perspective : pour éviter une dispersion de l'intérêt, l'ouverture olympienne et toute la Télémachie disparaissent ; symétriquement et sans doute pour évacuer les détails fastidieux ou trop brutaux (massacre des prétendants), les douze derniers chants se réduisent à quatre chapitres (sur dix). Comme y portait ce genre d'adaptation, Lamb s'attarde plus volontiers sur les aventures merveilleuses de la première moitié, défendant vigoureusement ce parti contre les réserves de son éditeur : « Je ne puis altérer ces événements sans énerver le livre (il l'énerve sans scrupules sur d'autres plans), et je ne les altérerai pas, dussiez-vous pour ma punition me le refuser, vous et tous les libraires de Londres. » La part de l'expurgation est ce qu'elle devait être, mais Lamb ne résiste pas à la tentation inverse d'appuyer, mais d'une touche légère, sur la rencontre entre Ulysse et Nausicaa : celle-ci souhaiterait bien un époux semblable au séduisant naufragé. Outre le passage du vers à la prose (et du grec à l'anglais), le style est évidemment modernisé, c'est-à-dire en l'occurrence débarrassé de ses répétitions formulaires. Mais l'intervention formelle la plus remarquable est la suppression de l'analepse ulysséenne des chants IX à XII : le récit retourne à l'ordre de l'histoire, commençant à la chute de Troie, et toutes ces premières aventures antérieures à l'arrivée en Phéacie sont directement assumées par le narrateur extradiégétique. La principale — et la plus décisive dans l'histoire de la narration occidentale — innovation narrative de l'*Odyssée*, dans l'ordre à la fois du temps et de la voix, est ici sacrifiée à la simplicité exigible d'un récit pour la jeunesse.

289

Cet effet, sans doute inévitable, de simplification, est plus sensible encore dans les *Tales from Shakespear*[1]. La Préface indique clairement le propos pédagogique de ce recueil, destiné aux jeunes gens et particulièrement aux jeunes filles, qui doivent attendre plus longtemps que leurs frères le contact direct avec le texte, souvent « viril », de Shakespeare, et à qui ces versions adaptées, et donc inévitablement atténuées, serviront en quelque sorte d'aide-patience et de préparation. L'expurgation fait évidemment partie de ce programme — d'autant que les Lamb conçoivent cette lecture comme une école de vertu, et spécialement (Shakespeare !) de ces vertus : courtoisie, bienveillance, générosité, humanité —, et avant même d'infléchir la condensation, elle se marque par le choix opéré dans le corpus : l'élimination des chroniques, d'*Antoine et Cléopâtre* ou de *Troïlus et Cressida* allait ici de soi. Mais, comme presque toujours, l'expurgation se marque non seulement par des suppressions, mais aussi par des interventions positives destinées à expliquer des conduites choquantes ou surprenantes : ainsi Macbeth est poussé à l'ambition par sa femme, la jalousie d'Othello est quelque peu motivée, et excusée, par l'imprudence de Desdémone.

Ces effets de moralisation sont en quelque sorte indépendants de la pratique du *digest* : on pourrait les obtenir aussi bien au moyen d'une version corrigée de la pièce. Nous concernent davantage ici les conséquences directement liées à la condensation narrativisante. Malgré un effort louable pour conserver pur le lexique shakespearien, le passage du vers à la prose élimine ou « atténue » inévitablement tout l'aspect poétique de la diction, par exemple l'ornementation lyrique de *Roméo et Juliette* ou la luxuriante « imagerie » de *Macbeth*. La nécessité de concentrer l'action amène à supprimer quelques comparses utiles, comme le Rodrigo d'*Othello,* ou pittoresques, comme la nourrice de Juliette. Le théâtre de Shakespeare y perd sa luxuriance baroque et se rapproche de l'idéal classique de simplicité, de sobriété et d'efficacité dramatique. L'ordre chronologique bousculé par les scènes d'exposition est rétabli sous forme de paragraphes introductifs. Mais surtout, le passage au mode narratif entraîne une suppression de la plurivocité dramatique, sacrifiée à un récit univoque généralement centré sur un point de vue dominant, focalisé sur Hamlet, sur Macbeth ou sur Othello, qui converge avec les motivations moralisantes pour éliminer les ambiguïtés, indéterminations et irrationalités propres à l'univers shakespearien. Nou-

---

1. *Sic.* Ce sont vingt récits d'une longueur moyenne de 15 pages : dix tragédies et dix comédies, aucune chronique historique. Trad. fr., *le Mémorial de Shakespeare*, 1842.

velle preuve de l'inévitable part de correction inhérente au travail de réduction, et dont l'effet majeur est ici de classicisation — c'est-à-dire, à l'égard d'un hypotexte comme celui-là, de *banalisation*.

LI

En novembre 1915, Proust écrit pour Mme Scheikévitch, sur les pages blanches de son exemplaire de *Swann,* une sorte de résumé de la suite, alors inédite, de la *Recherche.* Résumé à peine rétrospectif pour l'auteur, puisqu'il porte essentiellement sur les pages les plus récemment écrites, mais tout à fait prospectif pour la destinataire. La fonction de ce texte, comme des titres de chapitres de *Guermantes* et du *Temps retrouvé* imprimés en 1913 sur la page de garde de *Swann,* est donc d'annonce — à cette différence près qu'il s'agit ici d'un prospectus à usage privé [1], et que cet usage commande les inflexions de ce résumé essentiellement sélectif.

Cette sélection obéit à deux principes : le premier est indiqué d'emblée, c'est une demande formulée par la destinataire : « Madame, vous vouliez savoir ce que Mme Swann est devenue en vieillissant. C'est assez difficile à résumer. Je peux vous dire qu'elle est devenue plus belle. » Suivent quelques bribes des *Jeunes filles* sur le nouveau « genre de beauté » d'Odette et ses élégances mondaines. Le second principe est plus égoïste : « ... Mais j'aimerais mieux vous présenter les personnages que vous ne connaissez pas encore, celui surtout qui joue le plus grand rôle et amène la péripétie, Albertine. » La suite est en effet exclusivement consacrée à l'histoire d'Albertine, de la première rencontre à Balbec jusqu'à sa mort et à l'oubli final. C'est bien si l'on veut le « rôle » principal, après celui du Narrateur, encore que la « péripétie » qu'elle amène ne soit pas à coup sûr la principale. La lettre d'accompagnement ajoute un motif, ou prétexte, à ce choix : cet épisode serait « le seul qui puisse actuellement trouver dans votre cœur meurtri (sans doute par quelque deuil) des affinités de douleur ». Mais la véritable

---

1. Et même exclusif : « Je vous demanderai de ne pas le montrer tant que l'ouvrage n'aura pas paru. » Le texte et la lettre d'accompagnement sont au tome V de la *Correspondance générale*, Plon, 1935, p. 233.

raison pourrait bien être qu'à cette date Proust est « plein » de ce nouveau sujet, introduit entre 1913 et 1915, et qui lui tient alors particulièrement à cœur.

Ce résumé sélectif passe très vite sur les premières apparitions d'Albertine à Balbec pour sauter à la révélation capitale de Balbec II (l'intimité passée entre Albertine et Mlle Vinteuil), à sa séquestration et à ses suites, puis se consacrer essentiellement aux sentiments du Narrateur après le départ, puis après la mort de la jeune fille. Le sommaire est ici encore coupé de citations, parfois légèrement déformées, ou peut-être conformes à l'état alors présent du futur texte de la *Recherche* — citations qui occupent l'essentiel du texte. Le résumé proprement dit, qui n'est donc ici qu'un fil conducteur ou tissu conjonctif entre les citations, respecte à moitié la norme d'énonciation des résumés descriptifs, en ce qu'il est écrit au présent. En revanche, il s'en écarte de manière très caractéristique en ce qui concerne la personne : en effet, le résumé d'un récit autodiégétique le transforme toujours à l'hétérodiégétique, qu'il s'agisse d'une autobiographie ou d'un « roman à la première personne » : voyez par exemple les sommaires Laffont-Bompiani des *Confessions* ou, précisément, de la *Recherche*. Ici, au contraire, Proust use constamment, et d'emblée, de la première personne : « Vous verrez Albertine quand elle n'est encore qu'une jeune fille à l'ombre de laquelle *je* passe de si bonnes heures à Balbec. Puis, quand *je* la soupçonne sur des riens, etc. » L'attitude narrative serait donc ici un mixte de celle du résumé descriptif, par l'emploi du présent, et de celle du *digest,* par l'emploi de la première personne. Mais cet état mixte est lui-même révélateur d'une attitude de Proust à l'égard de son récit. Pour l'apprécier exactement, il faut percevoir, ou peut-être concevoir, car les exemples ici se font rares, la différence entre les résumés de récits autodiégétiques selon qu'ils sont produits par un commentateur extérieur ou par l'auteur lui-même. Pour le commentateur extérieur, la norme est bien celle, tout objective, que j'indiquais à l'instant. Pour l'auteur, il me paraît évident qu'elle se module selon qu'il résume un « roman (non autobiographique) à la première personne » du type *Gil Blas,* ou une véritable autobiographie : Lesage respecterait certainement la norme (voyez d'ailleurs ses titres), Rousseau conserverait probablement la première personne. Et la forme adoptée par Proust est sans doute le mode le plus spontané d'un résumé autographe d'autobiographie.

Il faut certes tenir compte de deux contraintes latérales. La première est la présence, très massive et sans doute contagieuse, des citations, dont le régime est évidemment autodiégétique. Mais

Proust, on vient de le voir, emploie *je* dans son sommaire avant toute citation littérale. La seconde est l'anonymat du héros, qui rend malcommode sa désignation objective, et qui amenait déjà les tables prospectives de 1913 à employer l'autodiégétique (« Mort de *ma* grand-mère... Pourquoi *je* quitte brusquement Balbec »), que reprendront, par contagion ou pour la même raison, les résumés allographes de l'édition Pléiade. Mais ici la cause est elle-même un effet : l'anonymat du héros de la *Recherche* est un tour autobiographique, et l'on sait bien, malgré toutes les ambiguïtés contextuelles, que la seule fois où Proust s'en écarte il fait nommer ce héros « Marcel ». Le fait est, en tout cas, que le mouvement spontané de Proust est toujours de s'identifier à lui (ou de l'identifier à soi), quitte à se reprendre d'une manière elle-même ambiguë ou partielle et sans effet sur la suite, comme dans son article de 1921 sur Flaubert : « ... des pages où quelques miettes de " madeleine ", trempées dans une infusion, me rappellent (ou du moins rappellent au narrateur qui dit *je* et qui n'est pas toujours moi) tout un temps de ma vie, oublié dans la première partie de l'ouvrage » : on voit qu'ici la parenthèse corrective n'empêche pas Proust d'enchaîner par un possessif de première personne décidément irrépressible.

Ces accidents répétitifs me semblent révélateurs : la manière dont Proust désigne et résume son œuvre n'est pas celle d'un auteur de « roman à la première personne » comme *Gil Blas*. Mais nous savons — et Proust sait mieux que personne — que cette œuvre n'est pas non plus une véritable autobiographie. Il faudrait décidément dégager pour la *Recherche* un concept intermédiaire, répondant le plus fidèlement possible à la situation que révèle ou confirme, subtilement et indirectement, mais sans équivoque, le « contrat de lecture » du sommaire Scheikévitch, et qui est à peu près celle-ci : « Dans ce livre, je, Marcel Proust, raconte (fictivement) comment je rencontre une certaine Albertine, comment je m'en éprends, comment je la séquestre, etc. C'est à moi que dans ce livre je prête ces aventures, qui dans la réalité ne me sont nullement arrivées, du moins sous cette forme. Autrement dit, je m'invente une vie et une personnalité qui ne sont pas exactement (" pas toujours ") les miennes. » Comment appeler ce genre, cette forme de fiction, puisque fiction, au sens fort du terme, il y a bien ici ? Le meilleur terme serait sans doute celui dont Serge Doubrovsky désigne son propre récit : *autofiction* [1].

---

1. Prière d'insérer de *Fils*, Galilée, 1977.

LII

Le *pseudo-résumé*, ou résumé fictif, c'est-à-dire le résumé simulé d'un texte imaginaire, tel que l'a illustré par exemple Borges, appartient sans doute dans son esprit à l'ordre des forgeries, puisqu'il a pour fonction, entre autres, d'accréditer l'existence d'un texte inexistant, comme, dans *Fictions*, l'article de l'*Encyclopædia Britannica* sur Uqbar ou le conte « L'approche du caché » du prétendu Mir Bahadour Ali. Mais ce n'est pas exactement un apocryphe, puisque le texte supposé n'est pas littéralement *produit*, mais seulement *décrit :* aucun effort, donc, d'imitation stylistique. Textuellement et formellement, le pseudo-résumé fonctionne bien comme un résumé descriptif, éventuellement mêlé de commentaire ou destiné à introduire et soutenir un commentaire : « L'approche du caché », bien typique à cet égard, se présente comme un compte rendu canonique, avec présentation philologique, résumé proprement dit et commentaire final.

Cette pratique, ici appliquée à la production déguisée de textes de fiction, a probablement sa source dans l'œuvre critique de Borges, dont les premiers accomplissements sont antérieurs à son œuvre de conteur. *Discussion*[1] est en somme un très classique recueil d'essais critiques, avec le mélange d' « analyse » et de commentaire qui caractérise ce genre. La part du vertige y tient surtout aux thèmes et aux idées agités dans ces essais sous le couvert d'auteurs parfois sollicités et débordés, mais non toujours. Cette thématique du fantastique intellectuel induit à une incertitude diffuse sur l'authenticité des sources invoquées, mais cette méfiance peut tenir à l'ignorance du lecteur, et surtout au fait que nous lisons aujourd'hui ces textes anciens à la lumière troublante des plus récents. C'est à partir de l'*Histoire universelle de l'infamie*[2] que Borges entre peu à peu dans le jeu bien connu des références apocryphes et des

---

1. 1932 ; trad. fr., Gallimard, 1966 ; j'imagine qu'on pourrait en dire autant d'*Inquisiciones* (1925), que Borges a supprimé de son catalogue, et qui est devenu introuvable. Je rappelle qu'*Enquêtes* (Gallimard, 1957) est la traduction d'*Otras inquisiciones*, 1937-1952.
2. 1935 ; trad. fr., Rocher, 1958.

« attributions erronées », décrivant lui-même après coup ce recueil comme « le jeu irresponsable d'un timide qui n'a pas eu le courage d'écrire des contes et qui s'est diverti à falsifier ou à altérer les histoires des autres ». Même procédé, donc, dans quelques-uns des contes recueillis sous le titre *le Jardin aux sentiers qui bifurquent*[1], que le Prologue décrit ainsi : « Délire laborieux et appauvrissant que celui de composer de vastes livres ; de développer en cinq cents pages une idée dont la parfaite exposition orale tient en quelques minutes. Procédé bien meilleur, celui de feindre que ces livres existent déjà, et d'en présenter un résumé, un commentaire. C'est ainsi que procédèrent Carlyle dans *Sartor resartus*, Butler dans *The Fair Haven* : ouvrages imparfaits puisqu'ils ne sont pas moins tautologiques que les autres. Plus raisonnable, plus incapable, plus paresseux, j'ai préféré écrire des notes sur des livres imaginaires. » Dans « Thème du traître et du héros » (1944), le conteur « timide » s'enhardit à présenter son récit comme le sommaire d'un conte qu'il « écrira peut-être un jour » et qu'il « entrevoit ainsi » ; pseudo-scénario, donc, ou pseudo-esquisse. Les autres contes de cette époque, et les suivants, renoncent à masquer leur autonomie derrière une attribution apocryphe : Borges le conteur s'est enfin émancipé[2].

L'idée facile et banale selon laquelle Borges serait passé de la critique à la fiction[3] par la transition rassurante d'une fiction déguisée en critique, cette idée est donc pour l'essentiel exacte, et l'explication (d'un psychologisme non moins banal) par la « timidité » est avancée par Borges lui-même. Il ne faut peut-être pas la prendre trop littéralement, ou du moins faut-il lire ce terme avec la nuance qui s'impose de coquetterie et de sophistication. D'une manière plus ambitieuse, mais sans doute aussi pertinente, le Prologue à l'*Histoire de l'infamie* insistait sur la supériorité paradoxale de la lecture sur l'écriture : « Je pense parfois que les bons lecteurs sont des oiseaux rares, encore plus ténébreux et singuliers

---

1. 1951 ; repris avec *Artifices* (= *Ficciones*, 1935-1944) dans *Fictions*, Gallimard, 1951. L'histoire des publications et des traductions de Borges est elle-même, comme il se doit, un labyrinthe temporel.
2. « L'homme au coin du mur rose » (repris dans *Histoire de l'infamie*), premier récit assumé et qui date des années trente, se masquait encore du pseudonyme de Francisco Bustos, et surtout d'un pastiche très marqué de style voyou.
3. C'est le mouvement que mime, au second (ou troisième, ou quatrième, on s'y perd) degré, Nabokov dans *Feu pâle* (1962 ; trad. fr., Gallimard, 1965), roman ironiquement (ô combien) déguisé en commentaire de poème (fictif) ; et donc, d'une certaine manière, autocaricature du proliférant commentaire de Nabokov lui-même sur *Eugène Onéguine* (1964).

que les bons auteurs... Lire est, pour le moment, un acte postérieur à celui d'écrire ; plus résigné, plus courtois, plus intellectuel. » Savourons l'énigmatique promesse du « pour le moment », et pesons l'adjectif « postérieur » : la lecture vient après l'écriture, elle lui est *donc* supérieure, à la fois plus modeste et plus évoluée. Il y a autant d'orgueil que d'humilité à présenter ses propres œuvres comme des résumés d'œuvres d'autrui.

Cette pratique d'hypertextualité fictive[1] est, il faut le noter, symétrique et inverse de la performance attribuée par Borges à son héros Pierre Ménard. Écrivant de son propre fonds un *Quichotte* rigoureusement littéral, Ménard allégorise la lecture considérée comme, ou déguisée en écriture. Attribuant à d'autres l'invention de ses contes, Borges présente au contraire son écriture comme une lecture, déguise en lecture són écriture. Ces deux conduites, faut-il le dire, sont complémentaires, elles s'unissent en une métaphore des relations, complexes et ambiguës, de l'écriture et de la lecture : relations qui sont bien évidemment — j'y reviendrai s'il le faut — l'âme même de l'activité hypertextuelle.

Le pseudo-résumé n'aura donc été pour Borges qu'une pratique transitoire[2] ; mais la trace en est, sur l'ensemble de son œuvre, tout à fait indélébile. Tout se passe en effet comme s'il avait contracté, en pratiquant le résumé (réel, puis simulé), un trait d'écriture qui marque très manifestement, et très notoirement, son style, et qui se caractérise par une sobriété, un laconisme, une distance bien difficiles à analyser, mais que tout lecteur de *Fictions* ou de *l'Aleph* a dû éprouver. Ce trait, je l'appellerais volontiers l'*effet de résumé*. Il tient pour l'essentiel au sentiment que Borges, même dans les contes où il ne se dissimule pas derrière la fiction du compte rendu, décrit davantage, avec la réserve et le détachement ironique d'un critique blasé, un récit préexistant qu'il ne raconte lui-même une histoire[3]. Ce récit par prétérition procède d'une attitude narrative typiquement classique, que Borges définit lui-même comme la « postulation classique de la réalité[4] ». Il l'illustre par deux textes de Gibbon

---

1. Et/ou *métatextualité* fictive, puisque le résumé y est contaminé de commentaire ou pour le moins, comme tout résumé descriptif, implicitement tourné vers et disposé à un éventuel commentaire.

2. Les *Chroniques de Bustos Domecq*, écrites avec Bioy Casares et publiées en 1967, accordent peu de place au résumé. Ce sont bien en effet des chroniques plutôt que des comptes rendus.

3. Ces remarques me sont partiellement inspirées par l'ouvrage encore inédit de Raphaël Lellouche, *Jorge Luis Borges ou l'expression littéraire de l'infamie*, thèse de l'EHESS soutenue en juin 1981.

4. *Discussion*, p. 49-58.

et de Cervantes, dont il qualifie l'écriture de « médiate » et de
« généralisatrice et abstraite jusqu'à l'invisible ». Le mot important
est sans doute, pour nous, l'adjectif « médiate », qui s'applique
peut-être plus littéralement à l'écriture de Borges qu'à celle d'un
narrateur classique — encore que tout historien s'appuie effectivement sur des documents qui médiatisent sa narration, et que
Cervantes prétende traduire le récit de Cid Hamet Ben Engeli. Des
trois formes par lesquelles Borges caractérise la « postulation
classique », deux procèdent très évidemment de la technique du
résumé ou de la synthèse ; la première « consiste en un compte
rendu général des faits importants », c'est typiquement le « récit
sommaire » tel que le pratique l'historien ou le romancier classique
lorsqu'ils couvrent en quelques lignes un laps de plusieurs mois ou
années ; la deuxième, qui n'en est pas très distincte, « consiste à
imaginer une réalité plus complexe que celle que l'on expose au
lecteur et à rapporter ses résultats et ses effets » : elle dispose donc
sous le sommaire comme une réserve de détails et de circonstances
que le récit doit laisser (à) deviner au lecteur sans l'exposer lui-
même ; c'est encore un procédé de sélection, réelle ou fictive, dont
la pratique du résumé offre peut-être le meilleur apprentissage [1].

Il y aurait évidemment quelque impudence à réduire l'art de
Borges à une sorte de dissémination dans toute son œuvre de
l'expérience du résumé fictif. Je m'en abstiens donc. Il serait peut-
être aussi juste de dire que son génie l'y prédisposait de deux
manières : par le mythe, fondamental chez lui, du Monde comme
Bibliothèque (et Labyrinthe), qui ne lui donne accès aux choses et
aux êtres qu'à travers les livres [2] ; par son étymon stylistique de
brièveté, qui n'exclut nullement — pas plus que chez Gongora ou
Quevedo — la préciosité de ce qu'il nomme lui-même ses « métaphores laconiques », et qui s'investit au mieux dans le geste d'une
écriture volontairement condensée. Aussi juste, ou aussi faux : l'art
de Borges ne se borne pas à ce double aspect. Je l'évoque ici, on
l'aura compris, non pour ce qu'il doit à la pratique du résumé, mais
pour une dette inverse [3].

1. Le troisième procédé signalé par Borges relève au contraire, apparemment, de
l'amplification : c'est ce qu'il nomme l' « invention circonstancielle » ; mais il
s'apparente en fait à la réduction en ce qu'il suppose le choix judicieux de ce que
Borges qualifie drôlement de « détails laconiques à longue portée ».
2. La valorisation de la lecture n'empiète pas seulement chez lui sur l'acte
d'écriture, mais, comme on sait, sur celui (si c'en est un) de vivre : « J'ai vécu peu.
J'ai lu beaucoup » (l'Auteur, p. 129 ; littéralement : « Il m'est arrivé peu de choses »
— toujours la « timidité »).
3. Il va de soi que Borges, ici, fonde ou consolide un genre, hypertextuel à
plusieurs égards : le pseudo-métatexte, ou critique imaginaire, où s'investissent (entre

LIII

Comme sa réduction ne peut être une simple miniaturisation, l'augmentation d'un texte ne peut être un simple agrandissement : comme on ne pouvait réduire sans retrancher, on ne peut augmenter sans ajouter, et ici comme là une telle opération ne va pas sans distorsions significatives.

Un premier type, qui constitue l'exact contraire de la réduction par suppression massive, en serait l'augmentation par addition massive, que je propose de baptiser l'*extension*. Ainsi Apulée, amplifiant sans doute les *Métamorphoses* de Lucius, n'hésite pas à y ajouter (au moins) un épisode totalement étranger à l'histoire de son héros : le mythe d'Amour et de Psyché. À charge aux éxégètes, qui n'y font pas défaut, de trouver entre les deux récits quelque relation symbolique.

Le principal investissement de l'extension se trouve sans doute au théâtre, et particulièrement dans le théâtre classique français, lorsque des auteurs du xviiᵉ et du xviiiᵉ siècle ont voulu adapter à la scène « moderne » des tragédies grecques dont le sujet leur semblait certes admirable, mais insuffisamment « chargé de matière » pour occuper la scène pendant les cinq actes de rigueur. Le cas le plus typique est certainement celui d'*Œdipe Roi,* qui (entre autres transformations et réinterprétations) a reçu des extensions de toutes sortes à fin de remplissage (le mot, malheureusement, s'impose), à cette époque et jusque de nos jours.

La tragédie de Sophocle, en effet (on l'oublie trop souvent), ne représente au théâtre que l'extrême fin des malheurs d'Œdipe, à savoir l'enquête où l'engage la peste de Thèbes et l'oracle exigeant le châtiment du meurtrier de Laïos ; tout le reste, objet précisément de cette enquête, n'est évoqué qu'incidemment par brefs lambeaux

---

autres) à la fois la réduction simulée, le pastiche d'un genre (la critique littéraire) et l'apocryphe médiatisé. Dans *la Bibliothèque d'un amateur* (Gallimard, 1979), qui se présente comme un recueil d'études « à propos de récits qui ne sont pas encore écrits » (comme « Thème du traître et du héros » : l'avenir donnera son sens à cette clause du contrat), Jean-Benoît Puech complique encore le jeu d'un réseau d'échos et d'implications d'un « article » à l'autre, qui finit par imposer une mythologie personnelle, et suggérer quelque chose comme une autobiographie volontairement mal déguisée. Bien sûr : tout masque est aussi un miroir (et réciproquement).

de récit. Tout cela, une fois amputé des interventions du chœur indésirables sur la scène classique, ne fournit effectivement pas cinq actes. Il faut donc y ajouter quelques épisodes et/ou quelques personnages.

Le premier à s'y atteler fut apparemment Corneille, en 1659, dont l'Avis au lecteur et l'Examen rétrospectif de 1666 décrivent et expliquent très clairement l'intervention. L'insuffisance du sujet n'est pas pour lui purement quantitative, je le cite : « L'amour n'ayant point de part dans ce sujet ni les femmes d'emploi... j'ai tâché de remédier à ces désordres au moins autant que j'ai pu. » On voit que la relation incestueuse entre Œdipe et Jocaste, qui nous occupe si fort depuis quelque temps, n'est pas de l' « amour » pour Corneille, et que le rôle d'épouse-mère ne lui paraît pas un suffisant emploi féminin. L'addition imaginée par lui consiste à donner à Laïos et à Jocaste une fille, et donc à Œdipe une sœur, Dircé, qu'il croit sa belle-fille et qu'il veut marier pour raisons d'État à son (leur) cousin Hémon, fils de Créon, mais qui aime Thésée, apparemment venu là en voisin, et qui lui rend son amour. Addition, donc, de deux personnages, dont l'un apporte tout son prestige (pour lui on pourrait légitimement parler d'*annexion*), et d'un long suspens : affrontements entre Œdipe et Dircé, entre Œdipe et Thésée, et même entre Thésée et Dircé lorsque l'oracle (en fait, l'âme de Laïos consultée) exige la mort d'une personne du sang de Laïos : Œdipe lui-même, bien sûr, mais on croit alors qu'il s'agit de Dircé ; pour la sauver, Thésée veut mourir à sa place, prétendant contre toute vraisemblance être le fils de Laïos et de Jocaste ; mais du même coup le frère de Dircé, d'où divers quiproquos, assauts de sacrifices et marivaudages baroques (*Ah Prince, s'il se peut, ne soyez pas mon frère !*). Lorsqu'il se révèle qu'Œdipe est le meurtrier de Laïos, Thésée le provoque en duel en tant, au choix, que fils de la victime ou amant de sa fille. Tout cela, pour le coup, remplit assez bien la scène jusqu'à la révélation finale de l'identité d'Œdipe et au dénouement, conforme à l'original, mais où l'annonce de la « guérison publique » et du mariage à venir de Dircé et Thésée introduit — distorsion typiquement cornélienne du thème tragique — une touche assez piquante de *happy end*.

Cet *Œdipe* optimiste connut un immense succès, qui ne fut entamé, semble-t-il, que par celui du jeune Voltaire [1]. Comme Corneille, Voltaire trouvait le sujet trop léger, ou du moins trop bref : « Ce sont, écrit-il des sujets antiques en général, les plus ingrats et les plus impraticables, ce sont des sujets d'une ou deux

_____

1. Représenté en 1718, publié avec sept Lettres justificatives en 1719.

scènes tout au plus et non pas d'une tragédie... Il faut joindre à ces événements des passions qui les préparent » (ce sera, en somme, l'avis et la contribution de Freud). Mécontent néanmoins de l'addition cornélienne, il en invente une autre qui lui paraît évidemment bien meilleure, mais qui consiste encore à importer ou annexer un héros extérieur à Thèbes. Cette fois c'est Philoctète, ancien « amant » de Jocaste, qui, ayant eu vent de la mort de Laïos, se pointe en quête d'une seconde chance, pour trouver Jocaste remariée avec Œdipe, et pour se faire accuser par le peuple du meurtre de Laïos. Cette invention, observe Voltaire, était bien nécessaire « pour remplir les trois premiers actes ; à peine même avais-je de la matière pour les deux derniers... Eh ! quel rôle insipide aurait joué Jocaste si elle n'avait pas eu du moins le souvenir d'un amour légitime, et si elle n'avait pas craint pour les jours d'un homme qu'elle avait autrefois aimé ! » (ici encore, la révélation finale de sa relation à Œdipe ne suffit apparemment pas à tirer Jocaste de son « insipidité »). Pendant trois actes, donc, Philoctète sera accusé, et retenu par Œdipe pour jugement, jusqu'à ce que le « grand prêtre » (c'est ainsi que Voltaire aime appeler Tirésias) et les messagers commencent d'exhiber la vérité. Exit alors Philoctète, ce qui fait bien évidemment deux héros successifs, et somme toute deux pièces [1].

L'énorme succès, encore, de cette version n'empêcha pas un troisième larron d'en percevoir les non moins énormes défauts, et de proposer en correction aux deux premières une troisième extension d'*Œdipe Roi*. Il s'agit de notre vieil ami Houdar de La Motte, qui écrivit en prose, puis traduisit en vers et publia en 1726 avec, comme tout le monde, un Discours justificatif, un nouvel *Œdipe* qui prétendait pallier à son tour le défaut de matière de la tragédie de Sophocle (« L'unité d'intérêt (y) consiste dans le développement des circonstances qui servent à l'éclaircissement du sort (d'Œdipe) ; et... ce développement ne suffirait pas par lui-même à remplir trois actes »), mais en évitant cette fois le défaut où sont tombés tour à tour Corneille et Voltaire : la duplicité d'intérêt. Il faut remplir la scène et l'action, mais d'un remplissage qui n'aille pas chercher un second héros hors de Thèbes. Solution : la victime expiatoire exigée

---

1. Pour une interprétation psychanalytique de cette extension, voir l'ingénieux J.-M. Moureaux, *L'Œdipe de Voltaire*, Minard, 1973 : le conflit entre les deux héros figurerait une rivalité amoureuse (pour la mère, bien sûr) entre les deux frères Arouet, l'écrivain s'identifiant à Philoctète, frère cadet (quoique plus âgé : c'est la logique de l'inconscient) injustement accusé du meurtre du père et finissant par triompher, ou du moins par se disculper.

par les dieux devra être cette fois « du sang de Jocaste », ce qui désigne apparemment Étéocle ou Polynice — d'où un nouveau suspens en quiproquo, mais qui a le mérite de ne pas sortir de la famille, et d'être aussi insupportable pour Œdipe et Jocaste que la vérité elle-même. Houdar ne passe certes pas pour un géant de la scène, mais j'avoue qu'au point de vue de l'efficacité dramatique, et dans l'ordre des valeurs classiques, son extension me paraît la moins maladroite.

Encore s'agit-il bien d'une addition, là où il aurait peut-être suffi, pour étendre l'action, de remonter simplement en arrière dans l'histoire d'Œdipe [1], dont Sophocle n'avait somme toute représenté que le dénouement (on pourrait aussi imaginer de rabouter à l'action d'*Œdipe Roi* celle, en épilogue, d'*Œdipe à Colone,* mais je ne connais aucun exemple de cette contamination). C'est (entre autres) ce que fait Cocteau dans *la Machine infernale* (1932), dont le principe d'extension est pour l'essentiel une continuation analepti-que : non pas depuis l'origine du drame (oracle, naissance et exposition d'Œdipe), mais aussitôt après la mort de Laïos. Sur quatre actes, seul le dernier coïncide avec l'action d'*Œdipe Roi :* c'est une hyper-condensation de la contraction de 1925, compliquée d'une seule, mais impressionnante addition : Jocaste morte revient sur scène ; sous l'apparence d'Antigone, c'est elle, mère, épouse et fille, qui accompagnera désormais le héros aveugle. Le IIIe acte est consacré à la nuit de noces de Jocaste et d'Œdipe : première manifestation dramatique — ou plutôt seconde, après l'*Œdipus und die Sphynx* d'Hoffmannstahl, qui date de 1905, et précède donc l'interprétation freudienne — de l'intérêt moderne pour la relation incestueuse. Œdipe aime Jocaste d'un amour presque filial ; Jocaste trouve à Œdipe une troublante ressemblance avec son fils « mort » ; Œdipe ensommeillé (cette nuit reste chaste) prend Jocaste pour sa mère ; Jocaste voit les plaies révélatrices aux pieds d'Œdipe et pousse un cri terrible : Œdipe lui donne une fausse explication (sans connaître la vraie) ; Jocaste raconte son histoire en l'attribuant à sa lingère ; « l'aurais-tu fait ? », demande Œdipe. Tout un jeu, on le voit, de lapsus, de demi-aveux, de révélations avortées où l'on tourne, en la frôlant d'une manière qui rappelle Giraudoux, autour de la vérité [2]. Plus giralducien encore, l'acte II représente la

1. C'est sans doute ce que faisait Eschyle dans la première tragédie de sa trilogie *Laïos, Œdipe, les Sept contre Thèbes,* dont nous n'avons que la dernière.
2. C'est encore le duo Jocaste-Œdipe qui occupe presque à lui seul *le Nom d'Œdipe* d'Hélène Cixous (éditions Des femmes, 1978) ; duo d'amour au sens proprement lyrique (c'est d'ailleurs partiellement un livret d'opéra pour André Boucourechliev), et superbe de part en part. Mais, plutôt que de la nuit de noces, il s'agit de la nuit de

rencontre d'Œdipe et du Sphinx. Le Sphinx est une jeune fille (en fait la déesse Némésis, accompagnée du chacal Anubis) que touche la beauté d'Œdipe. Apprenant qu'il vient à Thèbes pour vaincre le Sphinx et épouser Jocaste, elle lui oppose la différence d'âge : « Une femme qui pourrait être votre mère ! — L'essentiel, répond inévitablement Œdipe, est qu'elle ne le soit pas. » Décidée à le sauver, elle se révèle et lui donne le mot de l'énigme. Après quoi, Anubis exigeant qu'elle l'éprouve comme les autres, Œdipe n'aura aucun mal à répondre : ici comme dans *Elpénor, Judith* ou *la Guerre de Troie,* les choses tournent comme la tradition veut qu'elles le fassent, mais par un détour inattendu, et qui restera inconnu du commun des mortels.

L'acte I seul introduit une addition extérieure à la légende œdipienne — mais quelle addition ! Après le meurtre de Laïos, son fantôme apparaît sur les remparts de Thèbes pour tenter d'avertir Jocaste de ce qui la menace. Jocaste et Tirésias viennent, mais ils ne voient ni n'entendent le fantôme, dont la tentative reste vaine. C'est l'acte burlesque, ou offenbachien, avec les anachronismes et vulgarismes de rigueur : argot moderne, soldats de deuxième classe, officier service-service, accent étranger de Jocaste (« cet accent international des royalties »), Tirésias en devin-qui-ne-devine-rien et que Jocaste appelle Zizi, allusions bouffonnement prémonitoires : « Cette écharpe m'étrangle... Crois-tu que je vais laisser à la maison cette broche qui crève l'œil de tout le monde ? » Mais le clin d'œil le plus appuyé, c'est évidemment le rappel d'*Hamlet,* avec les apparitions du roi mort et cet étrange chassé-croisé thématique : dans Hamlet, le spectre veut informer son fils de son meurtre par Claudius et de la relation « inceste » entre celui-ci et la reine, pour qu'Hamlet l'interrompe en tuant Claudius ; ici, il veut informer Jocaste de son meurtre par Œdipe pour qu'elle évite une relation d'inceste avec lui. Avec ou sans référence à Freud, ce n'est pas le seul exemple de contamination entre les deux grandes tragédies : dans l'*Œdipe* de Gide (1930), Tirésias revient de Delphes : « Qu'a dit l'oracle ? demande Œdipe — Qu'il y a quelque chose de pourri dans le royaume. »

Ponctuelle et allusive comme ici, ou étendue comme chez

---

mort où tout se révèle (à Œdipe, sinon à Jocaste qui — comme un peu déjà chez Sophocle — *sait* de toujours et « au-delà du savoir ») et tout sombre. Pour l'auteur, bien sûr, Jocaste est toutes les femmes, « interdites de corps, de langue, interdites d'être femme », et vraies victimes du vrai tragique qui est « l'invivable du " couple " ». Sans doute, mais, à la page 9, la distribution des personnages porte un lapsus (?) qui parle un peu (beaucoup) dans l'autre sens : *Jocastre.*

Cocteau à l'échelle d'un acte, ce mélange à doses variables de deux (ou plusieurs) hypotextes est une pratique traditionnelle et que la poétique connaît justement sous le terme de *contamination*. Nous l'avons déjà rencontrée sous des formes un peu plus ouvertement ludiques (le centon, la chimère oulipienne). Le mot et la chose viennent apparemment des comiques latins, et plus précisément de Térence, qui crut parfois devoir, pour étoffer la matière, marier en une seule les intrigues de deux comédies grecques : ainsi de l'*Eunuque,* auquel auraient contribué deux pièces inconnues de Ménandre, ou de l'*Andrienne,* qui provient à la fois de l'*Andrienne* et de la *Périnthienne* du même, dont il dit dans son Prologue : « *contaminavi fabulas* » ; mais nous ne pouvons pas apprécier ici le travail de contamination, puisque les originaux sont perdus. L'histoire du théâtre en offre bien d'autres exemples : ainsi l'*Antigone* de Rotrou mêle celle de Sophocle aux *Phéniciennes* d'Euripide, et le livret de Boïto pour *Falstaff* emprunte à la fois à *Henri IV* et aux *Joyeuses Commères de Windsor.* Le plus canonique, et le plus manifeste, est sans doute le *Faust et Don Juan* de Grabbe (1829), qui exploite et cristallise un rapprochement caractéristique de l'époque romantique, lui-même favorisé par l'interprétation idéalisante du Séducteur proposée en 1816 par Hoffmann. Les deux histoires se mêlent, ou plus précisément alternent et s'entrecroisent sur scène, sans guère se rejoindre que par l'intermédiaire de donna Anna, que se disputent les deux héros. La contamination est ici assez bien équilibrée pour qu'on ne puisse dire laquelle des deux actions sert à amplifier l'autre. Hors théâtre, maintenant, on peut encore qualifier de contamination la présence (dès le *Volksbuch* du XVIe siècle) dans la légende de Faust d'une Hélène venue d'où l'on sait. Bien des œuvres naissent ainsi d'une heureuse rencontre, source de l'étincelle décisive, entre deux ou plusieurs éléments, empruntés à la littérature ou à la « vie » : ainsi, le procès Berthet et les *Confessions,* Vanozza Farnèse et Angela Pietragrua, etc. Et Thomas Mann n'a-t-il pas proclamé lui-même que son Leverkühm, et par conséquent son *Docteur Faustus,* était à la fois Faust (pour le destin), Nietzsche (pour la folie) et Schönberg (pour la théorie musicale) ?

Ce sont là des contaminations de textes entre eux, ou de textes et d'emprunts au « réel ». On pourrait imaginer des mariages plus subtils ou plus inédits : entre deux styles, par exemple, soit — sur le modèle de la chimère — le vocabulaire de Mallarmé dans la syntaxe de Proust ; ou bien une intrigue balzacienne dans le style de Marivaux. Le travestissement, je le rappelle, procède un peu de ce genre de greffe : style populaire sur action épique. Et les variations et paraphrases musicales : Beethoven sur Diabelli, Brahms sur Haendel, Liszt sur Mozart, Ravel sur Moussorgski, Stravinski sur Pergolèse, etc.

On perçoit bien, j'espère, la différence entre ces chimères génériques (deux genres, un texte et un genre) et la contamination de textes singuliers. On peut imaginer encore, par exemple, une récriture d'*Hamlet* dans le style de Beckett ; mais cela existe, et nous le retrouverons. Contamination d'un texte (*Wilhelm Meister*, jugé trop bourgeois et qu'il fallait récrire à la mode romantique) et d'un genre (le roman médiéval d'initiation chevaleresque) : c'est *Henrich von Ofterdingen*. Contamination de genres : épopée carolingienne + roman de chevalerie arthurienne, c'est, nous le savons, la formule de Boiardo reprise par l'Arioste.

LIV

Le second type d'augmentation, antithèse de la concision, procède non plus par addition massive, mais par une sorte de dilatation stylistique. Disons par caricature qu'il s'agit ici de doubler ou de tripler la longueur de chaque phrase de l'hypotexte. C'est la grenouille qui veut se faire aussi grosse que le bœuf, et cette comparaison ne me vient pas tout à fait par hasard. Appelons cela, pour faire paradigme avec l'extension, l'*expansion*.

C'est essentiellement par expansion que la rhétorique classique pratiquait et faisait pratiquer par ses élèves ce qu'elle appelait plus généralement (mais je réserve ce terme) l' « amplification ». Elle distinguait ici — distinction, nous allons le voir, un peu spécieuse — une amplification « par figures » (introduction de figures dans un hypotexte réputé littéral) et « par circonstances », c'est-à-dire par exploitation (description, animation, etc.) des détails seulement nommés ou impliqués dans un hypotexte réputé concis ou laconique. Ce degré zéro stylistique, victime toute désignée de l'expansion scolaire, ou autre, était traditionnellement incarné dans les fables d'Ésope. Georges Couton, dans un article opportunément intitulé « Du pensum aux *Fables*[1] », cite quelques lignes d'un modèle ou corrigé magistral emprunté au *Novus candidatus rhetoricae* du

1. *La Poétique de La Fontaine*, PUF, 1957.

P. Pomey (1659), et consacré au *Loup et l'Agneau* : « Auprès d'un ruisseau, était venu pour apaiser sa soif un agneau. Un loup accourt au ruisseau, poussé plutôt par un désir de rapine que par la soif. » Jusqu'ici, l'amplification suit à peu près le texte d'Ésope. « Tandis que l'agneau boit, il voit, terrible, dans l'eau, l'ombre du loup. Tremblant de tous ses membres, il était terrorisé ; figé sur place, le pauvret n'ose bouger ni la queue, ni la tête. » Ici, comme le signale le P. Pomey lui-même, une expansion par *hypotypose* : l'intrusion du loup est vivement figurée, et focalisée selon le point de vue de l'agneau ; autre hypotypose consacrée (cette fois, selon le point de vue du loup) au spectacle de l'agneau terrorisé ; familiarisme (marotisme ?) approprié de *pauvret* ; énumération des effets physiques de la peur. « Cependant, le loup poussé par son appétit glouton, cherche des sujets de chicane et une occasion de dépecer l'agneau (texte original) : Hé bien ! dit-il, petit audacieux, ne cesseras-tu pas, tandis que je bois, de troubler l'eau avec tes pieds vaseux ? — Est-ce moi, mon bon loup, que tu appelles petit audacieux, moi qui, par peur et par respect pour toi, tiens à peine sur mes pattes ? » Ici, une *sermocination,* ou *dialogisme,* dialogue brut et sans incises présentatives, et fortement caractérisé (*éthopée*) par la brutalité insolente du loup et par la soumission respectueuse de l'agneau : chez Ésope, l'agneau, moins timide, s'efforçait encore d'argumenter (« je bois en aval », etc.) ; ici, il plaide coupable d'une manière censée plus conforme à son caractère.

L'extrait cité par Couton s'arrête là, et je le suppose suffisant : on voit que la distinction entre « figures » et « circonstances » est artificielle, car les figures dominantes sont justement ici des figures circonstanciantes (descriptions, portraits, dialogismes), toutes dirigées vers un effet commun d'animation réaliste. La prestation du bon Père est certes assez piètre, mais le lecteur n'aura pas de mal à lui substituer de mémoire celle, postérieure, d'un fabuliste français plus connu. Et à confronter à leur hypotexte ésopique d'autres fables aussi illustres, comme *la Cigale et la Fourmi, le Corbeau et le Renard* ou (cas idéal, peut-être) *le Chêne et le Roseau.* J'élude ici cet exercice, lui aussi traditionnel, et vous épargne un couplet périlleux sur l'art de La Fontaine, pour sauter, sans non plus m'y étendre, à l'évidente conclusion, que cet art (n') est (que) l'accomplissement génial d'une pratique hypertextuelle fort modeste, qui est l'expansion stylistique.

Dans son état classique, l'expansion n'explore qu'une direction stylistique, celle que je qualifiais faute de mieux d' « animation réaliste ». L'hypertexte est ici, quelles que soient ses nuances de familiarité et d'enjouement, un texte *sérieux :* la fable est après tout un genre didactique et moralisateur, même si sa « moralité » est souvent d'un réalisme assez terre à terre. Mais on pourrait envisager d'autres directions possibles, purement ludique, par exemple. Certains *Exercices de style* de Queneau illustrent bien cette hypothèse. Si l'on veut bien de nouveau considérer comme degré zéro et donc comme hypotexte la version intitulée *Récit,* on trouvera dans quelques-unes des variations sur ce thème des formes inédites d'expansion : par *hésitation* (« Je ne sais pas très bien où ça se passait... dans une église, une poubelle, un charnier ? un autobus, peut-être... ») ; par excès de *précision* (« A 12 h 17, dans un autobus de la ligne S long de 10 m, large de 2,1... »), par transformation *définitionnelle* (« Dans un grand véhicule public de transport en commun désigné par la dix-neuvième lettre de l'alphabet... »), par *ampoulage* pseudo-homérique (déjà cité) ou *préciosité* (« C'était aux alentours d'un juillet de midi. Le soleil dans toute sa fleur régnait sur l'horizon aux multiples tétines. L'asphalte palpitait doucement... »), et même, sous le titre *Inattendu,* par une *sermocination,* je l'ai dit, typiquement quenellienne : « Les copains étaient assis autour d'une table de café lorsqu'Albert les rejoignit. Il y avait là René, Robert, Adolphe, Georges, Théodore... »

LV

Comme on l'a pu voir, ces deux notions d'extension et d'expansion renvoient à des pratiques simples que l'on rencontre rarement à l'état pur ; et il va de soi qu'aucune augmentation littéraire un peu conséquente ne s'en tient à l'un de ces types. Il faut donc plutôt considérer l'extension thématique et l'expansion stylistique comme les deux voies fondamentales d'une augmentation généralisée, qui consiste le plus souvent en leur synthèse et en leur coopération, et pour laquelle je réservais le terme classique d'*amplification.*

Ainsi définie, l'amplification ne semble pas correspondre aussi symétriquement que je l'avais laissé entendre au troisième type de réduction, la condensation, qui ne procédait nullement, de son côté, par synthèse et convergence des deux autres (excision et concision). On observera cependant tout à l'heure qu'après coup l'hypotexte d'une amplification fait assez facilement figure de résumé, ce qu'on ne pourrait aussi bien dire dans le cas d'une expansion (une fable d'Ésope serait un résumé un peu trop long pour la fable de La Fontaine qui en procède), et encore moins dans celui d'une extension : le texte d'*Œdipe Roi* ne contient évidemment pas *in nuce* le rôle cornélien de Thésée, ni celui, voltairien, de Philoctète, ni le premier acte shakespearien de *la Machine infernale*. L'amplification serait donc ce que l'on peut le moins mal décrire comme l'inverse d'une condensation.

L'amplification est une des ressources fondamentales du théâtre classique, et particulièrement de la tragédie, depuis Eschyle jusqu'à (au moins) la fin du XVIIIe siècle. La tragédie telle que nous la connaissons naît essentiellement de l'amplification scénique de quelques épisodes mythiques et/ou épiques. Sophocle et Euripide (et sans doute quelques autres), à leur tour, amplifient souvent à leur manière les mêmes épisodes, ou, si l'on préfère, transcrivent en variation les sujets de leur prédécesseur. Les sujets originaux empruntés à l'Histoire ou inventés de toutes pièces sont rarissimes : du premier cas je ne connais que *les Perses*, et du second Aristote ne connaissait que l'*Anthée* d'Agathon. Ce trait fera partie des normes de la tragédie classique : Corneille et Racine s'empressent toujours de produire leurs sources comme des justifications nécessaires. L'invention de sujet n'est nullement ignorée de la poétique classique, mais elle est plutôt concédée à ce genre inférieur qu'est la comédie — qui d'ailleurs n'en abuse pas.

Le traitement parallèle et simultané, en 1670, par Corneille et Racine, du thème de la séparation de Titus et Bérénice, offre un bon poste d'observation de l'application du procédé. Comme on le sait, les deux rivaux, avec ou sans incitation extérieure commune, s'inspirèrent du même texte, exemplairement bref, de Suétone : (après rappel, par le Sénat, de l'interdiction faite aux empereurs d'épouser des souveraines étrangères) « Titus, qui, à ce qu'on disait, avait promis le mariage à la reine Bérénice, la renvoya aussitôt de Rome, malgré lui et malgré elle (*statim ab Urbe dimisit invitus invitam*) ».

La part d'expansion est à peu près la même chez les deux poètes : elle consiste à gonfler jusqu'à la durée des deux heures de spectacle ce minimum d'hésitations, de délibérations, de pressions contradictoires et d'affrontements divers que l'on peut supposer contractés par Suétone dans un « aussitôt » manifestement hyperbolique. Tous ces retardements-préparations nourrissent, chez Racine comme chez Corneille, le suspens dramatique d'un aliment proprement rhétorique, c'est-à-dire d'une circulation d'arguments politiques et de chantages affectifs. Mais aucun des deux poètes n'a osé réduire le débat à un simple choix de Titus entre l'amour et le pouvoir, ou le respect de la loi : toujours le besoin de « remplir la scène », même chez celui qui se flattait à ce propos de « faire quelque chose à partir de rien ». Besoin, donc, d'*étendre* en ajoutant un ou deux personnages supplémentaires chargés de compliquer le jeu ; mais divergence dans le choix de ces additions. Chez Racine, comme chacun le sait, c'est Antiochus, amoureux de Bérénice, et dont le sort est apparemment subordonné à la décision de Titus : addition en contrecoup, qui ne pèse pas sur le choix (on ne voit pas Titus renoncer à Bérénice pour faire plaisir à Antiochus) et par conséquent ne *contribue* pas à l'action, mais simplement la prolonge : effet (second) et non cause, c'est la principale faiblesse de cette addition du point de vue de la stricte dramaturgie classique, et qui aggrave le caractère traditionnellement jugé trop élégiaque (« Hélas ! ») de cette amplification. Chez Corneille, comme on peut s'y attendre, les choses se compliquent ; deux personnages additifs au lieu d'un : Domitian, frère de Titus, aime Domitie, fiancée officielle de son frère, qui bien sûr hésite entre Domitie et Bérénice[1]. Dans cette structure plus complexe, ce n'est plus Bérénice qui se trouve entre deux hommes, mais Titus entre deux femmes, la pression affective de Domitie doublant celle (politique, bien sûr, mais plus faible que chez Racine) du Sénat. Après les hésitations nécessaires, Titus, contrairement à ce qui se passe chez Racine, choisit l'amour de Bérénice et décide d'abdiquer pour elle. C'est alors Bérénice qui, dans un mouvement de sacrifice typiquement cornélien, renonce au bonheur et s'en va. Titus se résigne mais refuse d'épouser Domitie, qui se consolera avec Domitian. Le même sujet initial diverge donc selon deux amplifications différentes : pour Racine, Titus subit dans un déchirement pathétique la loi inévitable de la raison d'État ; chez Corneille, l'obligation amoureuse est aussi forte que la politique, voire plus forte (Péguy a tout dit sur ce sujet) : l'Empire est chez lui une possession que Titus sacrifie à l'amour de Bérénice, laquelle trouve à surpasser ce sacrifice en refusant, et en rendant Titus à son trône et à son peuple. C'est le thème fondamental de l'*assaut* de générosité, le grand potlatch cornélien — et le goût baroque du paradoxe et de la surprise. Mais nous sommes un peu loin de l'*invitam* originel.

Deux amplifications antithétiques, donc, expressions fidèles de

---

1. Cette addition, comme chez Racine celle d'Antiochus, s'autorise d'un texte complémentaire de Dion Cassius, déjà exploité en ce sens par Segrais dans son roman *Bérénice* (1648).

deux « visions du monde » aussi opposées que possible : l'une tragique (ou, comme ici, faute de mort d'homme, élégiaque), l'autre héroïque, chevaleresque et, naturellement, « optimiste ». Tout le monde sait cela, mais je ne voulais que montrer, sur ce double exemple assez typique, la *puissance thématique* de l'amplification.

J'en dirai autant de l'amplification narrative, qui pose d'autre part un peu plus de problèmes, évidemment liés aux structures spécifiques du mode narratif. C'est d'ailleurs en étudiant une amplification que je me fis jadis une première idée de ces structures, et il me faut rappeler ici l'essentiel de ces observations [1].

Le *Moyse sauvé* de Saint-Amant (1653) amplifie en six mille vers les quelques lignes consacrées par la Genèse à l'exposition de Moïse enfant. Cette amplification procède essentiellement par *développement diégétique* (c'est l'*expansion :* dilatation des détails, descriptions, multiplication des épisodes et des personnages d'accompagnement, dramatisation maximale d'une aventure en elle-même peu dramatique), par *insertions métadiégétiques* (c'est l'essentiel de l'*extension :* épisodes étrangers au sujet initial, mais dont l'annexion permet de l'étendre et de lui donner toute son importance historique et religieuse : vie de Jacob racontée par un vieillard ; vie de Joseph représentée par une série de tableaux ; vie future de Moïse vue en songe par sa mère, etc.), et par *interventions extradiégétiques* du narrateur : ce dernier procédé n'est pas très productif chez Saint-Amant, mais il pourrait l'être bien davantage et procurer lui aussi, à volonté, de l'expansion et de l'extension.

C'est précisément ce qu'il advient dans une autre amplification beaucoup plus récente, mais dont le sujet recoupe celui du *Moyse sauvé*, c'est le *Joseph et ses frères* de Thomas Mann [2], chef-d'œuvre absolu du genre. La source principale, et fréquemment invoquée comme « texte d'origine », « texte primitif », ou « version la plus ancienne », est évidemment le récit biblique, qui est à considérer, pour des raisons, précisément, d'extension, de *Genèse 25* (naissance d'Esaü et de Jacob) à *Genèse 50* (funérailles de Jacob). Les textes ultérieurs, désignés plus allusivement comme « la tradition », sont le chapitre XII du Coran, le *Yousouf et Suleika* de Firdousi (début

1. « D'un récit baroque », *Figures II*, Seuil, 1969.
2. Roman en quatre parties : *les Histoires de Jacob* (1933), *le Jeune Joseph* (1934), *Joseph en Égypte* (1936), *Joseph le nourricier* (1943) ; je me réfère à la traduction de Louise Servicen, aujourd'hui disponible dans la collection « L'imaginaire » chez Gallimard.

xie) et celui de Djâni (xve), et le *Poème de Yousouf,* œuvre d'un maure espagnol du xiiie-xive siècle. Je néglige cette tradition intermédiaire, dont l'apport est marginal, pour traiter *Joseph et ses frères* comme une vaste amplification (de 26 à 1 600 pages) du récit biblique, ou transformation d'un récit mythique fort sommaire en une sorte d'immense *Bildungsroman* historique.

L'amplitude proprement diégétique va de l'enfance de Joseph aux funérailles de Jacob, c'est-à-dire qu'elle embrasse la vie du héros jusqu'à ce signe de maturité et d'accomplissement qu'est la mort du père. Mais cette amplitude est complétée, sur les deux derniers tiers du premier volume, par une analepse métadiégétique consacrée aux « histoires de Jacob », récit fait à Joseph par Jacob lui-même de son enfance et de ses tribulations jusqu'au retour en Canaan.

Ce long retour en arrière ajoute donc au récit une extension très importante (15 % du texte total), mais dont le statut métadiégétique est annulé, ou résorbé, aussitôt que posé : le narrateur déclare que ce récit est fait par Jacob, mais le prend aussitôt en charge lui-même, comme le narrateur de la *Recherche* prend à son compte le récit d'*Un amour de Swann* (ce rapprochement n'est pas purement formel : dans les deux cas ce sont, symboliquement ou réellement, les amours du père). Tout se passe donc comme si le récit de Jacob était pour Thomas Mann un simple prétexte pour revenir lui-même en arrière, comme si sa tétralogie commençait *in medias res* à l'enfance de Joseph, puis remontait à son véritable point de départ, qui serait la naissance de Jacob. Mais une telle description ne rendrait pas compte du fait essentiel que le héros, c'est-à-dire à la fois l'objet principal et le quasi unique *foyer* (sujet) de ce récit, n'est pas Jacob, mais bien Joseph : malgré sa réduction pseudodiégétique, le récit de Jacob reste un récit *fait à Joseph* et entendu par Joseph, et il ne figure dans le roman qu'au titre d'élément de la formation de Joseph, destiné, comme le prouve la suite, à être intégré à sa propre expérience — comme l'expérience de Swann transfuse dans celle de Marcel, qu'elle contribue à déterminer.

L'expansion diégétique, de son côté, est inséparable des « intrusions » extradiégétiques d'un narrateur prolixe, très imbu de sa fonction didactique, et très ostensiblement omniscient : ainsi souligne-t-il avec complaisance que la première rencontre, l' « entretien décisif » de Joseph avec Putiphar n'a été mentionné avant lui par « aucune des nombreuses variantes de cette histoire, pas plus celles du Levant que celles du Couchant... de même que sont passés sous silence de nombreux détails, des précisions et arguments probants que notre version se targue de tirer au jour pour en faire hommage aux belles-lettres » ; même revendication à propos du premier entretien entre Joseph et Pharaon : « Il est heureux que soit consigné ici, dans tous ses détails, l'entretien célèbre et pourtant presque ignoré... » Il réclame en toute occasion son droit à l'amplification par rapport à ses prédécesseurs, et spécialement par rapport à ce texte « primitif » qu'il qualifie à plusieurs reprises de « concis » et « lapidaire », de « laconique » et même d' « excessivement laconique », et son droit à restituer intégralement tout ce que la tradition avait omis de transmettre, mais qui n'en fut pas moins raconté un jour, en ce premier récit antérieur même à la version la plus ancienne, et qui n'est autre, selon une formule chère à Thomas Mann, que « l'histoire se racontant elle-même » — histoire dont il ne nous épargne tel ou tel détail qu'en vertu de ce qu'il appelle « l'inexorable loi de l'excision [1] », sans se priver non plus de raconter « ce que tout le monde sait déjà », ni du plaisir d'attirer et d'attiser son auditoire, en bon conteur oriental, et de le retenir jusqu'à la dernière phrase.

C'est donc, selon les bonnes règles de l'ancienne rhétorique, l'importance de l'histoire et l'ampleur du propos qui justifient l'énormité de l'amplification. *Joseph et ses frères* est aussi un roman historique, une fresque du monde oriental aux environs du XVe siècle avant : Palestine et Mésopotamie au temps des Patriarches, Égypte de la XVIIIe dynastie (Joseph arrive sous le règne d'Aménophis III et devient Premier ministre d'Aménophis IV), tableau de la civilisation pharaonique, de la vie (et de la mort) à Thèbes et à Memphis, affrontement entre judaïsme et polythéisme, entre le puissant clergé d'Amon et la tentative monothéiste d'Aménophis-Akhénaton, etc. Tout cela demande beaucoup d'observations et d'explications dont le narrateur n'est pas avare, et justifie d'immenses dialogues et « beaux entretiens ». Mais où Thomas Mann exerce le plus sa verve complaisante, ce sont les grandes scènes inévitables et déjà « connues de tous », mais qui appellent toute l'instrumentation dramatique dont il est capable : la bénédiction frauduleuse de Jacob, la nuit de noces entre Jacob et « Rachel » (au silence de l'aube, Jacob s'éveille le premier : « Il remua, palpa la main de la jeune femme, se rappela ce qui s'était passé et tendit les lèvres vers

---

1. *Joseph le nourricier*, p. 188. L'excision, qui est ici une réduction dans l'amplification, « est bienfaisante et nécessaire puisque à la longue il est impossible de raconter la vie telle qu'elle se raconta jadis elle-même. Où cela nous entraînerait-il ? Jusqu'à l'infini. Tâche au-dessus des forces humaines. Quiconque s'y essaierait n'aboutirait jamais et suffoquerait dès le début, pris dans l'enchevêtrement, la folie du détail exact. À la belle fête de la narration et de la résurrection, l'excision joue un rôle important et indispensable » (*ibid.*, p. 184).

ses doigts pour les baiser. Levant la tête pour contempler la bien-aimée endormie, il la regarda de ses yeux lourds, englués de sommeil, presque encore révulsés, et qui ne parvenaient pas à retrouver le regard. Et voici, c'était Léa. »), la querelle entre Joseph et ses frères, l'arrivée chez Putiphar, la présentation de Joseph aux dames de la cour, la révélation de Joseph à ses frères, la bénédiction testamentaire de Jacob à ses fils, etc.

Mais tout ceci ne représente, selon la formule de Mann lui-même, que le « comment », l'amplification dramatique du « quoi » légué par la tradition. Reste à fournir ce dont le « laconisme » de la version originale nous privait le plus, dans la discrétion qu'elle partage avec les autres grands textes archaïques, mythes ou épopées, et qui en fait les cibles privilégiées de l'amplification moderne : c'est évidemment le « pourquoi », c'est-à-dire la motivation psychologique. Pourquoi Joseph déplut à ses frères. Pourquoi il plut à l'intendant de Putiphar, à Putiphar, au directeur de la prison, à Pharaon lui-même. Et surtout — les deux motivations culminantes, et d'ailleurs étroitement liées — d'un côté, pourquoi Joseph inspira de l'amour à Mme Putiphar (ici, plus joliment, Mout-em-enet) : beauté et charme irrésistibles qu'il tient de sa mère, l'Aimable entre toutes, frustration sexuelle de l'épouse du grand eunuque, tendresse quasi maternelle pour le très jeune étranger, imprudence de Putiphar qui refuse de chasser Joseph à la première alerte, rôle incitateur du nain Doûdou, jaloux de Jacob et qui voit dans cette passion une arme contre lui, naissance et progrès de l'amour, sous couvert de méfiance et d'hostilité, jusqu'au point de non-retour d'une cristallisation toute stendhalienne, longue et inutile résistance de trois années, car Mout ne demanda pas tout de go, comme il est dit, « couche avec moi » ; elle n'en vint là qu'à bout de forces : « La première année, elle s'évertua à lui dissimuler son amour ; la seconde, elle le lui fit connaître ; la troisième, elle s'offrit. » De l'autre côté, pourquoi Joseph refusa cet amour, auquel il n'était nullement, comme on le croit, insensible par nature ; et voici, le narrateur explique cette chasteté par sept motifs, ni plus ni moins, qu'il énumère imperturbablement — mais j'avoue que leur distinction m'échappe un peu : consécration religieuse, loyauté envers Putiphar, refus de l'agressivité féminine (« il voulait être la flèche, non la cible »), fidélité aux maximes de son père, refus de l'Égypte et de son culte de la mort, interdit sur la chair. Tout cela ne l'empêchera pas d'épouser plus tard une autre Égyptienne ; on sait, et Mann sait mieux que personne, ce que valent ces explications flexibles à volonté.

L'interrogation sur les mobiles feint de s'étendre jusqu'à la divinité elle-même : Jahvé a frappé Jacob dans son amour pour Rachel — la lui refusant pendant deux fois sept ans, la rendant stérile jusqu'à la naissance de Jacob, la faisant mourir sur le chemin du retour — pour un simple, et pour une fois unique motif, que j'ose à peine rapporter : la jalousie. Et le dernier volume s'ouvre — référence parodique au *Prolog im Himmel* de *Faust* — sur un « Prélude dans les sphères suprêmes » où les cancanières cohortes célestes examinent ces deux graves questions : pourquoi Dieu a-t-il créé l'homme (réponse : sur les mauvais conseils de Semael, et par curiosité narcissique), et pourquoi le Dieu immatériel et universel s'est-il fait, comme les autres, le dieu d'un peuple ? Réponse : toujours sur les conseils perfides du démon, et par... ambition — condescendante, bien sûr, et désir de s'égaler, en s'abaissant, aux autres dieux. *Nobody is perfect.*

Ces quelques touches suffisent sans doute à illustrer la tonalité fondamentale de cette œuvre, qui est évidemment l'humour, l'humour bien connu — et méconnu — de Thomas Mann, qui n'épargne, comme on dit, personne, ni son héros, toujours séduisant et content de soi, ni son père le Patriarche rusé, sectaire et formaliste, ni même — on vient de le voir — la Puissance suprême, ni bien sûr sa propre source, qui autrement ne serait (comme le croyait fort obtusément son ennemi juré Bertolt Brecht) qu'un vulgaire ironiste. Or l'humour, dont l'une des marques extérieures est ici l'affectation de pomposité officielle, le constant pastiche des tournures bibliques et du style formulaire, est à la fois grand producteur et grand consommateur d'amplification textuelle : comme le disait déjà Thomas Mann à propos de *la Montagne magique,* « l'humour exige de l'espace ». Il lui faut du texte, beaucoup de texte pour se préparer et pour s'accomplir (cet humour-là, du moins). La lenteur et la prolixité complaisante de l'amplification sont ici inséparables de leur propre retournement comique ; de sorte qu'il serait insuffisant de définir *Joseph et ses frères* comme une amplification humoristique, car ce serait méconnaître l'identité profonde, en l'occurrence, de ces deux fonctions. Ce roman est plutôt l'illustration et la mise en œuvre — la plus éclatante à mon gré — de la vertu humoristique de l'amplification[1].

1. Toutes choses égales d'ailleurs, le *Gaspard, Melchior et Balthazar* de Michel Tournier (Gallimard, 1980) appartient au même genre de l'augmentation généralisée. La part de l'extension y est évidemment représentée par le quatrième mage Taor, emprunté, comme le signale Tournier lui-même, à une tradition russe via le roman d'Edzar Schaper, et celle de l'expansion par l'évocation du règne d'Hérode, et surtout par la biographie prêtée à chacun des quatre rois, biographie motivante en réponse à la question implicite : que venaient-ils tous faire à Bethléem ? Réponse :

LVI

Réduction et amplification ne mènent pas des existences aussi séparées que pourraient le laisser croire ces deux évocations distinctes. D'abord, comme nous l'avons déjà vu, toute transformations de texte qui ne se laisse pas réduire à l'un de ces deux procédés résulte généralement de leur mariage, selon la formule *suppression + addition = substitution :* ainsi procédait Godchot sur Valéry, ou Mallarmé sur Mallarmé. On peut aussi rencontrer, au cours de la genèse, ou des tribulations, parfois contingentes, d'une œuvre hypertextuelle, un mouvement inverse et à bilan nul : *addition + suppression* (de l'addition même) : ainsi, pour la version originale de *Don Carlos* (Paris, 1867), Verdi ajoute au drame de Schiller un premier acte (prologue de Fontainebleau) qu'il supprimera en 1884 pour la version définitive de la Scala.

C'est à un travail un peu analogue, mais beaucoup plus subtil, que se livre Flaubert dans *Hérodias* (1877), qui amplifie à une trentaine de pages les vingt lignes du récit évangélique (Matthieu 14 et Marc 6). Contrairement à l'histoire de Joseph, celle de la décollation de Jean-Baptiste est, dans les deux textes évangéliques, complète et pourvue de toutes les motivations nécessaires : par rigorisme, Jean avait condamné le mariage d'Antipas avec sa belle-sœur ; Hérodias voulait donc sa mort, mais Hérode, le sachant estimé du peuple et l'estimant lui-même, n'osait pas le faire exécuter et se contentait de le détenir en prison ; pour lui forcer la main, Hérodias utilise sa fascination pour Salomé, qui danse devant lui à son festin d'anniversaire ; séduit, Antipas accorde à Salomé ce qu'elle voudra ; Hérodias suggère alors à sa fille de demander la tête de Jean, qu'Hérode, tenu par sa promesse, ne peut lui refuser.

Ce récit n'appelle aucune motivation supplémentaire, et Flaubert n'a pas à lui en fournir, sauf à expliquer les motivations originelles elles-mêmes (*surmotivation*) par un tableau général, politique et religieux, de l'Orient romain sous le règne de Tibère. Le principe essentiel de son amplification est donc, comme pour la *Tentation* ou

l'un voyageait par désespoir d'amour, l'autre par curiosité esthétique, le troisième avait été chassé de son trône par un coup d'État, le dernier était en quête de la recette du loukoum à la pistache.

Salammbô, l'expansion descriptive et historique. D'où le considérable dossier documentaire que l'on sait — tout le savoir de l'époque sur la religion juive et ses sectes, la colonisation romaine en Orient, les mouvements de rébellion, les intrigues de cour, etc. —, et qui pouvait nourrir un roman de trois cents pages détaillant et expliquant de manière lumineuse et exhaustive tout l'enchaînement de passions, d'ambitions et de machinations qui aboutit à cette tête coupée sur un plat. Ce roman, les brouillons montrent que Flaubert l'a, par bribes successives, conçu et presque écrit. Puis, aussi laborieusement sans doute, il entreprend de le *désécrire* à force de biffures, d'ellipses, de formules allusives, de répliques arrachées à leur contexte, de détails saugrenus luisant dans l'énigmatique et fuligineux désordre d'un récit que plus d'un lecteur, même informé de l'histoire, aura jugé, comme le bon Sarcey, « trop fort pour lui » ; ou, comme Jules Lemaitre : « un effort excessif se fait sentir dans cette brièveté : les personnages et les actions ne sont pas assez expliqués ; il y a trop de laconisme dans ce papillotage asiatique... » Ces deux réactions parmi d'autres manifestent bien, je pense, l'effet produit sur l' « archilecteur » moyen par ce double travail d'amplification et d'autoréduction : ce qui, pour une fois et par exception au papillotage laconique du texte biblique, était limpide en vingt lignes de Marc ou de Matthieu devient obscur en trente pages de Flaubert. Mais cette obscurité-là, faut-il le (re)dire, c'est tout l'art du dernier Flaubert.

Effet assez rare — exceptionnel, même — de *démotivation*. On dit qu'Oscar Wilde écrivit sa *Salomé* (1892) après une lecture du conte de Flaubert. Il ne lui doit pourtant rien. Outre le passage au mode dramatique, son parti est tout autre : c'est une pratique que nous retrouverons plus à loisir, la *transmotivation,* c'est-à-dire, bien sûr, une motivation substituée à une autre : Salomé fait décapiter Iaokanann non à l'instigation de sa mère, mais pour son propre compte, parce qu'elle l'aime et qu'il l'a repoussée. Cette idée vient peut-être de Heine, qui attribue le même mobile à Hérodias elle-même, ajoutant : « Autrement le désir de cette dame serait inexplicable. Une femme demande-t-elle la tête d'un homme qu'elle n'aime pas[1] ? » Mère ou fille, cette motivation généralisante, je l'avoue, m'enchante. Une fois perçue, elle récuse toutes les autres, et elle pourrait bien s'être imposée séparément à Heine et à Wilde, comme elle s'est d'ailleurs, entre-temps (1881), imposée au librettiste de l'*Hérodiade* de Massenet, qui poussait un peu plus loin l'émancipation à l'égard du texte évangélique et de ses bienséances :

_____

1. *Atta Troll,* 1847.

Jean n'y repoussait pas l'amour de Salomé — et, du coup, mourait pour quelque autre raison dont je ne me soucie guère. Sagement, Richard Strauss (1907) préférera la version de Wilde, que son livret suit de très près. Grâce à la populaire danse des sept voiles et à sa musique lancinante, l'opéra de Strauss impose, peut-être définitivement, cette motivation passionnelle et cette version proprement tragique — non sans un souvenir des interprétations plastiques d'un Gustave Moreau, d'un Beardsley, d'un Klimt, qui contribuent à faire de la princesse d'Idumée l'emblème de ce qu'Eugenio d'Ors appelle le *Barocchus finisecularis,* ou baroque 1900.

Mallarmé, on le sait, avait devancé tout ce monde avec une *Hérodiade* (1864-1867) dont l'intouchable héroïne, sous ce nom trompeur, était bien la fille et non la mère. Mais Laforgue ira plus loin que tous en supprimant Hérodias et en faisant de Salomé la propre fille d'Hérode.

Cette *Moralité légendaire* (parue posthume en 1887) se lirait assez bien comme un travestissement néo-burlesque du conte de Flaubert, avec son Tétrarque Emeraude-Archétypas, son palais labyrinthique et suspendu, ce neveu des Satrapes du Nord qui, tel Bonaparte au Corps législatif, traite Iaokanann d' « idéologue, écrivassier, conscrit réformé, folliculaire déclassé, bâtard de Jean-Jacques Rousseau », ces visiteurs qui, devant les transes de Salomé, pensent tirer leur montre et demander, question pertinente : « A quelle heure la couche-t-on ? » — et, de sa part, cette exigence désinvolte : « Et maintenent mon père, je désirerais que vous me fassiez monter chez moi, en un plat quelconque, la tête de Iaokanann. C'est dit. Je monte l'attendre. — Mais, mon enfant, tu n'y penses pas ! cet étranger... » L'illustre chef finalement obtenu et dûment baisé, Salomé le lance par-dessus bord, du haut de la tour ; mais, calculant mal sa parabole, elle tombe avec lui, dégringolant de roc en roc jusqu'à la mer — morte, bien sûr [1].

Mais une telle description serait fort réductrice pour cette œuvre énigmatique et plutôt en avance sur son temps, et d'une fantaisie plus émancipée — de toute psychologie, entre autres — qu'il ne convenait à un genre qu'elle transcende de toute son étrangeté, surréaliste avant la lettre, et c'est peu dire.

Enfin, le statut de certains textes réductifs ou augmentatifs est ambigu, ou plus précisément *double,* selon qu'on les considère dans

---

1. En fait, l'adjectif, ou participe, ne s'applique qu'à l'héroïne, car les Iles Blanches Ésotériques, fief du Tétrarque laforguien, « virident aux brises atlantiques », quelque part, j'imagine, entre Madère et Canaries.

leur genèse (du côté de l'auteur) ou dans leur réception (du côté du lecteur). J'ai déjà signalé des effets d'amplification dans certaines versions originales plus étendues que le texte définitif correspondant, et que la plupart des lecteurs ne rencontrent qu'après coup, comme des versions amplifiées d'un texte qu'ils avaient d'abord connu dans son état réduit. L'effet inverse, ou *effet de réduction,* se produit lorsque, après lecture de l'œuvre définitive, nous prenons connaissance de certains scénarios, plans ou ébauches préparatoires que l'on peut considérer comme autant de *résumés prospectifs,* ou anticipés.

Bien entendu, les dossiers préparatoires (« brouillons ») ne contiennent pas seulement de tels textes, mais aussi bien des rédactions détaillées partielles, que l'on retrouve (ou non, et, si oui, plus ou moins transformées) dans la version définitive. Et aussi sans doute (c'est à peu près certain chez Flaubert) des plans établis après une rédaction ultime, ou pénultième, pour y voir plus clair et juger de la solidité de l'ensemble : résumés critiques, donc, ou de contrôle, et nullement prospectifs. Et, inversement, on peut trouver de tels états embryonnaires — scénarios ici involontaires — ailleurs que dans les brouillons, et en particulier dans des œuvres antérieures du même auteur : le sujet de *Leuwen* dans *Racine et Shakespeare,* ou celui du *Malentendu* dans un fait divers lu par Meursault dans *l'Étranger.*

Presque toute œuvre de quelque envergure doit passer à quelque moment par cette étape, dont elle ne nous laisse pas toujours trace. On en trouve de très caractéristiques chez Flaubert, ou chez Zola, ou chez James, et bien d'autres. Le plus souvent, ces scénarios prospectifs prennent la forme minimale d'un plan schématique en style « télégraphique » (phrases nominales plutôt juxtaposées, et même le plus souvent superposées, qu'enchaînées en un véritable récit), et ne risquent donc guère de faire à l'œuvre définitive une véritable concurrence, ni même un véritable contrepoint textuel. Quelle que soit leur place dans la chronologie de la genèse, certains plans d'*Un cœur simple* (I. Figure de Félicité et la maison de Mme Aubain. / II. Son histoire. / Entrée chez Mme Aubain. Les enfants. Personnages secondaires...) ou d'*Hérodias* (Machaerous / Antipas sur sa terrasse. Sa situation politique. Une voix : il a peur...) illustrent assez bien cet état et ce style qui est déjà celui d'une Table des matières.

Mais certains trouvent d'emblée un régime formel plus élaboré qui leur confère un indéniable statut littéraire. J'en citerai pour illustration de deux auteurs à peu près contemporains, et aussi différents qu'il est possible : Zola, Henry James.

Les dossiers préparatoires de Zola n'ont pas encore été publiés en volume, mais les notices d'Henri Mitterand pour l'édition Pléiade des *Rougon-Macquart* en donnent de nombreux extraits, et une analyse très suggestive. Ils contiennent des documents de toutes sortes, des plans schématiques ou détaillés généralement assez tardifs, mais aussi, presque pour chaque roman, une ébauche rédigée en plusieurs pages, et parfois plusieurs dizaines de pages, qui est toujours l'état le plus ancien de l'œuvre. Le plus ancien, mais non pas le plus embryonnaire au sens microscopique, *in nuce*, qu'évoque ce terme. La métaphore la plus juste, quoique non plus originale, serait celle de la nébuleuse. Zola part d'une idée initiale qui est presque toujours, selon l'économie générale de la série, le tableau d'un milieu ou d'une activité sociale. Il évoque d'abord, dans un esprit plutôt didactique et descriptif que romanesque, cet arrière-plan, par exemple la mine ou le grand commerce, puis se met en quête des personnages et de l'intrigue narrative qui transformeront le tableau en roman. Il cherche, essaie, renonce, trouve autre chose, progresse, s'encourage, se donne des conseils et des consignes, et l'Ébauche n'est rien d'autre qu'une transcription sur le vif de ce que Mitterand appelle justement son « monologue créateur [1] ». C'est vraiment le monologue de la création, le travail créateur fait monologue, et qui, chez ce grand bavard, n'aurait sans doute pu se faire par une autre voie et sous une autre forme. Plutôt que le présent, le temps (ou le mode) typique de ces sommaires inchoatifs serait le futur ou une sorte d'optatif ou volitif, et parfois même un impératif de la première personne, rendu par l'infinitif : « Je veux dans *Au Bonheur des dames* faire le poème de l'activité moderne. Donc, changement complet de philosophie : plus de pessimisme d'abord, ne pas conclure à la bêtise ou à la mélancolie de la vie. En un mot, aller avec le siècle, exprimer le siècle... Ne pas oublier son (Octave) côté de fantaisie dans le commerce, son audace... Pourtant, je ne voudrais pas d'épisodes trop sensuels. Éviter les scènes trop vives. » Ou encore, pour *Germinal :* « Ce sera cet inspecteur qu'on tuera, et la bande hurlante des femmes pourra lui arracher les parties génitales... J'aimerais bien l'éboulement du puits avec tout coulant à l'abîme... Ce serait d'un gros effet. Mais où mettre cela ? » Ce style de monologue ou peut-être plutôt de dialogue intérieur est évidemment plus proche d'une sorte de journal intime d'où émergerait progressivement le roman (comme ce brouillard sonore qui trouve peu à peu sa forme dans *la Valse* de

---

1. Tome III, p. 1827 ; ailleurs (*Essais de critique génétique*, Flammarion, 1979, p. 195) : « soliloque programmatique ».

Ravel), que du récit proprement dit, et c'est ce qui fait l'intérêt esthétique de ces ébauches. On trouve d'ailleurs une sorte de pastiche de ce genre dans certaines pages du Journal d'Édouard, dans *les Faux-Monnayeurs* ; ainsi : « Sans prétendre précisément rien expliquer, je voudrais n'offrir aucun fait sans une motivation suffisante. C'est pourquoi je ne me servirai pas du suicide du petit Boris ; j'ai déjà trop de mal à le comprendre... »

Les *Carnets* de James[1] sont, d'une manière beaucoup plus déclarée, le Journal d'un romancier, et d'un romancier apparemment moins méthodique et ordonné que Zola dans l'élaboration de ses œuvres : pendant les années 1892-1896 en particulier, les divers projets et ébauches (*Ce que savait Maisie, le Tour d'écrou, l'Age difficile, les Ailes de la colombe, les Ambassadeurs, la Coupe d'or*) se chevauchent et s'entrecroisent, traces enchevêtrées d'une maturation à peu près simultanée. Très souvent donc, James note un jour l'idée initiale, semble l'oublier pendant deux ou trois ans, puis revient à son projet, qui a peut-être mûri inconsciemment pendant cet intervalle, lui donne en quelques pages une forme élaborée, l'abandonne de nouveau au profit d'un autre, et ainsi de suite pendant plusieurs années. Autre différence avec Zola : le point de départ est ici toujours une « histoire », et le plus souvent une anecdote entendue ici ou là, et qu'il perçoit aussitôt, et invariablement, comme un bon sujet pour une brève nouvelle — qui gonflera d'elle-même aux dimensions que l'on sait. La première note nous apparaît donc, rétrospectivement, comme un résumé d'une demi-page, très condensé mais où se trouve déjà l'essentiel de l'action : une enfant dont les parents divorcés se remarient chacun de son côté et qui trouve de nouveaux parents dans les deux nouveaux conjoints ; les intrigues amoureuses et financières autour d'une jeune fille riche qui se meurt ; un père remarié et sa fille mariée qui se rapprochent au point de laisser gendre et mère se consoler ensemble, à moins que ce ne soit l'inverse ; un homme vieillissant qui prend soudain, contre tous ses « devoirs » et intérêts, le parti d'un jeune homme en rupture, etc.[2]. Cette première phase déjà, presque exclusivement narrative, est celle qui chez Zola fait d'abord défaut et n'interviendra que bien plus tard. La suite, immédiate ou

---

1. *Notebooks* (1878-1911), publiés par F. O. Matthiesen et K. B. Murdoch, trad. fr., Louise Servicen : *Carnets*, Denoël, 1954.
2. *Maisie*, 12.11.92 ; *Colombe*, 3.11.94 ; *Coupe*, 28.11.92 ; *Ambassadeurs*, 31.10.95.

différée [1], consiste en une élaboration progressive des mobiles et des enchaînements psychologiques : c'est par excellence une étude de motivation, où l'action se charge peu à peu des guirlandes de subtilités et d'ambiguïtés caractéristiques de l'art jamesien — encore que certains de ces scénarios disent fort nettement ce que le texte final couvrira d'un épais rideau de fumée : ainsi, que l'écrivain du *Motif dans le tapis* avait effectivement un secret, ou que les enfants du *Tour d'écrou* sont bel et bien persécutés par les fantômes de leurs anciens domestiques [2]. L'objet de ces états intermédiaires est donc fort différent de celui de l'Ébauche zolienne, mais le ton et le tour en est souvent très proche : c'est de nouveau celui de la recherche en marche et en acte, des hésitations, des tâtonnements, des hypothèses, des essais et erreurs : *mettons que... ou plutôt non... on doit... il faut... à moins que... voyons un peu... nous verrons bien... je ne suis plus sûr... j'entrevois... il me semble vaguement que cela se précise... oui, oui... c'est cela...* Le processus créateur est ici si vivement mis en scène que l'on y supposerait volontiers une part de ce que Valéry appelait la « comédie de l'intellect ». Mais ce n'est certes pas ainsi que James vivait la chose, quelle qu'y soit la teinte d'humour. Le scénario était pour lui une étape et un instrument technique décisif, et il lui arrive d'en parler avec une extraordinaire émotion [3].

C'est donc à travers ces scénarios successifs que se *produit* (dans tous les sens du verbe) l'élaboration jamesienne du canevas narratif initial, souvent de rencontre, et elle fonctionne comme son hypotexte : pour la décrire un peu schématiquement, cette élaboration comporte le plus souvent une phase de motivation, puis une phase d'ambiguïsation et de réfraction dans la fameuse « splendeur de l'indirect », que l'on pourrait bien des fois caractériser comme un phase de démotivation (par subtilisation). Mais l'essentiel de la mise en œuvre finale en est absent, qui est la « technique de la scène [4] » :

1. *Les Ailes de la colombe*, 3 et 7.11.94 ; *la Coupe d'or*, 14.2.95 ; *Maisie*, 26.8.93, 22.12.95, 26.10.96.
2. 24.10.95, 12.1.95. James ajoute ici : « L'histoire devra être racontée — avec suffisamment de crédibilité — par un spectateur, un observateur du dehors. » Cet observateur sera la gouvernante, dont la narration manquera essentiellement de crédibilité. Bien entendu, les scénarios ne doivent pas être utilisés comme des machines à « désambiguïser » des œuvres dont la rédaction finale leur est souvent postérieure de plusieurs années : l'élaboration jamesienne consiste précisément en ce travail inverse d'ambiguïsation progressive.
3. P. 215 et 288.
4. « Je me rends compte — il n'est pas trop tôt ! — que la technique de la *scène* est mon absolu, mon impératif, mon *seul* salut » (21.12.96).

action détaillée et (surtout) dialogue. La scène s'oppose, ici comme ailleurs, au récit sommaire, mode purement narratf auquel les scénarios restent constamment fidèles. Aussi James précisait-il un jour que « ces merveilleux schémas préliminaires (*preliminary statements*) n'existent pas sous une forme communicable [1] » — à l'exception peut-être d'un scénario sensiblement plus étendu (vingt mille mots) des *Ambassadeurs,* qu'il avait soigneusement rédigé à titre de prospectus pour l'éditeur Harper. James précise que cette rédaction fut antérieure de plus d'un an à la rédaction finale du roman. Il s'agit donc bien d'un sommaire prospectif, mais sa comparaison avec le roman montre à quel haut degré d'élaboration intime il correspond — et, bien entendu, *contribue.* Presque aucune hésitation (ce que commande évidemment la situation : James veut montrer à Harper que son roman est « tout prêt dans sa tête »), presque aucun parti démenti par la version finale. James ne s'exprime plus ici sur un mode hypothétique ou volitif, c'est le présent descriptif d'un véritable (mais énorme) résumé critique ; à peine si, à propos de telle ou telle scène, il emploie le futur pour promettre qu'elle sera « pleine d'intérêt », ou « brossée dans l'ordre et la lumière qui lui conviennent ». Aussi la narration pure glisse-t-elle plusieurs fois vers la scène, avec fragments de dialogue ou de monologue intérieur que l'on pourrait lire comme autant de citations d'une rédaction finale déjà disponible. La performance est saisissante : afféteries de style comprises, ce scénario est déjà presque un roman de James, et l'on pourrait s'étonner d'une telle dépense au seul profit d'un éditeur qui s'empressa de n'en rien faire, s'il ne témoignait en même temps d'une hâte et d'une sorte d'angoisse triomphante qui salue l'imminence de l'accomplissement final. Et si cette étrange démarche ne nous valait l'exemple le plus fascinant d'un résumé autographe qui en vérité ne résume rien, mais amorce et entame un immense travail d'amplification [2].

Les exemples de Zola et de James, parmi d'autres, illustrent bien ce fait méconnu, que l'amplification est l'un des « sentiers de la création » — disons plus modestement de la genèse de bien des œuvres que rien en principe ne désigne comme aucunement

1. A H. G. Wells, automne 1902, *ibid.,* p. 407.
2. *Ibid.,* p. 410-455. En envoyant ce prospectus (en 1902 ou 1903), James annonçait que le roman lui-même (qui au départ, en 1895, ne devait être, comme d'habitude, qu'une simple nouvelle) devrait faire 120 000 mots, c'est-à-dire seulement six fois plus ; il ne sous-estimait pas trop sa prolixité finale, qui ne va qu'à 155 000.

hypertextuelles. En fait, le « sujet » d'une œuvre, fût-ce une anecdote rapportée ou un événement vécu (le procès Berthet ou *Love with Métilde* aussi bien que la chronique Farnèse), se présente toujours comme un texte minimal, qui se développe peu à peu dans l'esprit de l'écrivain par germination ou cristallisation. Les termes employés par James dans ses préfaces procèdent presque tous de l'une ou l'autre de ces métaphores : *germes, semences* qui appellent une *cristallisation nécessaire, grains qui poussent, croissance* d'un grand chêne à partir d'une petite *semence,* etc. Nous avons entrevu plus haut le rôle génétique de la réduction chez Flaubert, et quelques autres. Celui de l'amplification n'est pas moindre, et l'on pourrait peut-être distinguer deux grandes familles d'écrivains : ceux chez qui domine la réduction, et qui ne peuvent se relire sans se biffer (Flaubert, Chateaubriand, Mauriac, Buffon) et ceux qui ne peuvent se relire sans ajouter en marge, entre les lignes, sur béquets et paperolles, jusque sur épreuves et, après publication, sur exemplaires interfoliés : Proust, bien sûr, mais aussi Balzac, ou Montaigne [1]. Mais le plus souvent les deux mouvements coexistent et coopèrent, ou alternent. L'œuvre oscille sans cesse, en quête d' « achèvement » et de juste mesure, entre le trop-peu et le trop-plein. Jusqu'à la décision souvent imposée, ou arbitraire, et bientôt sanctionnée, voire sanctifiée (fétichisée) par la critique et la postérité.

Parfois aussi le temps lui faut, et critique et postérité devront se satisfaire d'une ébauche ou d'une confidence : ainsi pour *Ofterdingen* ou pour *Leuwen*. Mais, dans ce dernier cas, quelle rédaction « définitive » pourrait surpasser ce dénouement elliptique, et (je fétichise à mon tour) qui nous comble : « Plan pour la fin. — Mme de Chasteller se fait épouser, Leuwen croyant qu'elle a fait un enfant. A Paris, après la noce : " Tu es à moi, lui dit-elle en le couvrant de baisers. Pars pour Nancy, monsieur, tout de suite ! Tu sais malheureusement combien mon père me hait. Interroge-le, interroge tout le monde. Et écris-moi. Quand tes lettres montreront la conviction (et tu sais que je suis bon juge), alors tu reviendras, mais seulement alors. Je saurai fort bien distinguer la philosophie d'un homme qui

---

1. Le cas de Montaigne est à vrai dire un peu distinct, car il s'agit plutôt chez lui d'additions (citations, nouveaux exemples, etc.), qui opèrent plus une extension qu'une expansion corrective. Encore davantage, bien sûr, chez La Bruyère, qui, d'une édition à l'autre, insère simplement de nouvelles « remarques » entre les précédentes.

pardonne une erreur antérieure à son bail, ou l'impatience de l'amour que tu as naturellement pour moi, de la conviction sincère de ce cœur que j'adore. " Leuwen revint au bout de huit jours. — Fin du roman. »

LVII

Notre dernier type de transposition (en principe) purement formelle sera la *transmodalisation,* soit toute espèce de modification apportée au mode de représentation caractéristique de l'hypotexte. Changement *de mode,* donc, ou changement *dans le mode,* mais non changement de *genre* au sens où l'on peut dire que l'*Odyssée* passe, chez Giono ou chez Joyce, de l'épopée au roman, que l'*Orestie* passe, chez O'Neil, du tragique au dramatique, ou que *Macbeth* passe, chez Ionesco, du dramatique au bouffon : ces transformations-là sont ouvertement thématiques, comme l'est pour l'essentiel la notion de genre elle-même, et nous les retrouverons sous cet angle et à ce titre.

Par transmodalisation, j'entends donc plus modestement une transformation portant sur ce que l'on appelle, depuis Platon et Aristote, le mode de représentation d'une œuvre de fiction : *narratif* ou *dramatique.* Les transformations modales peuvent être a priori de deux sortes : *intermodales* (passage d'un mode à l'autre) ou *intramodales* (changement affectant le fonctionnement interne du mode). Cette double distinction nous fournit évidemment quatre variétés, dont deux sont intermodales : passage du narratif au dramatique ou *dramatisation,* passage inverse du dramatique au narratif ou *narrativisation,* et deux intramodales : les variations du mode narratif et celles du mode dramatique.

La dramatisation d'un texte narratif, généralement accompagnée d'une amplification (comme l'illustrent exemplairement les *Bérénice* de Corneille et de Racine), est aux sources mêmes de notre théâtre, dans la tragédie grecque, qui emprunte presque systématiquement ses sujets à la tradition mythico-épique. Cette pratique s'est maintenue tout au long de l'histoire en passant par les Mystères (d'après la Bible) et les Miracles (d'après les Vies de saints) du

Moyen Age, le théâtre élisabéthain, la tragédie classique, jusqu'à l'usage moderne de l' « adaptation » dramatique (et aujourd'hui, plus fréquemment, cinématographique) des romans à succès, y compris ces auto-adaptations tant pratiquées au XIXᵉ siècle (ainsi Zola, de *Thérèse Raquin* à *Germinal*) et encore par Giraudoux, qui en 1928 « porte à la scène » son roman *Siegfried et le Limousin*.

Il s'agit donc, ici encore, d'une pratique culturelle très importante, et dont les implications socio-commerciales sautent aux yeux. Je dirai seulement un mot de ses caractéristiques proprement modales, en me référant (faute de mieux) aux catégories analytiques déjà utilisées dans *Discours du récit*[1], puisqu'il s'agit de décrire la manière dont elle affecte les modalités d'un discours (celui de l'hypotexte) originellement narratif. Ces catégories, je le rappelle, portent essentiellement sur la temporalité du récit, sur le mode de régulation de l'information narrative, et sur le choix de l'instance narrative elle-même.

Dans l'ordre temporel, l'une des conséquences les plus fréquentes, et les plus évidentes, de la dramatisation est — au moins dans une tradition classique d' « unité de temps » qui remonte à la tragédie grecque et qui déborde largement le champ du classicisme français — la nécessité de resserrer la durée de l'action pour la rapprocher le plus possible de celle de la représentation. Cette nécessité peut obliger, par exemple, à substituer au dénouement factuel une simple annonce, comme celle du mariage de Rodrigue et de Chimène, dont la bienséance repousse la réalisation à un avenir indéterminé ; ou à raccourcir un délai naturel ou historique : ainsi, c'est apparemment le passage à la scène qui contraint à réduire à quelques heures la grossesse d'Alcmène ; c'est encore lui qui oblige le roi Alfonse à mourir aussitôt après l'exécution d'Inès de Castro alors que l'hypotexte narratif marquait entre les deux événements un intervalle historique de douze années.

Ce dernier cas mérite une attention spéciale, car on y voit une pure nécessité technique entraîner une importante transformation thématique. La première adaptation dramatique de ce sujet, l'*Inès de Castro* d'Antonio Ferreira (1558) s'arrêtait à la mort d'Inès et aux menaces de vengeance de Pedro, que l'on peut considérer comme une annonce du dénouement ultérieur (mort du roi Alfonse, avènement de Pedro et couronnement posthume d'Inès) ; une vingtaine d'années plus tard, l'Espagnol Bermudez, pour représenter ce dénouement sur scène, divise l'histoire en deux drames, *Nise lastimosa* (Inès victime) et *Nise laureada* (Inès couronnée) séparés

---

1. *Figures III*, Seuil, 1972.

par l'intervalle historique que j'ai dit. C'est apparemment un autre Espagnol, Guevara (*Reinar despues de morir, 1652*), qui imagine de hâter la mort d'Alfonse, ce qui permet de baisser le rideau sur la scène spectaculaire de la morte couronnée : « Voici Inès couronnée ! Voici la reine malheureuse qui mérita de régner sur le Portugal après sa mort ! Vive la reine morte [1] ! » Mais pour qu'Alfonse meure aussitôt après Inès, il faut établir entre ces deux morts une relation de cause à effet ; le roi a condamné Inès par raison d'État et contre ses propres sentiments, et l'exécution de son ordre le plonge dans un remords auquel il ne peut survivre : « Si Inès meurt, moi aussi je me sens mourir. » Montherlant (*La Reine morte*, 1942) conserve cette motivation en l'infléchissant vers un dégoût de vivre plus profond et un pessimisme absolu. Exemple typique de motivation psychologique forgée après coup pour justifier un artifice technique.

On sait d'autre part que la souplesse temporelle du récit n'a guère d'équivalent à la scène, dont la caractéristique essentielle (la représentation, justement, où tout est par définition au présent) s'accommode mal de retours en arrière et d'anticipations qu'elle pourrait difficilement affecter des signes du passé ou du futur (le cinéma, en ceci plus proche du récit verbal, en fait au contraire grand usage, sous forme de fondus et autres signaux codés, aujourd'hui courants et aisément interprétés par le public). Aussi recourt-elle le plus fréquemment, pour les analepses indispensables, à des procédés narratifs (récits d'exposition, ou de simultanéité du type récit de Théramène). En ce qui concerne les variations de vitesse et de fréquence, elle se trouve encore plus démunie, contrainte qu'elle est par nature à fonctionner en temps réel : elle ne connaît par définition que la *scène* isochrone et l'ellipse (entre les actes ou les tableaux) ; elle ne peut pratiquer par ses propres moyens ni le sommaire ni le récit itératif, devant ici encore recourir à la narration, par la voix d'un récitant ou de l'un des personnages. Quant à la pause descriptive, elle n'en éprouve évidemment nul besoin, puisqu'elle donne directement à voir, sans recours au langage, ses acteurs et son décor.

Dans l'ordre proprement modal, même type de réduction inévitable : tous les discours sont au style direct, sauf ceux que rapporte un personnage, qui agit alors comme un narrateur, et avec une liberté de choix qui est celle du récit ; aucune focalisation possible, puisque tous les acteurs sont également présents et contraints à parler

---

1. C'est-à-dire en fait la *morte reine*. Dans la chronique portugaise, Pedro devenu roi faisait exhumer et couronner, après douze ans, le cadavre d'Inès avant de lui donner un fastueux tombeau.

chacun à son tour. Le procédé moderne qui consiste à épouser le « point de vue » d'un personnage n'a ici aucun équivalent : le seul point de vue dramatique est celui du spectateur, qui peut évidemment concentrer et moduler son attention tout à sa guise, mais d'une manière qui ne peut guère être programmée par le texte, sauf jeu de scène éventuellement prescrit par des indications de régie, comme pendant les tirades des « raisonneurs » de Molière, où l'attention est fréquemment détournée sur les gestes ou mimiques contrastantes de l'interlocuteur muet. Quant à la catégorie de la *voix* (« qui raconte ? »), totalement liée par définition à l'existence d'un discours narratif, elle disparaît ici entièrement, sauf présence d'un récitant comme l'Annoncier du *Soulier de satin.*

On observe donc ici, dans le passage du récit à la représentation dramatique, une considérable déperdition de moyens textuels, car de ce point de vue, et pour mesurer les choses en termes aristotéliciens (« qui peut le plus ? qui peut le moins ? »), on dira simplement que, tout ce que peut le théâtre, le récit le peut aussi, et sans réciproque. Mais cette infériorité textuelle est compensée par un immense gain extratextuel : celui que procure ce que Barthes nommait la *théâtralité* (« le théâtre moins le texte ») proprement dite : spectacle et jeu.

Ces diverses caractéristiques de la dramatisation ne sont pas toujours faciles à isoler, parce que cette pratique se présente rarement à l'état pur, et donc se prête rarement à une comparaison serrée entre hypotexte narratif et hypertexte dramatique. L'un des exemples les plus maniables est peut-être le *Docteur Faustus* de Marlowe, qui est une dramatisation assez fidèle du *Volksbuch* germanique. J'emprunte à André Dabezies[1] une comparaison qui illustre assez bien les types de transpositions que j'évoquais plus haut : « Il s'agissait pour Marlowe de transposer dans une forme dramatique un récit biographique qui ne s'y prêtait guère. En fait, le poète a suivi de près le canevas du *Récit populaire.* Si les actes III et IV représentent la partie la plus hétéroclite de la pièce et paraissent en marge de l'action dramatique principale, c'est qu'ils transposent, sans changer leur place ni leur rôle, les « anecdotes » qui rompaient de même la continuité du récit primitif. Seule, Hélène est renvoyée au cinquième acte, prenant ainsi une fonction dramatique plus accusée. De même, les longs chapitres de discussion (...) sont réduits à quelques dialogues rapides, dispersés dans les deux premiers actes, ce qui, outre l'allégement de l'ensemble,

1. *Le Mythe de Faust,* Colin, 1972, p. 35-36.

réduit leur valeur didactique, mais souligne leur fonction dramatique. Ce qui reste de récit est confié au chœur (ou parfois à un monologue qui fait le bilan de la situation), dont le retour, à intervalles réguliers, souligne les étapes de l'action et marque les débuts des cinq actes (...). Au total, ces structures formelles signalent un dramaturge créateur, parfaitement conscient des possibilités de la scène. »

Cette version dramatique de la légende de Faust n'en est évidemment pas une dramatisation au sens thématique, qui n'est pas le nôtre. A cette légende, qui est une chronique biographique, Marlowe n'a nullement cherché à infuser l'intrigue nouée qui lui fait (et lui fera encore chez Goethe) défaut, et dont le théâtre élisabéthain se passait fort bien. Mais des dramaturgies plus exigeantes, comme celle qu'illustre le théâtre classique et qui se maintient jusqu'au début du xxe siècle, en auraient sans doute éprouvé la nécessité. Ainsi Zola, portant à la scène *l'Assommoir,* qui n'est de nouveau qu'un roman biographique, s'efforce-t-il d'y introduire un semblant d'intrigue : la chute mortelle de Coupeau est provoquée par une femme qu'il avait outragée, et qui avait décidé de se venger de lui. Ceci, commente Zola lui-même, « pour dramatiser un peu la pièce, qui manque de tout intérêt dramatique [1] ».

Il est clair que, pour Zola, la scène exige une action plus serrée (c'est-à-dire où les événements se déterminent plus étroitement les uns les autres, sans laisser place à la contingence du vécu) que le récit — ou du moins qu'un récit en forme de chronique comme celui de *l'Assommoir :* car l'action du roman balzacien est souvent aussi rigoureuse que celle de la tragédie classique ou de la comédie d'intrigue. Aristote ou Boileau en auraient sans doute jugé de même, pour qui le modèle narratif était le déroulement plutôt lâche de l'action épique, et le modèle dramatique la mécanique implacable du piège tragique. Mais cette relation entre mode de représentation et type d'action ne nous semble plus aussi évidente, et le passage à la scène n'entraîne plus si nécessairement, après Claudel ou Brecht, une conversion à l'intrigue dramatique. Aussi la dramatisation n'est-elle guère pour nous qu'une *scénisation.*

La pratique inverse, ou narrativisation, est, semble-t-il, beaucoup plus rare, malgré les avantages textuels ci-dessus reconnus au mode narratif. L'exception que semble constituer le *Docteur Faustus* de

1. Cité par P. Martino, *le Naturalisme français,* Colin, p. 72.

Thomas Mann n'est qu'apparente, car son hypotexte, nous le verrons, est bien davantage le *Volksbuch* narratif que la « tragédie » de Goethe. Cette dissymétrie tient sans doute aux raisons pratiques déjà mentionnées : il est commercialement plus avantageux de « porter » un récit à la scène (ou à l'écran) que l'inverse. Aussi la narrativisation ne se présente-t-elle guère que liée à d'autres opérations transformationnelles, en particulier la réduction, où nous l'avons, en fait, déjà rencontrée avec les *Contes* de Charles Lamb. Finalement, et malgré la part de réduction, le texte où s'illustre le mieux (sinon le plus rigoureusement) la narrativisation pourrait bien être le *Hamlet* de Laforgue[1].

LVIII

D'un point de vue purement formel, cette nouvelle semble partager le statut du *Hamlet* de Lamb, ou de n'importe quel autre « conte tiré de Shakespeare » : réduction en *digest* d'une trentaine de pages, narrativisation, et focalisation du récit sur le personnage titulaire, constamment présent (ce qui n'était pas le cas chez Shakespeare), et dont le « point de vue » et le discours, intérieur ou non, fournissent le plus clair (et le plus obscur) du texte.

La première opération, nous le savons, entraîne nécessairement la seconde, dont la troisième est la modalité la plus caractéristique (sinon la plus nécessaire), puisque l'aptitude à la focalisation et au « monologue intérieur » (*To be or not to be* non plus comme déclamation mais comme méditation intime) est un des principaux avantages du mode narratif sur le dramatique. On pourrait donc estimer que la catégorie du *digest* rend suffisamment compte de cette œuvre. S'il n'en est rien (et il va de soi qu'il n'en est rien), c'est que cette notion n'indique pas l'orientation thématique (fût-elle nulle ou neutre, ce qui serait le cas, purement théorique, d'un *digest* parfaitement « fidèle ») de la transformation qu'elle désigne. Celle du *Hamlet* de Lamb était, autant que faire se pouvait, édifiante ou moralisante. Celle de Laforgue serait plutôt destructrice et démoralisante. En quoi je ne la crois guère différente de celle de Shakespeare, qu'elle se contente peut-être d'actualiser et d'aggraver

---

1. Publié dans *la Vogue*, 15 novembre 1886, repris dans les *Moralités légendaires*, Paris, 1887.

dans les termes d'un nihilisme fin de siècle : « Ne plus être, ne plus y être, ne plus en être. »

L'idée mère de ce nouvel *Hamlet* pourrait être cette formule d'un article « A propos d'Hamlet » publié par Laforgue dans *le Symboliste* d'octobre 1886 : « l'infortuné prince, notre maître à tous ». Cette reconnaissance de dette est éminemment (et comme toujours dans ce domaine) une manœuvre d'appropriation, et les « tous » au nom desquels Laforgue l'accomplit ici sont le très petit nombre des âmes-sœurs en « décadence ». Laforgue s'identifie au héros de Shakespeare, lui donne ses traits, peu conformes à la tradition (« de taille moyenne et assez spontanément épanoui, etc. »), et glisse sa verve amère et son prore soliloque, incongru, douloureux et sarcastique, dans le plus célèbre des monologues.

Cette manœuvre s'arrange assez bien d'une certaine liberté dans la « relation » des faits : ainsi Ophélie, disparue dès l'abord, meurt avant la « pièce dans la pièce » du troisième acte ; Hamlet n'est plus le fils de la reine Gertrude, mais un bâtard du feu roi, demi-frère du bouffon Yorick ; il s'enfuit avec l'actrice Kate et (néanmoins) meurt, non en duel mais sur la tombe d'Ophélie, qu'il venait de gratifier de cette oraison plus guillerette que funèbre, empruntée à la *Complainte de l'oubli des morts :*

> Les morts
> C'est discret
> Ça dort
> Bien au frais,

poignardé par Laertes, il est vrai provoqué d'un vilain : « Et ta sœur ! » Liberté qui elle-même s'autorise de sources pré-shakespeariennes : Claudius se nomme ici Fengo, comme chez Saxo Grammaticus. Manière de poser, comme fera Thomas Mann pour (contre) Goethe, que l'on peut contourner ou confondre l'hypotexte en lui opposant son propre hypotexte. Anachronismes (mentions de Thorwaldsen, de Hobbes, du piano cher aux jeunes filles des quartiers aisés, Hamlet offre des cigarettes, place son pécule en actions norvégiennes, cite Guizot, croise des « troupeaux de prolétaires », vulgarismes (« Et ta sœur », déjà cité, « sans blague ») et citations dévoyées ou parodiques (« Des mots, des mots » à tout propos, « Stabilité, ton nom est femme », « Tout est bien qui n'a pas de fin », « Hamlet en a comme ça long sur le cœur, plus long qu'il n'en tient en cinq actes, plus long que notre philosophie n'en surveille entre ciel et terre », « J'ai de l'infini sur la planche ») émaillent le texte à la manière burlesque. En fait, Laforgue ne prétend nullement récrire à sa façon la tragédie de Shakespeare, et pas davantage instituer une nouvelle version de l'histoire de l'infortuné prince de Danemark, qu'il situe d'ailleurs en 1601, date de la première représentation. Son objet est plutôt, en marge de cette histoire ou de cette pièce, une sorte de promenade-divagation philosophico-poétique du héros, ou de l'auteur, c'est tout un, librement insérée entre la mort du père et celle du fils, et capricieusement raccordée, çà et là, à l'action du drame, que son propre texte, contrairement aux normes du *digest* mais sous peine d'inintelligibilité, suppose manifestement connue de son lecteur. La vraie formule de cette fort désinvolte narrativisation, c'est moins « nous sommes tous Hamlet » que, plus narcissiquement : « Hamlet, c'est moi. » Ou, dans son propre style de Gavroche lettré : *Bibi or not to be.*

LIX

Dramatisation et narrativisation sont les deux types antithétiques de la transmodalisation intermodale, ou passage d'un mode à l'autre. Restent à considérer, à l'intérieur de chaque mode, les diverses transformations dont il est susceptible.

Étant donné la relative pauvreté du mode dramatique, les occasions de transmodalisation ne seront pas ici très nombreuses, faute de paramètres à modifier. La plus massive, et historiquement la plus caractéristique, touche en fait — pour la supprimer — à ce que l'on peut considérer comme un reste de narrativité, trace, peut-être, des origines narratives du mode dramatique et de son émancipation progressive : c'est la disparition de ce rôle de récitant et de commentateur qui était, dans le théâtre grec, celui du chœur. Cette suppression est le trait modal le plus marqué des transpositions raciniennes de tragédies antiques, comme *Andromaque* ou *Phèdre*. Mais on sait que certains transpositeurs contemporains préfèrent ne point se priver de cette ressource, et simplement en moderniser le rôle et le discours, comme Anouilh pour le Prologue de son *Antigone*. Ce retour partiel à la convention antique est l'un des signes, ou l'une des formes de la contestation moderne de l'illusion dramatique, dont le moment d'apogée a sans doute été la

330

tragédie classique, où toutes les « règles » visaient une « vraisemblance », et donc une puissance d'illusion maximale. L'abandon de cette norme dans le théâtre moderne passe inévitablement par une certaine re-narrativisation du mode dramatique, regain de *diégésis* sur *mimésis*. C'est évidemment ce retour partiel aux sources narratives que Brecht appelait, très pertinemment, « théâtre épique ».

Un autre trait modal se prête à transformation : c'est la distribution du discours proprement dramatique, c'est-à-dire du discours des personnages. On pourrait ainsi diminuer au profit des uns la part de discours des autres ; mais ce serait modifier l' « action » elle-même, puisque, textuellement, au théâtre, l'action se ramène à la parole. On peut aussi redistribuer la relation entre ce qui est représenté sur scène (les « scènes », précisément) et ce qui est laissé en coulisses, élidé pendant les entractes ou avant le lever du rideau, et seulement évoqué sur scène par des récits indirects. Une *Phèdre* moderne pourrait consacrer un tableau grandguignolesque à l'absorption d'Hippolyte par le monstre écailleux — c'est déjà le parti adopté par Rameau dans son *Hippolyte et Aricie* (1733). En fait, la vraie ressource dramatique, sur laquelle s'exerce de préférence le travail de transposition, c'est de nouveau la « théâtralité » elle-même, c'est-à-dire la part extra-textuelle de la représentation. Ceci est un peu en marge de notre propos, mais il faut bien y penser au moins de biais, car l'essentiel de la transposition dramatique, que l'on appelle généralement *reprise,* passe par là : nouvelle distribution, nouvelle mise en scène, nouveaux décors, parfois nouvelle musique de scène. C'est toute la vie du théâtre, et l'on sait jusqu'où les metteurs en scène modernes poussent l'emploi de cette ressource : Racine en bleu de chauffe, Shakespeare en queue de pie, Marivaux en monokini, et tout ce qui s'ensuit. Même employés avec plus de réserve, ces moyens sont toujours très puissants, et leur effet sur la réception du texte : on se souvient encore des premières représentations d'*Antigone* à l'Atelier en février 1944, dans la mise en scène d'André Barsacq, avec ses gardes en vareuse de cuir ; Anouilh n'eût-il pas touché au texte de Sophocle, que le choc et la force d'allusion n'en eût pas été moindre. Mais l'adoption de costumes et d'un cadre moderne n'a pas inévitablement pour effet une actualisation du texte. Au cinéma, la modernisation de l'histoire de Mme de la Pommeraye empruntée par Bresson à *Jacques le Fataliste* pour *les Dames du bois de Boulogne* (1945) tendait plutôt à la déshistoriciser, à la placer dans un registre tout intemporel et donc purement psychologique en effaçant toute référence à l'époque. Ce qu'André Bazin exprima d'une formule saisissante (je cite de mémoire) : « Il a suffi d'un bruit d'essuie-glace sur le texte de Diderot pour en faire un dialogue racinien. » A vrai dire, les dialogues de Cocteau y étaient aussi pour quelque chose.

Les virtualités de transformation du mode narratif sont a priori plus nombreuses, du fait de la complexité même de ce mode et de la multiplicité de ses variables. Nous allons retrouver ici les catégories du temps, du mode [1] et de la voix.

Ordre temporel : l'hypertexte peut introduire des anachronies (analepses ou prolepses) dans un récit initialement chronologique : c'est, nous l'avons vu, la correction que Balzac suggérait à Stendhal pour une révision de la *Chartreuse :* début *in medias res* à Waterloo et analepse sur l'enfance de Fabrice. Il peut à l'inverse effacer les anachronies de son hypotexte : ainsi Lamb pour les récits d'Ulysse. Mais dans ces deux cas la manipulation temporelle s'accompagne d'un changement d'instance narrative, puisque le retour en arrière conseillé par Balzac aurait été assumé par Fabrice (analepse métadiégétique), et qu'à l'inverse le récit des aventures d'Ulysse est, chez Lamb, enlevé à Ulysse et confié au narrateur.

Durée et fréquence : on peut modifier *ad libitum* le régime de vitesse d'un récit : convertir les scènes en sommaires et réciproquement ; remplir les ellipses ou paralipses et, réciproquement, supprimer des segments de récit ; supprimer ou introduire des descriptions ; convertir des segments singulatifs en itératifs, et réciproquement : il y aurait un beau travail de ce genre à faire, un jour de pluie, sur la première partie de *Du côté de chez Swann,* où Marcel, par exemple, nous raconterait chacune de ses promenades, chacun de ses dimanches, chaque déjeuner de tous les samedis. Les lecteurs rebelles à la narratologie s'y instruiraient à leurs dépens de l'utilité de ces catégories.

Mode-distance : on inverserait le rapport entre discours direct et indirect, ou entre *showing* et *telling ;* on récrirait *Adolphe* en style Hemingway, *l'Étranger* en style *Princesse de Clèves, Zazie* à la manière d'Henry James... J'ai l'air de m'égarer, mais il faut se rappeler que Platon ne dédaigne pas, au troisième livre de *la*

---

1. On éprouvera sans doute une certaine gêne devant la polysémie qui affecte ici le terme de *mode,* qui désigne à un étage une des deux modalités de la fiction représentative (narratif *versus* dramatique), et à l'étage au-dessous l'une des catégories de cette modalité (mode *versus* temps et voix). Cette polysémie pouvait déjà apparaître à une lecture comparée de *Discours du récit* et d'*Introduction à l'architexte.* Je reviendrai sur ce point dans un travail à venir.

République, de récrire selon le mode du récit pur (*telling*), sans dialogue direct, quelques vers de l'*Iliade* qui illustraient la technique du récit mixte [1]. *Mode-perspective :* c'est le gros morceau, il m'y faut insister un peu.

Il s'agit ici des opérations susceptibles de modifier le « point de vue » narratif ou, comme nous disons en français, la *focalisation* du récit. On peut à volonté focaliser sur tel personnage un récit originellement « omniscient », c'est-à-dire non focalisé : *Tom Jones* sur Tom, par exemple, ou, plus vicieusement, sur Sophie (etc.). On peut inversement *défocaliser* un récit focalisé, comme *Ce que savait Maisie,* et informer le lecteur de tout ce qui, dans l'hypotexte, lui était caché. On peut enfin *transfocaliser* un récit déjà focalisé : par exemple, récrire *Madame Bovary* en quittant le point de vue d'Emma et en étendant à tout le roman la focalisation des premiers chapitres sur Charles ; ou en adoptant le point de vue de Léon, ou de Rodolphe ; ou de l'enfant (*What Berthe knew*) ; ou de quelque observateur bien placé, dont la « vision du monde » pourrait ici faire merveille : Homais, bien sûr, ou Bournisien.

Toutes ces transfocalisations, inévitablement, entraîneraient un remaniement complet du texte et de l'information narrative : on verrait apparaître, par exemple des chapitres inédits sur les chasses de Rodolphe, les études de Léon à Rouen, etc. Remaniement, donc, du contenu narratif, qui équivaudrait partiellement à une continuation paraleptique, puisque la transfocalisation est ici l'occasion de répondre à des questions laissées ouvertes par les silences de l'hypotexte, du genre : « Pendant que X se conduit ainsi, que devient Y ? »

Je dis : *occasion :* l'hypertexte transfocalisant n'est évidemment pas tenu à ces déplacements ; il peut se contenter de transfocaliser les seules scènes présentes dans l'hypotexte ; mais en fait il y serait sans doute naturellement conduit, substituant aux scènes inévitablement supprimées (par exemple, vie d'Emma sans Léon) des scènes inévitablement absentes de l'hypotexte (vie de Léon sans Emma), et qui s'imposeraient pour la constitution, ou caractérisation, du nouveau personnage focal.

Je parle au conditionnel, et non sans raison, hélas : la récriture transfocalisante n'a pas encore été très pratiquée, et les « nouvelles versions » de *Bovary* ainsi évoquées attendent leurs Pommier-Leleu. Mais il y a un peu de cela dans l'*Elpénor* de Giraudoux, qui est, entre autres et spécialement dans le chapitre « Nouvelles morts d'Elpénor », une transfocalisation de l'*Odyssée* sur ce personnage,

---

1. 393 e. Voir *Figures II*, p. 51.

si j'ose dire, éminemment secondaire [1]. Jeté avant Ulysse sur les rives phéaciennes, le matelot inflige à ses auditeurs le récit de sa « déplorable existence », qui fut peut-être aussi celle du douteux Dictys : toutes les avanies, pas une seconde de gloire. « Telle était la vie en loques qu'il déployait aux yeux des Phéaciens. » Mais ceux-ci, bons lecteurs d'hypertextes, « voyaient au travers des trous la doublure de l'épopée, et ne le trouvaient point ridicule... " O Alcinoüs, remercie les dieux d'avoir envoyé cet étranger sur notre île ! C'est le Charlot de l'*Odyssée* !... " Il n'avait eu avec l'épopée qu'une étroite mais médiocre liaison. Il était simplement un spécimen de tous les milliers d'ignorants et d'anonymes qui sont le canevas des époques illustres. Il n'avait touché de ces héros et de ces immenses exploits que la partie méprisée. Il connaissait Achille pour avoir décrotté son talon un jour de boue... Le jour de la prise de Troie, il nettoyait la cuvette d'Hécube. Le jour de la colère d'Achille, il était de corvée aux oignons... Les grandes dates de la mythologie lui servaient uniquement d'aide-mémoire pour les faits méprisables de sa vie : le soir de Briséis, il avait aux dés gagné deux drachmes à un nommé Bérios ; le soir d'Andromaque... Mais il ne pouvait se résoudre à ne pas croire à cette épopée, comme un valet de chambre à l'existence de son maître. Il vidait les eaux de la fable [2]. »

Chaque épopée a son Elpénor, porte-parole de l'éternel Bidasse. Certains romans ont le leur. J'évoquais plus haut ceux de *Bovary,* et sans descendre encore au niveau de Lheureux, de Binet, de Maître Guillaumin, ou du malencontreux Hippolyte. *Manon Lescaut* a le sien : c'est le bon Tiberge, l'ami moralisateur mais généreux, toujours prêt à sermonner Des Grieux et à lui fournir les cinq cents pistoles nécessaires à l'entretien de sa mauvaise conduite. Cet inépuisable comparse reste énigmatique : d'où lui vient, malgré tant

---

1. Grasset, 1919. Le livre s'ouvre sur cette épigraphe empruntée à Homère : « C'est alors que mourut le matelot Elpénor, seule occasion que j'aurai de prononcer son nom, car il ne se distingua jamais ni par sa valeur, ni par sa prudence » (*Odyssée, X*). Mais à ma connaissance, cette épigraphe est apocryphe. Les deux seules mentions de ce personnage, *Odyssée*, X et XI, sont considérées depuis l'Antiquité comme interpolées. Mais par qui ? Chez Dictys, la fille de Polyphème (?) tombe amoureuse d'un certain Alphénor. Tout cela est bien suspect.

2. Les autres chapitres d'*Elpénor* sont d'une relation plus confuse à l'hypotexte homérique ; mais le premier (*le Cyclope*) ébauche un type d'interprétation assez caractéristique de l'esprit giralducien : voyant que Neptune le guérit à tout coup, Ulysse renonce à aveugler physiquement Polyphème, et entreprend de l'aveugler psychologiquement, ou plutôt philosophiquement, à coup de sophismes, de paradoxes éléates et de cours d'idéalisme subjectif. Ainsi convaincu que les Grecs ne sont que de vaines images, le cyclope les laisse partir.

de sévérité, tant de « constance » et de complaisance ? L'amitié, sans doute.

Jules Lemaitre en juge autrement : c'est une *transmotivation*, et j'y reviendrai. Mais l'instrument de cette intervention thématique est une récriture transfocalisante [1] dont il déclare justement en épigraphe : « Je n'invente pas l'histoire de Tiberge ; je ne fais que l'extraire du roman de l'abbé Prévost, telle qu'elle s'y trouve. J'ajoute à peine quelques traits. » C'est donc l'histoire des amours de Des Grieux, telle que perçue, et vécue à ses dépens par Tiberge. A vrai dire, il ne s'agit pas exactement d'une « focalisation interne » : Lemaitre suit Tiberge pas à pas, et ne nous laisse connaître que ce que sait son héros ; mais il nous cache longtemps, quoique mal, ce dont le héros même n'est peut-être pas tout à fait conscient, et que vous avez sans doute déjà deviné, et qui se révèle seulement à la dernière page : après la mort de Manon et le retour en France des deux amis, Tiberge rentre « à Saint-Sulpice pour y achever sa théologie. Au bout de quelques mois, le chevalier vint à Paris, et Tiberge alla lui faire visite afin de parler de Manon. Le chevalier se souvenait d'elle avec une tristesse assez douce, mais Tiberge ne pouvait se consoler. Après le départ de Tiberge, le chevalier Des Grieux s'aperçut qu'une miniature de Manon, qui était sur sa table, avait disparu ».

Ce n'était donc pas (seulement) l'amitié. Mais *Tiberge* n'est pas seulement une transfocalisation de *Manon Lescaut,* comme les *Nouvelles Morts d'Elpénor* ne sont pas seulement une transfocalisation de l'épopée homérique : comme à propos des manipulations temporelles de Balzac sur la *Chartreuse* ou de Lamb sur l'*Odyssée,* il faut noter ici un transfert d'instance narrative : le récit d'Elpénor, quoique rapporté à l'indirect libre, se substitue à celui d'Ulysse, et la narration autodiégétique de Des Grieux devient un récit « à la troisième personne », assumé par un narrateur extradiégétique. Il y a donc là, dans les deux cas, plus qu'une transfocalisation : un changement de *voix* narrative (d'Ulysse à Elpénor, de Des Grieux au narrateur anonyme), ou *transvocalisation.* La transvocalisation est (entre autres) un des moyens, ou l'une des conditions nécessaires de la transfocalisation : on ne peut guère à la fois adopter le point de vue de Tiberge et laisser à Des Grieux la charge du récit. Mais ce n'est pas une raison pour les confondre.

---

1. « Tiberge », recueilli dans *la Vieillesse d'Hélène, nouveaux contes en marge,* Paris, 1914. Ce conte est aussi, et accessoirement, un pastiche de Prévost. Mais n'en concluons pas étourdiment que Lemaitre transforme et imite à la fois la même chose : du même texte, il imite le style et transforme le mode.

On dit, et la Préface de 1908 le laisse entendre à sa manière (très enveloppée), qu'Henry James avait d'abord entrepris d'écrire *Ce que savait Maisie* « à la première personne », le narrateur étant évidemment Maisie elle-même, et que la perspective de devoir adopter un style enfantin et un vocabulaire limité lui fit abandonner ce parti et *dévocaliser* son récit, sans pour autant le défocaliser puisqu'il reste, comme on le sait, exemplairement centré sur les perceptions et les sentiments de la petite fille. On pourrait dater symboliquement de cet épisode le dogme jamesien (nécessité faite vertu ?) de la supériorité absolue du récit focalisé « à la troisième personne ». On peut en tout cas imaginer que James dut alors récrire quelques pages de son manuscrit, et voir dans cette reprise un exemple d'auto-transvocalisation [1].

J'en vois un autre, symétrique et inverse, chez Proust, dans le passage de *Jean Santeuil* à la *Recherche,* qui est à quelques égards une transvocalisation de l'esquisse abandonnée en 1899. Ou plus précisément une *vocalisation,* puisque substitution d'un *je* ou *il,* d'une personne (narrateur-personnage) à la non-personne d'un narrateur extérieur à l'histoire, impersonnel et transparent [2]. La transvocalisation peut donc prendre deux formes élementaires antithétiques : la vocalisation, ou passage de la troisième à la première personne, et la dévocalisation, ou passage inverse de la première à la troisième ; et une forme synthétique, ou transvocalisa-tion proprement dite, qui est la substitution d'une « première personne » à une autre.

Le premier type serait illustré, par exemple, par une récriture de *Madame Bovary* prise en charge par Emma elle-même. Pour l'essentiel du récit (de I-5 à III-9, où il est déjà focalisé sur Emma), cette transcription n'entraînerait (nécessairement) guère d'autres modifications que purement grammaticales. Le second, ce serait, disons, une transposition d'*Adolphe* à la troisième personne ; si cette version hétérodiégétique restait focalisée sur le héros, ici encore pur exercice grammatical et aucun embarras notable, si ce n'est pour transposer les commentaires du narrateur (Adolphe âgé) sur sa

1. Conversion effectuée, on le sait, par Dostoïevsky pour *Crime et Châtiment,* et par Kafka pour *le Château.* Dans la préface des *Ambassadeurs,* James évoque pour ce roman une hypothèse analogue, mais en la rejetant avec beaucoup plus de force, ce qui laisse supposer qu'il n'y eut ici aucun essai de narration autodiégétique.
2. Je simplifie beaucoup car, d'une part, le statut narratif de *Santeuil* est plus complexe, et aussi moins cohérent (quelques passages à la première personne) ; et, d'autre part, *Un amour de Swann* est dans la *Recherche* comme la butte-témoin d'une version (intermédiaire ?) hétérodiégétique.

conduite passée : il faudrait soit les introduire par de gauches formules du genre « Plus tard, Adolphe devait penser que... », soit les attribuer au narrateur impersonnel, ce qui appauvrirait quelque peu le héros ainsi privé de sa lucidité à venir. Dans ces deux premiers types, la transposition vocale (changement d'instance narrative) n'entraîne donc pas nécessairement une transposition modale, ou changement de point de vue. Elle peut seulement en être l'occasion : *Adolphe* à la troisième personne *pourrait* être focalisé sur Ellénore, ou alternativement sur les deux héros, la rédaction hétérodiégétique *permet* à Jules Lemaitre de focaliser sur Tiberge. Mais nulle obligation. Dans le troisième type, en revanche, la transvocalisation entraîne presque inévitablement une transfocalisation : *Adolphe* raconté par Ellénore serait nécessairement l'histoire de leurs amours telle que vécue par Ellénore, et donc focalisé sur elle.

La chose existe, justement, et trois fois plutôt qu'une. En 1844, Sophie Gay écrit une *Ellénore* dont le titre indique assez bien la nature, encore que la transposition y soit un peu lointaine ; plus récemment (1957), Stanislas d'Otremont publie *la Polonaise* (ce titre désigne évidemment encore l'héroïne), qui est une transvocalisation plus stricte [1] ; la dernière en date de ces performances est, d'Ève Gonin, *le Point de vue d'Ellénore : une réécriture d'Adolphe* [2]. C'est une thèse universitaire originale et attachante, dont la première et la troisième partie sont, conformément au genre, des commentaires sur le roman de Constant ; mais la deuxième s'intitule *Confidences d'Ellénore au prêtre venu l'assister dans ses derniers instants,* et c'est l'aspect proprement hypertextuel de ce travail.

Ce n'est pas, à vrai dire, une transvocalisation très rigoureuse. Visiblement, l'auteur n'a pas voulu revenir sur les pas de Constant et reprendre tout le récit par la voix d'Ellénore. A part quelques scènes d'où Adolphe est absent (et qui ne pouvaient donc pas être dans *Adolphe*), comme la rupture avec M. de P***, ce texte est plutôt, en marge d'*Adolphe* et plus complémentaire que substitutif, un commentaire fait par Ellénore pour un confident qui est censé déjà connaître toute l'affaire. Ce commentaire est évidemment une tentative d'explication (motivation) du caractère et de la conduite d'Ellénore par son enfance, sa jeunesse sacrifiée, sa prise en main précoce par un homme plus âgé, etc.

La justification de cette tentative est, selon un terme emprunté à

---

1. Voir P. Delbouille, *Genèse, Structure et Destin d'Adolphe,* Les Belles Lettres, 1971.

2. Corti, 1981, préface de Judith Robinson.

Judith Robinson, qu'*Adolphe* est un « roman-question », une énigme dont la clef serait le personnage d'Ellénore, rendu mystérieux chez Constant par la focalisation sur Adolphe, qui le comprend mal ou se soucie peu de le comprendre. La transvocalisation (transfocalisante) nous donnerait cette clef. Cette lecture, je l'avoue, ne me convainc guère : je ne trouve rien de très énigmatique dans la conduite et les sentiments d'Ellénore, et ne trouve donc guère d'illumination dans le déchiffrement qui nous en est ici donné. S'il y a dans *Adolphe* une conduite à expliquer, ou à apprécier, (elle me paraît banale, et plus piètre que mystérieuse), c'est plutôt celle d'Adolphe lui-même, et la semi-lucidité ambiguë avec laquelle, quelques années plus tard, il se juge lui-même, est évidemment l'âme de son récit. Aller chercher dans celle d'Ellénore des secrets qui n'y sont pas, c'est se condamner à n'y trouver (à n'y mettre) que des lieux communs, vaguement teintés de psychanalyse [1], sur la psychologie féminine.

Adolphe n'est donc guère un « roman-question », et sa transvocalisation au profit d'Ellénore relève plutôt de la compassion, ou du souci de justice, que de la curiosité : donner la parole, non à la mystérieuse, mais à la *victime* [2]. Le cas de *Manon Lescaut*, ou de *Un amour de Swann*, serait tout autre, et plus intéressant : Manon et Odette (ou, plus tard, Albertine) sont vraiment pour nous, comme pour leurs malheureux partenaires dont nous sommes condamnés à partager le « point de vue », c'est-à-dire l'ignorance, des énigmes insaisissables et des « êtres de fuite » — et l'on sait que pour Proust ce mystère est la définition même de la passion, l'amour se réduisant en fait à une curiosité dévorante et frustrée [3]. On pourrait donc souhaiter, et plus vivement que pour *Adolphe*, des récritures de *Manon* ou de *Swann* qui nous livreraient la clef de ces énigmes.

Ces transvocalisations-là n'existent pas encore. Je ne suis pas vraiment sûr qu'il faille le regretter, ou plutôt je suis sûr du

1. Cette teinture — ou plus généralement le recours à une vulgate psychologique moderne et à sa koïnè — contribuent à altérer d'anachronismes ce qui accessoirement, et tout naturellement, veut aussi être un pastiche de Constant.

2. Il y a un peu de cela dans le *Lui et elle*, version mussetiste par laquelle Paul de Musset répondit au *Elle et lui* de George Sand, récit peut-être partial d'amours orageuses (1859). Mais j'évoque surtout ce médiocre hypertexte pour la netteté du contrat de transfocalisation contenu dans son titre.

3. La situation du roman d'amour focalisé sur l'un des partenaires est évidemment la plus caractéristique ; on la retrouve par exemple dans *Jane Eyre*, avec le personnage énigmatique de Rochester vu par Jane, ou dans l'héroïne de *Tendre la nuit*. Mais il y a bien d'autres récits dont le héros est constitué en énigme par un système de focalisation externe : voyez Jim et Kurtz chez Conrad, ou le Langlois d'*Un roi sans divertissement*.

contraire : les réponses (hypothétiques) seraient par nature décevantes, car l'intérêt romanesque est évidemment dans l'énigme et non dans la clef. Un roman-question n'est pas destiné à recevoir sa réponse, mais à rester une question. D'autant qu'après tout l'être de fuite n'est sans doute qu'une fuite d'être, et qu'à coup sûr le mystère et la profondeur de Manon, d'Odette, d'Albertine et de quelques autres ne sont qu'un artefact d'écriture : un effet de focalisation[1].

LX

Revenons au théâtre pour un cas d'espèce. On décrit souvent *Rosenkrantz et Guildenstern sont morts*[2] comme une contamination d'*Hamlet* et d'*En attendant Godot,* et l'on fait bien ; mais il ne faut pas prendre cette formule à la lettre : l'évocation de *Godot* n'est ni directe ni explicite, et l'action propre d'*Hamlet* n'intervient sur scène que d'une façon très discontinue et lacunaire, bien que la distribution des deux pièces soit rigoureusement identique. Il serait peut-être plus exact de définir *Rosenkrantz et Guildenstern* comme une continuation paraleptique ou comme une transfocalisation (c'est souvent la même chose) d'*Hamlet,* écrite dans une large mesure à la manière de Beckett, et plus particulièrement du Beckett de *Godot.* Voyons cela de plus près.

Comme *Elpénor,* partiellement, racontait l'*Odyssée* vue (et vécue) par un comparse, *Rosenkrantz* représente *Hamlet* vu et vécu par les deux comparses titulaires. Mais, comme, par définition, le mode dramatique ne comporte aucune focalisation, une telle transfocalisation, *stricto sensu,* n'est pas concevable au théâtre. Il faut donc encore prendre cette formule dans un sens quelque peu figuré : *Rosenkrantz* serait plutôt une réfection d'*Hamlet* où les faits et gestes de Rosenkrantz et Guildenstern, seuls constamment présents

---

1. Sans aller jusqu'à une véritable transvocalisation, la « reading version » des *Grandes Espérances,* déjà évoquée à propos de l'auto-excision, présente un cas plus subtil de modification de l'attitude narrative : Dickens y diminue la part faite, par voie de style indirect libre, aux pensées du jeune héros, au profit des commentaires du narrateur adulte, ironiques ou mieux éclairés, et plus efficaces pour la performance publique de l'auteur-diseur. Voir W. Bronzwaer, « Implied Author, Extradiegetic Narrator and Public Reader », *Neophilologus* LXII, janvier 1978.

2. 1966 ; trad. fr., Seuil, 1967.

sur scène (dénouement exclu, puisqu'à ce terme ils sont déjà morts), prennent le pas sur le reste de l'action, qui n'est représenté — et alors sous la forme de citations à peu près littérales — que par bribes, et de loin en loin. Mais à quoi peuvent bien s'occuper ces deux personnages lorsqu'ils ne sont pas sur la scène d'*Hamlet* ? Telle est la question génératrice de cette pièce, et l'on peut alors imaginer (dans une reconstitution génétique, faut-il le préciser, purement imaginaire et métaphorique) que le caractère quelque peu beckettien, dès l'origine, de ce couple de fantoches interchangeables s'impose à l'esprit de Tom Stoppard, et lui fournit une solution à ce problème : Rosenkrantz et Guildenstern s'occuperont, lorsqu'ils seront seuls, comme pourraient s'occuper en pareille occurrence deux héros de Beckett, et spécialement Vladimir et Estragon : conversations à bâtons rompus, dialogues de sourds, ratiocinations oiseuses, histoires drôles pas drôles, jeux absurdes ou pervertis (pile ou face avec une série de quatre-vingt-neuf faces, tennis-questions), amorces de confusion réciproque, etc. Tout cela ne fait pas beaucoup d' « action » véritable, et les deux compères sont les premiers à s'en plaindre (« Des mots, des mots. C'est tout ce que nous avons pour continuer... Des incidents ! Rien que des incidents ! Mon Bon Dieu, est-ce trop d'espérer un peu d'action soutenue ? »), mais leur sort (celui que leur assigne l'hypotexte shakespearien) n'est pas précisément d'agir, on le sait. Avertis de ce que contient le message de Claudius au roi d'Angleterre (ils l'ont décacheté), puis le second message substitué par Hamlet (ils l'ont encore décacheté) et qui les condamne, ils n'en tirent aucune conséquence pratique et salutaire ; ils vont à leur mort avec résignation et soulagement, et la pièce peut se terminer sur le célèbre massacre et sur les dernières répliques d'*Hamlet* : ce qui devait arriver arrive. Jouer à pile ou face avec une pièce comme celle-là est un jeu de con : pile elle gagne, face tu perds, et aucune série n'abolit le destin.

LXI

Comme je l'avais annoncé sans grand mérite, et comme nous l'avons constamment vérifié sans grand effort, il n'existe pas de transposition *innocente* — je veux dire : qui ne modifie d'une manière ou d'une autre la signification de son hypotexte. Reste que, pour la traduction, la versification et la plupart des transpositions « formelles » que nous venons d'évoquer, ces modifications sémantiques sont généralement involontaires et subies, de l'ordre de l'effet pervers plutôt que de la visée intentionnelle. Un traducteur, un versificateur, l'auteur d'un résumé ne se propose que de dire « la même chose » que son hypotexte dans une autre langue, en vers, ou en plus bref : ce sont donc là des transpositions *en principe* purement formelles. Dans les diverses formes d'augmentation en revanche, ou dans la transfocalisation, la visée elle-même apparaît plus complexe, ou plus ambitieuse, puisque nul ne peut se flatter d'allonger un texte sans y ajouter du texte, et donc du sens, ni de raconter « la même histoire » selon un autre point de vue sans en modifier, pour le moins, la résonance psychologique. De telles pratiques relèvent donc au moins partiellement de la transposition au sens le plus fort, ou transposition (ouvertement) *thématique,* que nous allons maintenant considérer pour elle-même, dans des opérations dont elle constituera la visée essentielle et l'effet dominant.

Il est toutefois possible, ici encore, de percevoir plusieurs types, ou éléments constitutifs, qui peuvent entretenir une relation fonctionnelle, ou instrumentale. L'effet dominant, je l'ai dit, est désormais une transformation thématique qui touche à la signification même de l'hypotexte : je réserve pour cet effet le terme de transformation *sémantique,* qui parle assez pour lui-même. Une telle transformation peut éventuellement (la chose est rare, mais nous en rencontrerons au moins un cas) se présenter à l'état pur, mais le plus souvent elle utilise comme moyen et/ou entraîne comme conséquence (la relation de causalité n'est pas ici des plus univoques) deux autres pratiques transformationnelles qui sont la transposition *diégétique,* ou changement de diégèse, et la transposition *pragmatique*[1], ou modification des événements et des conduites constitutives de l'action.

Cette distinction entre diégèse et action peut surprendre, car il arrive fréquemment qu'on tienne ces deux termes pour synonymes : c'est ce que faisait encore, au moins *de facto,* l'index terminologique de *Figures III,* où (en l'absence d'*action*) *diégèse* renvoyait à *histoire* et où *histoire* comportait la mention « (ou *diégèse*) ». En revanche, à l'adjectif *diégétique,* j'indiquais d'une manière plus précise : « dans l'usage courant, la diégèse est l'univers spatio-temporel désigné par le récit ». *Usage courant* était un peu optimiste, mais la précision

---

1. Je dérive ici l'adjectif du grec *pragma,* qui désigne, chez Aristote et ailleurs, toute espèce d'événement ou d'acte : c'est en somme le sens courant, mais restreint à son champ proprement littéraire (l'action narrative ou dramatique).

univers spatio-temporel me semble aujourd'hui fort utile. L'*histoire* racontée par un récit ou représentée par une pièce de théâtre est un enchaînement, ou parfois plus modestement une succession d'événements et/ou d'actions ; la *diégèse*, au sens où l'a proposé l'inventeur du terme (Étienne Souriau si je ne m'abuse) et où je l'utiliserai ici, c'est l'univers où advient cette histoire. Entre l'une et l'autre, la relation métonymique évidente (l'histoire est dans la diégèse) autorise le glissement de sens, délibéré ou non, sans compter la commodité de dérivation *diégèse*→*diégétique,* adjectif qui en vient parfois à signifier « qui se rapporte à l'histoire » (ce qu'*historique* ne pourrait faire sans malentendu). Le lexique de la narratologie se ressent un peu de cette polysémie, mais, ne semble-t-il, sans grand dommage, car le régime ordinaire du récit n'exige guère la distinction entre l'action et son cadre. Ici, en revanche, cette distinction devient pertinente et nécessaire, car la pratique de la transposition consiste justement (entre autres) à les dissocier en transportant par exemple la même action (ou presque) dans un autre univers. Ce dernier mot est bien vague, c'est le moins qu'on puisse dire, mais dans la pratique, on voit assez bien ce qui distingue, par exemple, l'univers où se situe l'action d'un film de celui où l'on projette ce film devant des spectateurs. Ces deux « univers » ne sont jamais sans aucune relation, et la technique vidéo permet aujourd'hui de les identifier presque rigoureusement dans une projection en miroir où l'écran reflète simplement ce qui se passe « devant lui » (en fait, devant une caméra congrument disposée) ; mais hors de ce cas-limite, il est généralement possible, et nécessaire à l'intelligence du spectacle, de distinguer le cadre spatio-temporel diégétique (celui du film) et le cadre extradiégétique (celui de la salle). La représentation littéraire repose elle aussi sur ce type de distinction : nul lecteur de *Guerre et Paix* ne peut serrer la main du prince André, et nul spectateur du *Cid* ne peut embrasser Chimène — mais seulement, dans le meilleur ou le pire des cas, l'actrice qui tient ce rôle. L'actrice est sur la scène, qui est contiguë à la salle dans le même continuum spatio-temporel : il suffit de franchir la rampe ; Chimène est dans la diégèse, c'est-à-dire, au moins, dans une époque révolue où nul ne peut plus l'approcher vivante [1]. Quant à l'effet-vidéo (identité entre l'univers

---

1. Le fait que le prince André soit un personnage « fictif » (imaginaire) et Chimène un personnage « réel » (historique) ne joue ici aucun rôle pertinent — et c'est pourquoi le terme de *fiction* ne peut malheureusement pas se substituer à celui de diégèse. Le récit ou le drame historique ont une diégèse aussi distincte de l'univers où vit leur lecteur ou spectateur que la fiction la plus imaginaire ou la plus fantastique.

diégétique et l'extradiégétique), je n'en trouve guère d'autre équivalent en littérature que le premier chapitre de *Si par une nuit d'hiver...* : « Tu vas commencer le nouveau roman d'Italo Calvino... » On admettra peut-être qu'il s'agit ici encore d'un cas-limite.

Fictive ou historique, l'action d'un récit ou d'une pièce « se passe », comme on dit bien, généralement dans un cadre spatio temporel plus ou moins précisément déterminé : dans la Grèce archaïque ou légendaire, à la cour du roi Fernand ou en Russie du temps de Napoléon. C'est, entre autres, ce cadre historico-géographique que j'appelle la diégèse, et il va de soi, j'espère, qu'une action peut être transposée d'une diégèse dans une autre, par exemple d'une époque à une autre, ou d'un lieu à un autre, ou les deux à la fois. Une telle transposition diégétique, ou, pour faire plus bref (sinon plus joli), *transdiégétisation,* ne peut évidemment aller sans, pour le moins, quelques modifications de l'action elle-même. Ainsi, un Faust transporté dans l'époque moderne ne pourra certainement pas se conduire en tout point comme le Faust de Marlowe, et l'auteur de cette transposition ne le souhaite évidemment pas, car une identité si complète rendrait son propos même inutile et insipide. La transposition diégétique entraîne donc inévitablement et nécessairement quelques transpositions pragmatiques, mais il convient dans un premier temps de les négliger pour la considérer en elle-même. En revanche, il faudra sans doute retenir, pour la caractériser, d'autres éléments que le seul cadre historique ou géographique. Le changement de milieu social, que nous avons déjà vu à l'œuvre dans la parodie mixte, est une autre forme de transdiégétisation, qui peut s'ajouter aux autres ou fonctionner à l'état libre : *Agnès de Chaillot* ne se passe ni à la même époque, ni dans le même pays qu'*Inès de Castro,* mais on pourrait imaginer une parodie d'époque qui conserverait son cadre historique et géographique et se contenterait de transporter l'action dans un milieu populaire. Et nous rencontrerons encore d'autres principes de transposition diégétique.

Quel que soit son régime fonctionnel, une transformation peut s'appliquer à un texte sans affecter, ou en affectant son cadre diégétique. Il y a donc lieu de distinguer des transformations *homodiégétiques* et des transformations *hétérodiégétiques.* Nous avons vu comment Victor Fournel, en un langage moins technique, opposait au caractère homodiégétique du travestissement, où Didon et Énée, quelles que fussent les modifications stylistiques infligées à leur discours et au récit de leurs actions, restaient la reine de Carthage et le prince troyen, le caractère hétérodiégétique d'une parodie, où Didon deviendrait par exemple une aubergiste accueillante et Énée un voyageur de commerce ingénu : d'où changement probable de lieu, d'époque et de milieu, à quoi ne survivraient que les grandes lignes de l'action (une hôtesse s'éprend de son hôte, qu'elle ne parvient pas à retenir). Cet exemple est imaginaire, mais nous savons déjà ce qu'il advient de Télémaque, de Mentor et de Calypso dans *le Télémaque travesti,* qui est bien, à cet égard, davantage une parodie qu'un travestissement, et typiquement une transformation hétérodiégétique.

Seules nous retiendrons ici, bien sûr, les transformations (sérieuses) de ce type, les seules où s'exerce la transposition diégétique. Mais avant de les considérer pour elles-mêmes, il convient sans doute d'opposer les deux espèces par simple confrontation imaginaire de quelques hypertextes transformationnels. Homodiégétiques, toutes les tragédies classiques qui reprennent un sujet mythologique ou historique, et même si à d'autres égards elles transforment largement ce sujet ; les pièces modernes du même genre, et souvent sur les mêmes sujets, comme l'*Électre* ou l'*Amphitryon* de Giraudoux, *la Machine infernale* de Cocteau, et a fortiori ses « contractions » d'*Antigone,* d'*Œdipe Roi* ou de *Roméo et Juliette ;* l'*Antigone* d'Anouilh, *les Mouches* de Sartre, *la Reine morte* de Montherlant qui est, on le sait, une *Inès de Castro ; Joseph et ses frères,* et par définition toutes les transformations quantitatives ; le *Macbett* d'Ionesco ; le *Vendredi* de Tournier ; et, même si le cas est plus subtil, *Naissance de l'Odyssée* de Giono. Un signe presque infaillible de la fidélité diégétique est ici le maintien du nom des personnages[1], signe de leur *identité,* c'est-à-dire de leur inscription dans un univers diégétique : nationalité, sexe, appartenance familiale, etc. ; nous retrouverons ces paramètres. En revanche, *Ulysse, Le deuil sied à Électre, Docteur Faustus* sont hétérodiégétiques : l'action change de cadre, et les personnages qui la supportent changent d'identité : Ulysse devient Léopold Bloom, Agamemnon devient Ezra Mannon, Faust devient Adrian Leverkühn. Du point

---

1. En revanche, le titre d'une transposition n'indique pas à coup sûr son statut diégétique : *la Machine infernale, les Mouches* sont homodiégétiques malgré leur titre évasif, *Ulysse* et *Docteur Faustus* hétérodiégétiques malgré la référence nominale de leur titre, contrat d'hypertextualité par-dessus l'identité autonome du héros (Bloom, Leverkühn). Un cas intermédiaire est celui des parodies mixtes, où les noms sont seulement déformés (Inès → Agnès, Hernani → Harnali) ; ce procédé se retrouve dans *Shamela* (← Paméla), ou dans *Le deuil sied à Électre,* où Agamemnon → Ezra Mannon et Oreste → Orin.

de vue du traitement diégétique, les premiers sont du côté du travestissement, les seconds de la parodie. N'en tirons pour l'instant aucune conclusion.

L'âge des personnages ne semble pas compter pour une variable diégétique très pertinente. On pourrait imaginer une transposition qui se bornerait à vieillir (Daphnis et Chloé quinquagénaires) ou à rajeunir (Philémon et Baucis adolescents) les héros sans modifier la trame de leurs conduites, mais une telle disposition semble a priori peu maniable, et sans doute peu rentable : le procédé du vieillissement ou du rajeunissement s'investit plus volontiers dans la continuation, analeptique (enfances Perceval) ou proleptique (vieillesse d'Hélène). Le cinéma seul, lié qu'il est au vieillissement de ses interprètes, semble exploiter cette veine, replaçant ses héros, vingt ans après, dans des situations presque identiques : voyez *High Noon, Rio Bravo, El Dorado*. Mais l'identité d'action y est plutôt générique que singulative, et le public reçoit plutôt ces performances comme des continuations : moins l'histoire de tel vieux shérif que celle du shérif (en général) *devenu* vieux.

Le changement de sexe, en revanche, est un élément important de la transposition diégétique. Il peut avoir pour seule fonction d'adapter une œuvre à un nouveau public : c'était le cas du *Robinson des demoiselles*[1] dont le titre indique assez la visée. Il peut, d'une manière thématiquement plus active, explorer la capacité de variation pragmatique de l'hypotexte. C'est bien le cas des diverses féminisations du thème picaresque, dont la première tentative fut la *Picara Justina* de Francisco de Ubeda (1605), qui raconte la vie d'une gueuse, Lazarillo en jupons — mais non d'une prostituée : l'héroïne, au contraire, y préserve sa virginité jusqu'au mariage final ; il faut attendre le *Moll Flanders* de Defoe (1722) pour assister à cette transposition thématique. Peut-être faut-il voir en *Nana* (1879) un lointain avatar de ce motif, mais la figure littéraire de la prostituée s'est entre-temps largement émancipée de son modèle picaresque ; peut-être aussi faut-il voir en Lulu[2] un contre-type féminin de don Juan. Mais dans ces deux cas le châtiment final se passe du surnaturel, et l'hypotexte, ici encore, est plutôt générique. Quant au *Quichotte femelle* de Charlotte Lennox[3], il ne

1. De Catherine Woillez, Paris, 1835. C'est l'histoire d'une jeune fille de quinze ans naufragée avec son chien sur une île déserte mais abondante. La première année est une simple transposition au féminin du thème robinsonien. Au bout d'un an, Emma hérite d'une jeune compagne de sept ans, elle aussi naufragée, dont elle fait l'éducation, puis retrouve son père. Retour en France et fin heureuse.
2. L'héroïne des deux drames de Wedekind, *Erdgeist* (1895) et *Die Büchse der Pandora* (1902), mieux connue aujourd'hui par l'opéra qu'en a tiré Alban Berg.
3. *The Female Quixote, or the Adventures of Arabella*, Londres, 1752.

tient pas vraiment les promesses de son titre : c'est un fatras d'aventures et de discussions sans grand rapport avec le *Quichotte*, si ce n'est que l'héroïne, qui a lu trop de romans, laisse vagabonder pendant quelques années une imagination romanesque plutôt bas-bleu avant de s'assagir et d'épouser son cousin. L'intérêt de ce roman est d'amorcer, confusément, le passage du quichottisme proprement dit à cette forme d'illusion réputée spécifiquement féminine qu'on appellera plus tard le bovarysme. Mais il y avait déjà de cela, nous l'avons vu, dans le *Pharsamon* de Marivaux.

Les transexuations les plus intéressantes sont, me semble-t-il, celles où le changement de sexe suffit à renverser, parfois en la ridiculisant, toute la thématique de l'hypotexte. C'est le cas, par exemple, de la masculinisation de Paméla dans *Joseph Andrews*, ou de la féminisation de Crusoé dans *Suzanne et le Pacifique*.

Joseph Andrews (1742) est le second hypertexte inspiré à Fielding par la *Paméla* de Richardson (1740) ; le premier était *Shamela*, dont le statut est tout autre et que j'évoquerai en son temps. Dans *Joseph Andrews*, le propos critique est mince et d'ailleurs vite abandonné pour une autre veine, celle de la fameuse « épopée comique en prose » dont parle la préface, et qui, sept ans avant *Tom Jones*, définit pour Fielding rien de moins que le roman en général. Mais cette fonction critique tient tout entière dans le changement de sexe : Paméla était (ou, dirait plutôt Fielding, *prétendait être*) l'histoire d'une jeune fille vertueuse qui résiste aux entreprises de son maître ; *Joseph Andrews* raconte l'histoire d'un jeune homme (le propre frère de Paméla) vertueux et qui résiste aux avances de sa patronne. De toute évidence, cette masculinisation de la vertu, soulignée par le prénom emblématique de Joseph, devait suffire à la ridiculiser, et à dénoncer son faux-semblant. Mais Fielding n'a pas poussé très loin ce thème, préférant lancer son héros dans d'autres aventures avant de lui faire retrouver sa bien-aimée Fanny. Comme Paméla femelle, Joseph n'est guère plus qu'une idée, ou une esquisse. Mais cela suffit sans doute.

Suzanne et le Pacifique (1921) ne se présente nullement d'emblée comme une récriture de *Robinson Crusoé*, mais seulement comme un roman dont le thème s'apparente à celui du roman de Defoe : une jeune fille de Bellac entreprend un tour du monde, un naufrage la jette sur une île déserte du Pacifique, où elle survit en attendant l'improbable passage d'un navire, et sans l'inutile secours d'une cargaison échouée à quelques encablures. Nul besoin, en effet, de travailler et de produire, de semer, de récolter et de cuire, de fabriquer des vêtements, des demeures, des vanneries, des poteries et autres parasols dans une île au climat de rêve, où toutes nourritures délicieuses s'offrent à portée de main. Nul besoin de pirogue pour gagner à la nage l'île voisine, aussi inhabitée que la première : la leçon de *Suzanne,* évidemment inverse de celle de *Robinson,* c'est la vanité de toute tentative pour transplanter les besoins et les techniques de l'Occident dans une Polynésie qui les ignore pour son plus grand bonheur. La nature du Pacifique, luxe, calme et volupté, constitue à elle seule une civilisation paradoxalement plus raffinée que la nôtre, et à laquelle Suzanne, en bonne héroïne giralducienne, se trouve spontanément accordée : « Tout le luxe était là, tout le confort que peut se donner la nature par fierté personnelle, dans de petites îles sans visiteurs ; une petite source chaude dans un rocher d'agathe, près d'une petite source froide, dans la mousse ; un geyser d'eau tiède, qui montait toutes les heures, près d'une chute d'eau glacée ; des fruits semblables à des savons, des pierres ponces éparses, des feuilles-brosses, des épines-épingles ; les simulacres en quartz d'or d'une grande cheminée Louis XV et d'un orgue de style moins pur... [1]. »

Cette description et cette conduite font en elles-mêmes antithèse au topos robinsonnien, et Giraudoux aurait pu s'en tenir à cette correction en acte. Mais il n'a pas manqué d'y adjoindre une critique explicite, qui s'énonce en deux temps.

Premier temps, Suzanne découvre les traces d'un prédécesseur, dont on ne saura s'il est mort sur place ou s'il a pu s'évader. Ces traces indiquent une activité de type robinsonnien, transformation dérisoire imposée à une nature parfaite et qu'il suffisait d'épouser, transformation dévastatrice dont chaque trace est comme une cicatrice de laideur et de dégradation : « Ici, où tout est abondance en fruits et en coquillages, il avait défriché et semé du seigle ; ici, près de deux grottes chaudes la nuit et fraîches le jour, il avait coupé des madriers et bâti une hutte ; ici, où l'on apprend à grimper en deux heures, il avait construit des échelles, des vingtaines d'échelles rangées au fond d'un vallon comme les veilles d'assaut ou de cueillettes des olives ; ici, où les ruisseaux coulaient à vitesse différente pour étancher les soifs les plus diverses, il avait amené des conduites en bambou jusqu'à sa case ; ici, où partout était la mer, il y avait une petite piscine en ciment, un tub ; ici, où la nuit s'égale au jour, où le soleil d'un jeu régulier avec l'équateur joue à la corde, il y avait des cadrans solaires sur chaque pierre plate et un vieux squelette de pendule en ressorts à boudins... Comme une femme qui

1. Grasset, p. 66-67.

succède dans une chambre d'hôtel à un homme qui y fuma, j'eus le besoin d'aérer cette île, de jeter sur le banc de pierre, sur la chaise en bambous quelques écrans de pleureuses et quelques divans de plumes. Là où tout est solitude et bonté, il y avait gravé en latin sur la grotte : Méfie-toi de toi même [1]. »

Ce naufragé mal avisé est évidemment un avatar de Robinson, mais l'œuvre de Defoe n'est pas encore nommée. Elle le sera soixante pages plus loin, lorsque Suzanne la découvrira dans le trésor du naufragé, entre autres chefs-d'œuvre plébiscités par le public des *Annales* (quels sont les dix livres que vous voudriez emporter dans une île déserte ?). Suzanne avait déjà sans doute lu le roman de Defoe mais elle n'en avait pas gardé un souvenir très précis et, si le rapprochement entre les deux situations lui était venu à l'esprit, elle l'avait toujours repoussé : « Jamais il ne m'était venu à l'idée jusqu'à ce jour, par égoïsme, de comparer mon sort à celui de Robinson. Je n'avais pas voulu admettre que sa solitude effroyable fût la mienne. La vue de cette seconde île ronde comme un ballon d'oxygène au-dessus de mon île m'avait maintenue dans l'espoir. Mais aujourd'hui je feuilletai le livre comme un manuel de médecine sur la maladie qu'on croit soudain la sienne... C'était bien la même... mêmes symptômes, mêmes mots... des oiseaux, des bêtes, un peu de terre entourée d'eau de tous côtés... La nuit tombait, j'allumai deux torches... Seule, seule à la lisière d'un archipel, une femme allait lire *Robinson Crusoé* [2]. »

Suzanne sera vite déçue, car elle retrouve dans la conduite de Robinson, aggravée par les ressources technologiques de la providentielle cargaison, l'absurde entreprise de civilisation déjà incarnée par son prédécesseur. D'où cette critique réitérée : « Moi qui cherchais dans ce livre des préceptes, des avis, des exemples, j'étais stupéfaite du peu de leçons que mon aîné homme me donnait... Je le trouvai geignard, incohérent. Ce puritain accablé de raison, avec la certitude qu'il était l'unique jouet de la Providence, ne se confiait pas à elle une seule minute. A chaque instant pendant dix-huit années, comme s'il était toujours sur son radeau, il attachait des ficelles, il sciait des pieux, il clouait des planches. Cet homme hardi frissonnait de peur sans arrêt, et n'osa qu'au bout de treize ans reconnaître toute son île. Ce marin qui voyait de son promontoire à l'œil nu les brumes d'un continent, alors que j'avais nagé au bout de quelques mois dans tout l'archipel, jamais n'eut l'idée de partir vers lui. Maladroit, creusant des bateaux au centre de l'île, marchant

1. P. 110.
2. P. 170.

toujours sur l'équateur avec des ombrelles comme sur un fil de fer. Méticuleux, connaissant le nom de tous les plus inutiles objets d'Europe, et n'ayant de cesse qu'il n'eût appris tous les métiers. Il lui fallait une table pour manger, une chaise pour écrire, des brouettes, dix espèces de panier (et il désespéra de ne pouvoir réussir la onzième), plus de filets à provisions que n'en veut une ménagère les jours de marché, trois genres de faucilles et faux, et un crible, et des roues à repasser, et une herse, et un mortier, et un tamis. Et des jarres, carrées et rondes, et des écuelles et un miroir Brot, et toutes les casseroles. Encombrant déjà sa pauvre île, comme sa nation plus tard allait faire le monde, de pacotille et de fer-blanc. Le livre était plein de gravures, pas une seule qui le montrât au repos : c'était Robinson bêchant, ou cousant, ou préparant onze fusils dans un mur à meurtrières, disposant un mannequin pour effrayer les oiseaux. Toujours agité, non comme s'il était brouillé avec eux, et ne connaissant aucun des deux périls de la solitude, le suicide et la folie. Le seul homme peut-être, tant je le trouvais tatillon et superstitieux, que je n'aurais pas aimé rencontrer dans une île. »

La réfutation de *Robinson Crusoé* par Giraudoux a donc pour thème essentiel la vanité d'une civilisation mécanicienne appliquée à une nature parfaite qui n'en a nul besoin, et qui n'en peut être que dégradée. Solitude mise à part — c'est le seul mal dont souffre Suzanne sur son île — on retrouve (et nous avons déjà rencontré) ce thème critique dans le *Supplément au voyage de Cook*. Cette critique de Robinson a pour corollaire inévitable une valorisation de Vendredi, le bon sauvage innocent qui sait vivre en accord avec la nature : « Tout ce que pensait Vendredi me semblait naturel, ce qu'il faisait, utile ; pas un conseil à lui donner. Ce goût de la chair humaine qu'il conserva quelques mois encore, je le comprenais. Le moindre de ses pas en dehors du chemin battu de Robinson, je sentais qu'il eût mené à une source ou à un trésor... »

Mais Suzanne n'est pas seulement le porte-parole de Giraudoux : le fait que le critique soit ici une femme n'est pas indifférent. Ce fait est mentionné plusieurs fois. Lorsqu'elle découvre les dégâts accomplis par son prédécesseur, Suzanne, nous l'avons vu, éprouve le besoin de les réparer, aérant son île « comme une *femme* qui succède dans une chambre d'hôtel à un homme qui y fuma ». Quand elle commence sa lecture à la recherche des leçons de son « aîné homme », elle précise, « qu'une *femme* allait lire *Robinson Crusoé* ». Ces insistances confirment bien ce que suggère l'ensemble du récit, que l'obsession civilisatrice est une maladie propre au sexe masculin, et que, au moins parmi les Européens pervertis, seule une

femme peut éviter cette tentation, ou la surmonter très vite :
« Après les quelques mois où le plus confiant s'entête à vivre en
naufragé, toujours sur la grève, mesurant de l'œil les arbres comme
de futurs bateaux, m'obstinant à chercher des hameçons pour ces
truites qui se laissaient prendre à la main et des pièges pour ces
oiseaux qui ne savaient pour vous éviter, comme en Europe, sur
votre fusil, que se poser sur votre bras même, je renonçai à être
autre chose qu'une oisive et une milliardaire...[1]. » Le féminisme
giralducien, qui s'exprimera si souvent dans la suite de son œuvre,
fait ici ses premières gammes. On peut sans doute y voir une forme
mal déguisée de sexisme (les femmes sont plus proches de la nature,
plus passives, incapables d'agir et de créer, etc.), mais la leçon est
plus subtile car, on l'a vu, la nature ici décrite est l'extrême de la
culture et parfois de l'artifice : elle assure le nécessaire comme
allant de soi, et raffine sur un superflu qui n'est pas le suréquipe-
ment robinsonnien, prolifération inutile d'outils destinés à la
subsistance et à la protection, mais son exacte antithèse : satisfaction immédiate, sans effort et détour, des besoins liés à la parure, au
décor, à l'ornement : « J'eus des centaines d'énormes perles que je
pêchais à la plongée... J'avais des parfums de résine fraîche mêlée
aux pollens ; des lotions obtenues de mon arbre à sucre... j'avais
mes onze poudres de riz. » La leçon de ce Robinson femelle, ce
n'est pas exactement, comme disait Baudelaire, que « la femme est
naturelle », mais plutôt — Suzanne n'est guère que le développement et l'illustration de ce paradoxe typique — que la nature est
femme, et, comme telle, spontanément portée au luxe, et à
l'artifice.

Une naufragée lisant Robinson Crusoé sur son île déserte, voilà
bien une exemplaire mise en abyme. Si Suzanne est une réfutation
indirecte de Robinson, l'hypotexte longtemps passé sous silence (et,
pour une fois, nullement suggéré par le titre) finit bien par faire
surface, convoqué à point nommé pour entendre sa condamnation.
Dès lors, la relation implicite se manifeste sans équivoque :
Robinson femelle, et parce que Robinson femelle, Suzanne est bien
un anti-Robinson. Mais disons-le plutôt en termes de relations
textuelles : Suzanne est un Anti-Robinson. Le premier, peut-être ;
mais, comme on le sait déjà, non le dernier. Le seul en tout cas,
j'imagine, où le changement de sexe suffise à la réfutation[2].

1. P. 80-81.
2. Je ne sais s'il faut considérer le Maître et Marguerite de Boulgakov (1940 ; trad.
fr., Laffont, 1968) comme une féminisation de Faust, auquel il se rattache
officiellement par le titre et par une épigraphe tirée de Goethe. On y retrouve,
transposé dans la société soviétique, Méphisto devenu Woland et Faust devenu

LXII

Le changement de nationalité n'est le plus souvent que l'effet de transpositions diégétiques plus massives. Mais on le voit assez bien à l'œuvre dans l'immense tradition robinsonnienne, où il fonctionne régulièrement comme procédé de *naturalisation,* au sens juridique du terme : le Crusoé d'origine était anglais, chaque nation voulut donc avoir son Robinson national ; d'où par exemple le *Robinson allemand* de Campe (1779) ou le *Robinson suisse* de Wyss (1813), qui à son tour devint un modèle en vertu du trait de génie consistant à naufrager une famille entière : du coup, plus de solitude et plus de Vendredi, mais on s'aperçoit à l'occasion que le thème majeur n'est peut-être pas celui de la solitude, mais celui de l'appropriation et de l'aménagement d'un espace vierge. C'est en tout cas le thème euphorique et gratifiant, qui subsiste ici seul, multiplié par la pluralisation du héros. Jules Verne s'en souviendra, entre autres dans *l'Ile mystérieuse* (1874), où l'on voit — catastrophe finale mise à part — la robinsonnade virer massivement à l'utopie.

Comme on vient de l'entrevoir à propos de la nationalité, le mouvement habituel de la transposition diégétique est un mouvement de translation (temporelle, géographique, sociale) *proximisante :* l'hypertexte transpose la diégèse de son hypotexte pour la rapprocher et l'actualiser aux yeux de son propre public. À cette dominante, je ne connais aucune exception. On peut certes rêver de ce que serait une *Bovary* transposée dans l'Athènes de Périclès ou à la cour du roi Arthur, mais un tel effet de distanciation serait manifestement contraire au mouvement « naturel » du transfert diégétique, qui va toujours du plus lointain au plus proche.

La translation spatiale n'est pas toujours nécessaire à cette proximisation : lorsque Thomas Mann modernise l'histoire de Faust, il n'a évidemment pas à le germaniser, puisque le Faust originaire est déjà allemand ; en revanche, chez Boulgakov, écrivain russe, la modernisation s'accompagne naturellement d'un transfert géographique.

écrivain. Mais le pacte est entre Woland et... Marguerite, qui se fait sorcière pour retrouver son Maître bien-aimé. Ce n'est donc pas exactement un Faust femelle, comme il en existe peut-être ici ou là, Faustines ou Faustas, mais une transposition diégétique de *Faust* avec transfert du pacte de Faust sur Marguerite.

Le deuil sied à Électre d'Eugene O'Neill[1] est un exemple typique de transposition diégétique intégrale : le drame des Atrides est ici transporté en Nouvelle Angleterre, à la fin de la guerre de Sécession. Le roi Agamemnon, devenu le général Ezra Mannon, rentre chez lui pour tomber victime de sa femme Christine (Clytemnestre) aidée de son amant Adam Brant (Egisthe), et tout ce qui s'ensuit. Cette modernisation s'accompagne de diverses transformations pragmatiques de détail qui en découlent presque inévitablement (Christine utilise un poison, Orin-Oreste un revolver, etc.), et de modifications psychologiques plus significatives, que nous retrouverons. Le même drame a inspiré plus récemment une autre modernisation, où l'aspect de trivialisation sociale est beaucoup plus marqué, et prend le pas : c'est *la Main rouge* de Clément Lépidis[2], roman populiste dont l'action se situe à Belleville entre les deux dernières guerres. Agamemnon est ici La Broche, Clytemnestre La Culbute, Égisthe La Pendule, Oreste Totor, Électre Juliette. La Culbute a plongé la tête de La Broche dans un seau d'eau jusqu'à ce que mort s'ensuive, Totor éventrera La Pendule à coups de tranchet, Juliette assommera sa mère à coups de marteau. Comme chez O'Neill, la similarité d'action, qui pourrait échapper au lecteur, est soulignée par quelques indices paratextuels : non plus le titre et le nom, plus ou moins transparent, de quelques personnages, mais une épigraphe empruntée à l'*Électre* de Sophocle et un prière d'insérer tout à fait explicite en dernière page de couverture (« ... Et quoi de plus naturel d'imaginer que ce soit à Belleville que le sang des Atrides ait choisi de couler ? Et pourquoi pas Électre à Belleville, en 1927 ? ») « Naturelle » ou non, la transposition est donc spécifiée par un contrat en bonne et due forme, qui est aussi un mode d'emploi ou guide de lecture.

Dans *le Docteur Faustus*[3], le contrat est moins précis, puisqu'il n'annonce pas la modernisation, mais il est plus officiel, puisqu'il est dans le titre, qui fonctionne, comme chez O'Neill, comme une référence au modèle hypotextuel du héros compensant son changement de nom, et invitant le lecteur à lire Faust sous Leverkühn, comme il devait lire Électre sous Lavinia.

L'hypotexte du *Docteur Faustus,* bien davantage que le *Faust* de Goethe, est le *Volksbuch* ou « récit populaire » de 1587, dont le dénouement sans rédemption est de nouveau respecté. L'action se passe dans l'Allemagne moderne, entre 1880 et 1940, racontée

1. 1929-1931. Trad. fr., L'Arche, 1965.
2. Seuil, 1978.
3. 1947. Trad fr. par Louise Servicen, Albin Michel, 1950.

pendant les derniers mois du régime nazi par un ami d'enfance du héros. Cette modernisation entraîne (à moins qu'elle ne lui serve de prétexte et d'alibi) une très forte naturalisation (au sens propre, cette fois) du thème : le pacte avec le Diable devient une syphilis volontairement contractée auprès d'une prostituée, sans doute par amour, peut-être aussi parce que Leverkühn accepte de payer ce prix en échange du génie musical que, selon un mythe d'époque, cette maladie va lui assurer avant de l'emporter dans la démence finale. Mais cet épisode décisif reste ambigu, car Leverkühn racontera plus tard qu'il a reçu, ou cru dans une hallucination recevoir, le Diable venu « confirmer » ce pacte. A partir de là, d'ailleurs, Leverkühn n'est plus seulement un « nouveau Faust » ou un « Faust moderne », mais aussi — et de plus en plus selon les progrès de sa maladie — un fou qui se prend pour Faust et qui s'applique à calquer son existence sur celle de son modèle, comme don Quichotte s'appliquait à imiter Amadis, ou mieux encore, comme Brideron s'appliquait à reproduire Télémaque : en ce sens, *Faustus* est une résurgence moderne de l'antiroman, et le seul compagnon de genre du *Télémaque travesti* comme antiroman singulatif. Leverkühn se met à parler ou à écrire en vieil allemand, il consacre une de ses œuvres à un « Chant de douleur du docteur Faust » dont il tire le livret du *Volksbuch*, et, comme le héros de ce dernier, il convoque finalement tous ses amis pour leur confesser son crime avant de sombrer dans une folie qui est une métaphore de la damnation. Le caractère « parodique » (c'est le terme qu'emploie Mann pour désigner l'hypertextualité passablement grinçante de son livre) de cette destinée est donc fortement thématisé par son héros lui-même, caractère froid, distant et sarcastique, et qui déclare par exemple : « Pourquoi presque toutes les choses me font-elles l'effet d'être leur propre parodie ? Pourquoi me semble-t-il que presque tous, non, je dis *tous* les moyens et les artifices de l'art ne sont bons aujourd'hui qu'à la parodie ? » Ou encore, dans ce dialogue avec le démon rapporté par Leverkühn lui-même : « *Lui :* Je sais, je sais. La parodie. Elle serait gaie si elle n'était pas trop lugubre dans son nihilisme aristocratique. Attends-tu de trucs pareils beaucoup de plaisir et de grandeur ? *Moi :* Non. » Ce Faust moderne est donc, et se sait, une « parodie » de Faust, qui trouve sa grandeur — la seule qui lui soit accessible — dans ce travestissement « lugubre ». Mais cette grandeur est celle d'un sacrifice : celui de l'artiste à son art, et à son œuvre [1].

Le statut des *Nouvelles Souffrances du jeune W.,* d'Ulrich Plenz-

1. P. 142, 259.

dorf[1], est à certains égards comparable : le contrat de transposition est évidemment dans le titre, et le héros, qui revit à sa manière l'aventure de Werther, se réfère constamment au texte de Goethe, dont il a trouvé un exemplaire là où vous pouvez supposer. Ce jeune peintre en bâtiment, vaguement beatnik et entiché de Salinger, tombe amoureux d'une jardinière d'enfants fiancée ailleurs qui ne s'appelle pas Charlotte mais qu'il surnomme Charlie, et qu'il poursuit avec un peu plus d'audace que son modèle ; modèle qu'il traite plutôt en repoussoir, plein de mépris pour sa conduite timide et pour son style gnian-gnian. Il n'en mourra pas moins, accidentellement sans doute, en bricolant un pistolet à peinture. Plenzdorf s'émancipe donc davantage de son hypotexte que ne le faisait Thomas Mann : il se garde bien de motiver, fût-ce en termes « modernes », la mort de son héros, qui s'exprime et se conduit à la fois comme un nouveau Werther et comme un anti-Werther.

Émancipation plus poussée encore dans *les Gommes* d'Alain Robbe-Grillet[2], dont la relation à *Œdipe Roi* n'est marquée que par une épigraphe empruntée à Sophocle et divers clins d'œil dispersés dans le texte. Mais Samuel Beckett, dit-on, saisit aussitôt l'allusion, et quelques semaines plus tard l'éditeur publiait une brochure explicative évidemment inspirée par l'auteur, dont on retrouve les éléments dans une postface écrite par Bruce Morrissette pour l'édition de poche[3]. La discrétion du contrat paratextuel (l'épigraphe) est donc compensée par l'insistance du métatexte officieux, comme si l'auteur tenait à assurer à son roman une lecture hypertextuelle, sans toutefois l'assumer en la revendiquant lui-même de manière univoque : c'est évidemment le principe de l'énigme et de la devinette, dont le déchiffrement doit rester à la charge du lecteur, mais dont la bonne réception dépend de ce déchiffrement, auquel l'auteur doit parfois « aider » de manière indirecte. La relation thématique à l'hypotexte sophocléen reste en effet partielle et sélective : c'est l'histoire d'un policier qui enquête sur un meurtre supposé et qui finit, involontairement, par commettre lui-même ce meurtre. Diverses indications suggèrent que le détective-meurtrier est sans doute, sans le savoir, le fils de la victime, mais la conséquence proprement « œdipienne » au sens freudien (l'inceste) reste absente. Robbe-Grillet ne retient donc de la légende que le double thème du parricide par erreur et de

1. 1973 ; trad. fr., Seuil, 1975.
2. Minuit, 1953.
3. « Clefs pour *les Gommes* », 1962 ; repris dans *les Romans de Robbe-Grillet*, Minuit, 1963.

l'enquête fatale, les deux éléments se trouvant ici liés d'une manière particulièrement retorse du fait que c'est l'enquête qui détermine le meurtre. Il tourne donc délibérément le dos à l'interprétation freudienne, pour qui le piège de l'oracle n'est qu'un masque du désir œdipien. Mais ce refus, j'imagine, sera tenu pour un aveu.

L'établissement d'un contrat officieux n'est pas ici une innovation. C'est déjà de cette manière que Joyce avait (télé-) guidé la réception hypertextuelle d'*Ulysse*. Mais le cas d'*Ulysse* est plus complexe. Tout d'abord, contrairement aux *Gommes,* le titre y constitue par lui-même un indice officiel, bien que, ou peut-être justement parce que cette référence titulaire ne correspond au nom d'aucun personnage. Ensuite, la première publication du roman en revue confirmait cette indication par des titres de chapitres (*Télémaque, Nestor, Protée, Calypso,* etc.) qui en précisaient la relation aux épisodes correspondants de l'*Odyssée.* Joyce fit ensuite disparaître ces intertitres, mais il organisa parallèlement, grâce à la complaisance de critiques comme Stuart Gilbert et Valery Larbaud, un système de « fuites » destiné à guider la lecture plus précisément encore que ne le faisaient les intertitres d'origine, que les spécialistes continuent d'ailleurs d'utiliser pour désigner les dix-huit chapitres. Ce réseau de correspondances est aujourd'hui bien connu, ainsi que la table d'équivalences des personnages (Leopold Bloom = Ulysse, Dedalus = Télémaque, Molly Bloom = Pénélope, etc.). Le tableau qui suit me dispensera de longs et fastidieux rappels. Il indique assez clairement, j'espère, le travail de déplacements, d'interversions et de condensations qui conduit des vingt-quatre chants de l'*Odyssée* aux dix-huit chapitres d'*Ulysse* (le signe d'interversion qui affecte ici la colonne de droite rappelle que les événements racontés par Ulysse aux chants VII à XII sont antérieurs à ceux que relate Homère dans les sept premiers chants ; Joyce n'a pas pris garde à cette vaste analepse, ou n'a pas voulu en tenir compte).

Mais cette relation si serrée, et que bien d'autres équivalences de détail poussent plus loin encore, reste pour le lecteur une relation suggérée (ou, par le titre, imposée) par les soins indirects de l'auteur, qui fait d'*Ulysse* le type même de l'hypertexte autoproclamé. Un lecteur non averti qui aurait innocemment acheté ce roman dans sa présentation actuelle et définitive, si familier fût-il avec l'hypotexte, risquerait fort de ne rien soupçonner de ces subtiles correspondances, dont la signification échappe même bien souvent aux lecteurs avertis, et de ne percevoir d'*Ulysse* que sa

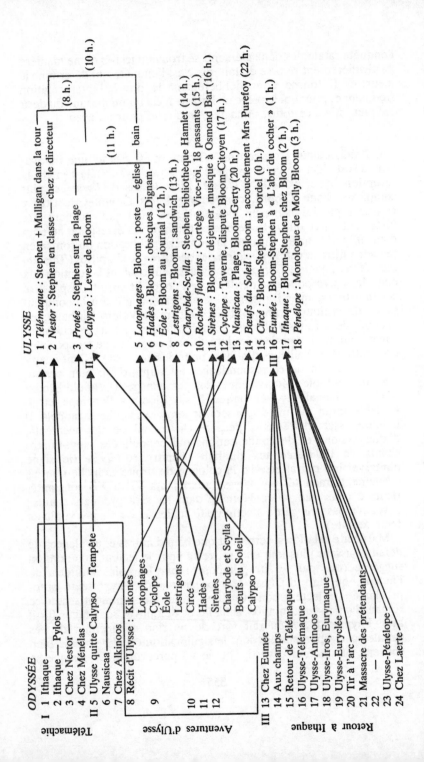

matière autonome : les déambulations d'un certain Léopold Bloom et d'un certain Stephen Dedalus dans le Dublin du début de ce siècle, et toute la thématique historique, intellectuelle, érotique, etc., qui s'y rattache ; et une instrumentation formelle tout aussi indépendante de celle d'Homère : un « style » par chapitre, dont l'un consiste, je le rappelle, en une série de pastiches. *Ulysse* constitue sans doute un cas-limite (d'émancipation extrême par rapport à l'hypotexte) dans le champ de la transposition diégétique, et de l'hypertextualité en général. Et le fait que sa réception « correcte » dépende d'un appareil paratextuel officieux manifeste bien, une fois de plus, l'impossibilité d'enfermer un texte dans une autonomie et une « immanence » tout illusoires. La lecture innocente d'*Ulysse* dans sa « clôture », comme d'une sorte de roman naturaliste sur l'Irlande moderne, est parfaitement possible ; elle n'en serait pas moins une lecture incomplète.

Et incorrecte au moins sur un point : car, si innocent soit-il, le lecteur d'*Ulysse* ne peut au moins ignorer son titre, ce titre « clef » (Larbaud) qui lui intime, comme degré minimal de lecture hypertextuelle, cette question : « Pourquoi *Ulysse* ? Quel rapport avec l'*Odyssée* ? » Cette transcendance purement interrogative est peut-être ici la plus pertinente [1].

La séparation très tranchée que j'ai opérée entre transpositions homodiégétiques et hétérodiégétiques ne doit pas suggérer l'impossibilité de traitements mixtes, ou intermédiaires, même si le respect de la vraisemblance, ou quelque autre motif, semble en avoir détourné la plupart des auteurs. On pourrait au moins concevoir des types de transposition à cheval sur les deux pratiques : par exemple un Ulysse ou un Faust « moderne », c'est-à-dire vivant de nos jours, qui conserverait pourtant son identité d'origine. Il n'est pas tout à

---

1. *Ulysse* n'est pas le seul exemple de titre imposant à lui seul un statut hypertextuel qui risquerait, sans lui, d'échapper au lecteur : c'est aussi bien le cas du *Pygmalion* de Bernard Shaw, dont la relation à la fable du sculpteur épris de son œuvre n'est sans doute pas évidente a priori pour tout un chacun. Le titre, sans rapport avec le nom d'aucun personnage de la pièce, pose encore ici, à tout le moins, une question — dont la réponse est évidente (beaucoup plus évidente que pour *Ulysse*), mais *à condition que la question ait été posée.* On pourrait d'ailleurs fort bien supposer que la relation thématique Higgins : Eliza : Pygmalion : Galatée n'ait pas été préconçue par Shaw, mais seulement perçue après coup, voire signalée par un ami, etc. Le titre, en ce cas, prouverait au moins que la relation hypertextuelle, une fois perçue, est assumée, voire revendiquée par l'auteur, qui s'arrange pour l'*inscrire* d'une manière aussi impérieuse que minimale : puissance du paratexte...

fait absurde, nous le verrons, de lire en ces termes *Naissance de l'Odyssée* ou *Mon Faust,* même si ce n'en est pas la lecture la plus pertinente. Il n'est pas non plus impossible, en régime fantastique, de mêler des appartenances historiques hétérogènes : il suffit de supposer, comme le fait si souvent la science-fiction depuis Wells, une machine à voyager dans le temps. Au prix de cette invention, un personnage peut, provisoirement ou non, quitter sa diégèse et s'introduire dans une autre. C'est ce qu'il advient dans le roman de Mark Twain, *Un Yankee du Connecticut à la cour du roi Arthur*[1], dont le titre indique parfaitement le principe.

On ne doit pas non plus supposer que la transdiégétisation entraîne nécessairement et automatiquement une transformation thématique plus intense que la transposition homodiégétique : *le Docteur Faustus,* malgré sa diégèse moderne, est à bien des égards plus fidèle à l'esprit du *Volksbuch* que le *Faust* de Goethe, et le *Robinson suisse* est plus proche de Defoe que le *Vendredi* de Tournier. La transposition diégétique n'est donc ni une condition nécessaire ni une condition suffisante de la transformation sémantique. Elle n'en est qu'un instrument facultatif, bien souvent traité comme une pratique autonome. On pourrait même percevoir entre les deux attitudes une part d'incompatibilité, qui tiendrait à un double mouvement de compensation : la transposition hétérodiégétique insistant sur l'analogie thématique entre son action et celle de son hypotexte (« mon héros n'est pas Robinson, mais vous allez voir qu'il vit une aventure très semblable à celle de Robinson »), et la transposition homodiégétique insistant au contraire sur sa liberté d'interprétation thématique (« Je récris après tant d'autres l'histoire de Robinson, mais ne vous y trompez pas, je lui donne un tout autre sens ») ; nous en rencontrerons quelques exemples.

On ne confondra pas, enfin, la modernisation diégétique, qui consiste à transférer en bloc une action ancienne dans un cadre moderne, avec la pratique, toujours ponctuelle et dispersée, de l'anachronisme, qui consiste à émailler une action ancienne de détails stylistiques et thématiques modernes, comme lorsque dans l'*Antigone* d'Anouilh les gardes de Créon jouent aux cartes. Les deux pratiques sont évidemment incompatibles : la fonction de l'anachronisme est celle d'une dissonance ponctuelle par rapport à la tonalité d'ensemble de l'action, c'est par le contraste qu'il frappe, surprend, amuse ou donne à penser. Dans une diégèse entièrement modernisée, ce contraste devient simplement impossible : il n'y a rien de surprenant à voir Léopold Bloom prendre un fiacre.

---

1. 1889 ; trad. fr., Bruxelles, 1950.

L'intéressant serait plutôt de lui faire porter des cnémides, mais il se trouve que l'anachronisme, lui aussi, n'a guère de saveur qu'en prolepse, clin d'œil du passé au présent et non l'inverse : aussi devrait-on plutôt l'appeler *prochronisme* (je n'en demande pas vraiment tant). La transposition diégétique est un prochronisme généralisé, au sein duquel, par définition, aucun prochronisme de détail ne peut faire contraste et sens, et donc avoir sa place [1].

Par rapport à ces diverses transpositions diégétiques, le roman de Nikos Kazantzakis, *Le Christ recrucifié* [2], présente une nuance spécifique, et qu'il importe de préciser. C'est, on le sait, l'histoire d'un berger qui, dans un village grec contemporain, doit incarner le Christ dans une représentation rituelle de la Passion. Saisi par son personnage, il commence à agir en tout point d'une manière authentiquement chrétienne, et donc à scandaliser la communauté chrétienne officielle. Ayant apporté son aide à des réfugiés maltraités par cette communauté, il finit égorgé par le pope dans l'église du village. C'est donc une transposition diégétique de la Passion, accompagnée d'une répétition en abyme de l'hypotexte, comme l'histoire de Faust est évoquée dans *Docteur Faustus* par la cantate de Leverkühn. Mais ici la mise en abyme est première, et la transposition modernisante est censée en découler ; Manolios commence par jouer le Christ, puis il devient un Christ moderne. Il y a un peu de cela dans certaines structures du théâtre contemporain, qui joue volontiers, de Pirandello à Genet, sur un double registre de représentation. Ainsi, dans *la Répétition ou l'Amour puni* d'Anouilh [3], une représentation privée de *la Double Inconstance* installe peu à peu entre les deux acteurs une situation analogue à celle de la pièce de Marivaux — d'où un contrepoint savoureux entre les deux textes.

1. Borges n'évite apparemment pas cette confusion dans la condamnation sévère de la transposition diégétique qu'il a glissée dans son *Pierre Ménard* : « Un de ces livres parasitaires qui situent le Christ sur un boulevard, Hamlet sur la Canebière ou don Quichotte à Wall Street. Comme tout homme de goût, Ménard avait horreur de ces mascarades inutiles, tout juste bonnes — disait-il — à procurer le plaisir plébéien de l'anachronisme ou (ce qui est pire) à nous ébaudir avec l'idée primaire que toutes les époques sont semblables ou toutes différentes. » Mais le grief de vulgarité n'est peut-être pas tout à fait injustifié, ni à l'égard de l'anachronisme, ni à l'égard de la transposition.
2. 1954. Trad. fr., Plon, 1955.
3. 1947.

LXIII

La transformation pragmatique, ou modification du cours même de l'action, et de son support instrumental (il se trouve heureusement que *pragma* signifie à la fois « événement » et « chose », et un objet — par exemple un véhicule, une arme, un message — peut être un moyen, et donc un élément, d'action), est elle aussi un aspect facultatif de la transformation sémantique, qu'elle accompagne fréquemment, mais non obligatoirement. Elle est en revanche un élément indispensable, ou plutôt une conséquence inévitable de la transposition diégétique : on ne peut guère transférer une action antique à l'époque moderne sans modifier quelques actions (un coup de poignard deviendra coup de pistolet, etc.). Mais son autonomie est beaucoup plus réduite que celle de la transposition diégétique : rien n'interdit de modifier à sa guise l'action de son hypertexte, mais, cette modification apparaissant, à tort ou à raison, comme la plus brutale et la plus lourde de toutes, aucun auteur ne semble porté à la pratiquer sans la caution d'une « raison », c'est-à-dire d'une cause ou d'un but. On ne modifie guère l'action d'un hypotexte que *parce qu'*on a transposé sa diégèse (je n'y reviendrai pas) ou *afin de* transformer son message. Il est donc difficile de rencontrer et d'observer une transpragmatisation à l'état libre, non impliquée dans une opération plus vaste, d'ordre diégétique et/ou sémantique. Ce qui y ressemblerait le plus, ou s'en éloignerait le moins, serait peut-être une transformation pragmatique inspirée par le souci minimal de *corriger* telle ou telle erreur ou maladresse de l'hypotexte dans l'intérêt même de son fonctionnement et de sa réception.

Cette attitude et cette pratique correctives nous sont aujourd'hui fort étrangères. Elles ne l'étaient pas tout à fait à l'esprit classique, qui nous en offre une illustration typique avec l'*Iliade en vers français,* déjà citée, de l'inépuisable Antoine Houdar de La Motte.

Comme la plupart de ses contemporains même fort cultivés, cet ancien élève des jésuites ignorait le grec. Il voulut cependant écrire une traduction en vers de l'*Iliade.* Aussi recourut-il à l'entremise d'une version latine pour son coup d'essai, qui parut en 1701, et qui se bornait au chant I. En 1711 paraît la traduction en prose française de Mme Dacier, qui lui fournit, avec un truchement plus commode, l'occasion de reprendre et d'achever son ouvrage, lequel parut à son tour en 1714, précédé d'un *Discours sur Homère* plutôt sévère, et qui allait rallumer pour un temps la querelle des Anciens et des Modernes : défense d'Homère par Mme Dacier, réplique de La Motte, nouvelles apologies pour l'*Iliade,* etc. C'était en effet pour l'essentiel une critique d'Homère, naturellement et explicitement destinée à justifier, comme autant d'amendements, les modifications apportées par le « traducteur » à son modèle.

La Motte distingue deux sortes de traductions : les traductions proprement dites, ou *littérales,* dont celle de Mme Dacier offre un parfait exemple, et qui doivent sacrifier à la littéralité tout ornement, à commencer par la forme versifiée : « la prose seule est capable des traductions littérales ». Les autres, « plus hardies », et qui « tiennent le milieu entre la traduction simple (littérale) et la paraphrase », seraient plus justement baptisées « imitations élégantes ». Elles visent non seulement à l'utilité (donner au lecteur une idée aussi fidèle que possible de l'original), mais aussi au plaisir : transmettre d'un ouvrage non seulement le sens mais encore « toute la force et tout l'agrément, *si l'on ne lui en prête même dans les endroits où il en manque* ». La Motte range son propre ouvrage dans la catégorie médiane des « imitations élégantes » (« je le traduis moins que je ne l'imite »). *Imitation* n'est pas ici d'une pertinence évidente, où l'original est pris non comme modèle, mais comme objet imparfait à modifier selon un modèle de perfection qui n'est pas même le sien mais celui du perfecteur et de son public : l'*Iliade* pouvait être sans défaut pour la morale et le goût de son temps, mais notre morale et notre goût sont différents et c'est à ceux-ci qu'un traducteur élégant doit la conformer. Considérons donc l'*Iliade* de La Motte comme ce qu'elle est en effet, c'est-à-dire une *correction.* Les critiques que La Motte formule dans son *Discours* et qui inspirent ses amendements sont donc de l'ordre de la morale et du goût. *Morale :* les personnages de l'*Iliade* ne sont point suffisamment édifiants. Les dieux s'y conduisent trop souvent comme des hommes, Zeus et Héra tantôt se querellent, tantôt font l'amour sans apprêt, Athéna et Héra persécutent Troie par ressentiment du jugement de Pâris, tout l'Olympe tient un compte mesquin des offrandes et des sacrifices. Les héros sont pleins de défauts inacceptables : cruauté, vanité, colère bien sûr, lâcheté parfois. *Goût :* répétitions incessantes, épithètes stéréotypées, « descriptions » oiseuses [1], comparaisons maladroites, vulgaires, tirées de

---

1. On appelle volontiers ainsi, à cette époque, des épisodes en fait narratifs mais jugés accessoires, comme les jeux funèbres en l'honneur de Patrocle ou plus généralement tout passage où le poète s'attarde aux détails d'une action ; le seul morceau proprement descriptif, dans l'*Iliade,* est le bouclier d'Achille, que nous allons retrouver.

trop loin, ou trop souvent du même fonds ; discours de personnages souvent trop longs, parfois peu opportuns, comme au milieu d'un combat singulier ; caractères « mal soutenus », c'est-à-dire peu cohérents ; action tantôt mal préparée, tantôt expressément annoncée, ce qui ôte toute attente et ruine l'intérêt ; « dessein » général peu perceptible : Homère a-t-il voulu raconter la guerre de Troie ? En ce cas il s'est arrêté trop tôt ; faire l'éloge d'Achille ? ce héros est chargé de tant de défauts qu'il ferait plutôt figure de repoussoir ; démontrer, comme l'a prétendu le Père Le Bossu dans son *Traité du poème épique,* la nocivité de la colère ? Si tel était son objet, il l'a noyé dans une trop grande abondance d'actions qui ne s'y rapportent pas assez étroitement. On dirait plutôt qu'il a seulement voulu, comme il le déclare naïvement lui-même dès l'abord, raconter la colère d'Achille et ses effets, considérés en eux-mêmes comme un suffisant objet d'admiration.

En fait, et comme toujours dans le système de la poétique classique, les fautes contre la morale peuvent se réduire à des fautes contre le goût, ou si l'on préfère, contre la cohérence logique : l'immoralité d'un personnage présenté comme immoral (disons ici, faute de mieux, Thersite) n'est pas un défaut ; mais un dieu ou un héros doivent être irréprochables tout simplement parce que telle est la définition d'un dieu ou d'un héros. Un dieu faillible ou un héros lâche est une contradiction dans les termes, et donc une maladresse. Autrement dit, les manquements à la morale ne sont pas répréhensibles absolument, mais relativement au statut poétique des personnages.

Tels sont les principaux défauts de l'*Iliade.* Ce sont, disons-le en passant, ceux que l'âge classique trouvait nécessairement à reprocher à cette épopée bien peu conforme aux bienséances néo-aristotéliciennes, et même les défenseurs d'Homère ne songeront le plus souvent qu'à le disculper par voie d'arguties, sans contester le principe de ces critiques. Plus lucide en cela que ses adversaires, La Motte a souvent bien perçu l'irréductibilité d'Homère aux normes classiques. Il lui manque seulement (par rapport à nos propres critères) d'accepter ces écarts comme des qualités spécifiques.

Il s'emploie donc à les redresser par trois moyens. Le premier, que nous avons déjà rencontré, consiste simplement à supprimer les passages jugés inutiles ou mal venus. Les vingt-quatre chants de l'*Iliade* ont donc été réduits à douze. Ainsi dégraissé, le récit sera de toute façon moins fastidieux pour le lecteur et, de surcroît, centré davantage sur la colère d'Achille et ses effets, il illustrera mieux le propos édifiant que lui prêtait Le Bossu : « faire voir combien la discorde est fatale à ceux qu'elle divise. Il n'est pas sûr qu'Homère y ait pensé ; mais quoi qu'il en soit j'ai tâché que cette vérité se sentît dans mon ouvrage... En un mot, je n'ai été plus court qu'afin de dire plus nettement ce qu'on prétend qu'Homère a voulu dire. »

Le second moyen est plus subtil, sinon plus discret : il consiste à motiver par quelque commentaire attribué au narrateur ou au personnage telle ou telle action qui autrement resterait oiseuse, choquante, ou incompréhensible au lecteur moderne. Ainsi, au chant VI, relatant un sacrifice offert par Priam, Houdar ajoute de son cru cette justification :

> L'ardeur par ces détails n'est point diminuée ;
> Au travers du symbole un regard pénétrant
> Dans le culte des dieux trouve tout saint, tout grand.

C'est ici la motivation directe ou positive. La motivation indirecte ou négative consiste à disculper le poète en lui faisant blâmer tel acte répréhensible qu'on n'a pas cru devoir supprimer. Au chant XI (*Iliade* XXII), Achille qui vient de tuer Hector, l'outrage de la façon que l'on sait en traînant son cadavre autour des remparts :

> A quel excès alors la vengeance l'égare !
> Ce n'est plus un héros, c'est un tigre barbare.
> Il insulte au cadavre, il lui perce les pieds
> Qui de sa main sanglante à son char sont liés :
> La tête indignement traînait dans la poussière.
> Soleil, à tant d'horreurs, prêtes-tu ta lumière !
> Jupiter en frémit et ne voit qu'à regret
> S'accomplir du destin l'inflexible décret.

Le poète marque ainsi qu'il perçoit l'indignité momentanée de son héros, qui pour l'heure — les termes sont pesés — *n'est plus un héros.*

Le troisième procédé, en quoi consiste proprement la transformation pragmatique, consiste à modifier l'épisode. La Motte s'explique longuement, entre autres, sur deux « changements considérables » que lui ont inspirés, pour le premier, des considérations purement esthétiques, pour le second des raisons de vraisemblance morale. Le premier concerne un objet : le bouclier forgé par Héphaïstos pour Achille au chant XVIII de l'*Iliade* représente, comme on le sait, deux villes, l'une en paix, l'autre en guerre, les travaux des champs, la course des astres et le vaste océan. Houdar observe, après bien d'autres, que ces objets sont trop nombreux pour figurer perceptiblement sur un bouclier même gigantesque, que certains personnages sont censés bouger ou parler, exploits impossibles à une figure sculptée, enfin que tout cela n'a « aucun rapport au Poème », c'est-à-dire à l'action principale. « J'ai donc imaginé un bouclier qui n'eût point ces défauts. Je n'y place que trois actions liées même l'une à l'autre : les noces de Thétis et de Pélée, qui fondent la noblesse d'Achille ; le jugement de Pâris, qui fonde la colère de Minerve et de Junon contre les Troyens ; et l'enlèvement d'Hélène qui fonde la vengeance des Grecs. Ces objets, quoique riants, ont tous rapport au Poème ; il n'y a point de confusion ; et je ne peins chaque action que dans un instant, quoique, par la manière dont je la peins, j'en fasse entendre les commencements et les suites. Je ne sais si je me trompe, mais il me paraît heureux d'avoir fait ainsi du bouclier d'Achille un titre de sa grandeur et pour ainsi dire son manifeste. » Voilà donc le hors-d'œuvre des hors-d'œuvre rentré dans l'alignement, dans l'unité classique (Wölfflin aurait dit *baroque*), ou tout concorde et *concourt* au même dessein.

L'autre morceau défectueux est un événement : la mort d'Hector. Après les exploits d'Achille au bord du Xanthe, tous les Troyens se sont réfugiés derrière les remparts, sauf Hector qui décide d'affronter seul le Péléide. Mais quand celui-ci se présente, Hector prend peur et s'enfuit, faisant trois fois le tour de la ville avec Achille à ses trousses. Athéna prend alors l'apparence de Déiphobe pour encourager Hector à résister en sa compagnie. Hector attend Achille et lui propose un duel honorable. Achille refuse et lance son javelot, qui manque Hector, mais qu'Athéna lui rapporte. Hector désabusé lance le sien, qui n'entame pas les armes d'Héphaïstos et rebondit au loin. Il dégaine alors son épée, mais Achille le perce de sa lance au défaut de la cuirasse, triomphant « sans peine d'un ennemi sans défense... En vérité, quand Homère aurait eu dessein d'avilir les deux héros, qu'il aurait voulu que l'un pérît avec infamie, et que l'autre triomphât sans gloire, il me semble qu'il n'aurait pû mieux s'y prendre. L'un est lâche, l'autre est secondé ; l'un s'abandonne sans combat à toute la frayeur du péril, et l'autre n'en court point du tout ». Nous avons donc changé tout cela, « sans scrupule », précise Houdar « pour rétablir la gloire des deux héros de l'*Iliade* » (*rétablir* ne manque pas de sel) : Hector ne fuit pas tout d'abord ; il commence par proposer son traité, qu'Achille refuse ; Hector brise son javelot, puis son épée sur le bouclier divin, et ce n'est qu'alors, désarmé, qu'il prend la fuite, cherchant — belle motivation après-coup — à exposer Achille aux traits des Troyens juchés sur les remparts. Ainsi sa fuite n'est-elle plus un réflexe de peur, mais une ruse de guerre, et la poursuite d'Achille une action héroïque, puisque dangereuse. Hector enfin ramasse un de ces traits, le lance sans succès sur Achille, et ainsi « succombe glorieusement... Si ces corrections sont bonnes, commente modestement Houdar, je ne prétends pas en tirer vanité. Le défaut était si sensible, qu'à moins d'être idolâtre d'Homère, je ne pouvais n'en être pas blessé ; et dès qu'on sent le mauvais, on a du moins une idée confuse du bon ; un peu de méditation l'éclaircit et la perfectionne bientôt. »

Comme on le voit, Houdar ne transforme ici l'action homérique que « pour son bien », et pour l'accommoder à une esthétique qui, sans doute, n'est pas la sienne, mais qui se considère en toute simplicité comme la meilleure possible, ou plutôt sans doute la seule qui vaille — et dont une observance plus stricte ne peut qu'améliorer le texte de l'*Iliade*. Pour nous, bien sûr, cette correction est infidèle à l'esprit de son hypotexte, et elle entraîne une indéniable transformation sémantique, disons une *classicisation* forcée du texte homérique ainsi rendu fort convenable. Illustration exemplaire de cette évidence déjà maintes fois éprouvée, qu'il n'y a pas de transformation innocente, pas même la mieux intentionnée, et qu'on ne peut toucher à la lettre d'un texte — a fortiori à son action — sans toucher à son sens. Cette transformation pragmatique, que j'ai citée comme la plus autonome possible, ne l'est donc guère : tout au plus peut-on dire qu'elle voudrait l'être, n'apportant à l'*Iliade* d'autres changements de sens que ceux qu'Homère, sans doute (selon Houdar), aurait, sinon souhaités, au moins *dû souhaiter*. Nous rencontrerons bien d'autres transformations pragmatiques, mais constamment impliquées dans des transformations sémantiques dont elles seront indissociables, voire indistinctes.

LXIV

Peut-on, inversement, modifier le sens d'un texte sans modifier sa lettre et, par exemple, sans toucher à son action ? Peut-on concevoir une transformation purement sémantique, qui ne s'accompagne d'aucune intervention pragmatique, diégétique, ni même formelle ? C'est, on s'en souvient, le pari de Borges lorsqu'il imagine Pierre Ménard récrivant de son propre fonds une nouvelle version du *Quichotte* rigoureusement identique dans sa lettre à celle de Cervantes, mais à laquelle deux siècles d'histoire en intervalle donnaient un surcroît de richesse et de profondeur, et un tout autre sens ; ce pari, je l'ai déjà dit, n'est qu'une monstrueuse extension du principe de la parodie minimale. D'une façon moins rigoureuse bien sûr, c'est à peu près le statut d'une autre récriture du *Quichotte,* moins célèbre aujourd'hui, mais qui a du moins pour elle le fameux (et à vrai dire parfois douteux) « mérite d'exister » : *La Vie de don Quichotte et de Sancho Pança d'après Miguel de Cervantes Saavedra,* de Miguel de Unamuno [1].

Formellement, et hormis un prologue intitulé « Le sépulcre de don Quichotte », c'est une simple reprise du *Quichotte,* qui respecte et suit scrupuleusement l'ordre et le découpage de son hypotexte, dont elle conserve même les titres de chapitres. La trame d'événements reste identique, à l'exception de quelques épisodes qu'Unamuno, en le signalant à chaque fois, a supprimés ou contractés comme sans relation perceptible avec l'essentiel, qui consiste évidemment en les tribulations du chevalier et de son écuyer.

Mais (d'abord) le seul fait de suivre une histoire si connue du public, surtout espagnol, dispense et très vite décourage Unamuno de la répéter en détail. La partie proprement narrative de chaque chapitre se réduit donc inévitablement soit à un rapide sommaire, soit à une mention allusive du texte de Cervantes, soit à une citation littérale, le plus souvent à un mélange de ces trois procédés. Contrairement à Pierre Ménard, qui reproduisait le *Quichotte* de l'intérieur et pouvait donc ingénument, et même inconsciemment, le répéter mot pour mot, Unamuno écrit son *Quichotte* en ayant sous les yeux celui de Cervantes, et son désir narratif s'en trouve vite étouffé. En fait, Unamuno ne peut que *rappeler,* d'une façon ou d'une autre, ce que chacun sait qu'il est arrivé selon Cervantes à don Quichotte et à Sancho Pança. Le reste, qui est l'essentiel, même en quantité, de son apport et de son intervention, ressortit plutôt au *commentaire.*

On pourrait donc décrire *la Vie de don Quichotte* comme un commentaire suivi du *Quichotte* accroché à un aide-mémoire narratif purement instrumental, et que remplacerait avantageusement, chapitre par chapitre, une relecture de Cervantes. Et imaginer une autre présentation, comme une édition du *Quichotte* où l'on annexerait à chaque chapitre le commentaire d'Unamuno, débarrassé de son support narratif. Une telle analyse et une telle manipulation trahiraient grossièrement le dessein de cette œuvre, qui est bien de produire une nouvelle et plus authentique relation des exploits de don Quichotte, et son originalité, qui tient précisé-

---

1. 1905 ; trad. fr., Albin Michel, 1959.

ment au rapport (difficile) qu'y entretiennent la narration asservie et le libre commentaire ; mais la seule possibilité de cette dissociation en révèle un aspect essentiel : c'est que l'intention transformatrice y porte, non sur les événements, mais sur leur *signification*. A la différence de La Motte, Unamuno conserve fidèlement et respectueusement les aventures de don Quichotte telles que Cervantes les a consignées, mais il les interprète à sa façon, en ce sens qu'il prétend mettre au jour leurs véritables raisons ou leur véritable sens. Cette interprétation vient tantôt *s'ajouter* au récit purement factuel (lorsqu'il l'est) du *Quichotte*, tantôt se substituer, non sans heurts, à celle de Cervantes, et c'est naturellement ici que l'œuvre de Unamuno remplit le plus ostensiblement sa fonction corrective. Le partage entre les faits et leur interprétation est affirmé avec une véhémence typique à propos de l'épisode du lion en cage (II, 17). Cervantes raconte comment don Quichotte fait ouvrir la cage et comment le lion, « plus courtois qu'arrogant, ne faisant nul cas d'enfantillages ni de bravades, après avoir regardé de côté et d'autre, tourna le dos, montra son derrière à don Quichotte et, avec beaucoup de flegme et de tranquillité, alla se recoucher dans sa cage ». Ce récit comporte évidemment, de la part de Cervantes, une explication de la conduite du lion, qui est l'indifférence pure et simple envers le défi de don Quichotte. Unamuno refuse cette motivation dévalorisante, et en propose une autre, à savoir que le lion a eu peur du chevalier : « Ah, misérable Cide Hamete Bengeli (*sic*), ou qui que tu sois, toi qui as écrit le récit de cette prouesse, comme tu l'as mesquinement comprise ! C'est à croire que l'envieux bachelier Samson Carrasco te soufflait à l'oreille. Non, non, ce n'est pas ainsi que cela se passa ; la vérité, c'est que le lion eut peur, ou s'intimida en voyant la hardiesse de notre Chevalier, car Dieu permet que les bêtes fauves sentent plus vivement que les hommes le pouvoir irréfrénable de la foi. Ou encore, il peut se faire que le lion, songeant alors à la lionne couchée là-bas dans les sables du désert, sous un palmier, ait aperçu Aldonza Lorenzo dans le cœur du Chevalier. N'est-ce pas son amour qui fit comprendre à la bête l'amour de l'homme, et qui lui inspira la crainte et le respect ? » Il arrive assez fréquemment qu'Unamuno adopte contre Cervantes le point de vue de don Quichotte lui-même. C'est même son attitude fondamentale que d'opposer la générosité du « quichottisme » à la mesquinerie ou à l'ironie réductrice du « cervantisme ». Mais ici, il déborde quelque peu son héros, qui se contentait d'avoir démontré sa propre vaillance, sans s'interroger sur les raisons de l'apathie léonine.

L'interprétation d'Unamuno est donc ici non seulement anticervantine, mais hyperquichottiste. Il n'en proteste que davantage de son respect pour la relation des faits : « Et qu'on ne vienne pas me dire maintenant que je m'écarte du texte ponctuel de l'historien, car il faut bien entendre qu'on ne saurait s'en écarter sans grave témérité et au péril de sa conscience, mais que nous sommes libres de l'interpréter à notre guise. Quant aux faits — mis à part les erreurs évidentes de copistes que l'on peut toutes rectifier — il faut s'en remettre à l'autorité infaillible du texte de Cervantes. Il nous faut donc croire et confesser que le lion tourna le dos à don Quichotte, et retourna dans sa cage. Mais que ce fût par pure politesse, et parce que les actes de don Quichotte lui semblaient des bravades et des enfantillages ; qu'il n'ait pas été intimidé par sa valeur ou touché par son malheureux amour, c'est une libre interprétation, qui ne vaut que par l'autorité personnelle et purement humaine de l'historien. » Nulle tentation donc, ou aussitôt réprimée, de retoucher les faits à la manière de La Motte, chez qui peut-être le lion serait sorti de sa cage, aurait engagé le combat, et l'aurait perdu. La différence d'attitude entre la correction classique et celle qu'on ne prend pas trop de risque à qualifier de romantique tient sans doute en partie à l'allure même du texte cervantin, qui est proprement ironique à l'égard de son héros : Cervantes raconte les aventures de don Quichotte et les explique constamment par la folie du personnage. Unamuno fait de don Quichotte un véritable héros, et il lui suffit pour cela de récuser l'ironie cervantine et d'épouser, voire d'outrer, l'interprétation quichottesque : les aventures deviennent du même coup, pour lui comme pour don Quichotte, et sans qu'il ait rien à y changer, autant d'exploits ou d'enchantements. Au fond, pour lui, c'est Cervantes qui *interprétait* (ironiquement) les aventures du chevalier. Lui-même ne fait que les rétablir dans leur vérité, et en ce sens sa transformation se résume à cette restitution.

Mais une telle restitution suppose que l'on puisse à chaque fois en appeler de l'explication fournie par Cervantes, c'est-à-dire de sa version des causes, à une autre version qui lui serait légitimement et victorieusement opposable. Si don Quichotte n'est qu'une invention de Cervantes, il va de soi que la version cervantine est toujours a priori la bonne, ou plus exactement, et comme on l'a souvent dit de la fiction en général, qu'elle échappe à toute épreuve de vérité. Pour qu'elle cesse d'y échapper, il suffit de poser, comme le prétend d'ailleurs Cervantes lui-même selon une convention que l'on prendra à la lettre, que don Quichotte a effectivement existé, et que Cide Hamete et Cervantes ne sont que ses historiographes — historiographes stupides ou malveillants, ajoute seulement Unamuno ; et qu'il faut traiter comme de simples chroniqueurs incapables de comprendre l'histoire qu'ils transmettent : « Avant de poursuivre, il convient de dire ici un mot, au passage, le sujet ne vaut pas plus, de ces personnages vains et pétulants qui osent soutenir que don Quichotte et Sancho n'ont jamais existé, et ne sont que des êtres de fiction. Leurs raisonnements gonflés et prétentieux ne méritent même pas d'être réfutés, tant ils sont absurdes et ridicules, les entendre donne la nausée. Mais comme il est des personnes simples qui, séduites par l'apparente autorité de ceux qui répandent cette doctrine empestée, leur prêtent attention, il faut leur faire prendre garde à ce qui passe pour une opinion reçue depuis si longtemps, afin qu'elles ne s'y attachent pas et qu'elles n'accordent pas leur assentiment et leurs applaudissements aux doctes et aux plus graves. Pour la consolation et le réconfort des gens simples et de bonne foi, j'espère, avec l'aide de Dieu, écrire un livre où je prouverai avec de bonnes raisons et de meilleures et de plus nombreuses autorités encore — et c'est ce qui vaut le mieux — comme quoi don Quichotte et Sancho existèrent réellement, et que tout ce que l'on nous raconte d'eux s'est passé en vérité, tel qu'on nous le rapporte. » La démonstration ici promise ne vient jamais, et pour cause, mais Unamuno avance plus loin un argument qui ne manque pas, au moins, d'agrément : c'est que dans le *Quichotte*, Cervantes a fait preuve d'un génie sans rapport avec la médiocrité de ses autres œuvres — preuve que celle-ci lui a été soufflée par un autre, qui ne peut être que don Quichotte lui-même : « Il ne saurait être contesté que, dans *l'Ingénieux Hidalgo don Quichotte de la Manche*, Miguel de Cervantes se montra bien au-dessus de ce que l'on pouvait attendre de lui, il se surpassa lui-même. C'est ce qui nous porte à croire que l'historien arabe Cide Hamete Bengeli n'est pas une pure création littéraire, mais qu'il cache une profonde vérité : c'est que l'histoire fut dictée à Cervantes par un autre qui la portait en lui, un esprit qui demeurait dans les profondeurs de son âme. Et cette immense distance qu'il y a de l'histoire de notre Chevalier aux autres œuvres de Cervantes, ce miracle patent et splendide est la raison principale qui nous fait croire et confesser que cette histoire est réelle, et que c'est don Quichotte lui-même, enveloppé dans Cide Hamete Bengeli, qui la dicta à Cervantes. Et je soupçonne même que, tandis que je commentais cette vie, don Quichotte et Sancho m'ont rendu visite secrètement, et que, même à mon insu, ils m'ont ouvert les secrets de leurs cœurs. » Le seul défaut de cette hypothèse est que, si elle explique la véracité factuelle de Cervantes, elle rend d'autant plus inexplicable la faiblesse de ses interprétations. Au reste, Unamuno se hâte de passer à la limite, suggérant que Cervantes pourrait bien être en fait une invention de don Quichotte : « J'ajouterai ici que bien des fois nous tenons un écrivain pour une personne réelle et historique parce que nous le voyons en chair et en os, et que les personnages qui sont le fruit de son imagination, nous les prenons pour des fictions de sa fantaisie, alors qu'il en est tout au rebours : ce sont ces personnages qui existent en vérité et qui se servent de cet autre qui nous semble être de chair et d'os pour prendre eux-mêmes figure devant les hommes. » Invite peut-être involontaire à le traiter lui-même, selon sa propre hypothèse, comme une fiction quichottesque, où l'on rejoint, pour le moins, le vertige borgesien.

L'autre forme d'interprétation, beaucoup plus fréquente et caractéristique, entraîne moins de collisions avec le texte de Cervantes. Elle ne traite plus les événements ou les conduites comme des indices, des effets dont il faut découvrir la véritable cause, mais comme des symboles dont il faut dégager le sens profond, que Cervantes n'aurait simplement pas perçu. L'herméneutique unamunienne superpose alors à la narration cervantine, sans lui rien retrancher, une lecture symbolique. Ainsi, les géants métamorphosés en moulins à vent incarnent les méfaits du machinisme moderne, l'invisible Dulcinée représente la gloire, dont « nous sommes amoureux sans l'avoir jamais vue ni entendue », la caverne de Montesinos où don Quichotte s'enfonce après avoir coupé les broussailles qui en obstruaient l'entrée, c'est la « caverne de vraies croyances », qu'il faut débroussailler du fatras des fausses traditions, les marionnettes de Maître Pierre symbolisent le mensonge du théâtre, dont il faut « nettoyer le monde » comme don Quichotte nettoie l'hôtellerie en pourfendant les figures de carton, la conversion tardive à la pastorale montre au peuple espagnol dépossédé de son empire la voie d'une reconversion à l'agriculture et à la colonisation intérieure, et l'abjuration finale de don Quichotte, qui reconnaît avoir été abusé par des songes creux, révèle en réalité que la vie est un songe dont il faut tôt ou tard s'éveiller, comme le Sigismond de Calderon.

Don Quichotte lui-même doit être interprété comme une figure symbolique. A propos du défi au lion, Unamuno le baptise « nouveau Cid Campeador ». Son tempérament colérique, sa passion pour les romans de chevalerie, son obéissance aveugle aux règles de son ordre, sa veillée d'armes, sa pénitence dans la sierra Morena, ses visions, son humilité, mille autres traits le rapprochent de saint Ignace de Loyola, dont la biographie fournit à Unamuno, dans sa lecture du *Quichotte,* sa référence la plus constante. Don Quichotte est donc un doublet de saint Ignace, et l'imitation des romans de chevalerie, dont Cervantes faisait l'unique motif de sa conduite, dissimule ou plutôt figure une imitation de saint Ignace, qui fut lui-même un « chevalier errant du Christ », « chevalier errant à la manière divine ». Mais d'autres traits évoquent directement la figure du Christ lui-même : les filles de joie de l'auberge, qui, « avec une tendresse désintéressée », aident don Quichotte à ôter son armure, ne rappellent-elles pas « Marie de Magdala lavant et oignant les pieds du Seigneur » ? Sancho, « le charnel Sancho », qui espère gagner le gouvernement d'une île, et ne comprend pas « que ce n'est pas le pouvoir temporel, mais la gloire de (son) seigneur, l'amour éternel, qui doit être (sa) récompense », n'est-il pas comme « le Simon Pierre de notre chevalier » ? Le grave ecclésiastique qui réprimande don Quichotte au nom du devoir commun n'aurait-il pas traité de même le Christ, l'accusant « d'être un fou ou un dangereux agitateur » et le condamnant de nouveau « à une mort ignominieuse » ? La Manche n'est-elle pas à don Quichotte ce que la Galilée fut à Jésus, et Barcelone sa Jérusalem ? Lorsqu'on le promène par les rues avec un écriteau où se lit « Voici don Quichotte de la Manche », n'est-ce pas comme « avec son *Ecce homo* sur le dos » ? Unamuno retrouve ici, d'un mouvement comme naturel, la pente inévitable de l'herméneutique chrétienne, qui est de trouver en toute chose une allusion à la vie et à la Passion du Christ. Le texte du *Quichotte* doit être lu comme Pascal lisait l'Ancien Testament, comme un système de « figuratifs ». Nouveau romancero, nouvelle vie de saint Ignace et recueil voilé d'exercices spirituels, nouvel Évangile, ce texte apparemment simple se charge, pour qui sait en percevoir le sens spirituel, de plusieurs couches de signification non incompatibles, mais ordonnées selon une progression symbolique : don Quichotte figure Ignace, qui figure Jésus, qui figure lui-même, en l'incarnant, la charité divine. Le texte d'Unamuno se superpose à celui de Cervantes comme une grille de décryptage à un texte chiffré, porteur ignorant de son sens.

« C'est sans humour, écrit son traducteur Jean Babelon, qu'il lit ce livre plein d'humour. » Ici s'esquisse peut-être une sorte de loi d'équilibre de l'hypertextualité : les grands récits sérieux comme l'*Iliade* ou l'*Énéide* ont suscité des parodies et des travestissements, c'est-à-dire des paraphrases ironiques. Le grand récit ironique qu'est le *Quichotte* suscite comme naturellement — mais, lui aussi, après quelques siècles — son antitexte, qui en est une paraphrase sérieuse, et qui le reverse au crédit de la chevalerie « de nouveau prise au sérieux », comme disait Hegel à propos du romantisme, voire de cette geste de chevalerie spirituelle qu'est la Passion du Christ. La loi serait donc, bien sûr : *à texte sérieux, hypertexte ironique, à texte ironique, hypertexte sérieux.* Mais ne forçons pas cette symétrie.

LXV

Le *Quichotte* d'Unamuno illustre bien la difficulté d'une transformation purement sémantique : déjà, l'interprétation d'un événement par une cause différente de celle qu'alléguait l'hypotexte introduit nécessairement une transformation pragmatique, car la cause d'un fait — par exemple, le mobile d'une conduite — est un autre fait, même si d'ordre purement psychique, comme la raison supposée qui détourne le lion d'affronter don Quichotte.

La substitution de motif, ou *transmotivation,* est l'un des procédés majeurs de la transformation sémantique. Comme d'autres pratiques déjà rencontrées, elle peut prendre trois aspects dont le troisième n'est que l'addition des deux autres. Le premier est positif, il consiste à introduire un motif là où l'hypotexte n'en comportait, ou du moins n'en indiquait aucun : c'est la *motivation* simple, telle que nous l'avons déjà vue à l'œuvre dans l'amplification, et par exemple dans *Joseph en Égypte* : réponse, disait Thomas Mann, à la question *pourquoi?*[1] — pourquoi Mme Putiphar provoque-t-elle Joseph, pourquoi Joseph la repousse-t-il? Le second aspect est purement négatif, il consiste à supprimer ou élider une motivation d'origine : c'est la *démotivation,* telle que l'avons entrevue dans *Hérodias,* où le lecteur non prévenu ne perçoit plus très bien pourquoi Salomé réclame la tête de Iaokanann. Le troisième procède par substitution complète, c'est-à-dire par un double mouvement de démotivation et de (re)motivation (par une motivation nouvelle) : *démotivation + remotivation = transmotivation.* C'est ce que faisait Wilde dans sa *Salomé,* substituant un motif passionnel au motif politique de la version biblique. Nous allons considérer d'un peu plus près ces trois formes (positive, négative, substitutive) de transposition psychologique. Mais je veux d'abord préciser que la transmotivation hypertextuelle n'est pas, dans son

1. La transformation diégétique, quant à elle, porterait plutôt sur les questions *où?* et *quand?,* et la transformation pragmatique sur les questions *quoi?* et *comment?.*

procédé, différente du travail de motivation caractéristique de toute fiction psychologique (« Pourquoi la marquise sortit-elle à cinq heures ? »), et sur lequel les Formalistes russes — à qui nous devons ce terme — ont posé un regard légitimement soupçonneux. Le principe de ce soupçon est évidemment que, dans cette prairie nocturne où toutes les vaches sont noires, tout « motif » peut être invoqué comme cause de toute conduite. « Les Russes, dit Borges [1], et les disciples des Russes ont démontré jusqu'à la nausée que rien n'est impossible : suicides par excès de bonheur, assassinats par charité, personnes qui s'adorent au point de se séparer pour toujours, traîtres par amour ou par humilité... Cette liberté totale finit par rejoindre le désordre total. D'autre part, le roman " psychologique " veut être aussi roman " réaliste " ; il préfère que nous oubliions son caractère d'artifice verbal, et il fait de toute vaine précision (ou de toute languissante imprécision) une nouvelle touche de vraisemblance. »

L'exemple le plus caractéristique de motivation positive est à mes yeux la lecture par Freud du mythe d'Œdipe. Cette caractérisation se heurte toutefois à deux objections. La première est que, comme celle du *Quichotte* par Unamuno, la lecture d'Œdipe par Freud n'est pas une transformation mais un simple commentaire ; nous verrons plus loin que les choses ne sont pas aussi simples. La seconde est que ce commentaire lui-même n'est pas vraiment une interprétation : cette idée est brillamment soutenue par Jean Starobinski dans sa préface, « Hamlet et Freud », à la traduction française du *Hamlet et Œdipe* d'Ernest Jones [2]. Contrairement à Hamlet, explique Starobinski, Œdipe n'est pas pour Freud un objet d'interprétation, parce qu'il est le principe même de l'interprétation freudienne : « *Œdipe*, dramaturgie mythique à l'état pur, est la pulsion manifestée avec le minimum de retouches. Œdipe n'*a* donc pas d'inconscient, parce qu'il *est* notre inconscient, je veux dire : l'un des rôles capitaux que notre désir a revêtus. Il n'a pas besoin d'avoir une profondeur à lui, parce qu'il est notre profondeur. Si mystérieuse que soit son aventure, le sens en est plein et ne comporte point de lacune. Rien

1. Préface à A. Bioy Casares, *L'Invention de Morel*, trad. fr., Laffont, 1978. Il s'agit ici, bien sûr, des romanciers russes, et particulièrement de Dostoïevski. On peut imaginer que le Formalisme doit beaucoup à la fréquentation de cette œuvre à la psychologie paradoxale et encombrante. Mais un type de motivation plus banal et plus prévisible n'est pas forcément plus exaltant, bien au contraire. En cette matière, la « nausée » n'est jamais bien loin.
2. Trad. fr., Gallimard, 1967.

n'est caché : il n'y a pas lieu de sonder les mobiles et les arrière-pensées d'Œdipe. Lui attribuer une psychologie serait dérisoire : il est déjà une instance psychologique... Il n'y a rien derrière Œdipe, parce qu'Œdipe est la profondeur même. »

Cette thèse me semble reposer sur un glissement subreptice d'*Œdipe* (le texte mythique, ou la tragédie de Sophocle) à Œdipe (le personnage, aussitôt décrit, non dans les termes de l'hypotexte antique, mais dans ceux du commentaire freudien). Or, si l'on considère d'un peu près quelques textes de Freud, on observe que celui-ci, loin de prendre tel quel le récit légendaire ou tragique, le présente d'emblée comme une version *déformée* (« manifestée avec le minimum de retouches », dit Starobinski lui-même) de la véritable histoire d'Œdipe, celle du complexe parricido-incestueux. Ainsi, en 1909 : « Le mythe du roi Œdipe qui tue son père et prend sa mère pour femme est une *manifestation peu modifiée* du désir infantile » ; en 1917 : « La légende qui a pour héros Œdipe réalise, en ne lui imprimant qu'*une très légère atténuation,* les deux désirs extrêmes découlant de la situation du fils : le désir de tuer le père et celui d'épouser la mère » ; en 1938 : « On a pu entendre le reproche selon lequel la légende d'Œdipe Roi n'a rien à voir avec la construction de l'analyse, que c'est un cas tout différent, car Œdipe n'a pas su que l'homme qu'il avait tué était son père et que celle qu'il avait épousée était sa mère. Ce faisant, on néglige seulement de reconnaître qu'une telle *déformation* est indispensable quand on tente une *mise en forme poétique* du sujet, et que cette *déformation* n'introduit rien d'étranger, mais ne fait que *modifier habilement* la valeur des facteurs donnés dans le thème. L'ignorance d'Œdipe est la *représentation légitime* de l'inconscience dans laquelle toute cette expérience vécue s'est engloutie pour l'adulte, et la contrainte de l'oracle, qui rend le héros innocent, ou qui devrait le rendre innocent, est la reconnaissance de la nature inéluctable du destin, qui a condamné tous les fils à traverser et à surmonter le complexe d'Œdipe [1]. »

Si les mots ont un sens, cela s'appelle une interprétation. Si Freud, par définition et comme le dit bien Starobinski, n'interprète pas « Œdipe » (sa version, qu'il déclare joliment « donnée par le thème », de l'histoire d'Œdipe), il interprète bel et bien *Œdipe,* le texte légendaire et tragique, qu'il lit et présente comme une *transformation* de la vérité inconsciente, où l'inconscience devient ignorance et où la fatalité psychologique se déguise en oracle. Non

---

1. *Cinq Leçons,* trad. fr., Payot, p. 56 ; *Introduction,* p. 192 ; *Abriss der Psychoanalyse,* cité par Starobinski, *la Relation critique,* Gallimard, 1970, p. 308. Je souligne.

seulement, donc, il propose une interprétation, par exemple, du texte de Sophocle, mais encore il l'interprète comme une récriture censurée, et ce faisant il en suggère à son tour une récriture décensurée où l'enchaînement des conduites, immotivé dans l'hypotexte puisque déterminé de l'extérieur par des oracles qui sont des ordres, se trouve maintenant déterminé de l'intérieur par un motif inconscient.

Ce n'est là, bien sûr, de la part de Freud, qu'une suggestion qui n'est pas allée jusqu'à la *mise en œuvre* littéraire. Pour diverses raisons, Freud n'a pas écrit son *Œdipe* comme Mann écrira son *Faust* ou Anouilh son *Antigone*; mais cet *Œdipe*-là s'écrit depuis tous les jours, bien ou mal, et ce fait me dispense de toute tentative de reconstitution.

Si l'*Œdipe* de Freud n'est que suggéré — mais avec quelle force ! —, le *Tristan* de Wagner est écrit (livret terminé en 1857), et il contient, par rapport à son hypotexte qui est le poème de Gottfried de Strasbourg (écrit vers 1210 et lui-même inspiré du *Tristan* de Thomas), un superbe effet de motivation. Chez Gottfried, Tristan amène au roi Marke sa fiancée Isolde, dont la mère a préparé un philtre d'amour destiné aux futurs époux. Brangaine leur fait boire par erreur ce philtre, qui les rend aussitôt épris l'un de l'autre. Chez Wagner, Tristan et Isolde s'aiment spontanément et naturellement, avant toute absorption magique, mais, tenus par leur fidélité à Marke, ils ne se l'avouent pas. Désespérée de devoir épouser un autre que celui qu'elle aime, Isolde demande à Brangaine un philtre de mort. Pour sauver la vie de sa maîtresse, Brangaine substitue le philtre d'amour, que Tristan et Isolde boivent tous deux en croyant échapper à leur tourment. Aussitôt bu, et parce qu'ils se croient près de mourir et délivrés de tout interdit, ils s'avouent leur amour et tombent dans les bras l'un de l'autre. Ici donc comme dans *Œdipe* corrigé par Freud, un motif intérieur (l'amour) se substitue à la cause surnaturelle extérieure (l'oracle, le philtre). La motivation fonctionne comme *intériorisation* d'une cause externe [1]. Elle est donc, bien évidemment, l'instrument d'une psychologisation éminemment caractéristique de la transposition moderne.

---

1. Dans ces deux cas, la cause externe était désignée par l'hypotexte. Dans l'histoire de Joseph, et dans bien d'autres épisodes bibliques, ou plus généralement archaïques, l'hypotexte est simplement muet sur toute espèce de cause. Mais l'absence de cause naturelle ne peut guère dissimuler, le plus souvent, qu'un dessein divin.

LXVI

La *démotivation* pure (purement négative), telle que nous la percevons exceptionnellement, et avec un peu de bonne volonté, dans *Hérodias,* procède au contraire d'un mouvement déspychologisant peu conforme à la tendance dominante — d'Euripide à Anouilh — de notre « modernité ». Aussi est-elle à peu près absente du corpus de l'hypertextualité réelle (comme on dit, hélas ! « socialisme réel »). Bien plus, la pression sémantique ambiante étant ce qu'elle est, il peut suffire de supprimer un motif pour en suggérer irrésistiblement un autre en vertu du terrible principe *pas de conduite sans motif,* et sans avoir à le désigner explicitement. La démotivation vaut alors pour une transmotivation.

C'est ce mouvement qu'illustre de manière éclatante la trilogie d'O'Neill déjà citée, *Le deuil sied à Électre.* La tradition grecque avait déjà opéré sur le thème légendaire un certain nombre de variations. Au chant III de l'*Odyssée,* Homère, à sa manière volontiers « laconique », mentionne le double meurtre d'Agamemnon par Égisthe et de Cassandre par Clytemnestre, et l'on sait qu'Égisthe, fils de Thyeste, a quelques raisons d'en vouloir à la descendance d'Atrée ; quant à Clytemnestre, elle a deux mobiles : désir de venger sa fille Iphigénie, et jalousie à l'égard de Cassandre (Homère ne mentionne pas ce troisième qui serait le souhait d'éliminer un époux devenu gênant pour ses relations avec Égisthe). Sept ans plus tard, Oreste tue Égisthe et sans doute aussi Clytemnestre, sans aucun motif précisé. Eschyle (*Orestie,* 458) est plus explicite, mais au moyen d'une détermination extérieure, ici encore divine : Oreste agit sur l'ordre d'Apollon, en vertu du principe de la vendetta (mais en contradiction avec le vieux droit défendu par les Érinyes, qui condamne le matricide, d'où conflit juridique tranché *in fine* par l'Aréopage). Électre ne joue aucun rôle dans la décision d'Oreste, et ils se montrent tous deux hésitants et fort peu « motivés » (de l'intérieur) ; Oreste ne s'exécute finalement qu'après rappel par Pylade de l'ordre divin. Chez Sophocle au contraire (*Électre,* sans doute 415), Oreste et Électre sont des acteurs volontaires, mus par un désir autonome de vengeance. Le point de droit est donc ici intériorisé et psychologisé. Même effet chez Euripide (*Électre,* 413), qui y ajoute une esquisse de dégradation

« parodique » en mariant Électre à un laboureur, et en faisant de Clytemnestre une coupable repentie, et donc une victime plus pitoyable[1].

O'Neill hérite donc de la tradition grecque une intrigue nettement et complètement motivée quant aux conduites d'Égisthe, de Clytemnestre, d'Oreste et d'Électre, et c'est ce réseau de motivations qu'il s'emploie à saccager. Seul Égisthe-Brant conserve de solides raisons familiales pour vouloir la perte d'Agamemnon-Ezra. Mais Ezra n'a ni sacrifié une Iphigénie ici absente, ni adopté comme maîtresse une Cassandre également supprimée. Clytemnestre-Christine n'a donc aucune raison *particulière* d'en vouloir à son mari — et sa liaison avec Brant est survenue comme une conséquence, non comme une cause. En fait, Christine hait Ezra depuis son mariage et, semble-t-il en l'absence de toute explication, simplement parce qu'il est son mari et comme en vertu de ce principe, qu'une femme n'a pas besoin de raisons particulières pour haïr son mari[2]. De son côté, Électre-Lavinia est favorable à son père et hostile à sa mère avant tout événement motivant, c'est-à-dire avant tout geste de Christine contre Ezra, et même avant toute découverte d'une liaison entre Christine et Brant, celle-ci venant introduire entre la mère et la fille (de la fille à la mère) un motif supplémentaire de jalousie et d'hostilité. Quant à Oreste-Orin, il n'éprouve aucun chagrin de la mort de son père, qu'il n'aimait guère ; en revanche, il ne supporte pas la liaison de Christine avec Brant. Il n'agira donc pas pour venger son père, mais, apparemment, pour éliminer un rival. Il ne tuera d'ailleurs que celui-ci, après quoi Christine devra bien se suicider pour disparaître. Il mourra à son tour de chagrin et de remords d'avoir causé la mort de sa mère, et accessoirement d'avoir perdu l'amour de sa sœur.

Tout cela est-il assez clair ? Ezra, déçu par sa femme, reporte son affection sur sa fille, qui est amoureuse de son père et accessoirement de l'amant de sa mère, et donc doublement jalouse de celle-ci, qui hait tout naturellement son mari sans doute parce qu'il l'a

---

1. Cette tendance psychologisante et familiarisante, qui est l'un des traits caractéristiques du théâtre d'Euripide, et celui par lequel il inaugure largement notre « modernité » littéraire, se mesure aussi bien dans les deux autres tragédies conservées dont le sujet est repris d'Eschyle : *Oreste* (408), où le héros n'est plus poursuivi par les Érinyes, mais simplement malade et délirant, et *les Phéniciennes* (410), où l'affrontement sur scène d'Étéocle et Polynice en présence de Jocaste vise, efficacement, au pathétique familial.

2. Même absence significative de motif chez Giraudoux : « Du jour où il est venu m'arracher à ma maison (paternelle) avec sa barbe annelée, de cette main dont il relevait toujours le petit doigt, je l'ai haï » (*Électre*, Grasset, p. 166).

arrachée à son père ; quant au fils, il est évidemment amoureux de sa mère et de sa sœur. Ce gracieux roman familial, dont les tragiques grecs avaient sans doute élaboré une version « légèrement atténuée », repose sur une vulgate pseudo-freudienne qu'O'Neill appelle, sans plus de précision, « les complexes » : ces complexes fournissent, à ses yeux, « une interprétation tragique moderne du destin antique, sans recours à l'action des dieux... le destin jaillissant de la famille[1] ». On ne peut dire que cette laïcisation du destin tragique soit très neuve dans son principe (elle est déjà présente chez Racine), mais son intérêt tient ici au caractère presque entièrement négatif de son mode de production : il a suffi d'effacer, comme on ôte un écran, quelques motifs manifestes pour faire apparaître un réseau de mobiles latents.

La démotivation est donc ici l'instrument d'une motivation plus « profonde », que la suppression d'une motivation « superficielle » révèle ou, comme on dit aux échecs lorsque le départ d'une pièce ouvre le jeu à une autre pièce jusque-là masquée, *découvre :* motivation « à la découverte », donc, remarquablement économique puisqu'elle ne coûte que le prix d'une opération négative. La transmotivation proprement dite exige en principe un peu plus, savoir l'invention d'une nouvelle motivation positive substituée à la motivation d'origine : par exemple, nous l'avons vu, lorsque Oscar Wilde substitue aux raisons politiques de l'exécution de Iaokanaan une raison passionnelle. Mais la nuance est mince, car, en vertu du principe de pression sémantique (la culture a horreur du vide), il suffit presque toujours de supprimer un motif pour en suggérer un autre — et pas n'importe quel autre, car le répertoire est en fait limité, et la règle implicite du coup (la pièce découverte doit être plus efficace que la pièce écartée) conduit presque inévitablement, dans notre vulgate psychologique, du plan politique, réputé superficiel, au plan passionnel, réputé profond, et non l'inverse : on dira par exemple : « Il croyait tuer son père par intérêt ou par orgueil (une question de priorité au croisement), en fait il l'a tué par jalousie », plus volontiers que le contraire (« Il se croyait amoureux

1. *Working Notes,* cité par P. Brunel, *le Mythe d'Électre,* Colin, 1971, p. 161. Je rappelle que la notion de « complexe d'Électre », comme symétrique de l'Œdipe, a été suggérée par Jung (*Essai d'exposé de la théorie psychanalytique,* 1913) sans l'accord de Freud, qui précisera : « C'est seulement chez le garçon que s'établit cette relation... d'amour pour l'un des parents et de haine pour l'autre comme rival » (*Sur la sexualité féminine,* 1931). Puisqu'on vous le dit...

de sa mère et jaloux de son père, en fait il guignait le trône ») ; ou encore : « Elle croyait obéir à sa mère en demandant la tête de Iaokanaan, en fait c'était par amour déçu », et non l'inverse [1]. On pourrait donc avancer que Flaubert et Wilde, sur le thème de Salomé, se sont partagé le travail : Flaubert, en effaçant (ou en obscurcissant) les motifs politiques d'Hérodias, découvre sans le vouloir, au profit de ses successeurs, le mobile passionnel — au choix : chez la fille (Wilde) ou chez la mère (Massenet).

Laissons du moins à Wilde le mérite du choix, et voyons-y la part de la remotivation, ou contre-motivation, qui, alliée à une démotivation, fait la transmotivation complète dont nous allons considérer deux ou trois exemples.

LXVII

Soit l'histoire de Judith, telle que nous la raconte la Bible — encore elle : le général assyrien Holopherne assiège Béthulie ; décidée à sauver sa patrie, Judith s'introduit par ruse dans le camp assyrien, prétendant vouloir aider Holopherne à vaincre les Juifs. Holopherne, séduit par sa beauté, l'invite à un festin ; profitant de son ivresse, elle lui coupe la tête et l'emporte à Béthulie, privant ainsi l'ennemi de son chef, et par là de sa victoire. Lecture « moderne » : patriotisme *my foot;* cette tête d'homme coupée par une femme, ça ne vous dit rien ? — Élémentaire, mon cher Sigmund, voir Salomé : pourquoi voulez-vous qu'une femme demande (prenne) la tête d'un homme, etc.

Hebbel, *Judith* (1839) : Judith cède à Holopherne dans un moment de faiblesse ; puis, pour se venger ou se racheter, elle le tue. Henry Bernstein, *Judith* (1922) : Holopherne veut séduire Judith, qui (compliquons un peu les choses) lui résiste ; comprenant qu'elle est venue le tuer, il s'offre à ses coups ; bouleversée par ce geste, elle se livre à lui ; le lendemain, elle se ressaisit et le tue ; correctif au principe de Heine : pour couper la tête d'un homme, une femme a le choix entre deux motifs : soit qu'il l'ait dédaignée,

---

1. En termes d'évolution, cette primauté supposée du passionnel s'exprime par une antériorité : « On passe souvent de l'amour à l'ambition, mais on ne revient guère de l'ambition à l'amour » (La Rochefoucauld, 490).

soit qu'il l'ait prise ; à se demander comment tant de têtes tiennent encore sur tant d'épaules. Giraudoux, *Judith* (1931), raffine encore : Judith s'éprend d'Holopherne, puis, ne voulant pas après ce sommet d'amour, retomber dans la médiocrité quotidienne, elle lui coupe la tête (ce terme est prescrit quoi qu'il advienne), décidée à le rejoindre dans la mort. L'irruption des Juifs l'en empêche, et elle deviendra malgré elle l'instrument supposé de la victoire : « Dieu se réserve, à mille ans de distance, de projeter la sainteté sur le sacrilège et la pureté sur la luxure. C'est une question d'éclairage. » « Judith la putain » deviendra « Judith la sainte » : comme si souvent chez Giraudoux, le destin (c'est-à-dire, ce que prescrit l'hypotexte) finit par s'accomplir, mais par des voies (c'est-à-dire des motifs) insoupçonnées de la tradition, et que l'hypertexte moderne se charge de « découvrir ».

Soit encore l'histoire du mariage de Rodrigue et de Chimène, telle que la rapporte au début du XIVe siècle la Chronique de Castille : Rodrigue tue le comte, puis Chimène, fille du comte, épouse Rodrigue sans motif indiqué : c'est la version « laconique », l'exposé des faits à l'état brut. Le *Cantar de Rodrigo* (fin XIVe) et le *Romance* de 1550 avancent un motif juridique apparemment conforme au droit de l'époque : Rodrigue épouse Chimène pour remplacer le protecteur dont son meurtre l'a privée. Cette motivation devenue sans doute assez vite irrecevable, le *Jimenes de Ayllón* (date imprécise) et l'*Histoire d'Espagne* de Mariana (1592) imaginent que Chimène épouse Rodrigue par amour : substitution typique, encore une fois, d'un mobile passionnel au motif juridique ou politique. Mais cette substitution soulève vite une nouvelle difficulté, eu égard aux nouvelles règles de bienséance : une fille peut-elle aimer le meurtrier de son père ? Dans le *Romancero General* (1600), c'est le roi qui décide de marier les deux jeunes gens ; mais c'est tomber d'une difficulté (passion choquante) dans une autre (mariage sans amour). Guillen de Castro (*las Mocedades del Cid,* 1618) trouve enfin la juste solution, que retiendra Corneille : Chimène et Rodrigue s'aiment, mais le meurtre du comte fait obstacle au sentiment de Chimène ; la décision royale lève cet obstacle, à la satisfaction générale[1]. Ce compromis semble aujour-

---

1. Voir P. Bénichou, « Le mariage du Cid », *l'Écrivain et ses travaux,* Corti, 1967.
Dans « Trois versions de Judas » (*Fictions*), Borges attribue à un certain Nils Runeberg un ouvrage, *Kristus och Judas,* qui réexamine le cas de la célèbre trahison, dont on a souvent noté l'inutilité, et dont le mobile allégué par l'Évangile (trente deniers) peut sembler faible. D'où trois essais de transmotivation dont le premier est une interprétation théologique : l'abaissement de Judas reflète l'incarnation de Dieu ; le second est une transmotivation psychologique : Judas choisit la trahison

d'hui un peu naïf : j'attends la version « moderne », dont le motif serait évidemment que Rodrique tue le comte *parce qu*'il aime Chimène, et que Chimène aime Rodrigue *parce qu*'il a tué son père.

Moins caricaturale, certes, l'*Antigone* d'Anouilh (1944) est un exemple typique de la transposition moderne ; typique, entre autres, parce qu'Anouilh y recueille l'héritage de toute une tradition dramatique de l'entre-deux-guerres, dominée par Giraudoux, dont sa pièce banalise et vulgarise quelque peu la manière : son Créon doit beaucoup à l'Égisthe d'*Électre,* que nous retrouverons, et son Antigone elle-même, sans qui « ils auraient tous été si tranquilles », est à bien des égards une petite sœur d'Électre, cette « femme à histoires » (« *Le Président :* Ah mon Dieu, voici Électre. Nous étions si tranquilles »).

Typique aussi pour le jeu très appuyé des anachronismes : les personnages sont en costumes modernes, il est question de bals du samedi soir, d'antiquaires, de cigarettes, de voitures rapides, et les gardes de Créon n'ont à la bouche que médailles, citations, avancement et mois double. Mais on ne doit pas pour autant considérer cette *Antigone* comme une transposition diégétique à l'époque moderne : l'identitié historique de l'action et de ses personnages est maintenue comme dans un travestissement, et c'est ce maintien qui donne leur sens et leur saveur aux modernismes de détail.

Typique encore par l'exploitation pathétique d'une situation que Sophocle traitait avec la sobriété que l'on sait. Anouilh, lui, ne lésine pas sur l'effet de gorge nouée. C'est à quoi servent essentiellement les premières scènes ajoutées à Sophocle, avec la nourrice et avec Hémon. Antigone demande à sa nourrice de bien soigner sa petite chienne, s'il lui arrivait malheur ; la nourrice ne comprend pas, mais le public comprend, et compatit. Puis Antigone annonce à Hémon qu'elle ne pourra jamais être sa femme : Hémon ne comprend pas, mais nous comprenons et nous pleurons pour lui. Arrêtée et condamnée à mort, Antigone reste seule avec un garde grossier et égoïste qui l'accable de ses discours prosaïques, et ce

---

comme un moyen de mortification, et donc d'ascèse morale ; le troisième est une transformation pragmatique plus brutale : Dieu n'a pas voulu s'incarner dans une victime méritante, mais se faire « totalement homme, mais homme jusqu'à l'infamie, homme jusqu'à la réprobation et l'abîme ». Il a donc choisi de s'incarner, non en Jésus, qui est une sorte de messie-écran, mais en Judas. Mais je suppose qu'il faut tenir pour apocryphe cette triple performance.

contraste et cette indifférence accentuent le pathétique de sa situation.

Typique enfin, au croisement d'une lignée giralducienne et d'un héritage pirandellien, l'habile remplacement du chœur par un « Prologue » qui présente les personnages en scène avant qu'ils n'entrent dans leurs rôles, qui revient pour commenter l'action une fois engagée (« Maintenant le ressort est bandé... la tragédie, c'est propre, c'est rassurant, on est tranquille ») et une dernière fois pour conclure, tandis que les gardes reprennent leur belote : « Et voilà. Sans la petite Antigone, ils auraient tous été bien tranquilles... »

Mais tout cet habillage ironico-pathétique un peu racoleur recouvre un travail, sans doute moins immédiatement perceptible au public, mais tout aussi modernisant, de transmotivation psychologique, qui porte, comme il va de soi, sur les deux personnages antagonistes. Les raisons d'Antigone pour donner une sépulture à son frère réprouvé ne sont plus essentiellement religieuses — elle ne dit mot de cet aspect des choses — ni affectives : caractéristique, la suppression de la plus illustre réplique de Sophocle : « Je suis née pour partager l'amour... » Anouilh insiste au contraire sur l'égoïsme d'Antigone. Pour qui agis-tu ainsi, lui demande Créon : « Pour personne, pour moi. » Ce qui la meut est le goût de l'absolu, une révolte pure, le refus de l'espoir et du bonheur commun (« Vous me dégoûtez tous avec votre bonheur »), bref de la vie. Son rôle est de « dire non et mourir ». Créon, après avoir longtemps tenté de la sauver contre elle-même, en prend acte en ces termes : « Antigone était faite pour être morte... Polynice n'était qu'un prétexte. Quand elle a dû y renoncer, elle a trouvé autre chose tout de suite. Ce qui importait pour elle, c'était de refuser et de mourir. » Créon, de son côté, édicte sa loi sans croire à l'exposé des motifs : il sait qu'Étéocle ne valait pas mieux que Polynice, et il n'a pas même pris soin d'identifier les deux cadavres avant de les vouer, l'un aux vautours, l'autre aux funérailles glorieuses. Il s'agit de maintenir l'ordre, et donc d'imposer une loi, peu importe laquelle, comme symbole et enjeu, purement arbitraire, du pouvoir de l'État. Antigone prise en flagrant délit, il ne cherche qu'à la sauver en étouffant l'affaire, jusqu'au moment où Antigone aura rendu cette ruse impossible : c'est qu'il ne considère nullement sa conduite comme un crime, mais comme un exemple dangereux ; en termes weberiens, sa morale n'est pas de l'intention, mais de la responsabilité. En revanche, Anouilh supprime (avec le personnage même de Tirésias) le renversement final où Créon, convaincu par le devin et inquiet de la colère des dieux, renonçait à sa justice et tentait d'arracher Antigone au supplice, reconnaissant ainsi sa faute — son erreur tragique. Ici, Créon ne tente que de sauver son fils et, après la triple mort d'Antigone, d'Hémon et de sa propre femme Eurydice, il ne se déjuge nullement : il continue son travail d'homme d'État, sans illusions sur sa valeur morale, mais sans hésitation sur sa nécessité pratique : « Il faut qu'il y en ait qui disent oui, qui mènent la barque... Ils disent que c'est une sale besogne, mais si on ne la fait pas, qui la fera ? »

L'opposition « éternelle » entre Antigone et Créon est donc ici, par une double transmotivation symétrique, traduite en termes modernes : c'est le conflit entre la révolte individuelle et la raison d'État, ou encore, comme le suggère Créon lui-même, entre la poésie de l'individualisme et la prose de la société : « Tu dois me trouver bien prosaïque. » Ces termes, ainsi employés, ont sans le vouloir une connotation très hégelienne (pour Hegel, la « prose », c'est éminemment l'État) que je souligne à dessein : car on sait que, pour Hegel, la tragédie grecque, eidétisée par *Antigone,* se définit par l'affrontement de deux droits moralement égaux. Or, cette égalité n'est nullement posée par la tragédie de Sophocle, où Créon, même si sa cause, au départ, s'identifiait au droit, lui aussi sacré, de la Cité, finit vaincu et désavoué par les dieux. Le conflit modernisé par Anouilh est en un sens plus équilibré, et donc plus conforme à l'interprétation hégelienne — elle-même déjà modernisante. Même si cet équilibre ne se place pas très haut (Créon, dira-t-on, est un politicien cynique, et Antigone une nihiliste infantile), il est là, chacun est dans son droit, ou, comme on voudra, dans son tort, là où le place son système, il faut en venir à ce mot, de *valeurs.* Cela passe en effet par une opération portant sur les valeurs en présence, Antigone étant peut-être, par rapport à Sophocle, légèrement dévalorisée et Créon légèrement valorisé. Il nous restera donc — après l'intermède qui suit — à considérer pour elle-même cette opération caractéristique de la transformation sérieuse, la plus importante peut-être, et vers quoi souvent convergent toutes les autres : la *transvalorisation.*

LXVIII

Ulysse est rentré à Ithaque. Télémaque vient d'avoir vingt ans, il est temps de lui trouver une épouse. Assez naturellement, Ulysse songe à Nausicaa, qui a bien des mérites, et à qui un autre Ulysse, mais de son âge, ne devrait raisonnablement pas déplaire. Ménélas s'offre à présenter les deux jeunes gens en les invitant ensemble à Sparte. Télémaque, arrivé le premier, passe plusieurs jours en compagnie d'Hélène, dont la beauté « un peu meurtrie » n'en est que plus émouvante. Inévitablement, il s'éprend d'elle, et ne prêtera plus qu'une attention distraite, voire un peu agacée, à la grâce juvénile de Nausicaa. Hélène, qui a aussitôt tout compris, tente vainement de raisonner le jeune homme : elle n'est plus qu'une femme vieillissante, « rassasiée d'aventures » et définitivement attachée à son méritant époux ; cette passion d'adolescent est sans issue. Comme Télémaque s'obstine, elle feint de céder et d'organiser une escapade. Le navire en mer, la fugitive ôte son voile, et Télémaque reconnaît Nausicaa, à qui Hélène a fait prendre sa place. D'abord furieux, puis troublé par la jeune fille en pleurs, il finit par souscrire à ce bonheur forcé.

C'est l'histoire du mariage de Télémaque, telle que la propose Jules Lemaitre dans l'un des contes *En marge des vieux livres*[1]. Cette invention caractérise bien la manière parodique d'une œuvre à mi-chemin entre l'irrévérence boulevardière de Meilhac et Halévy et l'humour sophistiqué de Giraudoux. *En marge,* donc, ou plutôt dans les interstices de l'épopée, là où ses silences (oublis ou dédains) laissent à interpoler quelque addition, ou variante. Par exemple en poussant au premier plan un personnage secondaire : ce sont les vaines tentatives de Thersite pour nuire aux héros qu'il jalouse ; Acamas fin saoul dans le cheval de Troie, qui fait du tapage et qu'on doit étrangler pour le faire taire ; les difficiles amours entre Euphorion, matelot d'Ulysse, et une petite sirène que Thétis, attendrie, finira par changer en femme ; *Anna soror,* qui redouble en écho, avec le fidèle Achate, la passion de Didon pour Énée[2]. Ces promotions de comparses, qui focalisent de biais ou à l'envers la diégèse épique, amorcent le procédé d'*Elpénor*. Mais n'est-ce pas déjà ainsi que Virgile — humour en moins — avait greffé sa propre épopée sur un tritagoniste de l'*Iliade* ? Quant à Télémaque, il incarne dès l'*Odyssée* cette seconde génération dont les aventures, décrochées de la geste épique, nourriront une tout autre inspiration,

---

1. 1905. Il en tirera en 1910 un livret d'opéra pour Claude Terrasse. Le personnage d'Hélène lui avait déjà inspiré en 1896 une pièce dédiée, non sans raison, à Meilhac et Halévy, *la Bonne Hélène,* qui se passait à Troie pendant le duel entre Ménélas et Pâris (*Iliade,* III), et qui exploitait sans nuance le thème de la facilité d'Hélène : toute la ville y passe, à la seule exception d'Astyanax, un peu trop jeune.
2. Respectivement dans « Thersite », « Dans le cheval de bois », « La sirène » et « Anna soror ».

le plus souvent tragique — Pyrrhus seul, successivement vainqueur de Troie et héros de tragédie, ayant un pied dans chacune des deux séries. Génération de « pâles ombres », comme dit le narrateur de l'*Anomymiade* de John Barth[1], qui ne peuvent répéter les exploits de leurs pères et sont condamnés à gérer leur triste héritage. Entre ces rejetons maudits ou atrophiés de l'épopée, la tentation vient aussitôt de tisser de nouveaux liens propres à boucler la boucle : Hermione et Pyrrhus, Hermione et Oreste, Électre et Pylade... on sait généralement ce qu'il en advient. Sur Télémaque pèse une hérédité plus souriante, qui autorisa déjà l'édifiante extrapolation fénelonienne. Lui faire épouser Nausicaa est typiquement une idée d'épilogue romanesque, les festivités nuptiales devant fournir à l'*Odyssée* le *finale giocoso* qui lui manque si fort[2].

Mais ce qui marque le mieux la façon de Jules Lemaitre, interprétation modernisante de la fable, est l'effort pour attribuer aux héros — et surtout, et non par hasard, aux héroïnes — une profondeur, ou « épaisseur », psychologique dont l'épopée, par vocation générique, ne se souciait guère. Pour Homère et Virgile, Achille était violent, Hector généreux, Ulysse rusé, Énée pieux — et tout était dit : « Achille est ce qu'il est, et cela suffit au point de vue épique[3]. » Pour l'interprétation psychologisante, cet être unidimensionnel ne suffit pas. Qui dit « psychologie » dit par principe « complexité », c'est l'axiome fondamental de tout psychologisme vulgaire, la plus fausse des idées reçues, la mieux reçue des idées fausses : *psychologie, toujours complexe*[4]. La réfection « moderne » d'un personnage épique consistera donc à complexifier un caractère que l'épopée avait édifié tout d'une pièce, en « découvrant » sous l'autre (j'invente n'importe quoi) un Ulysse ingénu, un Hector cruel, un Achille fleur bleue. En fait, et selon une pente toute « naturelle » de l'idéologie, les femmes sont ici les cibles privilégiées d'un tel traitement, donnant à la simplicité des héros, admise

---

1. *Lost in the Fun-house*, 1968, trad. fr., *Perdu dans le labyrinthe*, 1972.
2. Ce mariage, nous l'avons vu, est déjà chez Dictys. Du même Lemaitre, un conte antérieur intitulé « Nausicaa », est recueilli dans *Myrrha* traite de façon moins gratifiante la relation entre les deux jeunes gens : Télémaque, parti d'Ithaque pour rejoindre Nausicaa, passe vingt-cinq ans en aventures diverses ; jeté enfin, comme jadis son père, sur le rivage phéacien, il n'y trouve qu'une pénible matrone : Nausicaa quinquagénaire, bien sûr.
3. Hegel, *Esthétique*, trad. fr., VIII-1, p. 175.
4. Le succès mal compris du terme freudien n'a pu que renforcer ce cliché, qui fait bon marché de l'extraordinaire pouvoir simplificateur (jusqu'à la caricature) de la névrose, de la psychose, de la perversion, de tout ce qui nous meut — pouvoir qu'un Molière, un Balzac ou un Proust, par exemple, n'avaient pas trop mal perçu.

comme typiquement virile, son contrepoint d'ambiguïté « féminine » : la fidélité de Pénélope ne va pas sans soupçons, ou tentations surmontées ; Didon miraculeusement rescapée de son bûcher pourrait se consoler assez vite avec Iarbas ; Andromaque aurait sa part de coquetterie, se laissant prendre, dans les mondanités troyennes, aux leçons d'élégance d'Hélène [1].

Mais c'est évidemment sur celle-ci que se concentre la fascination, et l'effort de réinterprétation romanesque : la fille de Zeus et de Léda, la plus belle femme du monde, symbole éternel de la légèreté féminine, appelle irrésistiblement son versant complémentaire (compensatoire) de vertu discrète et d'honnêteté méconnue. L'apologie, et même l'éloge, d'Hélène est dès l'époque classique un thème traditionnel de l'éloquence d'apparat, qui s'exerce volontiers sur les argumentations paradoxales : Gorgias, puis Isocrate, s'y sont appliqués avec réussite. Mais le paradoxe y était en quelque sorte extérieur au personnage lui-même : il s'agissait de montrer que les malheurs causés par l'infidélité d'Hélène étaient plus que compensés par tout ce que la Grèce et l'humanité devaient à l'expérience de sa beauté. Le paradoxe romanesque est tout psychologique : c'est ce qu'on pourrait appeler, par référence à un oxymore actantiel hasardé par Ronsard [2], le *complexe d'Hélène-Pénélope*. Chez Offenbach déjà, avant même d'avoir rencontré Pâris (mais sachant que Vénus a promis à celui-ci l'amour de la plus belle femme du monde, ce qui ne laisse guère de doute sur l'issue), Hélène mettait les « égarements involontaires de sa jeunesse » sur le compte de la Fatalité, c'est-à-dire (« Dis-moi Vénus... ») de la malignité des dieux : « Savez-vous, grand augure, ce que j'aurais voulu être ?

1. « La confession d'Eumée », « Anna soror », « L'innocente diplomatie d'Hélène ». Dans un conte ultérieur au titre vraiment typique, « Le secret de Pénélope » (repris dans *la Vieillesse d'Hélène*, 1914), on voit l'épouse modèle, informée des infidélités de son époux voyageur, s'éprendre peu à peu d'un de ses prétendants et, sa tapisserie terminée en toute hâte, se décider enfin à l'épouser. C'est alors qu'arrive Ulysse. Le bon prétendant mourra comme les autres, et Pénélope enfouira son secret. Ce sera en partie le sujet de *Naissance de l'Odyssée*, avec ou sans filiation directe : ces transpositions psychologiques sont dans l'air de tous les temps, et s'imposent comme des variations canoniques.
2. *Nom, malheur des Troyens, sujet de mon souci,*
   Ma sage Pénélope et mon Hélène aussi,
   Qui d'un soin amoureux tout le cœur m'enveloppe :

   Nom qui m'a jusqu'au ciel de la terre enlevé,
   Qui eût jamais pensé que j'eusse retrouvé
   En une même Hélène une autre Pénélope ?

   (*Sonnets pour Hélène*, I, 3.)

J'aurais voulu être une bourgeoise paisible, la femme d'un brave négociant de Mitylène. Au lieu de cela, voyez quelle destinée... » L'Hélène de Lemaitre, entre les murs de Troie, est « simple, réservée, un peu craintive », et subit l'aventure que lui imposent les dieux avec toute la réprobation qu'elle peut inspirer à une jeune femme « sévèrement élevée (comme on l'est) à Sparte ». Elle admire et envie de tout son cœur Andromaque, autre symbole de vertu conjugale. Hector l'a bien comprise : elle était faite « pour vivre paisible entre un mari et des enfants... Visiblement, *sa destinée est en contradiction avec son caractère*[1] » (la forme la plus sûre, la plus spectaculaire et la plus économique de la « complexité », c'est évidemment la contradiction). Cette destinée accomplie, et comme exorcisée, nous la retrouvons (nous l'avons retrouvée) à Sparte, après la guerre, enfin dans son vrai rôle d'épouse fidèle et assez mûrie par l'expérience pour juger sereinement son passé et maîtriser son présent : « Cela, sans doute, eut quelque chose de flatteur ; mais depuis longtemps je n'ai plus d'orgueil. Je suis rassasiée d'aventures. Mon seul désir est de demeurer, paisible et régulière, auprès de mon Ménélas, à qui je dois de longues compensations. On a vraiment assez parlé de moi. » La passion de Télémaque, elle le sait, ne s'adresse pas à elle, mais à ce « mauvais charme » qui émane malgré elle de sa légende. Aussi son dernier acte est-il de restituer à son objet naturel cette passion fourvoyée — non sans l'ombre de regret qui accompagne inévitablement un tel geste : comme l'Hélène volage était *au fond* vertueuse, l'Hélène vertueuse éprouve maintenant, « quelque part » et comme il se doit, ce que coûte la vertu. Sa pieuse ruse est aussi, discrètement, un sacrifice.

Le texte homérique autorise et prévient à sa manière ces interprétations en juxtaposant sans commentaire à la désastreuse aventurière de l'*Iliade* la sage reine de Sparte du chant IV de l'*Odyssée*. Sans commentaire de la part du poète, mais non sans une explication rétrospective de l'intéressée, qui rejette déjà entièrement sur Aphrodite la folie qui lui fit jadis « quitter sa fille, ses devoirs d'épouse et un mari dont la mine ou l'esprit ne le cède à personne ». Mais il ne faut pas prendre ici la déesse de l'amour pour le symbole hypostasié d'un désir ou d'une passion : Hélène était en elle-même aussi vertueuse que belle, et c'est Aphrodite qui l'a de force jetée dans les bras de Pâris en récompense du jugement que

1. « L'innocente diplomatie d'Hélène ».

l'on sait. Il n'y a donc en fait, pour Homère, aucune ambiguïté dans le personnage, mais simplement une machination divine dont la victime est aussi peu responsable qu'Œdipe ne l'est du piège de l'oracle. Et l'on doit alors se rappeler que, dans l'*Iliade* déjà, à chacune de ses apparitions, Hélène proteste contre son sort, regrette d'avoir abandonné « sa maison, ses parents, sa fille bien-aimée et ses douces compagnes », maudit Pâris de n'être pas mort sous les coups de Ménélas, « ce robuste héros », se traite de « chienne perverse » que l'on aurait dû, dès sa naissance, exposer aux bourrasques ou jeter dans la mer, pour l'empêcher de provoquer tant de maux — et prend soin, dans sa fureur, de rappeler que ce sont les dieux qui ont « mené à terme » ces malheurs. Aucune ambiguïté, donc, ni aucun retournement : Hélène est pour Homère la simple victime d'un caprice divin.

Une tradition ultérieure, qui semble remonter à la *Palinodie* de Stésichore (vi[e] siècle avant J.-C.), l'exonère de cette malédiction en lui substituant auprès de Pâris un double fantômatique, tandis que la véritable Hélène, transportée en Égypte ou à Pharos, chez Protée, y attend chastement le retour de son époux. C'est ce retour, huit ans après la chute de Troie, et les retrouvailles, et le stratagème qui permet aux deux époux réconciliés d'échapper au roi Théoclyménos, qu'Euripide met en scène dans une *Hélène* (412) fort saugrenue, d'où Hoffmannstahl tirera pour Richard Strauss le livret d'un opéra en deux actes, *Hélène d'Égypte* (1926), que le compositeur lui-même situe dans la lignée de *la Belle Hélène* (c'en serait une sorte de continuation), décidé qu'il était alors — propos significatif à plus d'un titre — à devenir « l'Offenbach du xxe siècle ». Ambition plus partagée qu'on ne pourrait le croire : témoin, peut-être, le *Protée* de Claudel[1], drame satyrique imaginé pour accompagner sa traduction de l'*Orestie,* et qui encouragera Giono à écrire sa *Naissance de l'Odyssée.* Ménélas et Hélène, retour de Troie, abordent chez Protée établi à Naxos, où la nymphe-bacchante Brindosier, sous l'apparence d'Hélène jeune, se substitue à l'autre auprès de Ménélas pour aller visiter Bacchus en Bourgogne ou en Médoc, tandis que l'autre (la vraie) monte au ciel avec l'île où elle a choisi de rester. Hélène à Naxos, cette contamination même a bien déjà quelque accent straussien.

Le dédoublement n'est après tout qu'une forme extrême de l'ambiguïté. Ovide, dans son échange de lettres entre Hélène et Pâris[2], en inaugure une version plus « moderne », qui préfigure en

---

1. Première version, 1912 ; deuxième version, « farce lyrique », 1926.
2. *Héroïdes,* XVI et XVII.

raccourci les lentes et irrésistibles conquêtes épistolaires chères à Laclos et à Stendhal. Sitôt Ménélas parti pour la Crète, Pâris fait remettre à Hélène une lettre ardente, et hardie. La réponse est un chef-d'œuvre d' « évolution psychologique », graduelle mais accélérée : elle commence sur le ton de la vertu outragée et de l'hospitalité profanée, se lave de toutes insinuations concernant ses infidélités passées, et repousse avec dédain les récompenses promises en rappelant la hauteur de son rang. D'ailleurs — ici, le pivot — si elle devait céder, ce qu'à Zeus ne plaise, ce serait à Pâris lui-même et non à ses insultantes promesses : car elle reconnaît volontiers sa beauté et sa séduction. S'il s'était présenté avant Ménélas (que celui-ci lui pardonne cette hypothèse !), c'est sans doute lui qu'elle aurait épousé, mais il est définitivement trop tard, hélas. Bien sûr, il y a la promesse de Vénus, mais à vrai dire j'ai peine à croire à cette histoire de pomme et de jugement : excuse mon incrédulité, mais ce serait, en somme, trop beau. Ainsi, je serais pour toi la récompense suprême ? « Je serais de fer si je n'aimais un tel cœur », mais j'hésite devant une telle inconduite. « Heureuses, celles que l'habitude seconde. Moi, ignorante des choses, je soupçonne que la route de la faute est difficile. » O combien ! Il est vrai que Ménélas semble m'y encourager par son imprudence et son aveuglement. Qu'il était comique avec son « Aie soin de notre hôte » ! « J'en aurais soin », lui ai-je répondu en contenant mon rire. Mais attention ! « le bras des rois est long », et ne te flatte pas que je te cède : « c'est par violence qu'il faudrait m'arracher ma rusticité » (c'est le mot humiliant, et qu'elle a déjà relevé avec dépit, par lequel Pâris désignait sa vertu). Mais ce sera bien doux, ensuite, de découvrir les merveilles troyennes. Je m'arrête ici : pour la suite, fions-nous aux entremises de mes servantes. A bientôt, signé : Hélène. (J'exagère forcément l'effet en abrégeant cette épître de cent trente-cinq distiques élégiaques. Mais j'arrange à peine, quoique à plaisir.)

Ce moment délicat de l' « enlèvement », c'est peut-être Offenbach — c'est-à-dire, bien sûr, Meilhac et Halévy — qui en donne la version la plus élégante, disculpant (pour rire) l'héroïne sans la dispenser de sa faute. Hélène est sensible au charme de Pâris (« C'est beau, un beau berger... »), et informée de la décision de Vénus : « Est-il vrai que pour remercier ce berger Vénus lui ait promis l'amour de la plus belle femme du monde ? — Cela paraît officiel. — Mais, la plus belle femme du monde... — C'est vous reine, assurément. — Ah, taisez-vous, taisez-vous, car si cela était... » Mais elle est bien décidée à rester fidèle à Ménélas, et donc à résister, autant qu'elle pourra, à la « fatalité ». Pâris, de son côté, sait ne pouvoir vaincre que par la force, l'amour ou la ruse. La première voie est indigne de lui, la seconde de sa partenaire, reste la troisième. Première ruse, donc, et freudiennement la plus significative : bien convaincue d'être la plus belle femme du monde, mais inquiète d'une comparaison avec Vénus elle-même, Hélène, croyant au surplus que tout cela n'est qu'un rêve, se déshabille devant Pâris et s'abandonne à ses expertises. La seconde est presque superflue : Ménélas rentré trop tôt, Pâris chassé, Vénus irritée persécutant les maris grecs, Ménélas, pressé par ses pairs, consulte l'augure d'icelle, qui pour transaction exige d'Hélène un voyage à Cythère et un sacrifice de cent génisses blanches. Hélène s'embarque avec l'augure, qui n'est évidemment que Pâris déguisé. Accumulation volontairement suspecte de circonstances atténuantes, par où certain libertinage Second Empire joue visiblement d'une surenchère pseudo-moralisante (car c'est plus amusant quand c'est plus difficile...) — et où le destin, selon l'éternel thème tragique et le futur (et très proche) jeu giralducien, s'accomplit par où on ne l'attendait plus, et par où l'on croyait le fuir.

Mais l'Hélène de Giraudoux est d'une ambiguïté plus subtile : instrument et « otage » du destin, humaine à demi seulement, puisque née d'un oiseau qui était aussi un dieu, elle n'éprouve pas de sentiments contradictoires, elle n'éprouve simplement pas de sentiments, il lui agrée seulement de frotter contre elle les hommes « comme de grands savons », elle subit ses désirs comme des flux magnétiques : elle n'aime pas Pâris, elle est « aimantée » par lui, et vit dans cet amour comme « une étoile dans sa constellation ». Elle y gravite et y scintille, c'est sa façon « de respirer et d'étreindre ». Sa relation à l'humanité est d'ordre symbolique, elle n'est pas une femme, mais une « vedette », un mythe incarné. Bonne fille avec cela, puisque rien ne l'attache vraiment à rien, elle se prête volontiers aux pieux et maladroits mensonges d'Hector, comme quoi Pâris ne l'aurait pas seulement touchée, dont elle sait d'avance l'inutilité, feignant de croire que par cet artifice sa vertu pourrait devenir « aussi proverbiale qu'aurait pu l'être sa facilité ». Cette Hélène-là ne se laisse pas imaginer de retour à Sparte, encore belle, fidèle et respectée ; mais, sautant à l'extrême, « vieillie, avachie, édentée, suçotant accroupie quelque confiture dans sa cuisine » : souvenir évident de Ronsard, *Vous serez au foyer une vieille accroupie...,* dont elle ne fait, somme toute, pour l'instant, que suivre le bien connu conseil final[1]. Ici, donc, pas d'Hélène-Pénélope, malgré l'alliance momentanée (et sans espoir) avec Andromaque : une Hélène sans « complexe » — mais rien moins que simple, et encouragée d'avance à l'immoralisme par la certitude anticipée du plus sévère châtiment : la vertu forcée de la laideur et de la décrépitude. Toute sa grandeur dans le vertige de ce *tout puis rien.*

Dernière variation, de loin la plus retorse et la plus vertigineuse, au moins dans sa forme, sur ce thème de la double Hélène, la *Ménélaïade* de John Barth[2]. Comme son titre peut l'indiquer, Ménélas est ici le foyer de la narration, et à plusieurs degrés le narrateur lui-même ; plus précisément, dans ce récit-gigogne qui pousse à l'extrême le système d'emboîtements inauguré dans l'*Odyssée,* un narrateur premier (extradiégétique) nous raconte (à nous, lecteurs et narrataires premiers extradiégétiques) comment Ménélas raconte à un narrataire second anonyme comment il raconta à Télémaque et Pisistratos (lors de leur visite à Sparte déjà racontée dans l'*Odyssée* IV) comment il raconta à Hélène, sur le pont du navire qui les ramenait de Pharos, comment il venait de raconter à Protée enfin maîtrisé comment il venait de raconter à la naïade Idothée rencontrée sur la grève comment il avait raconté à Hélène arrachée à Déiphobe la nuit du sac de Troie, mais cette fois « à la troisième personne », c'est-à-dire, « comme si je n'étais pas Ménélas, et Hélène, Hélène », comment il l'avait jadis épousée, comment Pâris l'avait enlevée pendant que lui, Ménélas, allait consulter l'oracle de Delphes, puis les dix années de guerre, le cheval odysséen, le massacre, les retrouvailles, la tentative de châtiment déboutée par la beauté d'Hélène (« Mon glaive s'abaissa. Je fermai les yeux pour ne plus voir cette source de beauté ; je l'agrippai pour ne pas la laisser fuir. — Tu as maigri, Ménélas, dit-elle. »), le pardon, les sept années de continence forcée, et finalement l'instant présent de la narration la plus interne qui referme ses guillemets, et les cinq autres paires derrière elle, suis-je assez clair ? Matriochka narrative que l'on doit pouvoir, sauf erreur, figurer ainsi : *Narrateur 1 (Ménélas (Ménélas (Ménélas (Ménélas*

1. Dans *la Vieillesse d'Hélène,* Lemaitre évoquait déjà cet avenir douloureux : Hélène vieillie et frustrée (elle n'a jamais aimé, n'ayant jamais souffert) se déguise en bergère et s'offre à un très jeune pâtre ; mais au dernier moment, ne supportant pas de révéler son âge, elle se poignarde en plein cœur.
2. *Perdu dans le labyrinthe,* trad. M. Rambaud, p. 172.

(Ménélas (Ménélas — Hélène de Troie) Idothée) Protée) Hélène de Sparte et de Pharos) Télémaque) Narrataire 2) Narrataire 1, chaque narration étant nécessairement postérieure à celle qu'elle englobe (qu'elle narre). Après le sac de Troie, Ménélas raconte à « Hélène » l'ensemble de leur aventure jusqu'à ce point ; puis il raconte cette narration à Idothée ; puis à Protée la narration à Idothée, etc. L'enchâssement métadiégétique est d'ailleurs fréquemment rompu par des interventions de narrataires volontairement présentées en métalepses : Idothée peut « interrompre » le dialogue entre Ménélas et Hélène (c'est-à-dire, en fait, le récit que lui en donne Ménélas), et ainsi de suite, comme si, au chant IX de l'*Odyssée*, Alkinoos, auditeur du récit d'Ulysse, coupait la parole à Polyphème, héros de ce récit. Bref, *Tristram* et *Jacques le fataliste* sont passés par là.

Au cœur de cette redoutable machinerie narrative, une question — de fond : *Pourquoi ?* (Pourquoi quoi ? — Pourquoi Hélène, jadis, épousa-t-elle Ménélas plutôt qu'un autre ?), et une réponse inattendue : « ‘ « ‘ « ‘ « L'amour ! » ’ » ’ » ’ ». Puis une autre question : mais alors, mais alors, pourquoi Hélène, naguère, a-t-elle suivi Pâris à Troie ? Et cette autre réponse, plus attendue (retour à la seconde version Stésichore) : « Ton épouse n'est jamais allée à Troie. Par amour pour toi, je t'ai quitté le jour où tu partis, mais, avant que Pâris n'ait pu me refaire, Hermès m'escamota sur l'ordre de Père pour me livrer à Protée l'Égyptien et fit surgir des nuages une autre Hélène pour prendre ma place. Durant toutes ces années je me suis languie à Pharos, chaste et sage... Me voici. Je t'aime. » Et rentre à Sparte « reprendre son tricot auquel pas une maille ne manquait » — qui dit mieux, Pénélope ?

Cette ultime version lève, en la posant, l'interrogation centrale, consubstantielle à la définition même du personnage : comment la plus belle femme du monde aurait-elle pu être « vertueuse », c'est-à-dire insensible à l'amour et fidèle par devoir à l'époux que lui aurait décerné quelque raison d'État ? La réponse est, comme souvent, que la question est mal posée : Hélène n'était pas vertueuse, mais simplement amoureuse... de son mari. Transmotivation s'il en fut, et dont l'imperceptible et agaçant paradoxe se suffit à lui-même.

LXIX

Par *transvalorisation,* je n'entends pas, ou du moins pas nécessairement et immédiatement, la « transvaluation » nietzschéenne, le renversement complet d'un système de valeurs (ce serait peut-être le cas d'une *Antigone* qui prendrait absolument le parti de Créon, mais nous n'en sommes pas là), mais plus généralement, et donc plus faiblement toute opération d'ordre axiologique, portant sur la valeur explicitement ou implicitement attribuée à une action ou à un ensemble d'actions : soit, en général, la suite d'actions, d'attitudes et de sentiments qui caractérise un « personnage ». De même que la transmotivation, au sens large, s'analyse en motivation, démotivation, transmotivation, la transformation axiologique s'analyse en un terme positif (valorisation), un terme négatif (dévalorisation), et un état complexe : transvalorisation au sens fort.

La valorisation d'un personnage consiste à lui attribuer, par voie de transformation pragmatique ou psychologique, un rôle plus important et/ou plus « sympathique », dans le système de valeurs de l'hypertexte, que ne lui en accordait l'hypotexte. Ainsi, les corrections pragmatiques apportées par Houdar au duel entre Achille et Hector ont pour fonction de valoriser ces deux héros, et les transmotivations et interprétations mises en œuvre par Unamuno, de valoriser don Quichotte aux dépens de son entourage, et de son propre auteur. Dans ces deux cas, l'effort de valorisation portait sur des personnages centraux, auxquels l'hypotexte accordait déjà un rôle capital, mais assorti d'un mérite jugé insuffisant : Homère n'a pas fait Achille et Hector assez valeureux, Cervantès a méconnu la grandeur de don Quichotte. Il s'agit donc ici de valoriser le héros, non en augmentant son importance, mais en améliorant son statut axiologique par une conduite, des mobiles ou une valeur symbolique plus nobles. Nous retrouverons ce mouvement à propos des deux figures exemplaires de Faust et de don Juan, sur lesquelles il s'est exercé d'une manière particulièrement caractéristique.

Mais la valorisation peut aussi, plus discrètement, porter sur une figure de second plan, au profit de laquelle il s'agit de modifier le rapport de valeurs établi par l'hypotexte. On obtient alors un système axiologique plus équilibré, comme dans l'*Antigone* de

Sophocle révisée par Anouilh. On sait par exemple que dans l'*Alceste* d'Euripide (438), Admète laissait son épouse se sacrifier pour lui, et n'en éprouvait quelque honte qu'après le sacrifice, obtenant alors d'Héraclès la résurrection d'Alceste. Cette conduite indigne n'avait guère de quoi satisfaire le public, et jetait une ombre sur l'heureux dénouement. Ranieri de Calzabigi, dans son livret pour l'opéra de Gluck (1767), imagine une fin plus gratifiante : Admète refuse le sacrifice d'Alceste et tente de la devancer sur le chemin des Enfers. Au terme d'une course qui constitue un véritable assaut de générosité, Apollon intervient pour les sauver tous les deux, chacun ayant pleinement mérité le salut de l'autre (plus faiblement, Alfieri, dans *la Seconde Alceste*, 1798, se contentera d'exonérer Admète en imaginant qu'Alceste se sacrifie à son insu).

L'*Électre* de Giraudoux (1937) présente un cas de valorisation secondaire (j'appellerai ainsi toute promotion d'un personnage jusque-là maintenu au second plan) fort net, et qui me semble en définir le mouvement essentiel : c'est la réhabilitation d'Égisthe, personnage ci-devant fort déprécié, ou négligé. Il est ici, depuis le meurtre d'Agamemnon et en tant que cousin du roi défunt, le « régent » et le vrai responsable du pouvoir à Argos, menacée par une invasion corinthienne. Il veut épouser Clytemnestre pour devenir officiellement roi et sauver la cité. Cette promotion, évidemment inspirée du Créon de Sophocle, fait de lui l'une des premières figures modernes de l'homme d'état peu scrupuleux sur les moyens, mais dévoué à sa cause : de là, je l'ai dit, le Créon d'Anouilh, et le Hoederer des *Mains sales*. D'autre part, il se révèle peu à peu épris d'Électre. Tout le suspens de la pièce tient au débat entre ces deux personnages, et entre les deux causes qu'ils incarnent : la justice et la raison d'État. Électre ne veut rien comprendre aux motifs d'Égisthe ; Égisthe, au contraire, comprend fort bien les raisons d'Électre, et finit par lui promettre d'expier — c'est-à-dire de se laisser tuer — une fois Argos sauvée : car, pour l'instant, « il y a des vérités qui peuvent tuer un peuple ». On sait — depuis toujours — ce qu'il en adviendra. A la fin du deuxième et dernier acte, le Mendiant raconte sur scène le meurtre de Clytemnestre et d'Égisthe, qui s'accomplit au-dehors. Pour entamer son récit, il prend soin d'attendre, malgré l'impatience de ses auditeurs, que l'action se soit effectivement engagée. On entend les premiers cris en coulisse : « Alors voici la fin... » Et le récit commence, avec le minimum de retard indispensable à toute narration « rétrospective », c'est-à-dire énoncée au passé : arrivée d'Oreste, mort de Clytemnestre, résistance et mort d'Égisthe, qui tombe, ajoute le

Mendiant, « en criant un nom que je ne dirai pas ». À ce moment retentit jusqu'à nous le dernier cri d'Égisthe : « Électre ! » Et le Mendiant commente : « *J'ai raconté trop vite. Il me rattrape.* »

Énoncé contradictoire, bien sûr : lorsqu'on va « trop » vite, on n'est pas rattrapé, on creuse son écart ou l'on rattrape son devancier. Et c'est bien là ce qui s'est passé, puisque le récit, au départ en (léger) retard sur l'action, se trouve à l'arrivée coïncider avec elle. Racontant trop vite, le narrateur a comblé son retard et rejoint son héros. En toute rigueur, il devrait donc dire : « *J'ai raconté trop vite. Je le rattrape.* »

Mais son lapsus, bien sûr encore, n'est pas sans raison : s'il peut raconter ici une action qui se passe ailleurs, c'est parce qu'il est, comme chacun sait, un peu devin, peut-être dieu, en tout cas porte-parole du destin : cette action, il la connaissait bien avant qu'elle n'eût lieu, et c'est pourquoi il a dû d'abord marquer le pas pour se laisser distancer. Sa narration rétrospective est donc en fait une narration prospective, une prédiction mise au passé, artificiellement et par pur protocole : sur la ligne de départ, il n'était pas derrière l'événement, mais devant lui. Selon quoi la relation fidèle aurait été : « *J'ai raconté trop lentement. Il me rattrape.* » Les deux commentaires se sont télescopés en une sorte d'*énoncé-valise* qui condense le niveau manifeste (narration ultérieure) et le niveau profond (connaissance prophétique).

Énoncé emblématique de la situation, elle aussi paradoxale — et où se complaît Giraudoux — de (presque) tout lecteur ou spectateur moderne de (presque) tout récit antique : nous connaissons *d'avance* l'issue d'une histoire *passée ;* notre « culture » prescrit après coup ce qui ne fut jadis inéluctable que d'être aujourd'hui connu, et ne subit d'autre fatalité que l'impuissance de l'événement à éviter ce qui, de lui, est déjà dit et *entendu.* Un savoir qui détermine l'accomplissement de son objet : c'est le principe de ce jeu — et, comme par hasard, c'est aussi la définition du tragique.

Tragédie en effet, au sens fort, et sans doute pour la première fois dans l'histoire de ce sujet : pour la première fois ce drame oppose, selon la formule hégélienne, deux personnages égaux dans leurs droits, chacun assumant une cause juste et capitale, affrontement dont l'enjeu n'est plus seulement la vengeance par ses enfants d'un père jadis trucidé non sans quelques raisons, mais bien le sort de toute une cité. Dans la série antérieure des *Électre,* on a parfois l'impression que l'auteur se bat les flancs pour intéresser le public à une si médiocre vendetta : chez Eschyle, le vrai débat juridico-religieux ne se révèle que dans *les Euménides* ; Sophocle, Euripide, O'Neill s'efforcent d'alourdir le contentieux psychologique entre les deux femmes, mais cette querelle, à vrai dire, n'intéresse qu'elles. Seul à ma connaissance, Giraudoux trouve le moyen de sortir du marigot familial et de donner au geste d'Électre une signification plus vaste. Une telle promotion de l'action et du thème relègue chez lui tout le reste, y compris l'affrontement des deux femmes (longuement exploité, mais en des termes qui n'ajoutent rien à l'interprétation d'O'Neill, et qui ne contribuent guère à l'action), et plus encore le destin futur d'Oreste. Mais il faut bien percevoir que cette amplification passe entièrement par la valorisation d'Égisthe, jadis simple comparse, ici promu à la grande dignité de personnage tragique, non trop loin de l'Étéocle des *Sept contre Thèbes*.

Valorisation tout autre, sur le même thème, dans *les Mouches* de Sartre (1943). Ici, et pour la première fois depuis Eschyle, Électre s'efface après avoir transmis à son frère la charge de la vengeance. C'est de nouveau Oreste le héros ; mais son véritable adversaire n'est plus Égisthe, ni même Clytemnestre : c'est Jupiter, présent (d'abord incognito) sur scène, et qui, garant de l'ordre humain et divin et de la soumission des hommes à leurs maîtres, veut maintenir Argos dans la peur des morts et dans la culpabilité. Les hommes sont libres et ne le savent pas. Oreste le devine, et accomplit son meurtre pour l'exemple, comme symbole de la liberté humaine. Dans cette fable philosophique, c'est évidemment lui qui est valorisé, aux dépens de tous : dieux et rois oppresseurs, hommes inconscients de leur propre pouvoir — et de leur propre valeur.

Je reviens à Giraudoux pour un dernier cas de valorisation secondaire : il s'agit de l'Alcmène d'*Amphitryon 38* (1929). L'histoire du sujet (la conception d'Héraclès), emprunté à la mythologie et à ses traces épiques (Homère, Hésiode), remonte à la tragédie grecque, car nous savons qu'Eschyle et Euripide ont écrit chacun une *Alcmène* qui le traitait certainement, et Sophocle un *Amphitryon* qui le traitait peut-être [1]. Nous ne savons rien de ces versions « tragiques », c'est-à-dire au moins sérieuses, mais l'érudit Franz Stoessl s'est hasardé à reconstituer en ces termes celle d'Euripide : « Amphitryon, qui n'a pas touché Alcmène, la retrouve enceinte ; il la croit coupable, et plus elle soutient — ignorant que c'était Zeus déguisé en Amphitryon — qu'il lui a rendu visite, plus il s'indigne de son infidélité et de son impudent mensonge, et décide de la punir ;

---

1. Voir P. Szondi, « Fünfmal Amphitryon », in *Schriften II*, Suhrkamp, Francfort, 1978, et « L'Amphitryon de Kleist », in *Poésie et Poétique de l'idéalisme allemand*, Minuit, 1975.

alors qu'il s'apprête à la tuer, elle se réfugie sur l'autel. Cet asile sacré ne suffit pas à la protéger : le feu du bûcher s'apprête pour son supplice. A ce moment d'extrême péril, Zeus intervient miraculeusement, *deus ex machina,* révèle ce qui s'est passé, annonce la naissance d'Héraclès et réconcilie Amphitryon avec son sort et avec son épouse[1]. »

Ce sommaire tout conjectural nous donne peut-être une idée synthétique de l'état premier d'*Amphitryon* comme tragédie. Nul ne sait si Plaute en a le premier effectué la conversion à l'état comique, ou plutôt, selon son propre mot, *tragi-comique,* ou s'il s'est inspiré d'une ou deux comédies grecques. Mais le comique y tient essentiellement aux effets de vertige et de quiproquo produits par la double métamorphose : Sosie contesté dans son identité par un Mercure qui non seulement lui ressemble mais connaît ses actions les plus secrètes ; Sosie rapportant à son maître comme il s'est fait battre et chasser par un autre lui-même ; Alcmène racontant et prouvant à Amphitryon, retour de la guerre, qu'il vient de la quitter, etc. Rotrou (*les Sosies,* 1636) et Molière (1668) respectent pour l'essentiel le schéma dramatique de Plaute, quitte à l'infléchir dans le détail : Rotrou exploitant les virtualités thématiques baroquisantes du dédoublement et le paradoxe final du cocuage glorieux, Molière exonérant Amphitryon de ce douteux triomphe, développant le rôle de Sosie, dont la relation avec son épouse Cléanthis redouble en mode bouffon la relation entre Amphitryon et Alcmène, et inaugurant par la voix de Jupiter, sur les rôles du mari et de l'amant, un badinage précieux qui annonce les effets giralduciens.

La pièce de Kleist, *Amphitryon, comédie d'après Molière* (1807), se distingue par une inflexion plus dramatique et plus sérieuse (c'est dans une certaine mesure un retour au stade tragique du sujet), et par une valorisation du personnage d'Alcmène, plus constamment présente et chargée d'un rôle plus actif. Au cours d'une dernière scène plus grandiose que chez ses prédécesseurs, elle doit, devant le peuple thébain, identifier le véritable Amphitryon, et désigne... Jupiter : marque, selon Goethe, d'une certaine « confusion des sentiments », ou peut-être aspiration à une humanité transcendée par sa quête d'un héroïsme quasi divin.

Rien n'est plus étranger à l'héroïne de Giraudoux, qui incarne au contraire un amour conjugal et, à travers lui, un attachement aux valeurs terrestres que rien ni personne ne peut ni entamer ni troubler. Cette valorisation de la conjugalité était évidemment

1. F. Stoessl, « Amphitryon, Wachstum und Wandlung eines poetischen Stoffes », *Trivium,* 1944.

impliquée dès la légende, où Zeus prenait la forme d'Amphitryon parce que rien ne pouvait mieux séduire son épouse ; mais Giraudoux est, semble-t-il, le premier à promouvoir ce thème et à le placer sans conteste au centre de la pièce — et, pour ce faire, à bouleverser le schéma dramatique hérité de Plaute, effaçant totalement les effets du dédoublement Mercure-Sosie et multipliant les scènes entre Alcmène et Amphitryon d'une part, entre Alcmène et Jupiter de l'autre, qui contribuent à faire d'Alcmène, et de très loin, le personnage central. Comme le reconnaît Jupiter dans sa réplique finale : « Encore d'Alcmène ! Il s'agira donc toujours d'Alcmène aujourd'hui ! »

Mais sa valorisation n'est pas seulement celle du sentiment conjugal, ou plutôt celui-ci n'est ici que le métonyme d'un choix axiologique plus vaste, et très typiquement giralducien : le choix, contre toute valeur divine ou héroïque, en faveur d'une humanité quotidienne, humblement ménagère et insoucieuse de toute transcendance. Alcmène choisit moins l'époux contre l'amant que l'homme contre le dieu. Toute sa grande scène (II, 2) avec Jupiter, après leur nuit d'amour incognito, tourne sur ce refus fort humiliant pour le roi des dieux, qui ne parvient à lui arracher ni que cette nuit ait été plus agréable que d'autres ; ni que la Création soit plus admirable que le moindre bricolage d'Amphitryon ; ni qu'elle-même souhaiterait être une déesse (« Pour être honorée et révérée de tous. — Je le suis comme simple femme, c'est plus méritoire. ») et immortelle (« Charmante soirée... l'air de la nuit ne vaut d'ailleurs rien à mon teint de blonde... ce que je serais crevassée, au fond de l'éternité ! ») La fidélité à la condition terrestre, la « solidarité avec son astre » est le fond de l'éthique d'Alcmène : devenir immortelle serait pour elle une trahison. Au discours d' « Amphitryon » sur les dieux, elle oppose ses histoires d'intendance et de domestiques ; à l'évocation d'un futur enfant demi-dieu, elle oppose celle d'un bébé faible et « gémissant doucement » dans son berceau. Rien ne peut l'arracher à son essence mortelle, à son pari sur l'immanence, et comme Jupiter, désarçonné, lui fait ce compliment résigné : « Tu es le premier être vraiment humain que je rencontre », elle revendique cette spécialité : « Tu ne crois pas si bien dire. De tous ceux que je connais, je suis en effet celle qui approuve et aime le mieux son destin. »

Cette force paradoxale est totalement invincible pour Jupiter, qui sort de cette scène avec sa première ride d'homme et confie à Mercure : « Alcmène, la tendre Alcmène, possède une nature plus irréductible à nos lois que le roc. C'est elle le vrai Prométhée... Elle n'a pas d'imagination, et peut-être pas beaucoup plus d'intelligence.

Mais il y a justement en elle quelque chose d'inattaquable et de borné qui doit être l'infini humain. »

Cette promotion d'Alcmène comme symbole de l' « infini humain » porte évidemment, par un contrecoup mécanique inévitable, dévalorisation de Jupiter (et de Mercure) comme symbole de la divinité (Amphitryon lui-même est dévalorisé par le célèbre quiproquo qui l'envoie, pour la seconde nuit, à la place de Jupiter dans la couche de Léda : les deux époux sont ainsi, à leur double insu, également adultères). Mais cette transvalorisation n'a rien de brutal ni de polémique : parce que Jupiter, renonçant à sa seconde nuit, accepte finalement d'établir avec Alcmène une relation d'amitié qui pourrait bien annoncer, rêvons un peu, une réconciliation générale des dieux et des hommes ; parce que Giraudoux ne se prive pas d'exhiber le caractère paradoxal d'un thème qu'il maintient constamment à la frontière ambiguë du sérieux et du ludique[1] ; enfin parce qu'à la faveur de ce subtil (et grandiose) marivaudage, le destin (c'est-à-dire, ici encore : ce que prescrit l'hypotexte) ne manque pas de s'accomplir : lorsque Alcmène contraint Jupiter à l'amitié, elle ne sait pas que la nuit d'amour qu'elle croit éviter est déjà passée, et Hercule dans ses entrailles. A vrai dire, elle commence à s'en douter un peu, mais ce point restera dans une prudente ambiguïté, comme la nature exacte de ses sentiments pour Jupiter : elle sera sans doute restée davantage fidèle à sa condition humaine qu'à sa vertu conjugale. « Maintenant la légende est en règle » : tout le monde — et la postérité — croira qu'Alcmène a reçu Jupiter, Amphitryon croira qu'il n'en a rien été, et Alcmène « oubliera » cette nuit douteuse. Mais le spectateur sait à quoi s'en tenir, et il ne manque pas de recevoir avec la nuance d'ironie qui s'y trouve le discours final de Jupiter : « ... ce couple que l'adultère n'effleura et n'effleurera jamais, auquel ne sera jamais connue la saveur du baiser illégitime ». Soit, soit : les beaux contes, dit-on, font les bons ménages.

1. Comme ailleurs, l'humour de Giraudoux s'autorise ici quelques anachronismes en clin d'œil dans la manière de Meilhac et Halévy. Ainsi Jupiter, devant le palais d'Alcmène, s'écrie comme le Faust de Gounod : « Salut, demeure chaste et pure ».

LXX

La *valorisation primaire*, ou valorisation du héros et de ses actions, déjà plus qu'entrevue chez Unamuno, ne peut évidemment consister à conférer à ce héros une prééminence dont il jouissait déjà dans l'hypotexte ; elle consiste plutôt à augmenter son mérite ou sa valeur symbolique. Le don Quichotte d'Unamuno ne fait rien d'autre ni rien de plus que celui de Cervantes ; mais ce qu'il fait cesse d'être (décrit comme) la conduite ridicule d'un hidalgo fêlé, pour devenir la geste emblématique d'un héros de l'Espagne et de la chrétienté. Dans une tout autre perspective idéologique et moyennant quelques transformations pragmatiques plus coûteuses, le personnage de Faust a bénéficié d'une réhabilitation assez comparable, et d'ailleurs mieux connue.

L'essentiel se passe entre le *Volksbuch* de 1587, qu'on peut tenir pour l'hypotexte fondamental, et le drame de Goethe. Dans ce *Récit populaire*[1], Faust n'est qu'un ancien étudiant dévoyé, sombré dans la débauche et la sorcellerie. Le pacte avec Méphisto ne vise qu'à satisfaire ses plus bas désirs. Il parcourt le monde en qualité d'astrologue et de nécromancien célèbre par ses tours de magie et autres farces et attrapes, et par son concubinage avec Hélène de Troie, que revoici. Après vingt-quatre années de ce manège, il convoque ses amis pour leur révéler son forfait et ses remords ; on le retrouve au matin déchiqueté par le diable. C'est typiquement, comme le dit Jolles[2], une *anti-légende,* ou vie d'anti-saint : la vie, exemplaire *a contrario,* d'un damné sans excuses et sans envergure. Le drame de Marlowe[3] donne au personnage un peu plus de relief et d'accent, mais sans modifier son statut axiologique : « moins le drame moderne d'un titan foudroyé que le drame de la damnation, c'est-à-dire de la déchéance et de la faillite de l'homme[4] ». Même médiocrité chez Pfitzer[5], encore aggravée dans le récit anonyme du

1. Trad. fr. par J. Lefebvre, Lyon, 1970. Sur l'ensemble de la série, voir A. Dabezies, *Le Mythe de Faust,* Colin, 1972.
2. *Formes simples,* Seuil, 1972, p. 46-49.
3. *The Tragical History of Dr Faustus,* 1588-1592, trad. fr. F. C. Danchin, Les Belles Lettres, 1947.
4. Dabezies, p. 44.
5. *Das ärgerliche Leben und schreckliche Ende dess vielberüchtigen Ertz-Schwartzkünstler Dr J. Fausti,* 1674.

« chrétien bien-pensant [1] », où Faust livre son âme pour payer ses dettes.

Le mouvement de valorisation commence avec l'ébauche de tragédie de Lessing (vers 1755-1767), qui envisage, apparemment pour la première fois, le salut de Faust : son ange gardien le soustrait au pacte en l'endormant, et Faust se réveille pour remercier le ciel. Dans le « drame allégorique » de Paul Weidmann [2], Faust signe le pacte mais se trouve sauvé in extremis par la miséricorde divine. Dans le roman de Klinger [3], caractéristique d'une interprétation *Sturm und Drang,* Faust devient un idéaliste, inventeur méconnu de l'imprimerie et philosophe libre-penseur. Faust parcourt le monde de la Renaissance, dont le récit nous donne une vision pessimiste et désespérée. Avant d'être emporté par les démons, il proteste et se révolte contre l'ordre du monde et l'existence de Dieu.

Ces premiers essais de réhabilitation hésitent donc entre deux motifs un peu contradictoires : circonstances atténuantes et pardon divin ou valorisation du pacte comme symbole de révolte titanesque. Ce sont ces deux motifs que Goethe [4] s'efforce de concilier en faisant de Faust un véritable héros intellectuel pour qui l'abandon de ses études n'est plus une trahison, mais exprime l'insatisfaction d'un esprit supérieur à l'égard d'une science desséchée, et un élan profond vers la vie. Le pacte est plutôt (comme déjà chez Klinger) un pari, car Faust ne croit pas que Méphisto puisse satisfaire ses véritables désirs. L'aventure avec Marguerite, dont le thème vient de Pfitzer, apporte à cette destinée une dimension sentimentale et romantique, et le salut final de la jeune fille annonce et prépare celui du héros. La liaison avec Hélène devient comme un symbole d'épanouissement « classique », avant l'acte IV de la deuxième partie qui met en scène un Faust créateur et « homme d'action ». Au dernier acte, une cohorte d'anges le sauve des démons venus pour l'emporter ; au pied de la Vierge, Marguerite intercède pour son séducteur, finalement sauvé par l' « éternel féminin ». Il est ainsi à la fois réhabilité dans son aspiration titanesque et racheté par l'amour. Avec ce symbole du dépassement vers le surhumain, on est loin du charlatan dévoyé de l'hypotexte initial [5].

1. *Von einem Christlich-Meynenden,* 1725.
2. *Johann Faust, Ein allegorisches Drama,* 1775.
3. *Fausts Leben, Thaten und Höllenfart,* 1791.
4. La rédaction du *Faust* de Goethe s'étend sur cinquante-sept années, de 1775 (*Urfaust*) à la deuxième partie de la tragédie (1832).
5. L'histoire moderne de Faust ne s'arrête certes pas là, mais on n'ira pas plus loin dans le mouvement de valorisation. Boulgakov est trop lointain pour permettre une

Je ne serai certes pas le premier à discerner un mouvement analogue dans l'histoire du thème de don Juan[1]. L'équivalent du *Volksbuch,* première mise en forme littéraire d'un ensemble de récits folkloriques, est évidemment le *Burlador de Sevilla* de Tirso de Molina[2]. C'est l'histoire d'un débauché assez vulgaire, qui tue le père d'une de ses victimes, et qui sera finalement entraîné en enfer par la statue de ce mort, après une forfanterie d'invitation suivie d'une assez piteuse demande de pardon : encore une anti-légende, mais directement en mode dramatique. On sait que le sujet passe très vite en Italie où entre autres Giliberto l'acclimate au répertoire de la Commedia dell'arte, non sans lui donner au passage un coup de pouce valorisant : don Juan meurt sans demander pardon, et peut donc apparaître comme un symbole de révolte et d'impiété audacieuse. Molière (1665) développe, comme on sait, en opposition très marquée avec la crédulité caponne de Sganarelle, cet aspect de libertinage philosophique et le côté grand seigneur généreux (scène avec don Carlos) ; contrairement à une opinion répandue, l'épisode de l'hypocrisie ne le dévalorise nullement, car cette pseudo-conversion satirique le range, aux côtés de Molière lui-même, parmi les dénonciateurs du « vice à la mode ». Comme chez Giliberto, il finira dans l'impénitence et dans une sorte de défi héroïque.

Sur ce plan, le livret de Da Ponte pour l'opéra de Mozart (1787) ne modifie en rien l'image du héros ; mais l'aspect lyrique de la partition et le développement du personnage d'Anna (absente chez Molière) vont suggérer un autre motif, plus romantique, de valorisation : le célèbre commentaire d'Hoffmann, dans sa nouvelle de 1813, insiste sur le rôle d'Anna et suppose une relation passionnelle secrètement réciproque entre Anna et don Juan. C'est ouvrir la voie, pour don Juan comme pour Faust, au thème du rachat par l'amour. J'en emprunte à Jean Rousset quelques illustrations : Pouchkine, *L'invité de pierre* (1830) : saisi par la statue, don Juan appelle Anna, mais en vain ; Blaze de Bury (traducteur de *Faust*), *Le Souper chez le commandeur* (1834) : don

---

comparaison ; et le Faust de Valéry, que nous retrouverons, est peut-être (pour nous) le plus « sympathique », mais l'absence du dernier acte de *Lust* nous prive de perspective sur son destin ; Thomas Mann est le plus sombre, et ce n'est pas pour rien qu'il se réfère essentiellement au *Volksbuch.*

1. Sur cette série, voir Jean Rousset, *Le Mythe de don Juan,* Colin, 1978.

2. Début du XVIIᵉ siècle, première publication, 1630. Trad. fr., Aubier-Flammarion, 1968.

Juan est sauvé par l'amour d'Anna, ils vivront ensemble un amour éternel ; Jose Zorilla, *Don Juan Tenorio* (1884) : au dénouement, Inès morte apparaît et dit : « J'ai donné mon âme pour toi et Dieu, grâce à moi, t'accorde ton douteux salut... l'amour a sauvé don Juan au pied de mon tombeau » ; en 1845, Gautier écrit : « Non seulement don Juan ne va pas en enfer, mais il va en paradis, et à la plus belle place encore » ; Alexis Tolstoï, *Don Juan* (1862) : Anna, désespérant d'arracher don Juan à sa vie de débauche, se donne la mort ; bouleversé, le héros se convertit et meurt en odeur de sainteté. Ce dénouement, que l'on retrouve dans le roman de Joseph Delteil, *Don Juan* (1930), procède évidemment d'une contamination entre la légende de don Juan et l'histoire de Miguel Mañara, ancien mauvais sujet devenu supérieur de l'hôpital de la Charité de Séville[1].

Don Juan dispose donc, comme Faust, de deux thèmes de valorisation éventuellement compatibles : l'un, *Aufklärer,* par l'audace du libertinage impie ; l'autre, romantique, non par le banal repentir, mais par l'intercession d'une femme qui l'aime. Cette situation justifie le rapprochement opéré par Gautier : « De nos jours, le caractère de don Juan, agrandi par Mozart, lord Byron, Alfred de Musset et Hoffmann, est interprété d'une façon plus large, plus humaine et plus poétique ; il est devenu, en quelque sorte, le Faust de l'amour ; il symbolise la soif de l'infini dans la volupté[2]. »

Ce rapprochement, qui est un des lieux communs du romantisme[3], avait trouvé son investissement le plus caractéristique dans le drame de Grabbe déjà cité, *Don Juan und Faust* (1829), où les deux héros s'affrontent pour l'amour d'Anna — sans succès d'ailleurs : don Juan tue successivement Ottavio et le Commandeur, mais Faust fait enlever Anna ; elle lui résiste et il la tue. Le diable se

1. Contamination déjà opérée par Mérimée dans *les Ames du purgatoire* (1834), dont le héros se nomme don Juan de Maraña.
2. Compte rendu du *Dom Juan* de Molière, 1847. La part de Musset est dans quelques strophes enthousiastes de *Namouna* (1831) ; celle de Byron est son vaste poème *Don Juan, an Epic Satire* (1819-1824), qui à vrai dire n'a plus guère de commun avec le thème que le nom du héros et son pouvoir de séduction ; et, comme le dit bien Rousset, la présence d'un séducteur ne suffit pas à constituer une version de don Juan ; il faut aussi, quelle qu'en soit l'issue, le rendez-vous avec le Mort ; quant à la nécessité d'Anna, je serais moins affirmatif : Molière s'en passe assez bien, et le coup de foudre d'Hoffmann pèse un peu trop sur notre perception des choses.
3. Voir Dabezies, p. 116-117, une liste de quelques œuvres unissant les deux héros. On peut y ajouter les deux œuvres parallèles de Lenau (*Faust,* 1840 ; *Don Juan,* 1844), dont les protagonistes incarnent, chacun à sa façon mais tous deux jusqu'au suicide, le désenchantement maladif de leur auteur.

saisit de lui ; don Juan, nullement désespéré, défie la statue et, avant de succomber, exalte son existence joyeuse et libérée. Symboliquement, l'affrontement tourne à l'avantage du séducteur, valorisé pour sa vitalité indomptable et à qui Faust sert plutôt de repoussoir.

Cette victoire aux points préfigure peut-être l'état actuel de la compétition : à l'exception de Valéry et de Thomas Mann, qui réussissent un habile transfert sur la problématique de la création artistique, le thème faustien ne nous retient plus guère, mal servi d'ailleurs par le plus indigeste « chef-d'œuvre » de la littérature universelle, et par des illustrations musicales dont aucune ne peut rivaliser avec *Don Giovanni*. Grâce à Molière et à Mozart, don Juan a mieux, ou moins mal survécu. Mais sans vraiment se perpétuer : la réussite des modèles classiques décourage sans doute les tentatives de renouvellement.

Le parti le plus habile — le plus expéditif en tout cas — est peut-être celui d'Auden dans son livret du *Rake's Progress* (1951), dont le héros Tom Rakewell tient à la fois de Faust et de don Juan, fourvoyé par Nick Shadow, un Sganarelle mâtiné de Méphisto. Sur quoi Stravinski jette la partition que l'on sait, ultime et ironique accomplissement d'un siècle d'opéra classique. Cela s'appelle *tirer l'échelle*.

LXXI

Le mouvement thématique inverse est celui de la *dévalorisation*. L'exemple le plus brutal en est peut-être la *Shamela* de Fielding (1741), qui se présente officiellement comme une « réfutation » de la *Paméla* de Richardson (1740) et un « antidote à ce poison » — fonction d'ailleurs suffisamment indiquée par le changement de prénom de l'héroïne (de *sham,* « imposture »).

Le roman par lettres de Richardson racontait, faut-il le rappeler, la résistance d'une jeune domestique vertueuse aux entreprises et aux violences de son maître ; vaincu par cette résistance d'autant plus méritoire que Paméla s'était peu à peu éprise de son persécuteur, celui-ci finissait par l'épouser. Contrairement au grand public de l'époque, Fielding ne fut guère convaincu par cette histoire édifiante où il lisait plus volontiers le triomphe d'une fausse vertu calculatrice et fort bien organisée. Cette interprétation supposait évidemment que l'on tînt pour mensonger, au moins dans ses motivations, le récit fait par l'héroïne. D'où l'idée de cette « réfutation », qui se présente comme l'édition des véritables lettres « falsifiées » par Richardson, lesquelles donnent la vérité sur les faits — par exemple, Shamela a couché avec le pasteur Williams avant les entreprises de Mr B., et eu un enfant de lui ; elle s'entend avec sa surveillante pour attirer Mr B. dans son lit, et en tirer du plaisir avant de simuler un vertueux évanouissement —, et sur les sentiments et les intentions : dès le début, Shamela manœuvre pour amener son maître au mariage sans l'aimer le moins du monde, et pour capter sa fortune qu'elle entreprend aussitôt de dilapider avec son amant. Dénouement vengeur : le mari les surprend et répudie l'intrigante.

Fielding opère donc sur le texte de Richardson ce que l'on appellerait aujourd'hui une « démystification ». Un tel geste peut venir en réaction à une valorisation antérieure, ramenant ainsi le thème non loin de son point de départ. C'est un peu ce que fait Brecht dans son adaptation (*Bearbeitung*) du *Dom Juan* de Molière (1952), à qui il reproche, comme il dit, de « voter pour don Juan ». Un tel « vote » lui semble contraire aux intérêts des masses laborieuses ; aussi entreprend-il d' « infléchir le rôle de façon à rendre le héros négatif : un jouisseur qui abuse de sa condition et de sa richesse pour séduire, un libertin dont l'incroyance n'est ni combattante ni progressiste ; il prétend faire voir dans l'homme de plaisir le parasite social : *Wir sind gegen parasitäre Lebensfreude* [1] ». Au badigeon politique près, c'est bien la condamnation portée par Tirso, et l' « analyse », sans doute déjà « marxiste », de Sganarelle : « grand seigneur méchant homme ».

Mais le mouvement de dévalorisation peut aussi s'exercer sur un hypotexte lui-même dévalorisant, ou peu soucieux de valoriser l'histoire qu'il raconte et ses protagonistes. Plutôt qu'une « démystification », l'hypertexte dévalorisant opère alors quelque chose comme une *aggravation,* accentuant peut-être simplement la pente secrète de son hypotexte. Ainsi procède Shakespeare à l'égard du texte homérique et post-homérique dans son *Troïlus and Cressida* (1602). Mais sans doute faut-il reprendre tout cela d'un peu plus haut.

Les amours de Troïlus et Cressida sont fort tardives. Chez Homère, Troïlos, fils de Priam, n'est mentionné qu'une fois (XXIV,

1. Rousset, p. 176.

257), comme un « vaillant guerrier plein d'ardeur sur son char ». Son rôle s'accroît dans le cycle troyen, où un oracle prédit que Troie sera sauvée s'il atteint l'âge de vingt ans ; mais il n'en sera rien car il meurt dès le début de la guerre, de la main d'Achille, qui le fait prisonnier et le sacrifie, ou bien l'abat au pied d'un abreuvoir, non loin des portes Scées, ou bien, saisi d'amour, le poursuit jusqu'au temple d'Apollon et le punit de sa résistance. C'est apparemment Benoît de Sainte-Maure qui le premier, dans son *Roman de Troie* (vers 1160) largement inspiré de Dictys et Darès, imagina une relation amoureuse entre l'adolescent et une jeune Troyenne nommée Briséida (qui n'a de commun avec la captive d'Achille que ce nom, produit sans doute d'une confusion, à cette époque où le texte d'Homère est inconnu). Prévoyant la défaite, Calchas, père de Briséida et devin troyen, passe au service des Grecs, puis obtient que sa fille le rejoigne à la faveur d'un échange de prisonniers. Briséida trahit alors Troïlus au profit du grec Diomède.

La postérité médiévale du *Roman de Troie* fut exceptionnellement riche, surtout en Allemagne et en Italie. Laissons de côté la branche allemande, qui comporte le *Liet von Troye* d'Herbart von Fritzlar (début XIIIᵉ), le *Trojanischer Krieg* de Konrad von Würtzburg (milieu XIIIᵉ), l'anonyme *Trojaner Krieg* (fin XIIIᵉ), plus trois romans en prose ultérieurs. En Italie, Guido Colonna compose en 1287 une adaptation latine intitulée *Historia destructionis Trojae*, dont Boccace s'inspirera pour son poème *Il Filostrato* (« Le terrassé d'amour », 1339), qui traite exclusivement des amours de Troïlus et de celle qu'il rebaptise Cressida. L'intrigue s'enrichit ici du personnage de Pandarus, cousin de Cressida et entremetteur, et prend la vive coloration érotique propre à l'auteur du *Décaméron*. Après la trahison de Cressida, Troïlus poursuit son rival dans la mêlée guerrière et trouve la mort, comme il se doit, sous les coups d'Achille. À la fin du XIVᵉ siècle, s'inspirant du poème de Boccace et/ou d'une adaptation en prose française, le *Roman de Troyle et de Criseida* de Beauvau, Chaucer écrit son *Troylus and Criseyde*, où l'accent se déplace sur l'héroïne, dont le poète s'ingénie à sauver l'honneur en multipliant les excuses et les atténuations : elle ne cède à Troïlus qu'après une longue cour chevaleresque secondée par les ruses de Pandarus ; une fois livrée à Diomède, elle opposera une aussi méritoire résistance. Troïlus lui-même n'échappe pas à cette correction édifiante : après sa mort, il monte au septième ciel et découvre l'amour mystique. Un pas de plus chez Robert Henryson, *The Testament of Cresseid*, 1593, où les dieux punissent la jeune fille en lui donnant la lèpre ; elle meurt repentante et Troïlus lui survit.

Shakespeare recueille tout cet héritage, plus deux remoutures anglaises de Colonna (*The Siege of Troye* de John Lydgate, début XVe, et le *Recuyell of the Historyes of Troye* de William Caxton, XVe). Mais surtout, pour la première fois depuis des siècles, le poète semble avoir eu connaissance du texte homérique. Au rebours de Boccace et de Chaucer, il réinsère les amours des deux héros dans l'histoire de la guerre — mais d'une guerre qui retrouve ses limites homériques : au premier acte, Achille est retiré sous sa tente, d'où il sortira au cinquième pour entrer dans la mêlée et massacrer Hector ; les Atrides, Ajax, Ulysse, Nestor, Patrocle, Priam, Pâris, Énée remplissent la scène, qui se transporte alternativement de l'enceinte de Troie au camp grec, et le spectateur qui ignorerait tout de la tradition intermédiaire pourrait imaginer que Shakespeare a tenté avec cette tragi-comédie une transposition scénique de l'*Iliade* corsée pour l'occasion et le plaisir du public d'une amourette surajoutée. En fait, c'est sans doute le contraire qui s'est produit : Shakespeare emprunte à ses prédécesseurs l'histoire de la trahison de Cressida, mais d'autre part l'*Iliade* redécouverte lui saute au visage, et investit en force l'intrigue amoureuse. *Troïlus and Cressida,* c'est l'intrusion de l'épopée homérique dans une vilaine affaire de cœur.

Mais les deux éléments ainsi conjoints — de nouveau conjoints, puisqu'ils l'avaient déjà été, mais d'une autre manière, chez Benoît — ne sont ici que pour subir une assez rude révision. Côté amours, la conduite de Cressida se voit retirer toutes les excuses obligeamment fournies par Chaucer, mais aussi toutes les pénitences purgatoires infligées par Henryson. Cressida aime passionnément Troïlus et supporte à grand-peine leur séparation ; pendant toute une scène, elle résiste à Diomède, pour finalement le rappeler au moment où il renonçait presque — le tout en présence de Troïlus dissimulé. Aucune motivation, aucune tentative d'explication : c'est arrivé comme cela, et l'ambiguïté, ou l'inconsistance, reste totale. *Cosi fan tutte ?* Shakespeare nous prive, ou dispense, même de cette légitimation par généralisation banale, et paradoxalement consolante, comme tout recours à une « loi ». *Cosi fa Cressida,* c'est là tout ce que nous en saurons jamais. Mais dès le début — les jours heureux où Troïlus, dans les murs de Troie, séduisait Cressida — la présence constante de Pandarus, *terzo troppo commodo,* un peu ruffian, un peu voyeur, et commentateur toujours cynique, contribue sans remède à gâter le tableau. Imaginez le neveu de Rameau entre Roméo et Juliette, et essayez d'entendre les trilles du rossignol.

Côté épopée, les héros grecs ne sont pas mieux traités, et l'on comprend que l'on ait pu monter cette pièce avec une musique de scène empruntée à Offenbach — n'était plutôt la trop grande bonhomie d'un tel accompagnement. Le témoin « démystificateur » est ici Thersite, choryphée cynique dont la glose est sans fioriture : « Partout la luxure ! Rien que des paillards !... La cause de tout ce bruit, c'est un cocu et une putain. » Il s'agit évidemment de Ménélas et d'Hélène, mais il y a en fait deux cocus et deux putains, un de chaque sorte dans chaque camp : partie nulle. Au reste, « c'est tenter la damnation que de se battre pour une putain quand on est fils de putain ». Mais le coup d'œil d'un Ulysse ou d'un Nestor n'est guère plus candide et, mis à part ces trois experts en sarcasme, le camp danaen n'est guère qu'un ramassis de bravaches, de ganaches et de lâches. Seuls épargnés, comme souvent, les héros troyens : Énée, Hector. « Si bien que les Grecs commencent à réhabiliter la barbarie en donnant de la civilisation une opinion aussi triste. » « Parodie » de l'épopée, certes, cette *Iliade* récrite par Thersite, et pas trop indigne peut-être de la *Deiliade* que lisait Aristote. Un seul trait parle pour tous : Achille ne tue pas Hector après l'avoir désarmé au combat, comme chez Homère : il le surprend et le fait massacrer par ses Myrmidons : « Et criez tous bien fort : Achille a tué le puissant Hector [1] ! »

Qu'aurait pensé d'une telle correction l'édifiant Houdar ? Le mouvement de Shakespeare est évidemment contraire au sien : non pas « rétablir » une gloire et une valeur déjà fort mal établies par Homère, mais bien les dégrader systématiquement. Non pas moraliser l'*Iliade,* mais la *démoraliser,* dans ses héros dénudés comme réîtres, dans son action rebaptisée massacre. Mais comparons les trois textes, et demandons-nous : de La Motte et de Shakespeare — de celui qui prétend l'amender et de celui qui le *pousse à bout* —, lequel trahit Homère ?

LXXII

Mais on peut aussi démoraliser Shakespeare lui-même, noircir le Shakespeare le plus noir, par exemple celui de *Macbeth.* C'est l'aimable propos d'Ionesco dans son *Macbett* [2].

1. Trad. fr. de F. V. Hugo, éd. Garnier.
2. Créé en 1971 ; coll. « Le Manteau d'Arlequin », Gallimard, 1972 ; voir C. Leroy, « Si ce n'est toi... ou Macbett contre Macbeth », *le Discours et le Sujet,* Nanterre, 1974.

A première vue, cette pièce s'inscrit dans la tradition des « parodies dramatiques » du type *Agnès de Chaillot* ou *Harnali,* comme en témoignent des transformations nominales comme Macbett pour Macbeth, ou Macol pour Malcolm. Pourtant, la diégèse originelle n'y subit aucune dégradation de niveau social : les personnages de Shakespeare conservent leur rang et leur identité, et l'action se situe toujours à la cour d'Écosse. Certains vulgarismes du discours peuvent évoquer le travestissement burlesque, mais leur fonction essentielle n'est pas de ridiculiser l'hypotexte shakespearien, mais simplement de l'actualiser et de le traduire dans l'habituel idiolecte du théâtre d'Ionesco. En fait, et malgré ces réminiscences du modèle burlesque, *Macbett* est plutôt une réfection sérieuse de *Macbeth* — à condition, bien sûr, de faire la part de la bouffonnerie inhérente au sérieux d'Ionesco : disons autrement que *Macbett* est une transposition ionesquisante de *Macbeth,* ni plus ni moins « sérieuse » que *les Chaises* ou *Rhinocéros.*

Ce « détournement » (C. Leroy) se manifeste évidemment par des traits de « style » : une certaine automatisation du discours, deux tirades successives et rigoureusement identiques de Macbett et Banco, une répétition, encore à l'identique, par Macbett et Banco des vitupérations proférées contre Duncan par Candor et Glamiss, un assaut de clichés démantibulés entre Duncan et Lady Duncan ; mais aussi par certaines transformations thématiques, tantôt significatives, tantôt, dirait-on, de pur caprice — ce qui porte au moins cette signification : « J'adapte Shakespeare et j'en fais ce qu'il me plaît », et vaut donc pour un indice de transposition : l'action remonte plus haut que chez Shakespeare, aux prodromes de la rébellion de Candor et Glamiss ; Macol, fils présumé de Duncan, est en fait celui de Banco, lequel médite de supplanter Macbett ; Macbett et Banco assassinent Duncan sur scène et avec la complicité active de Lady Duncan, qui deviendra Lady Macbett : mais cette Lady-là n'est en réalité qu'une des trois sorcières déguisée, ou métamorphosée, et la véritable Lady Duncan, fidèle à son époux défunt, réapparaît à la fin de la pièce ; après la victoire sur Candor et Glamiss, Duncan fait exécuter sauvagement les vaincus et refuse de tenir les promesses faites à Banco ; pendant toute cette scène, Lady Duncan (ici, pourtant, la vraie) fait de grossières avances à Macbett. Enfin et surtout, au dénouement, le vainqueur Macol tient un discours cynique, reprise littérale et ici véridique du discours-piège de Malcolm à Macduff chez Shakespeare, où il révèle sa vraie nature, encore plus odieuse que celle de Macbett, et annonce les « innombrables méfaits » qu'il exercera sur sa patrie : « Il n'y aura pas de fond à mon libertinage. Vos femmes, vos filles, vos matrones ne pourront remplir la citerne de mes désirs... Je trancherai la tête de tous les nobles pour avoir leurs terres, etc. » Au prix de cette transformation minimale et proprement parodique (même discours investi d'une nouvelle fonction), c'est le thème « pessimiste », et en tout cas typiquement ionesquien, du tyran immonde succédant au tyran ignoble, lequel déjà...

Macbett est donc une aggravation de *Macbeth,* comme *Troïlus* était une aggravation de l'*Iliade* et *Macbeth* même, via Holinshed, une aggravation de la chronique anglo-saxonne : un *Macbeth* poussé au noir, et qui s'offre au passage une évidente (quoique non déclarée) contamination avec *Ubu Roi*. Mais ce détour était en quelque sorte frayé d'avance, si l'on admet qu'*Ubu Roi* était déjà comme une caricature de *Macbeth*. Ionesco ne fait donc que rapatrier sur Shakespeare le paroxysme d'ignominie bouffonne effectué par Jarry, dans une récriture de *Macbeth* à la lumière d'*Ubu Roi*. Éclairage déformant mais révélateur : il y a déjà beaucoup d'Ubu chez Macbeth et de Mère Ubu chez Lady Macbeth. Et, comme toute aggravation, celle-ci ne fait que pousser à l'extrême — à *son* extrême de bruit et de fureur — la vérité de l'hypotexte. La notion d'hypertexte trouve ici son sens intensif et superlatif : *Macbett* est un *Macbeth* (encore plus) excessif, un *Macbeth* hyperbolique, un hyper-*Macbeth*.

LXXIII

Sur le statut hypertextuel de ses *Aventures de Télémaque,* c'est-à-dire sur leur relation au texte de Fénelon, Aragon propose, à quarante-sept ans d'intervalle, deux commentaires apparemment contradictoires : en 1922, il se défendait (mal) de toute attitude critique : « Qu'on n'ait pas voulu ici se lancer dans les six livres d'aventures morales par quoi Fénelon continue n'implique aucune idée de critique à l'égard de ce vénérable prélat. Ni d'ailleurs de dessein préconçu (substituer à ce récit la vie quotidienne d'Ogygie, amélioration puérile) [1]. » En 1969, au contraire : « Quand j'avais

1. Notes écrites lors de la première édition pour joindre à l'exemplaire d'un collectionneur, et reprises dans la réédition de 1966, Gallimard, p. 106.

ainsi entrepris de réécrire Fénelon, de le corriger (plus précisément), il y avait de ma part un retour à mes commencements, et l'effet de l'influence dominante que je subissais en ce temps-là, celle d'Isidore Ducasse, comte de Lautréamont, dont je venais de découvrir que les *Poésies* étaient dans leur ensemble une *correction* de plusieurs auteurs, particulièrement de ce Vauvenargues pour lequel j'avais une sorte de passion [1]. » Appréciations contradictoires en surface, mais au fond convergentes, car la première désigne clairement, sous forme de dénégation, le propos que revendique la seconde : propos d' « amélioration » ou de correction. Le *Télémaque* d'Aragon corrige celui de Fénelon comme les *Poésies* de Lautréamont corrigeaient (entre autres) les maximes de Vauvenargues, et l'un des aspects (le plus évident) de cette correction est une amputation « puérile », c'est-à-dire conforme à la sensibilité du lecteur enfantin que nous avons tous été et que, partant, nous sommes tous restés, des *Aventures de Télémaque :* de même que, de *Robinson Crusoé,* nous ne retenons (ne nous retient) que l'aventure insulaire, de *Télémaque* ne nous séduit plus que le séjour à Ogygie, parmi les nymphes de Calypso — et déjà, je suppose, le duc de Bourgogne lui-même n'en jugeait pas autrement. La « correction » aragonienne commence donc par cette réduction : ses sept livres se passent à Ogygie, et le récit par Télémaque de ses aventures antérieures s'y réduit à quatre pages.

Un second aspect, non moins brutal, mais d'effet cette fois amplificatoire, c'est l'insertion en « collage » de divers textes empruntés çà et là « aux ouvrages les plus divers, de Fénelon à Jules Lermina », et dont la présence n'est pas signalée au lecteur, « afin de lui ménager le plaisir de les découvrir soi-même, de s'en indigner, et de se réjouir de sa propre érudition ». Cette utilisation provocatrice du plagiat vient elle aussi de Lautréamont, cette fois par *Maldoror.* Mais la plupart des pages ainsi insérées dans *Télémaque* sont en fait des textes et manifestes dada écrits par Aragon lui-même, dont certains déjà publiés dans *Littérature :* simples remplois, donc. Ou encore, placée dans la bouche de Télémaque, une parodie du célèbre *Persiennes :* « Eucharis, Eucharis, Eucharis, etc. » (trois pages).

L'action même du séjour ogygien est fortement modifiée, et c'est sans doute par où ce nouveau *Télémaque* accomplit le mieux un propos de « correction » qui ressortit ici plus précisément, et

---

1. *Je n'ai jamais appris à écrire ou les incipit,* Skira, p. 20. « La personne qui m'apprit à lire avait, comme si j'étais le duc de Bourgogne, choisi de me faire déchiffrer jour par jour le *Télémaque* de Fénelon » (*ibid.,* p. 19).

comme le laissait prévoir la référence à Lautréamont, à la *dévalorisation*. Du moins Aragon prête-t-il à ses personnages des conduites peu conformes aux valeurs de l'hypotexte fénelonien : ainsi Télémaque fait l'amour (et un enfant) à la nymphe Eucharis, et l'exemplaire Mentor (c'est-à-dire, ne l'oublions pas, Minerve elle-même) ne résiste pas au charme de Calypso : « " — Vous me pressez comme un jeune homme. Ah! Mentor! — Égarons-nous, Madame, au fond de ces bosquets. " Il ne resta au bord de la mer que le caillou poli tombé de la bouche de Minerve, et les oiseaux hurleurs qui faisaient l'amour en plein vol. » Pendant un temps indéterminé, Télémaque quitte l'île en compagnie de Neptune. A son retour, Calypso et Eucharis partagent sa couche. « Elles s'y rencontrèrent souvent sans humeur et même, lorsque Télémaque réclamait quelque répit, elles ne dédaignaient point de se rendre des services mutuels, auxquels elles prirent si bien goût qu'elles arrivèrent à se passer du fils d'Ulysse et qu'elles lui intimèrent un beau jour l'ordre de ne plus les importuner. » Il ne reste à Télémaque et à Mentor, rendus par force à leur vertu d'origine, qu'à disparaître. Mais, au lieu de partir à la nage vers de nouvelles et édifiantes aventures, ils vont mourir, et de la mort grotesque qui convient à deux philosophes : disputant sur la liberté, le hasard et la nécessité, Télémaque, pour prouver son libre arbitre, se jette de la falaise. Mentor croit pouvoir se moquer de lui en ces termes : « " Télémaque, fils d'Ulysse, est mort dérisoirement pour se montrer libre, et sa mort déterminée par les sarcasmes et la pesanteur est la négation de ce hasard même qu'il voulut consacrer au prix de sa vie. Avec Télémaque, le hasard a péri. Voici le règne de la sagesse. " Comme il achevait ces mots un rocher branlant se détacha du haut de la côte et vint écraser, comme un simple mortel, la déesse Minerve qui, par jeu, avait pris la forme d'un vieillard et dut à cette fantaisie de perdre à la fois son existence humaine et son existence divine. »

C'est évidemment par ces retournements ironiques de l'action que la « correction » aragonienne s'apparente aux réfutations parodiques de Lautréamont, mais non sans clin d'œil à la tradition néo-burlesque inaugurée par Offenbach et perpétuée par Lemaitre et Giraudoux. La sollicitation érotique du séjour à Ogygie, la « démystification » ironique du moraliste radoteur sont dans le droit fil d'une tradition « bien française », et aussi vieille que le genre. Quant à l'extrapolation philosophique, elle évoque spécifiquement le Giraudoux d'*Elpénor*. Le débat sur la liberté relève de ce modèle, et quelques autres pages, jusqu'au pastiche manifeste, comme dans cette présentation de Télémaque : « Un bateau vint opportunément se briser aux pieds de Calypso. Il en sortit deux abstractions. La première n'avait pas vingt ans et ressemblait si parfaitement à Ulysse que les branches mêmes des arbustes, à la manière dont il les plia, reconnurent Télémaque, son fils, qui n'avait encore courbé aucune femme dans ses bras... Calypso retrouvait avec joie son amant fugitif en ce jeune naufragé qui s'avançait vers elle. Connaître déjà ce corps qu'elle apercevait pour la première fois la troubla plus que ne faisaient ces taches brillantes, les varechs collés par l'eau vive aux membres polis de Télémaque. Elle se sentit femme et feignit la colère. »

Mais le plus spécifique et le plus précieux des *Aventures de Télémaque* n'est pas dans ces traits d'époque, ou de genre. Je le verrais plutôt dans un fait d'écriture assez subtil, qui est à plusieurs reprises le passage progressif de la phrase fénelonienne (littérale ou pastichée), et donc d'un des états les plus purs de l'élégance classique, à « ce lyrisme de l'incontrôlable, qui n'avait pas encore de nom, et devait de notre consentement en 1923 prendre le nom de surréalisme ». La dernière page constitue en effet, comme le revendique son auteur, l'une des premières performances de ce style, qu'on lui accorde ou non le statut d'écriture automatique : « Les vents se levèrent de joie et se peignèrent aux dents des montagnes. Les forêts enfin délivrées coulèrent jusqu'aux demeures des hommes et les mangèrent, etc. » Mais Fénelon est alors oublié depuis longtemps. La métamorphose stylistique, la *transtylisation* progressive est plus insidieuse, et par là plus savoureuse, dans les premières pages, « partant du texte même de Fénelon », comme dit toujours Aragon, où « Calypso ne pouvait se consoler du départ d'Ulysse... » devient : « Calypso comme un coquillage au bord de la mer répétait inconsolablement le nom d'Ulysse à l'écume qui emporte les navires. Dans sa douleur elle s'oubliait immortelle. Les mouettes qui la servaient s'envolaient à son approche de peur d'être consumées par le feu de ses lamentations. Le rire des prés, le cri des graviers fins, toutes les caresses du paysage rendaient plus cruelle à la déesse l'absence de celui qui les lui avait enseignés... » Ou bien dans cette description du paysage entourant la grotte de Calypso (chez Fénelon : « La grotte de la déesse était sur le penchant d'une colline. De là on découvrait la mer, quelquefois claire et unie comme une glace, quelquefois follement irritée contre les rochers, où elle se brisait en gémissant, et élevant ses vagues contre des montagnes. D'un autre côté, on voyait une rivière où se formaient des îles bordées de tilleuls fleuris, etc. »), version surréalisée du *locus amoenus* classique : « La grotte de la déesse s'ouvrait au penchant d'un coteau. Du seuil, on dominait la mer, plus déconcertante que les sautes du temps multicolore entre les rochers taillés à pic, ruisselants d'écume, sonores comme des tôles et, sur le dos des vagues, les grandes claques de l'aile des engoulevents. Du côté de l'île s'étendaient des régions surprenantes : une rivière descendait du ciel et s'accrochait en passant à des arbres fleuris d'oiseaux ; des chalets et des temples, des constructions inconnues, échafaudages de métal, tours de briques, palais de carton, bordaient, soutache lourde et tordue, des lacs de miel, des mers intérieures, des voies triomphales ; des forêts pénétraient en coin dans des villes impossibles, tandis que leurs chevelures se perdaient parmi les nuages ; le sol se fendait par-ci par-là au niveau des mines précieuses d'où jaillissait la lumière du paysage ; le grand air disloquait les montagnes et des nappes de feu dansaient sur les hauteurs ; les lampes-pigeons chantaient dans les volières et, parmi les tombeaux, les bâtiments, les vignobles, des animaux plus étranges que le rêve se promenaient avec lenteur. Le décor se continuait à l'horizon avec des cartes de géographie et les portants peu d'aplomb d'une chambre Louis-Philippe où dormaient des anges blonds et chastes comme le jour. »

Il faut, bien sûr, dans tous ces cas, lire les deux textes côte à côte et comme simultanément. Entre ces deux écritures dont l'une se dégage et s'écarte progressivement de l'autre, s'établit alors une sorte d'étrange consonance, qui est le lieu même où s'exerce, dès ses débuts, le syncrétisme (ou l'électisme) d'Aragon, ce surréaliste qui avait appris à lire, et donc bien à écrire, dans *Télémaque,* et qui ne put jamais l'oublier.

LXXIV

A ma connaissance, Giono ne cite nulle part le *Télémaque* d'Aragon (ni l'*Elpénor* de Giraudoux ni l'*Ulysse* de Joyce, mais seulement le *Protée* de Claudel) parmi les modèles ou incitations possible de *Naissance de l'Odyssée*[1]. Il est pourtant évident que cette œuvre s'inscrit dans une mode d'époque, lointainement dérivée d'Offenbach via Lemaitre, et qui dure au moins jusqu'à *La*

1. Écrite entre 1924 et 1928, publiée en 1930. *Œuvres romanesques complètes,* Pléiade, t. I.

guerre de Troie n'aura pas lieu, de « retour à Homère » : c'est aussi, incidemment ou non, la période néoclassique de Stravinski et de Picasso. Non moins évident qu'elle fut d'abord conçue en termes de dévalorisation, et plus précisément de *réfutation.* En janvier 1925, Giono déclare : « J'ai acquis l'intime certitude que le subtil, au retour de Troie, s'attarda dans quelque île où les femmes étaient hospitalières, et qu'à son entrée en Ithaque il détourna par de magnifiques récits le flot de colère de l'acariâtre Pénélope » ; et quelques jours plus tard : « J'ai commencé... la véritable histoire (d'après moi) de l'artificieux Odysseus. » Fielding aurait pu s'exprimer dans les mêmes termes à propos de *Shamela.* Dans les deux cas un hypotexte est déclaré mensonger, et l'hypertexte se présente comme rétablissant la « véritable histoire ». Mais ici le soupçon s'autorise en quelque sorte d'un élément fourni par l'hypotexte lui-même, c'est le caractère rusé d'Ulysse, qu'Homère décrit (et montre) souvent comme habile à tisser des mensonges. Giono ne fait donc, en un sens, qu'aggraver le trait — si Ulysse est souvent menteur, le récit de ses aventures, que nous ne tenons que de lui (*Odyssée,* IX-XIII), peut être lui-même mensonger —, puis l'étendre à l'aède lui-même : si Homère nous rapporte un récit mensonger, le sien propre (le reste de l'*Odyssée*) pourrait l'être tout autant. Et la « véritable histoire », ce pourrait être, par exemple...

La suite s'impose à peu près d'elle-même : un homme qui met dix ans à rentrer de Troade à Ithaque a sans doute de bonnes raisons pour le faire, et si le récit mensonger de ses errances laisse passer, comme par inadvertance, des noms comme Circé, Calypso ou Nausicaa, cela peut donner des idées sur la nature de ces raisons. Giono n'a fait ici que suivre une pente toute naturelle de la lecture de l'*Odyssée,* même s'il a, dans la suite de son travail, quelque peu redressé cette pente en renonçant à cette première motivation : Ulysse forgeant son récit pour détourner la colère d'une épouse soupçonneuse. L'impulsion mythopoétique lui vient maintenant d'une manière moins vaudevillesque : il s'agit de contrebattre une rumeur, si j'ose dire encore plus mensongère, selon laquelle Ulysse serait mort, et d'opposer à ce bobard une vérité ornée, et donc persuasive. Ce récit improvisé au cours d'une veillée par un Ulysse incognito va devenir, colporté d'aède en aède jusqu'à Ithaque et précédant de peu Ulysse lui-même, la grande fable odysséenne : c'est cela, au juste, la naissance de l'*Odyssée.*

Mais de ce récit, évoqué (« La voix d'Ulysse sonna longtemps contre les murs... ») mais non rapporté, le lecteur de Giono ne sait rien, sinon, par recoupements de conjecture, qu'il doit coïncider avec celui qu'Ulysse offre aux Phéaciens dans l'*Odyssée.* L'histoire de *Naissance de l'Odyssée,* c'est le retour d'Ulysse, tel que le racontent les douze derniers chants de l'*Odyssée,* ou plutôt tel que ces chants ne le racontent pas. C'est ici, précisément, que l'hypertexte réfute son hypotexte.

Toute dimension épique y disparaît : Ulysse, comme ses compagnons Ménélas ou Agamemnon, rentre de Troade, mais presque rien n'évoque la guerre qu'il y a faite pendant dix ans, qu'une allusion indirecte et peu héroïque : « J'ai fait la guerre d'Asie. Je connais Ulysse. Combien de fois, au moment où sonnait la trompette, ne l'ai-je pas vu harceler les dos troyens puis revenir aux vaisseaux le dernier, couvert d'un sang plus épais que la poix ? » — une guerre faite à des dos —, et la description burlesque (au sens propre) du harnachement sous lequel Ulysse un jour s'embarqua : « Du manoir au port, ils avaient pris par les venelles allongeuses, lui couvert de fer brinquebalant... » Ulysse n'est plus le roi d'Ithaque à la tête de son armée, mais un paysan aisé, qui cultive ses vignes et élève ses cochons aidé de sa famille et de quelques valets et servantes, dans un univers de ruralité populaire directement issu de la (future) Provence gionesque, et pimenté d'anachronismes dans la plus pure tradition du travestissement scarronien. Et, surtout, Ulysse n'est plus un héros, même rusé, mais un ancien combattant vieilli, quoique encore gaillard, et peu soucieux d'en découdre, fût-ce avec un unique « prétendant ». Au cours de ses amours mi-orageuses mi-confortables avec Circé, la révélation par Ménélas de l'infidélité de Pénélope en ménage avec le jeune Antinoüs réveille en lui tout à la fois le désir de rentrer chez lui, dans sa ferme et dans ses droits, et la trouille bleue d'y subir le sort d'Agamemnon. Aussi arrive-t-il bien protégé par son allure de vieux mendiant, et refuse-t-il tout affrontement jusqu'à la bousculade fortuite qui le débarrasse miraculeusement d'un Antinoüs aussi lâche que lui-même — allant, lui Ulysse, jusqu'à étrangler sa chère vieille pie Gotton qui l'a reconnu, et dont les démonstrations pourraient le dénoncer : « il la jeta morte dans l'herbe haute, à côté de la stèle qui disait sa générosité et sa vaillance ». Quant à Pénélope, qui menait bonne vie avec le freluquet et se serait bien passée de ce retour, « elle sentait confusément en elle-même qu'elle serait la femelle du vainqueur, quel qu'il soit ! » Les modèles de bravoure et de vertu conjugale sont vraiment loin, et la réconciliation finale se fera sur le mode bonhomme, sans grandeur et sans illusion, de la (future) *Femme du boulanger :* on passe l'éponge et on retourne au travail. Plus rien d'épique, non, ni même de cet héroïsme par souvenir qui colore l'*Odyssée* d'un reflet d'*Iliade :* tout est ici à l'échelle dite humaine, au sens médiocre et inévitablement dépréciatif qu'Aristote évoquait en parlant de personnages « pareils à nous » *(kat'hè-mas)*. C'est bien l'univers terre à terre et « trop humain » du premier Giono — paradoxalement loin des âmes fortes et des énergies farouches de ses dernières chroniques —, qui semble découler tout naturellement d'une négation, ou plutôt d'un renversement des valeurs héroïques : effacée l'épopée, évitée la tragédie, reste immanquablement ce que l'on désigne ordinairement d'un peu glorieux : « C'est la vie ! »

Dévalorisation, donc, s'il en fut. Mais qui comporte son versant de contre-valorisation, sur le thème bien connu des « vraies richesses » et des humbles mérites de l'humanité commune : « Une vie ne vaut rien, dira Malraux sur fond d'héroïsme, mais rien ne vaut une vie. » Ce n'est sans doute pas sans raison que Giono, dans son premier roman — car cette *Odyssée* désenchantée, je dirais volontiers dégonflée, est bien un roman — s'identifie à cet ancien combattant revenu de tout, sauf des plaisirs simples, et qui a « tout oublié des batailles ».

Simples et moins simples, ou moins grossiers : après tout, l'invention d'un récit mirifique, et le plaisir de le répéter chaque soir de caboulot en caboulot, représentent ici la part du rêve, et d'une surhumanité imaginaire. L'Ulysse médiocre est au moins capable d'inventer un Ulysse grandiose. Et aussi d'éprouver, traversant à pied de jour et de nuit le Péloponnèse et l'Arcadie, ce que son auteur nomme joliment la « transparence des dieux » : « Un petit vent campagnard, de ceux qui vont un brin de sauge aux dents, écarta soudain les feuillages, et Ulysse, serrant les fesses, s'enfuit sous le couvert. "Je me suis égaré dans la colère de Pan silencieux !" Il aurait voulu fendre ce pays sauvage d'une traite droite jusqu'aux plaines, mais, le souffle coupé, il dut demeurer sous la résille ténébreuse des arbres. Après ce contact avec la transparence des dieux, il s'écarta des ombrages musiciens de peur de trouver le faune et sa flûte, ou le centaure cherchant ses puces ; il tressaillait à chaque éboulis de pierrailles, s'attendant à être ravi par quelque nymphe d'écorce ; il toucha dans le silence le mystère des mille corps divins en chasse autour des hommes. »

Cela s'appelle, en style noble, le sentiment *panique,* et ce mot dit assez bien ce qu'il peut y avoir de grandeur dans la frousse. Cette ambivalence est la note exacte de *Naissance de l'Odyssée :* c'est dire que la dévalorisation n'y va pas sans quelque valorisation symétrique, et donc que nous sommes déjà dans le mouvement complexe de la *transvalorisation,* au sens fort de ce terme.

LXXV

Transvalorisation : c'était ici un double mouvement de dévalorisation et de (contre-)valorisation portant sur les mêmes personnages : Ulysse et accessoirement Pénélope, destitués de leur grandeur héroïque mais investis en retour d'une « épaisseur » d'humanité commune (égoïsme, tendresse, lâcheté, imagination, etc.) qui relève évidemment d'un autre système de valeurs — c'est en quoi consiste, incidemment, la transformation générique propre à *Naissance de l'Odyssée* : de l'épique au romanesque, ou plutôt à *un certain romanesque,* car s'il n'y a sans doute qu'un épique, il y a plusieurs romanesques.

La substitution de valeurs joue ici sur un hypotexte qu'on peut grossièrement décrire comme axiologiquement homogène, comme l'était déjà l'*Iliade* et comme l'est peut-être toute épopée : des affrontements — batailles, duels ou massacres — qui n'impliquent aucun véritable conflit de valeurs, tous les personnages professant, ou du moins illustrant, le même credo axiologique. Mais elle peut aussi s'exercer sur un texte comportant un conflit de valeurs, comme *Antigone,* et nous avons entrevu chez Anouilh en quoi peut consister, dans ce cas, le travail de transvalorisation : prendre dans l'hypertexte un parti inverse de celui qu'illustrait l'hypotexte, valoriser ce qui était dévalorisé et réciproquement. Mais c'est là une formule beaucoup trop grossière pour décrire l'opération Anouilh : il faudrait, pour qu'elle fût exacte, que Sophocle ait pris massivement parti pour Antigone, et qu'Anouilh à son tour prît aussi massivement parti pour Créon. C'est un peu (plus) ce qu'il advient lorsque Unamuno exalte fanatiquement don Quichotte contre son entourage de curés et de barbiers, ou lorsque Brecht entreprend, à l'inverse (selon lui) de Molière, de « voter » contre don Juan — et donc (selon moi) pour Sganarelle.

Mais c'est sans doute encore simplifier ou brusquer les choses que de poser, dans les deux cas, le comique en instrument de choix axiologique : de ce que Sganarelle est ridicule, il ne suit peut-être pas tout uniment que don Juan, pour Molière, a raison contre lui, et la folie burlesque de don Quichotte n'investit pas automatiquement de sagesse ses divers antagonistes. L'opposition entre Robinson Crusoé et Vendredi, en revanche, me semble plus univoque, parce que constamment *sérieuse,* et qu'entre le jeune sauvage et son bon maître anglais, industrieux et protestant, le parti de Defoe est manifeste, explicite et investi dans un processus d'intégration (de Vendredi au système axiologique de Robinson) qui est l'éducation de Vendredi par Robinson. La transvalorisation hypertextuelle, dans ce cas, consisterait à prendre, antithétiquement, le parti (des valeurs supposées) de Vendredi contre (celles de) Robinson, et de substituer en conséquence à l'éducation de Vendredi par Robinson une éducation, symétrique et inverse, de Robinson par Vendredi. On voit peut-être où je veux en venir : j'y suis déjà.

« Un lecteur m'a demandé un jour avec une intention un rien malveillante pourquoi je n'avais pas dédié ce livre à la mémoire de son premier inspirateur Daniel Defoe. N'était-ce pas là le moindre hommage que je pouvais lui rendre ? J'avoue que je n'y ai même pas songé, tant la référence constante de chaque page de ce livre à son modèle anglais me paraissait évidente [1]. »

Tournier a raison, la dédicace eût été bien inutile : la « référence » en hommage est contenue dans le titre, qui constitue l'un des contrats d'hypertextualité les plus explicites et les plus exacts, et qui dit d'entrée de jeu l'essentiel : la substitution au « point de vue » de Robinson du « point de vue » de Vendredi. Mais il faut entendre ici *point de vue* non pas au sens technique (focalisation narrative), mais au sens thématique et axiologique. Est-ce plus, est-ce moins ? J'y reviendrai.

Defoe, je le rappelle, n'avait pas inventé son héros : qu'il ait ou non rencontré Alexandre Selkirk et tiré parti de ses confidences, il reste aujourd'hui possible de comparer l'action de *Robinson* à l'expérience de son modèle, et de traiter le roman de Defoe comme une transposition des aventures de Selkirk, en relevant ce que Tournier appelle les « écarts entre l'histoire et l'œuvre littéraire » : par exemple, translation des côtes du Chili aux bouches de l'Orénoque, allongement considérable (de quatre à vingt-huit ans) de la durée de l'aventure, substitution d'un naufrage à un abandon volontaire, invention du personnage de Vendredi. On peut dès lors imaginer une récriture de *Robinson* qui viserait à rétablir contre Defoe la première version des faits, l'authentique histoire de Selkirk. Je ne connais aucune tentative de ce genre, mais j'observe au moins que Tournier, comme Giraudoux dans *Suzanne*, ramène

1. Michel Tournier, *Le Vent Paraclet*, Gallimard, 1977, P ; 229. Le livre en question est évidemment *Vendredi ou les limbes du Pacifique*, Gallimard, 1967 ; éd. « revue et augmentée », « Folio », 1972.

son héros au Pacifique, et j'imagine que bien des lecteurs ne s'avisent pas même de cette restitution, tant le thème de l'île déserte a partie liée avec une certaine image des « mers du sud », qui prévaut dans le souvenir sur les indications expresses de Defoe. Mais le Pacifique de Tournier n'est pas celui de *Suzanne :* plus proche effectivement du Mas a Tierra de Selkirk, ni plus ni moins hospitalière que celle de Defoe, son île n'a rien d'un paradis. Le changement d'océan n'a donc pas de réelle fonction thématique. De même, le naufrage est retardé d'un siècle, transféré gratuitement au 30 septembre 1759, ce qui n'empêche pas le séjour insulaire de durer exactement autant que chez Defoe : vingt-huit ans, deux mois et dix-neuf jours. Ou encore : le Robinson de Defoe était célibataire, celui de Tournier a laissé chez lui une femme et deux enfants, mais ce détail n'influe en rien sur la suite : Robinson évoquera une fois sa sœur Lucy, une autre fois sa mère, jamais sa femme ni ses enfants.

J'en dirais presque autant d'une autre transformation, d'ordre modal cette fois : le passage de la narration autodiégétique, constante chez Defoe, à une narration hétérodiégétique coupée de fragments de journal. Tout se passe comme si l'opération de transformation thématique avait d'abord déterminé la transvocalisation, comme exprimant la distance prise par l'auteur à l'égard du personnage hérité, et peut-être le désir de traiter le récit dans le grand style extérieur du roman d'aventures classique, quitte à le pasticher ironiquement dans les premières et dernières pages ; puis, le désir de donner la parole aux méditations de Robinson aurait entraîné le recours à ce substitut du monologue intérieur. Mais il n'y a peut-être là qu'un grossissement de l'effet déjà présent chez Defoe, lorsqu'il fait tenir à Robinson son journal jusqu'au moment où l'encre vient à lui manquer. Du moins ce parti narratif permet-il à Tournier, en une ou deux occasions, de transfocaliser le récit sur Vendredi ; en particulier au moment décisif où celui-ci, surpris par son maître à fumer, jette la pipe brûlante au fond de la réserve de munitions, pulvérisant d'un geste des années de civilisation robinsonnienne.

Comme le rappelle Tournier lui-même dans *le Vent Paraclet,* le roman de Defoe se divisait naturellement en deux parties correspondant aux deux phases de l'aventure de Robinson : *avant Vendredi* ou l'expérience de la solitude, *avec Vendredi* ou l'expérience de la cohabitation avec le sauvage et de son éducation, préludant à la colonisation qui s'amorce dans les dernières pages où Robinson et Vendredi ne sont plus seuls, et où Robinson promu gouverneur s'apprête à accueillir toute une population d'émigrés espagnols. Le roman de Tournier est d'une structure thématique plus complexe, au moins parce que l'*avec Vendredi* comporte lui-même deux phases, l'une, avant l'explosion, conforme au modèle (Robinson tente d'éduquer Vendredi), l'autre, après l'explosion, qui sanctionne la conversion de Robinson et consacre la maîtrise de Vendredi ; mais aussi parce que Tournier a voulu préparer cette conversion pendant la première phase de solitude en montrant un Robinson déjà partagé entre la volonté de civiliser Speranza et diverses tentations de retour à une sensibilité élémentaire. Ainsi, Robinson reste plusieurs mois inactif, fasciné par l'océan et l'attente d'un secours, sans entreprendre aucun travail d'installation. Il ne songera à utiliser le matériel de la cargaison que pour construire une chaloupe et quitter l'île. L'échec de cette tentative le plonge dans une nouvelle phase d'inaction, celle de la souille où il s'identifie à l'existence animale la plus dégradée. C'est seulement la vision hallucinatoire d'un vaisseau et la crainte soudaine de la folie qui le jettent dans l'activité civilisatrice, considérée ici comme une sorte d'ascèse gratuite à fonction purement hygiénique (« corset de conventions et de prescriptions qu'il s'imposait pour ne pas tomber »), et non plus comme la conduite normale d'une créature préservée par la Providence et guidée par la lecture de la Bible. Aussi bien cette phase s'accompagne-t-elle de rechutes (retour à la souille) et de nouvelles expériences de fusion élémentaire : séjour régressif dans la crypte-alvéole au cœur de l'île — ombilic des limbes — qui est évidemment un retour à l'utérus, accouplements avec un arbre (« voie végétale »), puis avec l'île elle-même (« voie tellurique »), sous les espèces de la combe rose où pousseront bientôt des mandragores, fruits de cette union. Robinson note lui-même dans son *log-book* la simultanéité de ces deux conduites, l'une visant à une socialisation factice par l'administration de l'île, l'autre à une déshumanisation pure et simple, comme si l'être humain, incapable de rester lui-même dans la solitude, ne pouvait survivre qu'en mimant artificiellement la socialité et/ou en retournant à l'animalité.

L'œuvre civilisatrice de Robinson, ainsi relativisée par sa fonction purement symbolique et par son contrepoint d'expériences régressives, subit une critique implicite sous la forme d'une exagération caricaturale : le Robinson de Defoe se contentait de mener, sous le regard respectueux de ses compagnons animaux, la vie décente et laborieuse d'un honnête chrétien ; celui de Tournier s'abîme dans un simulacre névrotique d'administration, rédigeant une charte et un code pénal de Speranza, édifiant un Palais de justice, un Temple, un Conservatoire des Poids et Mesures, et revêtant un habit de cérémonie pour recenser les tortues de mer ou inaugurer des ponts et des routes ; l'idéologie protestante de Defoe s'exprimait sur le

421

mode sublime et justificatif de la lecture biblique, celle du Robinson de Tournier s'énonce et se *dénonce* sous les espèces du catéchisme productiviste de Franklin, dont il inscrit en énormes caractères les maximes moralisantes et terre-à-terre sur les rochers de Speranza, au risque d'attirer l'attention de quelques sauvages. Cette énonciation dégradante vaut évidemment pour une critique du modèle, qui ne percevait ni la détermination historique (accumulation capitaliste déguisée en morale puritaine) ni la vanité de ses motivations.

Ainsi écartelé entre deux postulations antithétiques mais également sans issue, Robinson est sans le savoir disposé à accueillir la leçon de Vendredi, qui sera moins pour lui un compagnon et un collaborateur qu'une charge et un rival pour commencer (il sabote plus qu'il ne travaille, il pollue la combe rose de ses mandragores rayées de noir), puis un exemple et un maître. L'arrivée même de Vendredi est marquée d'un désaveu significatif à l'égard de l'hypotexte : chez Defoe, Robinson, alerté par un premier débarquement de sauvages, souhaite ardemment se procurer un serviteur qui l'aiderait à quitter l'île ; il anticipe même en rêve le sauvetage de Vendredi, qui ne le prendra pas au dépourvu mais viendra au contraire accomplir son attente. Chez Tournier, aucune attente et nul dessein de sauvetage ; tout au contraire, lorsque Robinson voit le fugitif se diriger vers lui, il ne songe qu'à sa propre sécurité et cherche à satisfaire les poursuivants pour les écarter de son domaine : il vise le fugitif, et c'est un mouvement de son chien qui dévie le coup et lui fait abattre le premier poursuivant. Selon la pratique chère à Giraudoux, le destin s'accomplit malgré les intentions des personnages, et par le biais d'un accident imprévisible qui le remet sur sa voie. Mais, au passage, l'événement a perdu sa motivation originelle : chez Defoe, Robinson délivrait le sauvage pour acquérir un compagnon, chez Tournier, cet acte procède d'un pur accident et ne répond à aucun désir de Robinson. Vendredi est un intrus dont il se serait bien passé, et dont la présence importune l'offusquera jusqu'à l'explosion libératrice.

A partir de ce moment (inclus), le récit de Tournier diverge radicalement de celui de Defoe. Rien dans celui-ci, pas même a contrario, ne pouvait annoncer le déploiement d'initiatives de Vendredi. Les flèches volantes, la victoire sur le vieux bouc et sa métamorphose en cerf-volant et en harpe éolienne, qui vont ouvrir Robinson à sa vocation aérienne et solaire, à sa sexualité ludique, circulaire et cosmique, et le délier de toute attache humaine. Rien, si ce n'est un passage que Tournier n'a peut-être pas même remarqué, car il appartient à la suite post-insulaire de *Robinson,* pendant la traversée des Pyrénées : un ours menaçant la troupe des voyageurs, Vendredi supplie qu'on le laisse s'en charger : « Moi donner une poignée de main à lui, moi vous faire bon rire... Maintenant vous voir moi apprendre l'ours à danser. » Il entraîne l'animal jusqu'à un arbre auquel il grimpe, suivi de l'ours. Puis il saute à terre, et l'ours privé de sa proie redescend lentement et maladroitement en étreignant le tronc de ses quatre membres. Au moment où il va toucher le sol, Vendredi l'abat d'une balle dans l'oreille : « Ainsi nous tue ours dans ma contrée. » « Ceci, commente Robinson, fut vraiment un bon divertissement pour nous [1]. » C'est bien, me semble-t-il, la seule occasion chez Defoe où Vendredi fasse montre d'un savoir-faire indigène dont son maître puisse faire son profit, comme si lui seul avait quelque chose à enseigner à Vendredi, sans aucune réciproque : indice chez Defoe d'une extraordinaire infatuation ethnocentrique. Mais il est très remarquable que cette manifestation unique, sans doute inspirée d'une pratique réelle, se situe dans un registre de « rire » et de « divertissement ». Ce Vendredi prêt à « apprendre l'ours à danser » présage évidemment, pour nous, le Vendredi de Tournier annonçant qu'il va faire « voler et chanter » le grand bouc Andoar. Cette leçon fort inattendue montre comment un grand texte peut, à l'insu de son auteur, prévoir et anticiper certaines de ses futures métamorphoses.

Le dénouement de *Vendredi* marque sans doute le point extrême de son émancipation pragmatique par rapport à son hypotexte : après avoir converti Robinson à sa vie sauvage, Vendredi s'en va seul sur la goélette anglaise, tandis que Robinson, plus fidèle parce que plus néophyte, choisit de rester sur l'île. Mais il choisit de rester sans savoir que Vendredi a choisi de partir, et nul ne peut dire quel parti il aurait pris en connaissance de cause. Apitoyé et secourable, Tournier lui fournit un second Vendredi en la personne du petit mousse dont il pourra faire la contre-éducation. Reste que ce chassé-croisé, quelles qu'en doivent être les suites, signe le triomphe ironique de Vendredi, assez émancipé lui-même pour poursuivre son jeu à bord d'un navire de Sa Majesté. Sa liberté et sa maîtrise se mesurent à sa capacité de trahison. A Robinson, encore attaché à son île comme son lointain modèle s'attachait à sa morale et à sa religion, il reste sans doute plus à apprendre qu'à enseigner. A apprendre, c'est-à-dire à *désapprendre*.

Vendredi constitue donc bien une transvalorisation de *Robinson Crusoé,* aussi rigoureuse que celle opérée par Unamuno sur le

1. Trad. fr. par Pétrus Borel, Pléiade, p. 288-291.

Quichotte. A cet égard, le titre dit bien (très bien) ce qu'il veut dire. Mais, d'une manière à mes yeux très significative, dans ce livre intitulé *Vendredi,* la narration reste pour l'essentiel (j'ai déjà signalé l'une des rares entorses) focalisée sur Robinson. Cette apologie du bon sauvage est bien faite, comme toujours, par le civilisé, et l'auteur même ne s'y identifie nullement à Vendredi, mais bien à Robinson : un Robinson fasciné et finalement converti par Vendredi, mais qui demeure le foyer — je dirais volontiers le *maître* du récit, et d'un récit qui raconte son histoire, non celle de Vendredi. Quelqu'un, ici, dit « Vendredi avait raison », mais ce quelqu'un, malgré une dévocalisation de surface, c'est toujours Robinson. Le véritable *Vendredi,* où Robinson serait vu, décrit et jugé par Vendredi, reste à écrire. Mais ce *Vendredi*-là, aucun Robinson — fût-il le mieux disposé — ne peut l'écrire.

L'hypertexte, c'est bien connu, attire l'hypertexte. L'immense série des robinsonnades, chez Tournier lui-même, ne s'arrête pas à *Vendredi ou les limbes du Pacifique.* En 1971, Antoine Vitez en tire une pièce pour enfants qu'il monte au Palais de Chaillot. Au même moment, Tournier rédige une version enfantine du roman sous le titre *Vendredi ou la vie sauvage*[1]. Ce second *Vendredi* vise un lecteur par hypothèse inapte à la lecture du premier, qu'il abrège, simplifie, et expurge de ses aspects trop philosophiques, ou trop troublants pour un jeune public. Entre ce texte et son lecteur enfantin, je suppose, aucune gêne, non plus que dans les innombrables versions adaptées de *Robinson* lui-même. Mais, lorsqu'un lecteur adulte lit ce second *Vendredi* avec le souvenir du premier, il se produit une situation de lecture imprévue, non programmée par l'adaptateur, à proprement parler *indue,* et qui engendre inévitablement un malaise. Je lis à deux niveaux un texte qui s'y prête mais ne s'y attend pas, j'observe des explications *ad usum delphini,* des censures, des compromis, de petites trahisons, de petites lâchetés. Qu'est-ce par exemple que ce *Vendredi* sans combe rose, sans mandragore, châtré de sa dimension érotique ? Il me choque que l'auteur lui-même se soit prêté, ou plutôt livré à un tel exercice. Je vois que la scène (capitale) de l'arrivée de Vendredi subit un curieux outrage : cette fois, Robinson ne vise pas le fugitif, mais le premier poursuivant. Le mouvement de Tenn dévie le coup vers le second poursuivant, mais le premier s'arrête pour lui porter secours, et Vendredi est sauvé, mais non plus contre le gré de Robinson ; de ce

1. Flammarion, 1971.

fait, l'intervention du chien perd toute fonction pragmatique. L'auteur, dirait-on, a voulu à la fois conserver l'astuce narrative et sauver la morale en effaçant l'intention égoïste de Robinson et en revenant, somme toute, à la version de Defoe. Un peu plus loin, je vois que Vendredi a gagné un motif pour affronter Andoar : c'est son affection touchante et jalouse pour la petite chèvre Anda, et je me demande si le récit gagne ou perd à cette motivation rétroactive. Mais je sens surtout que ces remarques et ces questions sont déplacées, comme toute ma curiosité pour la relation entre ces deux textes, puisque le lecteur virtuel de *Vendredi ou la vie sauvage* n'est pas censé connaître *Vendredi ou les limbes du Pacifique*.

Mais qui en décide ? Dans ce domaine, bien sûr, l'usage crée le droit et, dès lors que tous les textes, ou tous les états d'un texte, sont accessibles, voire, comme c'est ici le cas, publiés par l'auteur lui-même, toute lecture, même la plus indiscrète, est légitime. D'où il suit que toute écriture est responsable. *Vendredi ou la vie sauvage* est en principe une version réservée, dont l'intention d'écriture, clairement inscrite dans son texte, vise un type de lecteurs et en exclut un autre. Mais ce texte, publié, atteint aussi parfois le lecteur qu'il ne souhaitait pas, comme Robinson vise Vendredi et tue son poursuivant. Ce lecteur imprévu et sans doute importun vient alors se superposer au destinataire recherché, et cette double « réception », par elle-même, dessine ce qu'on pourrait décrire comme un palimpseste de lecture. Je suis seul devant ce texte, et pourtant je me sens deux : l'enfant qu'il vise et l'adulte qu'il atteint. D'où j'infère qu'il louche.

Quoi qu'il en soit, *Vendredi ou la vie sauvage,* transposition de transposition, est typiquement un hyper-hypertexte, à certains égards plus proche de son hypo-hypotexte *Robinson Crusoé* que ne l'était son hypotexte *Vendredi ou les limbes du Pacifique*. Cela fait rêver : de correction en correction, de moralisation en moralisation, on imagine Tournier finissant par produire une copie conforme de *Robinson*. Ainsi peut-être procéda Pierre Ménard à l'égard du *Quichotte,* qu'il retrouva en prenant simplement, si j'ose dire, le contre-pied d'Unamuno. L'histoire de l'hypertextualité, qui se confond souvent avec l'histoire de la littérature, pourrait ainsi boucler sa propre boucle. Imaginez un lecteur innocent (espèce rare) d'*Ulysse* ou de *Naissance de l'Odyssée*. Innocent et désœuvré. Un jour, il entreprend, en grec (innocent et désœuvré, mais helléniste), une récriture archaïsante de l'un ou l'autre de ces textes, ou des deux à la fois. Comme par hasard, il réinvente mot pour mot le texte homérique... et *tout* est à recommencer.

LXXVI

Mais je ne veux pas quitter la transvalorisation sans évoquer sa manifestation à la fois la plus brutale et la plus énigmatique, et qui s'appuie sur un renversement pragmatique absolu : je veux dire la *Penthésilée* de Kleist[1].

L'histoire de la mort de Penthésilée remonte à la (sans doute) première épopée posthomérique, l'*Éthiopide,* où elle s'enchaîne immédiatement au dernier épisode de l'*Iliade,* les funérailles d'Hector : le romanesque marche sur les talons de l'épopée. Selon le sommaire de Proclos, la reine des Amazones vient à la rescousse des Troyens, fait un massacre de guerriers grecs, puis se heurte à Achille qui la tue en duel. Thersite vient alors injurier Achille, qui le tue d'un coup de poing. Ainsi résumé, cet enchaînement est un peu obscur : on ne voit guère ce qui peut expliquer les insultes de Thersite. Quintus de Smyrne[2], qui ne connaissait déjà l'*Éthiopide* que par Proclos, cherche à les motiver en étoffant quelque peu la conduite d'Achille qui, à l'instigation d'Aphrodite, se montre sensible au charme posthume de Penthésilée. « Achille donne libre cours au remords de son cœur : pourquoi l'a-t-il tuée plutôt que d'emmener comme épouse dans sa Phthie, le pays des pouliches, cette femme divine que sa taille et sa beauté si parfaite rendent l'égale des Immortelles ? » Thersite l'apostrophe alors ainsi : « Achille, cœur pervers... dormir avec des femmes, c'est affaire de couard. » On comprend la réaction du Péléide, accusé d'un acte qu'en l'occurrence il s'est bien empêché de commettre. Mais certaines scholies[3] font état d'une « union charnelle entre Achille et Penthésilée morte », qui justifierait davantage les sarcasmes de Thersite.

Dans tout cela, le thème nucléaire reste bien évidemment celui de la belle guerrière (qu'on retrouvera dans la Camille de Virgile, la Bradamante de l'Arioste ou la Clorinde du Tasse), et plus précisé-

---

1. 1789 ; trad. fr. par Julien Gracq, Corti, 1954.
2. *Suite d'Homère,* I, p. 38.
3. *Ibid.,* p. 40.

ment de la beauté de la guerrière morte, d'où regrets d'Achille, coupable et victime indirecte de cette mort. On peut à partir de là, et sans attenter trop gravement à la donnée essentielle (Penthésilée doit mourir, et Achille, promis à une autre mort, doit survivre), rêver à quelque amplification plus romanesque, et plus gratifiante. Par exemple, Penthésilée, au moment où Achille la découvre, ne serait qu'évanouie, et l'on peut dès lors imaginer une passion réciproque et une relation amoureuse, Penthésilée ignorant que son tendre vainqueur est Achille. Mais quelque incident lui révélerait son identité : l'intervention de Thersite, par exemple. Alors, furieuse de cette double défaite, Penthésilée obligerait Achille à reprendre le combat et, voyant qu'elle ne peut décidément le vaincre, se jetterait sur son épée.

Le parti de Kleist est d'abord à peu près celui-là : Penthésilée croit qu'Achille est son prisonnier, les deux héros ont le temps de s'éprendre et d'entrevoir un avenir de bonheur commun. Puis, brutalement, le destin se renverse et bascule dans l'horreur : furieuse de découvrir qu'elle était la prisonnière d'Achille, Penthésilée se rue sur lui, l'abat d'une flèche au cou, et le dévore avec ses chiens, encore vivant et s'étonnant : « Penthésilée ! ma fiancée ! qu'as-tu fait ? Cette Fête des Roses que tu me promettais, c'était donc cela ? » Dégrisée peu après, elle meurt de remords et, j'espère, de regrets.

La transformation pragmatique — fort audacieuse puisqu'elle fait fi de toute la tradition concernant l'invulnérabilité d'Achille et ses exploits ultérieurs jusqu'à sa mise à mort par la flèche de Pâris guidée par Apollon — aboutit, on le voit, à un renversement axiologique complet par rapport aux données de l'hypotexte : ce n'est plus Achille qui s'éprouve coupable et malheureux de la mort de Penthésilée, mais l'inverse, et de la manière la plus atroce. La victime devient bourreau, le bourreau devient victime. On dit que Kleist se serait inspiré d'une version alexandrine, mais à ma connaissance aucune ne donne la victoire finale à Penthésilée, et la mort à Achille. En toute hypothèse, le choix de la variante revient au poète, dont la sauvagerie d'inspiration se donne ici le cours le plus libre, et apparemment le plus gratuit : le fantasme, peut-être, à l'état pur.

Pour les raisons susdites [1], j'ai différé jusqu'ici l'évocation de deux hypertextes à statut complexe, assez caractéristiques — chacun à sa manière — du genre que je proposais, par extension, de baptiser *supplément.* Un supplément, nous l'avons vu, est une extrapolation déguisée en interpolation, une transposition sous forme de continuation.

Tel est à peu près le statut du *Faust* de Valéry, ou du moins de cette « comédie » inachevée qui en constitue l'essentiel : *Lust, la demoiselle de cristal*[2].

Valéry désigne lui-même cette œuvre comme un « Troisième *Faust* », qui prendrait la suite des deux parties du drame de Goethe. Mais à la fin du *Second Faust,* le héros meurt et rejoint Marguerite en quelque Paradis bien ou mal mérité. Le héros d'un troisième *Faust* serait donc le bénéficiaire d'une sorte de résurrection, ou, selon le mot ambigu de Valéry, « réincarnation ». C'est un Faust vivant à l'époque moderne, qui a d'une manière ou d'une autre survécu à ses aventures traditionnelles, qui appelle cette époque lointaine « le temps de ma vieillesse », et qui n'en a plus guère qu'un souvenir indirect, médiatisé (un peu comme dans le second *Quichotte,* ou plutôt bien davantage) par la lecture de leurs illustres récits : il se présente comme « le Professeur Docteur Faustus, membre de l'Académie des sciences mortes, etc. Héros de plusieurs œuvres littéraires et musicales estimées... On a tant écrit sur moi que je ne sais plus qui je suis. Certes, je n'ai pas tout lu de ces nombreux ouvrages... mais ceux dont j'ai eu connaissance suffisent à me donner à moi-même, de ma propre existence, une idée singulièrement riche et multiple. — Avez-vous vu le diable ? — On l'a dit. On l'a écrit. On l'a même chanté, beaucoup chanté. Tellement dit, écrit et chanté que j'ai fini par le croire... Mais à présent... je commence à ne plus le croire ».

Il s'agit donc d'une continuation fortement proleptique (Faust

1. Ci-dessus p. 229.
2. 1940-1943. *Œuvres,* Pléiade, II, p. 278-379. L'autre fragment (*le Solitaire*), qui ne tient au thème de Faust que par le nom de son héros, n'a guère de pertinence pour nous.

quatre siècles après), mais aussi passablement *métaleptique*[1], puisqu'ici un héros de récits, de drames et d'opéras sort de son univers de papier et de fiction (« Il ne te suffit pas d'être toi-même un livre... »), auquel il ne croit, fort sagement, qu'à moitié, pour entrer dans une vie « réelle », c'est-à-dire tout aussi fictive, mais un cran au-dessous : le Faust de Valéry se souvient donc d'avoir été jadis le héros du *Faust* de Goethe, ou de Gounod.

A la faveur de cette « réincarnation » qui n'est peut-être qu'une première incarnation (fictive), la thématique faustienne subit une forte transposition : Méphisto, en qui personne ne croit plus, n'est qu'un « pauvre diable » passablement « démodé », dont les pouvoirs se réduisent à de petits tours de magie sans importance, et qui ne réussit ni auprès de Faust, ni auprès de ses disciples. C'est maintenant lui qui a besoin d'une cure de rajeunissement, et qui doit conclure à cet effet, singulier renversement, un pacte avec Faust.

Quant à la problématique faustienne, elle se transpose ici en des termes proprement valéryens : Faust hésite entre deux projets dont l'un — le projet intellectuel — n'est plus de l'ordre de la connaissance, mais de la création littéraire. Son ambition est d'écrire un livre qui serait, selon le rêve mallarméen, le Livre suprême : « On pourra le prendre en tout point, le laisser en tout autre... Personne, peut-être, ne le lira ; mais celui qui l'aura lu n'en pourra plus lire d'autre. » Son autre tentation est plus simplement (?) de renoncer à toute œuvre et de se contenter de vivre. Seul avec sa tendre secrétaire Lust, Faust goûte la beauté du soir. « Serais-je au comble de mon art ? Je vis. Et je ne fais que vivre. Voilà une œuvre... Je suis celui que je suis. Je suis au comble de mon art, à la période classique de l'art de vivre. Voilà mon œuvre : vivre. N'est-ce pas là tout ? »

Ce débat typiquement valéryen ne sera pas davantage tranché dans *Lust* qu'il ne l'a été dans la « réalité » : le troisième acte, dialogue entre Méphisto et le disciple, n'y contribue nullement, et le quatrième et dernier manque à tout jamais. C'est peut-être mieux ainsi. L' « hésitation prolongée » entre le Livre et le Vivre restera une hésitation indéfiniment prolongée — sans doute parce que le vrai choix de « Faust » consiste en cette absence de choix.

Le statut hypertextuel de *La guerre de Troie n'aura pas lieu* (1935)

---

1. J'entends par métalepse (*Figures III*, p. 243) toute espèce de transgression, surnaturelle ou ludique, d'un palier de fiction narrative ou dramatique, comme lorsqu'un auteur feint de s'introduire dans sa propre création, ou d'en extraire un de ses personnages. Il y avait peut-être une part de métalepse dans *Lotte à Weimar,* dont l'héroïne était aussi celle de *Werther* sortie de son roman pour confondre son auteur.

est encore plus complexe, ou peut-être seulement plus indécis. En soi, le thème de l'ambassade grecque « de la dernière chance » pour obtenir la restitution d'Hélène et éviter la guerre n'est pas inédit : une entrevue de ce genre avait probablement sa place dans les *Chants cypriens,* et Dictys y consacre l'essentiel de son livre II où, après les premiers engagements en Troade, Ulysse et Ménélas viennent plaider la cause grecque devant le Conseil troyen ; Hector préconise la restitution d'Hélène, mais Énée s'oppose à cet avis, et l'emporte. Giraudoux le savait sans doute et, l'eût-il ignoré, sa pièce n'en serait pas moins dans les faits une transposition dramatique de cet épisode. Mais le public, qui l'ignore le plus souvent, reçoit plutôt *La guerre de Troie* comme une continuation analeptique de l'*Iliade.*

Continuation d'Homère ou transposition de Dictys (lui-même continuateur d'Homère ou transpositeur d'un continuateur d'Homère), *La guerre de Troie* constitue dans les deux cas l'illustration la plus caractéristique d'un procédé cher à Giraudoux, que nous avons déjà rencontré dans *Électre* ou dans *Judith,* et qu'il faut maintenant considérer pour lui-même. Il consiste à établir un suspens dramatique sur une question que le titre pose ici sous la forme d'une négation paradoxale. Pris entre la promesse fallacieuse de ce titre et sa connaissance de l'Histoire, ou de la légende, le spectateur non averti peut légitimement se demander si la guerre de Troie, dans cette version, aura lieu ou non ; et accessoirement, selon l'hypothèse qui le retient davantage, comment Hector parviendra ou échouera à l'empêcher.

Ce suspens fondamental ne peut supporter toute la pièce que s'il est amplifié par un alourdissement de l'enjeu : c'est tout le mouvement — thématiquement essentiel — de transvalorisation par lequel Giraudoux, d'une part, destitue les valeurs héroïques en en confiant l'expression aux personnages ridicules ou odieux de Priam et surtout de Démokos, le Déroulède troyen, qui exalte la guerre parce que la guerre le nourrit ; et d'autre part magnifie les sentiments pacifistes en les incarnant dans le couple, immémorialement « sympathique », constitué par Hector et Andromaque. Comme dans *Naissance de l'Odyssée,* mais d'une manière beaucoup plus grave, parce qu'ici la guerre n'est plus un souvenir mais une menace — et, pour Troie, menace absolue de destruction totale —, l'équilibre axiologique est entièrement renversé en faveur des valeurs « humaines » et anti-héroïques de l'état de paix, dont le métonyme, comme dans *Amphitryon,* est l'amour conjugal : au terme de leur dernière et décisive entrevue, Hector demande à Ulysse ce qui le décide à sauver la paix, et Ulysse répond :

« Andromaque a le même battement de cils que Pénélope. » Tout le rôle d'Hector est, on le sait, une exaltation de ce pacifisme qui faisait en 1935 le message essentiel de la pièce.

Cette valorisation entraîne évidemment une adhésion du public tout à fait nécessaire pour constituer Hector en ce héros dont le succès importe au spectateur. Toute l'action va dès lors consister en une série d'épreuves : obtenir d'Hélène qu'elle accepte de partir ; obtenir de Pâris et (plus difficilement) de Priam et des vieillards troyens épris de « la Beauté » qu'ils renoncent à Hélène ; obtenir de Busiris, l'expert en droit international, qu'il aplanisse les difficultés juridiques accessoires ; fermer les portes de la guerre ; étouffer un premier incident entre le soudard grec Oïax et Démokos ; supporter une gifle d'Oïax ; convaincre Ulysse de reprendre Hélène et de renoncer à une guerre fructueuse. Hector remporte chacune de ces épreuves, mais il sent que « de chaque victoire l'enjeu s'envole ». Par angoisse (Andromaque, Hécube), par clairvoyance (Ulysse), par divination (Hélène et, bien sûr, Cassandre), même ses alliés ne donnent pas cher de ses efforts contre une guerre qui est inscrite (entre autres, et j'y reviens) dans la volonté des dieux (Hélène, dit Ulysse, est « l'otage du destin ») et dans les éléments eux-mêmes : « Vous êtes dans la lumière de la guerre grecque. » Ulysse, sans y croire, a commencé de partir, la guerre s'éloigne, mais, dit-il, « je ne peux me défendre de l'impression qu'il est bien long le chemin qui va de cette place à mon navire ». Encore quatre cent soixante pas d'un compte à rebours suspendu au moindre incident. Alors se produit la « péripétie » proprement tragique : Oïax ivre veut assaillir Andromaque. Hector lève son javelot. Cassandre réussit à entraîner Oïax. Survient Démokos, qui vient d'apprendre la restitution d'Hélène et appelle à la guerre. Il faut l'empêcher de nuire : Hector l'abat. Tout est sauvé. Mais Démokos mourant hurle que c'est le grec Oïax qui l'a tué. « Le rideau, qui avait commencé à tomber, se relève peu à peu. » La foule troyenne se saisit d'Oïax : c'est l'incident irrémédiable, tout est perdu. Les portes de la guerre s'ouvrent, et le rideau tombe sur la célèbre réplique de Cassandre : « Le poète troyen est mort... La parole est au poète grec. »

Ce retournement tragique, superbement symbolisé par l'hésitation du rideau, c'est évidemment une nouvelle illustration du principe de la précaution fatale : c'est en abattant Démokos pour l'empêcher de provoquer la guerre qu'Hector lui donne précisément le moyen de provoquer la guerre. L'acte salvateur d'Hector s'est retourné en acte funeste. Le piège tragique, la « machine infernale », a encore fonctionné, les dieux sont contents.

Mais la réplique finale de Cassandre mérite une attention

particulière, car elle souligne pour nous le caractère hypertextuel de la pièce et, plus précisément, du destin qui s'y joue des hommes. Ce destin, en quoi consiste-t-il au fond, pour nous spectateurs modernes ? En ce que l'hypotexte — l'*Iliade,* bien sûr — dit (raconte) que la guerre de Troie a bien eu lieu. Le destin, comme chacun sait, c'est *ce qui est écrit.* Écrit où donc ? Au ciel, derrière l'Olympe, sur le Grand Rouleau du capitaine de Jacques, sans doute. Mais plus simplement dans le premier (?) texte qui ait raconté cette histoire, ou plus exactement sa suite et son aboutissement. Par Homère et par lui seul, nous savons qu'Hector échouera et mourra. Le texte de Giraudoux ne dispose pas d'une grande « marge de manœuvre » : il consiste en une sorte de grande variation en prélude, qui joue avec son terme *prescrit* comme la souris, peut-être, croit jouer avec le chat. Il peut inventer toutes sortes de retardements et de fausses issues, et ne s'en prive pas ; mais il ne peut pousser l'émancipation jusqu'à éluder le terme, et n'y a d'ailleurs jamais songé. Bien au contraire, il s'agissait seulement de rendre le jeu plus cruel, et d'introduire le destin — la mort — par où on ne l'attendait pas, par où l'on croyait lui échapper. Toute cette suite d'efforts et d'illusions n'avait pour but que de donner enfin « la parole au poète grec ». Le destin, c'est l'œuvre du poète grec, c'est l'hypotexte, et tout se passe comme si Giraudoux avait voulu écrire ici, non pas, comme des milliers de prédécesseurs, une tragédie hypertextuelle (elles le sont presque toutes), mais une tragédie dont le tragique soit essentiellement lié à son hypertextualité[1], comme le comique du *Virgile travesti* ou de *la Belle Hélène* était essentiellement lié à la leur. Mais nous savons déjà combien ces états sont instables. *La Belle Hélène* aussi prélude à un désastre — le même, bien sûr. Nul n'y pense. Il suffit d'y penser.

LXXVIII

Quel que soit leur degré (fort variable) d'émancipation ou de complexité, tous les hypertextes que nous avons considérés se présentaient à nous comme des transformations et / ou des

---

1. Faut-il rappeler cette définition de la tragédie, dans *Siegfried :* « C'est le moment où les machinistes font silence, où le souffleur souffle plus bas, et où les spectateurs, qui ont naturellement tout deviné avant Œdipe, avant Othello, frémissent à l'idée d'apprendre ce qu'ils savent de toute éternité... »

imitations d'œuvres antérieures (singulières ou multiples) que nous connaissions, et auxquelles nous pouvions les comparer pour mesurer la différence et établir la nature du rapport hypertextuel. Mais il est des œuvres dont nous savons ou soupçonnons l'hypertextualité, mais dont l'hypotexte, provisoirement ou non, nous fait défaut. « Le plagiat, disait encore Giraudoux, est la base de toutes les littératures, exepté la première, qui d'ailleurs nous est inconnue[1]. » L'assertion est sans doute excessive, mais il n'est guère probable que l'*Iliade*, la *Chanson de Roland* ou *le Chevalier à la charrette* n'aient eu aucun modèle ou antécédent. Nous sommes là, très vraisemblablement, en présence d'hypertextes à hypotexte inconnu, dont l'hypertextualité nous est presque certaine, mais nous reste indescriptible et donc indéfinissable.

Ce degré, non pas zéro, mais *epsilon,* d'une hypertextualité tout énigmatique n'est pas tout à fait le privilège quelque peu fabuleux des textes très anciens, ou dont la source se perd dans une histoire mal attestée. Il en existe au moins une illustration moderne, et dont toutes les données — sauf une — nous sont bien connues.

Au cours d'un de ses nombreux congés à Paris, en 1833, le consul de France à Civitta-Vecchia reçoit d'une de ses amies, Mme Jules Gaulthier, le manuscrit d'un roman dont elle est l'auteur : *le Lieutenant.* Rentré dans son consulat, il lit ce manuscrit et, le 4 mai 1834, il envoie à son auteur une critique assez sévère : style trop emphatique, « je l'ai cruellement barbouillé », trop de superlatifs, je vous conseille une cure de Mérimée « pour vous guérir du Phébus de province », psychologie trop descriptive, insuffisamment mise en actions : « ne jamais dire *la passion brûlante d'Olivier pour Hélène.* Le pauvre romancier doit tâcher de faire croire à la passion brûlante, mais ne jamais la nommer : cela est contre la pudeur », dénouement plat, « j'ai indiqué (sur le manuscrit) un autre dénouement », les personnages sont trop souvent désignés par leurs prénoms, « *Leuwen ou l'élève chassé de l'École polytechnique,* j'adopterais ce titre ». Pour l'heure, Stendhal ne pousse pas plus loin la correction mais il ajoute : « Je suis tout plein du *Lieutenant* que je viens de finir. Mais comment vous renvoyer ce manuscrit ? Il faut une occasion, etc. » Renvoyé ou non, le manuscrit a disparu, avec les cruels barbouillages de son correcteur. On le cherche encore, mais pour l'instant nous fait défaut ce qu'il nous faut bien considérer comme le premier état de *Lucien Leuwen,* lequel, sauf barbouillages, n'était pas encore de la main de Stendhal. La suite nous est connue par les brouillons de *Leuwen,* qui le montrent au

1. *Ibid.*

travail dès le lendemain de cette lettre, sans plus de référence au *Lieutenant,* et sur un plan apparemment beaucoup plus vaste, dont seule la première partie (Leuwen à Nancy) devait recouper le roman de Mme Gaulthier. Reste sans aucun doute que, comme *Armance,* le *Rouge* ou la *Chartreuse, Leuwen* est né, comparaison inévitable, à la manière des perles qui ne peuvent se former qu'autour d'un corps étranger. Le premier mouvement a été celui d'une correction : lecture plume en main, ratures, notes en marge. Si le roman de Mme Gaulthier est le premier état, le deuxième consiste en ces corrections disparues avec lui, et qui contenaient peut-être déjà, en cet « autre dénouement » indiqué, celui de *Leuwen :* héroïne disculpée, retrouvailles des deux amants ; le nom même de Leuwen semble venir de Mme Gaulthier, puisque Stendhal le lui propose pour titre après lui avoir reproché son emploi excessif du prénom qui, sans doute, n'est pas encore Lucien, mais Olivier. Le brouillon de *Leuwen,* tel que nous le connaissons, n'est que le troisième état.

Voilà donc une étude de genèse à quoi manque lourdement son point de départ. Nous savons que *Leuwen* doit au *Lieutenant* sa première partie nancéienne, mais nous ignorons dans quelle mesure. Des termes de la lettre du 4 mai, on inférerait volontiers qu'il s'agit surtout des circonstances historiques (polytechnicien renvoyé après manifestation en 1832 ou 1834) et du cadre social (vie de garnison provinciale). Rien n'indique quelle y était la part de l'intrigue amoureuse, et si Stendhal a dû modifier un peu, beaucoup, pas du tout cette intrigue pour retrouver ce schème affectif, si proprement, si purement beyliste, qu'il énonçait dix ans plus tôt dans *Racine et Shakespeare :* « C'est ainsi qu'un jeune homme à qui le ciel a donné quelque délicatesse d'âme, si le hasard le fait sous-lieutenant et le jette à sa garnison, dans la société de certaines femmes, croit de bonne foi, en voyant les succès de ses camarades et le genre de leurs plaisirs, être insensible à l'amour. Un jour enfin le hasard le présente à une femme simple, naturelle, honnête, digne d'être aimée, et il sent qu'il a un cœur. »

L'effet d'hypertexte se propose donc ici sous une forme quelque peu exténuée mais, paradoxalement, d'autant plus vive. La plupart des lecteurs, j'entends bien, n'en ont cure, ou passent à côté par simple ignorance du fait, qui ne tracasse que les spécialistes (et encore : ils ont souvent l'art de ne se poser que les questions sans intérêt[1]), ou les amateurs de tératologie littéraire. Mais pour ces derniers, on peut présumer que l'exhumation, toujours possible, du

---

1. Je ne parle pas des spécialistes de Stendhal, bien sûr ; mais, peut-être, des spécialistes en général.

manuscrit de Mme Gaulthier mettrait fin à bien des tourments : on saurait enfin à quoi ressemblait ce *Lieutenant,* du même coup ce que Stendhal lui reprochait en détail, et très vite le traitement qu'il lui inflige en écrivant son propre *Leuwen.* Le rapport hypertextuel serait *fixé,* et donc neutralisé, et chacun pourrait, à chaque page, mesurer la distance et définir la transformation. Pour l'heure, nous en sommes aux hypothèses, c'est-à-dire aux questions. Chaque phrase de la première partie de *Leuwen* peut dissimuler un piège : ne serait-elle pas du pur Gaulthier ? — Je n'en crois rien. — Mais de l'impur, pourquoi non, et à quel degré ? Le lecteur curieux, et toujours déçu, est ici comme un paléographe qui sait déjà que son texte en cache un autre, mais ne sait pas encore lequel. C'est là le palimpseste le plus irritant, qui me réduit au soupçon, et aux interrogations. Quelle est dans *Leuwen* la part de la continuation, celle de la transformation ? Dans la continuation, quel degré de fidélité stylistique ? (sans doute faible : du Gaulthier corrigé par une « cure de Mérimée ») ? Dans la transformation, quelle part au style (idem), quelle au temps, au mode, à la voix, aux actions, aux motifs, quelles valeurs ajoutées, quelles retranchées ? Devant cette énigme indécidable (inqualifiable), j'observe que la « méthode d'analyse » ici proposée ne va qu'à multiplier les questions sans réponse. Ce sont sans doute les meilleures, mais je m'étonne qu'aucun amateur de mystification littéraire n'ait encore eu l'idée de réparer, de son cru, cette criante lacune, et de publier ce *Lieutenant* retrouvé, muni de tout son appareil critique. Ici s'ouvrirait peut-être à l'imagination sophistiquée dont se flatte (ou s'accuse) notre époque une carrière presque aussi riche que celle de l'hypertextualité elle-même : celle des hypotextes fictifs, ou *pseudhypotextes.* Quel Borges, quel Calvino nous donnera enfin la première chanson de geste, la source inconnue de l'*Iliade,* le manuscrit autographe des *Mémoires d'outre-tombe ?*

LXXIX

Tout objet peut être transformé, toute façon peut être imitée, il n'est donc pas d'art qui échappe par nature à ces deux modes de dérivation qui, en littérature, définissent l'hypertextualité, et qui, d'une manière plus générale, définissent toutes les pratiques d'art au second degré, ou *hyperesthétiques* — pour des raisons que nous allons rencontrer, je ne pense pas qu'on puisse légitimement étendre la notion de texte, et donc d'hypertexte, à tous les arts. Après ce longuet parcours à travers l'hypertextualité littéraire, je ne vais pas entamer ici un nouveau parcours, qui devrait être beaucoup plus long et qui excéderait, entre autres, ma compétence, à travers les pratiques hyperesthétiques. Mais il me semble utile d'y jeter un bref coup d'œil, limité par prudence à la peinture et à la musique, pour faire apparaître au passage quelques similitudes ou correspondances qui révèlent le caractère transesthétique des pratiques de dérivation, mais aussi quelques disparités qui signalent la spécificité irréductible, à cet égard au moins, de chaque art.

La transformation picturale est aussi ancienne que la peinture elle-même, mais l'époque contemporaine en a sans doute plus qu'aucune autre développé les investissements ludico-satiriques, que l'on peut considérer comme les équivalents picturaux de la parodie et du travestissement[1]. Défigurer d'une manière ou d'une autre le portrait de Mona Lisa est un exercice assez commun auquel Marcel Duchamp a donné ses lettres de crédit en exposant en 1919 son fameux *LHOOQ*, qui est une Joconde à moustaches. En contexte dada-surréaliste, cet accessoire évoque irrésistiblement une autre vedette, et invite à une contamination, plus récemment effectuée par Philippe Halsman, *Mona Dali :* c'est une Joconde qui a le visage de Dali, et qui brasse une congruente quantité de billets verts. Fidèle à son esthétique de la répétition, Andy Warhol propose *Thirty are better than one :* trente petites copies de Mona Lisa juxtaposées sur la même toile. Plus élaborée, somme toute, cette publicité pour une boîte de dix flashes (au lieu de cinq) où l'on voit neuf prises réputées manquées d'une pseudo-Mona, suivies de la « bonne » — en tout cas, celle de Léonard. Légende : « Maintenant vous avez deux fois plus de chances de la réussir. » Autre utilisation publicitaire : Mona coiffée d'un casque d'écoute stéréo, avec pour légende une vieille question qui trouve ici, implicitement, sa réponse : *Ever wonder why she's smiling*[2] ? Autre célébrité picturale, le portrait des Arnolfini se voit affligé par Robert

1. J'emprunte une partie de ma science à l'ouvrage de Jean Lipman et Richard Marshall, *Art about Art,* Dutton and Whitney Museum, New York, 1978.
2. Il faudrait, je l'ai dit, un gros volume, aussitôt dépassé, pour seulement recenser les pratiques hypertextuelles de la publicité moderne. A mi-chemin de la parodie et du travestissement, et en équivalent des transexuations du type *Joseph Andrews,* citons cette affiche pour une marque de chaussettes qui inverse la célèbre affiche de *Sept ans de réflexion :* une fausse Marylin lorgne un faux Tom Ewel dont une bouche d'aération retrousse le pantalon, découvrant un mollet bien chaussété, et partant réputé sexy.

Colescott d'une variation minimale inattendue, et donc efficace : la jeune femme est, comme on dit, « de couleur ». Et dans *Liddul Guernica* de Peter Saul, la tête de taureau centrale est remplacée par celle de Picasso lui-même.

Ces transformations ponctuelles répondent assez bien au régime ludique de la parodie. Mais la pratique, spécifiquement picturale, de la *réplique* (copie d'auteur, ou d'atelier) comporte presque toujours une part de transformation que l'on ne peut affecter ni au jeu ni évidemment à la satire, mais plutôt, j'imagine, au souci tout à fait sérieux d'individualiser par quelque variante chacune des répliques : voyez, de Chardin, entre autres, les deux *Bénédicité* du Louvre et celui de l'Ermitage.

L'équivalent du travestissement serait, d'une manière à la fois plus massive et plus subtile, la réfection d'un tableau, dont on conserverait le sujet et les principaux éléments de structure, dans un autre style pictural. Mel Ramos s'est fait une spécialité de ces transformations stylistiques, repeignant en style pop l'*Odalisque* d'Ingres, l'*Olympia* de Manet ou la *Vénus* de Velasquez. Les caractéristiques du style d'arrivée induisent ici facilement à parler de transformation ludique ou satirique, mais le geste de transformation en lui-même n'est lié a priori, ici comme en littérature, à aucun régime en particulier. Et c'est évidemment dans son régime personnel, où la ludicité ostentatoire masque souvent une démarche férocement sérieuse, que Picasso a si souvent paraphrasé en son idiome des œuvres classiques comme le *Bain turc* d'Ingres (1907), les *Femmes d'Alger* de Delacroix (1955), les *Ménines* de Velazquez (1956) ou le *Déjeuner sur l'herbe* de Manet (1961), qui lui-même...

L'imitation, en peinture, est une pratique plus fréquente encore que la transformation. Le mot même de *pastiche,* je le rappelle, vient de la musique et a transité par la peinture avant de s'acclimater en littérature, et la pratique de l'imitation frauduleuse, parce que plus rentable, y est beaucoup plus répandue qu'ailleurs. Mais il faut ici tenir compte d'un fait déjà signalé [1], l'existence, propre aux arts plastiques, de la *copie*, qui est, si l'on veut, l'imitation directe d'une œuvre, c'est-à-dire sa reproduction pure et simple, soit par le même artiste ou son atelier (réplique), soit par un autre artiste qui s'y applique au titre de l'apprentissage technique (copie d'école), ou à toute autre fin, y compris frauduleuse. Cette pratique, je le rappelle, n'a aucun équivalent en littérature ni en musique, parce qu'elle n'y aurait aucune valeur esthétique : copier un texte littéraire ou musical n'est à aucun titre une performance significative d'écrivain

1. P. 91.

ou de musicien, mais une simple tâche de copiste. Produire une bonne toile de maître ou d'une sculpture exige au contraire une maîtrise technique en principe égale à celle du modèle.

Mais la peinture connaît aussi l'imitation indirecte qui est, dans tous les arts, le propre du pastiche : imitation de la manière d'un maître dans une performance nouvelle, originale et inconnue à son catalogue. On sait combien ce type de compétence s'est investi, de tous temps, dans la pratique de l'apocryphe frauduleux, ou *faux,* dont les pseudo-Vermeer de Van Meegeren sont l'exemple le plus connu. Mais un habile imitateur peut aussi bien, et de manière plus honnête, signer de son nom des toiles « à la manière de » tel ou tel peintre célèbre, qui constituent l'exact équivalent du pastiche littéraire déclaré : Jean-Jacques Monfort, par exemple, produit ainsi, fort légalement, des imitations de Dufy, Picasso, Dali et autres, que seul leur caractère d'imitation avouée distingue du faux classique. D'autre part, et tout comme en littérature ou en musique, l'imitation joue ici son rôle dans la formation authentique de l'artiste : Goya commence par imiter Velazquez ou Picasso Lautrec, exactement comme Mallarmé s'exerce d'abord, plus ou moins consciemment, aux dépens de Baudelaire, ou Wagner à ceux de Meyerbeer — et de quelques autres.

En musique, les possibilités de transformation sont sans doute beaucoup plus vastes qu'en peinture et certainement qu'en littérature, du fait de la plus grande complexité du discours musical, qui n'est nullement lié, comme le texte littéraire, à la fameuse « linéarité » du signifiant verbal. Même un son unique et isolé se définit par au moins quatre paramètres (hauteur, intensité, durée, timbre) dont chacun peut faire l'objet d'une modification séparée : transposition, renforcement ou affaiblissement dynamique, allongement ou raccourcissement de l'émission, changement de timbre. Une mélodie, ou succession linéaire de sons uniques, peut subir dans sa totalité ou dans chacune de ses parties autant de modifications élémentaires ; mais, de plus, elle se prête en tant qu'ensemble successif à des transformations plus complexes : renversement des intervalles, mouvement rétrograde, combinaison des deux, changement de rythme et/ou de tempo, et toutes combinaisons éventuelles de ces diverses possibilités. La superposition, harmonique ou contrapuntique, de plusieurs lignes mélodiques multiplie encore ce répertoire déjà considérable. Enfin, le chant peut ajouter une piste supplémentaire — les « paroles » —, qui comporte sa propre capacité transformative : autres paroles sur la même mélodie, autre mélodie sur les mêmes paroles, etc. Cette capacité vertigineuse de transformation est l'âme même de la composition musicale, et non seulement dans son état « classique », puisque les mêmes principes, on le sait, fonctionnent par exemple dans le jazz ou la musique sérielle. Ce qui en littérature passe encore pour un jeu quelque peu marginal est presque universellement considéré comme le principe fondamental du « développement », c'est-à-dire du discours musical.

Étudier le fonctionnement de la transformation en musique reviendrait donc à décrire exhaustivement les formes de ce discours. Je me borne à énumérer quelques points de repère : la *parodie,* au sens classique, ou modification de la seule piste verbale d'une mélodie : c'est ainsi, on le sait, que Bach remployait pour des cantates d'église des airs d'abord composés pour des paroles de cantates profanes. La *transcription,* ou transformation purement instrumentale, dont les deux cas particuliers antithétiques de la *réduction* (de l'orchestre à un seul instrument, généralement le piano : on sait le nombre impressionnant de réductions pianistiques effectuées par Liszt sur des partitions d'orchestre comme les symphonies de Beethoven ou de Berlioz) et de l'*orchestration :* du piano à l'orchestre, comme fait Ravel pour les *Tableaux d'une exposition* de Moussorgski, ou son propre *Ma mère l'oye ;* sans compter les innombrables *réorchestrations,* ou modifications de la répartition instrumentale : Mahler, par exemple, réorchestrant les symphonies de Schumann, ou Rimsky tant d'œuvres de Moussorgski — mais ceci, et le mouvement inverse de « retour » à la partition originale, est le pain quotidien de l'interprétation depuis plus d'un siècle. L'orchestration et la réorchestration peuvent être l'occasion d'une réfection plus poussée, proche de ce que l'on nomme ailleurs un *arrangement :* on sait ce que Stravinski, dans *Pulcinella,* fait de quelques thèmes empruntés, entre autres, à Pergolèse. Je ne puis mieux faire ici que citer Stravinski lui-même : « Je commençai par composer sur les manuscrits de Pergolèse lui-même, sans idée préconçue ni attitude esthétique particulière, et je n'aurais rien pu prévoir du résultat. Je savais que je ne pouvais produire un pastiche (*forgery*) de Pergolèse, mes habitudes motrices sont trop différentes des siennes ; au mieux, je pouvais le répéter avec mon propre accent (*in my own accent*). Que le résultat fût dans une certaine mesure une satire était sans doute inévitable — qui aurait pu traiter ce matériau en 1919 sans une pointe de satire ? — mais même cette observation est rétrospective : je n'avais pas l'intention de composer une satire, et, naturellement, Diaghilev n'avait pas même envisagé la possibilité d'une telle chose. Tout ce qu'il voulait était une orchestration stylisante (*stylish orchestration*), et ma musique le choqua à tel point qu'il m'accabla longtemps d'un regard qui suggérait le XVIIIe siècle offensé. Mais en fait, le plus remarquable dans *Pulcinella* n'est pas combien, mais combien peu j'y ai ajouté ou modifié[1]. » L'auditeur peut en juger (en fait, il me semble que l'intervention, harmonique en particulier, tend à s'aggraver progressivement en cours de partition), mais il reste que le terme, bien trouvé, de *stylish orchestration* désigne ici un équivalent assez strict de la transtylisation littéraire, ou de la manière dont Picasso (le rapprochement n'est pas neuf, mais comment l'éviter ?) traduit, lui aussi *in his own accent*, une toile de Velazquez ou de Delacroix. La simple *transposition* (changement de tonalité ou, à l'intérieur d'une tonalité, changement de mode) entre sans doute dans cette pratique complexe, mais on sait comme elle peut suffire, à elle seule, à changer la couleur et le climat d'une œuvre. La *variation,* qu'elle porte sur un thème original (*Variations Goldberg* de Bach) ou emprunté (*Variations Diabelli* de Beethoven), constitue à elle seule une forme ou un genre musical à part entière, où se combinent toutes les possibilités de transformation, canoniques ou non — et l'on sait jusqu'où Beethoven les a exploitées. Plus librement, ou plus paresseusement, la *paraphrase* (Liszt en a laissé une quarantaine, pratiquement sur tous les opéras à la mode, de Mozart à Wagner) brode sur un ou plusieurs thèmes empruntés tout un réseau d'improvisations *ad libitum.* C'est ici que peut le mieux s'investir une attitude ludique, voire ironique : voyez par exemple les *Souvenirs de Bayreuth* de Fauré et Messager, « fantaisie (pour deux pianos) en forme de quadrille sur des thèmes favoris de l'*Anneau du Niebelung* », dont ce sous-titre décrit assez bien l'esprit et le procédé. C'est un peu le même principe de transformation rythmique qui préside aux célèbres arrangements jazzifiants de Jacques Loussier, dont le titre-calembour *Play Bach* vaut pour un contrat de travestissement. J'ai oublié celui, non moins irrévérencieux, dont Jean Wiener couvrait, au temps du Bœuf sur le Toit, des transcriptions en rythme de tango de valses et de mazurkas de Chopin... Enfin, des compositeurs contemporains comme Boucourechliev (*Ombres*) ou Kagel (*Ludwig van*) ont poussé la technique de manipulation à des limites dont je ne tenterai pas la description, mais qui me paraissent assez proches, dans le procédé et parfois dans l'esprit, de celles de l'Oulipo en littérature[2]. Mais il ne faudrait pas croire que les époques classiques

1. I. Stravinsky et R. Craft, *Expositions and Developments,* Doubleday, New York, 1962.

2. Voir F. Escal, « Fonctionnement du texte et/ou parodie dans la musique de Mauricio Kagel », *Cahiers du XXe siècle,* 1976.

ignoraient la part de l'humour dans la composition : on connaît la *Plaisanterie musicale* de Mozart, qui joue sur les notes volontairement « fausses », et ce genre de clin d'œil, ou un autre, n'est jamais très loin de certaines œuvres sérieuses de Haydn. Les premiers « concertos-pastiches » de Mozart sont à vrai dire des centons (contamination additive) de mouvements de sonates à la mode, et l'on pratiquait beaucoup au temps de Bach, et chez Jean-Sébastien lui-même, cette contamination synthétique qu'est le *quodlibet,* et qui consiste à mêler en un contrepoint improvisé deux thèmes hétérogènes. La XXe variation Diabelli (*Allegro molto alla « Notte e giorno faticar » da Mozart*) procède encore à une sorte de contamination qui exploite la ressemblance entre les premières mesures de la valse de Diabelli et l'air de Leporello.

A toutes ces possibilités de transformation proprement textuelle s'ajoutent celles qui tiennent à l'interprétation. Il va de soi que deux interprètes ou groupes d'interprètes, à supposer même qu'ils disposent des mêmes instruments, n'exécutent jamais identiquement la même partition, et ici encore la capacité transformative se trouve multipliée par un facteur virtuellement infini : les amateurs de concerts ou de disques le savent à leur plaisir et à leurs dépens, et cette capacité peut, elle aussi, s'investir en régime ludique ou satirique : qu'on pense aux exécutions burlesques de Festival Hoffnung, ou au récital où Cathy Berberian interprète le même air (de John Lennon, si je ne m'abuse) à la manière de plusieurs autres cantatrices, dont celle, éminemment caricaturable, d'Elisabeth Schwartzkopf [1].

A la manière de... ceci entame le chapitre, lui aussi inépuisable, de l'imitation en musique [2]. La même multiplicité de paramètres y rend les choses, en principe, aussi complexes que dans la transformation : d'un auteur ou d'un genre, on peut imiter séparément le type mélodique, l'harmonie, les procédés constructifs, l'instrumentation, etc. Mais cette diversité virtuelle est sans doute moins systématiquement, ou moins analytiquement exploitée, et l'imitation stylistique est généralement aussi synthétique ici qu'en littérature ou en peinture.

---

1. La « plaisanterie » peut aussi s'investir dans le seul titre, ou plutôt dans le rapport entre titre et partition : on sait comme Satie aimait à couvrir les œuvres les plus innocentes de titres impertinents comme *Airs à faire fuir* ou *Morceaux en forme de poire.* Un contemporain dont le nom m'échappe intitule *Water Music* un morceau de musique concrète à base de robinets en fuite.

2. Je prends ici le mot *imitation* dans son sens général ; en théorie musicale, il est souvent et fâcheusement pris au sens de transformation.

J'ai déjà évoqué quelques exploitations sérieuses de l'imitation musicale à propos de la continuation ; mais on voit réapparaître ici la complexité propre du fait musical : Sussmayr pour le *Requiem,* Alfano pour *Turandot* disposent d'ébauches laissées par Mozart ou Puccini, dont ils peuvent disposer plus librement qu'un continuateur littéraire, jusqu'à reprendre, comme le fait opportunément Alfano, tel thème du premier ou du deuxième acte pour le duo d'amour du troisième. Le travail de Cerha pour le troisième acte de *Lulu* se borne, dit-on, à instrumenter une partition déjà entièrement écrite. Mais la continuation n'est pas la seule fonction sérieuse de l'imitation musicale : comme en littérature ou en peinture, l'imitation juvénile est tout à fait sérieuse, et certains pastiches fonctionnent comme des « hommages » : au style classique dans la *Symphonie en ut* de Bizet ou dans la *Symphonie classique* de Prokofiev, à Rameau ou à Couperin dans l'*Hommage à Rameau* de Debussy et le *Tombeau de Couperin* de Ravel (mais ici l'imitation se fait plus libre et plus lointaine), à un style local réel ou imaginaire, comme dans les œuvres « espagnoles » des mêmes Debussy et Ravel (entre autres) ou dans la couleur chinoise de *Turandot,* japonaise de *Butterfly,* « égyptienne » d'*Aïda,* etc. Le pastiche au sens ludico-satirique serait plutôt dans les « A la manière de... » Chabrier et Borodine par Ravel, ou de Ravel lui-même par Casella, ou dans les reprises ironiques de formes anciennes, ou étrangères à l'esthétique propre de l'imitateur. C'est évidemment le cas de l'air à vocalises pour soprano colorature du premier acte de *Béatrice et Bénédict,* où Berlioz s'amuse avec une forme traditionnelle qu'il accable ailleurs de ses sarcasmes ; ou de l'air (de même type) de Zerbinette dans *Ariane à Naxos,* ou de l'air de ténor italien du *Chevalier à la rose,* hommage-défi au rival Puccini — qui sait fort bien se pasticher lui-même dans l'air de Lauretta de *Gianni Schicchi ;* j'en dirais bien autant de celui de Nanetta au dernier acte de *Falstaff :* dans ces deux cas, l'effet de charge tient à la présence détonnante d'un air sérieux dans un contexte comique. L'auto-charge n'est pas non plus absente du *Platée* de Rameau, où les paroles burlesques s'amusent d'une partition sérieuse. Ce contraste entre musique et paroles est une des ressources les plus sûres de la charge musicale (c'est l'âme même de certains morceaux de *la Belle Hélène*), et donc aussi de l'auto-charge, dont l'accomplissement le plus poussé est peut-être le *Duo pour chats* de Rossini : air typiquement rossinien sur des « paroles » qui se réduisent à divers miaulements. Ici encore, la musique dispose d'un double registre dont la littérature rêverait en vain.

Plus près de nous, le genre, cultivé par certains fantaisistes, de la chanson parodique, consiste essentiellement à transformer les paroles tout en conservant l'air (et même, plus massivement, la bande-orchestre) d'une chanson à la mode : ainsi la *Valse à mille temps* de Jacques Brel devint-elle naguère, par les soins de Jean Poiret, une *Vache à mille francs,* et plus récemment la chanson d'amour très sentimentale de Francis Cabrel *Je l'aime à mourir* donne à l'imitateur Patrick Sébastien l'occasion d'un *Je l'aime à courir* dont le titre dit assez l'esprit. Mais on a ici, sur une troisième piste, celle de la voix, une troisième performance qui évoque plutôt le pastiche : l'imitation (timbre, diction, style de chant) du chanteur-créateur lui-même. La complexité d'un exemple aussi « mineur » montre bien par contraste le caractère relativement monocorde du médium littéraire. On peut en effet disputer à l'infini du parallélisme entre l'exécution musicale et la lecture des textes : je ne m'y risquerai pas, mais il faut au moins rappeler que l'interprétation, comme son nom l'indique, interpose entre l'œuvre et l'auditeur (dans tous les cas du moins où l'auditeur et l'interprète ne se confondent pas, mais se confondent-ils jamais absolument ?) une instance dont la fonction peut être diversement décrite et appréciée, mais dont on doit reconnaître en tout cas qu'elle n'existe pas en littérature. Ou plus exactement qu'elle n'y existe plus depuis la disparition des récitations publiques, sinon au théâtre, où la part de la performance (au sens de l'anglais *performing art*) est en revanche plus importante (voix, diction, jeu, mise en scène, costumes, décor, etc.) qu'en musique pure — l'opéra étant, comme on le sait d'avance, l'addition et la synthèse de tout cela, et donc a priori le plus complexe de tous les arts.

On voit donc bien que les pratiques de dérivation ne sont nullement le privilège de la littérature, mais qu'elles se retrouvent aussi bien en musique et dans les arts plastiques, car ce qui est vrai en peinture l'est dans une large mesure en sculpture ou en architecture — on sait par exemple la part considérable, dans le paysage urbain, du pastiche architectural. Elles s'y retrouvent, mais selon un mode à chaque fois spécifique, sur lequel il serait imprudent de rabattre a priori les catégories propres à l'hypertextualité littéraire. Les matériaux et les techniques susceptibles de transformation et d'imitation ne sont pas les mêmes, les modes d'existence et de réception, les statuts ontologiques des œuvres présentent des différences parfois fondamentales (qu'on songe, par exemple, à la part, capitale dans le discours musical classique, de la répétition, à quoi rien ne correspond en peinture, et presque rien en littérature, au moins jusqu'à Robbe-Grillet ; ou au simple fait que la littérature est le seul art tributaire, ou bénéficiaire, de la pluralité des langues), et les investissements de sens n'y sont pas comparables : rien ne peut répondre en musique aux transformations sémantiques du type *Vendredi,* rien ne répond en littérature à cette opération musicale si élémentaire et si efficace qu'est le passage de majeur en mineur d'une simple ligne mélodique. En signalant ou en rappelant le caractère universel des pratiques hyperesthétiques, je ne préconise donc nullement une extrapolation à tous les arts des résultats — s'il en est — d'une enquête sur l'hypertextualité. Mais plutôt une série d'enquêtes spécifiques concernant chaque type d'art, où les parallélismes ou convergences éventuels ne devraient en aucun cas être postulés a priori, mais observés après coup. Peut-être, donc, viens-je d'en dire ou d'en suggérer un peu trop à cet égard — encore que la distinction fondamentale entre pratiques de transformation et d'imitation me semble, quant à elle, jusqu'à preuve du contraire, d'une pertinence universelle.

A moins qu'elle ne s'abolisse en un point précis qui est cette pratique, déjà signalée comme spécifique aux arts plastiques : la copie. La reproduction peut sembler a priori une forme extrême de l'imitation, et sans rapport avec la transformation. En fait, il n'en est rien : le travail de la copie ne procède nullement de l'art du pastiche, il ne suppose pas, même s'il peut parfois en bénéficier, l'acquisition préalable d'une compétence idiolectale, qui serait appliquée à une performance nouvelle. Un copiste de la *Vue de Delft* ne part pas nécessairement, comme Van Meegeren, de sa connaissance générale de l'art de Vermeer, mais de sa perception de *ce* tableau dans sa pleine singularité, dont il vise à reproduire l'apparence aussi fidèlement que possible et par des moyens peut-être fort différents de ceux qu'y avait appliqués son auteur. Il n'a affaire qu'à la *Vue de Delft,* et sa démarche (son approche) est paradoxalement plus proche d'une tranformation que d'une imitation : comme la transformation, la copie ne s'intéresse qu'à son objet singulier et, plutôt que comme un pastiche absolu, il serait plus juste de la définir comme une *transformation nulle.* Et comme, bien sûr, aucune copie n'est jamais parfaite, il convient de définir la copie comme une transformation *minimale,* en donnant ici à l'adjectif son sens le plus fort (possible) : celui non pas d'une transformation très faible, mais d'une transformation aussi faible qu'il soit humainement possible. La copie est donc cet état paradoxal d'un effet d'imitation (maximale) obtenu par un effort de transformation (minimale). Cette convergence apparente confirme peut-être, en fait, le caractère antithétique des deux pratiques, puisque l'extrême positif de l'une se confond avec l'extrême négatif de l'autre.

Resterait à concevoir une contre-épreuve symétrique : celle d'une imitation minimale, et à se demander si elle équivaudrait à une transformation maximale. Il faudrait imaginer un pastiche de Vermeer si mauvais (comme pastiche) qu'il ne ressemblerait, de près ou de loin, à aucun tableau de Vermeer : rien n'interdirait alors de le considérer comme une transformation maximale de la *Vue de Delft,* ou de tout autre Vermeer. Soit, par exemple, *Guernica :* si vous vous astreignez un instant à le considérer comme un pastiche de Vermeer, vous devrez, assez raisonnablement, le qualifier de pastiche minimal (pastiche raté, si vous voulez ; mais je préfère envisager ici la notion, théoriquement plus riche, de pastiche *volontairement* raté) ; si, par un effort non moins méritoire, vous décidez de le recevoir comme une transformation de la *Vue de Delft,* vous devrez bien, symétriquement, le qualifier de transformation maximale.

J'espère qu'on m'a suivi jusqu'à ce point. L'avantage, entre autres, de cette contre-épreuve, est qu'elle peut, contrairement à l'exemple de la copie, se transposer en littérature. Le *Don Quichotte* de Pierre Ménard, on le sait, *n'est pas* une copie, mais plutôt une transformation minimale, ou imitation maximale, de Cervantes, produite par la voie canonique du pastiche : l'acquisition d'une compétence parfaite par identification absolue (« *être* Miguel de Cervantes »). Mais la faiblesse de cette performance, c'est d'être imaginaire et, comme le dit Borges lui-même, impossible. Le pastiche minimal, en revanche, emplit nos bibliothèques réelles, il suffit de le décréter tel. Borges, désireux de « peupler d'aventures les livres les plus paisibles », proposait d'attribuer l'*Imitation de Jésus-Christ* à Céline ou à Joyce. Ce type d'attribution se heurte à de redoutables obstacles philologiques, et au mauvais vouloir des historiens. Il me paraît plus économique et plus efficace, parce que moins « falsifiable », de considérer par exemple, et ne fût-ce qu'un instant, *Ulysse* ou *Mort à crédit* comme deux transformations maximales de l'*Imitation de Jésus-Christ,* ou comme deux pastiches minimaux du style de Thomas a Kempis. Une telle relation pourrait bien être aussi pertinente que celle, plus couramment reçue (nous savons pourquoi), entre *Ulysse* et l'*Odyssée,* dont Borges écrit sagement quelque part qu'elle ne mérite peut-être pas tout le bruit qu'on en fait [1]. Et si l'on retrouvait un jour quelque lettre inédite de

1. « Certains contacts insistants et minutieux, mais insignifiants, entre l'*Ulysse* de Joyce et l'*Odyssée* d'Homère continuent à écouter — je ne saurai jamais pourquoi — l'admiration étourdie de la critique » (*Fictions,* p. 55).

Joyce en ce sens (suffit en attendant qu'il ne s'en trouve aucune en sens contraire), la critique joycienne se retrouverait simplement avec un autre pain — plus frais — sur la planche, qu'il lui faudrait bien enfourner d'une manière ou d'une autre. On voit en tout cas la carrière qui s'ouvre ici, *publish or perish,* aux études littéraires : *Molloy* comme pastiche (minimal) de Corneille, *la Jalousie* comme transformation (maximale) de la *Chanson de Roland :* suit dans chaque cas une étude comparée. Et pour revenir sur terre, ou non loin, je rappellerai la fameuse note 17 de *la Pharmacie de Platon,* où Jacques Derrida indiquait discrètement, à la grande stupeur et au grand embarras de Landerneau, que l'ensemble de cet essai n'était « lui-même rien d'autre, comme on l'aura vite compris, qu'une lecture de *Finnegans Wake* ». A mon tour, peut-être, d'avouer ce que plus d'un aura deviné depuis longtemps : que ce livre-ci — non pas *Finnegans Wake,* mais celui que tu es censé, Lecteur infatigable, tenir encore présentement entre tes mains — n'est rien d'autre que la transcription fidèle d'un cauchemar non moins fidèle, lui-même issu d'une lecture hâtive et, je le crains, lacunaire, à la lumière suspecte de quelques pages de Borges, de je ne sais quel Dictionnaire des Œuvres de tous les Temps et de tous les Pays.

LXXX

Ce corpus en vaut un autre, ce qui n'est peut-être pas un bien grand mérite, mais il va de soi qu'il ne peut prétendre à aucune exhaustivité : notre parcours à travers les divers types d'hypertextes doit évidemment beaucoup au hasard d'une information personnelle[1], et plus encore à celui d'un réseau de préférences dont je serais bien le plus mauvais juge. Il me semble pourtant que le principe taxinomique qui a guidé cette recherche lui aura évité les lacunes les plus graves (les plus onéreuses du point de vue théorique), grâce à ce que j'appellerai la vertu heuristique de la case vide : je ne pense pas seulement aux six cases du tableau initial,

1. Souvent complétée, c'est le lieu d'en convenir, par celle des divers auditoires qui m'ont fait l'amitié de participer, d'une manière ou d'une autre, à l'élaboration de cette étude. Je les en remercie tous, et spécialement Michèle Sala pour quelques patientes recherches et autres corvées.

mais à quelques autres systèmes plus localisés, dont certaines virtualités apparemment dépourvues d'investissement réel invitent à plus de curiosité. Cette curiosité finit toujours par rencontrer quelque pratique attestée qui lui aurait autrement échappé, ou quelque hypothèse vraisemblable qui n'exige qu'un peu de patience ou de loisir pour être remplie à son tour, en vertu de l'inépuisable principe de Buffon : « Tout ce qui peut être, est » — ou sera un jour, n'en doutons pas : l'Histoire a ses défauts, mais elle sait attendre.

Sur le principe général de cette répartition, je n'ai guère à revenir, si ce n'est d'abord pour réaffirmer une dernière fois la pertinence de la distinction entre les deux types fondamentaux de dérivation hypertextuelle que sont la transformation et l'imitation : au terme (pour moi) de cette enquête, rien ne m'invite à les confondre davantage qu'au départ, et rien ne me suggère l'existence d'un ou plusieurs autres types qui échapperaient à cette opposition simple. Je me suis parfois demandé si la relation du texte « définitif » d'une œuvre à ce que l'on appelle aujourd'hui heureusement ses « avant-textes[1] » ne relèverait pas d'un autre type d'hypertextualité, voire plus généralement de transtextualité. Il me semble décidément que non : comme nous avons eu quelques occasions de seulement l'entrevoir, la relation génétique se ramène constamment à une pratique d'autotransformation, par amplification, par réduction ou par substitution. Si inépuisable que soit son champ d'étude et si complexes que soient ses opérations, elle est bien un cas particulier (encore un océan dans notre mare) de l'hypertextualité telle que définie ici : tout état rédactionnel fonctionne comme un hypertexte par rapport au précédent, et comme un hypotexte par rapport au suivant. De la première esquisse à la dernière correction, la genèse d'un texte est une affaire d'auto-hypertextualité[2].

Il n'est sans doute pas nécessaire de revenir longuement sur le caractère, à l'inverse, très relatif de la distinction entre les régimes, dont le détail de l'enquête nous a fourni plus d'une illustration. Je voudrais seulement suggérer une division possible, à l'intérieur du

1. Nous devons ce terme, je le rappelle, à Jean Bellemin-Noël, *Le Texte et l'Avant-texte,* Larousse, 1972.
2. Bien entendu, et selon le principe posé au chapitre II, cet aspect hypertextuel de la relation génétique n'exclut pas d'autres aspects transtextuels : l'avant-texte fonctionne aussi comme un paratexte, dont la valeur (entre autres) de commentaire, et donc de métatexte, par rapport au texte définitif, est aussi évidente qu'embarrassante, puisqu'il nous renseigne souvent très clairement (par exemple dans les esquisses de James) sur des intentions ou interprétations peut-être provisoires, et complètement abandonnées au moment de la rédaction définitive.

régime sérieux, entre deux types de fonctions, dont l'une est d'ordre pratique ou, si l'on préfère, socio-culturel : c'est très évidemment celle qui domine dans des pratiques comme le résumé descriptif, la traduction, la mise en prose ; elle est encore très forte dans le *digest,* les diverses formes de transmodalisation comme l'adaptation théâtrale ou cinématographique, et dans la plupart des suites et des continuations. Elle répond à une demande sociale, et s'efforce légitimement de tirer de ce service un profit — d'où son aspect souvent commercial ou, comme on disait autrefois, « alimentaire » : souvent plus proche, dirait Veblen, de la besogne que de l'exploit. L'autre fonction du régime sérieux est plus noblement esthétique : c'est sa fonction proprement créative, par quoi un écrivain prend appui sur une ou plusieurs œuvres antérieures pour élaborer celle où s'investira sa pensée ou sa sensibilité d'artiste. C'est évidemment le trait dominant de la plupart des augmentations, de certaines continuations (« infidèles »), et des transpositions thématiques. J'ai volontairement formalisé autant qu'il était possible l'étude de ce domaine, qui s'y prête sans doute moins que les autres, pour tenter de « réduire » à quelques « principes », ou opérations simples, cette matière souvent traitée, sous les auspices de la « thématologie » ou de la *Stoffgeschichte,* avec beaucoup d'empirisme et un peu de... paresse d'esprit.

J'ai bien dû dire quelque part, aiguille dans ce tas de foin, que l'hypertextualité est une pratique transgénérique, qui *comprend* quelques genres dits « mineurs » comme la parodie, le travestissement, le pastiche, le *digest,* etc., et qui *traverse* tous les autres. Peut-être faut-il se demander, avec le « recul » que l'on prête (généreusement) aux conclusions (provisoires), si sa distribution traduit cependant de plus grandes affinités, ou compatibilités, avec certains genres. On peut sans doute avancer sans trop de risques, et pour des raisons pratiques déjà entrevues, qu'elle règne plus massivement dans le monde dramatique (« à la scène ») que dans le narratif. Et encore, et pour une autre raison tout aussi évidente, qu'elle s'investit moins volontiers dans les genres les plus étroitement liés à une référentialité sociale ou personnelle : l'Histoire (encore que les historiens « transforment » beaucoup de documents), les Mémoires, l'autobiographie, le journal, le roman réaliste, la poésie lyrique. Mais il ne faut pas trop lourdement s'appuyer sur cette évidence : tous ces genres sont fortement codés, et par conséquent marqués d'une large empreinte d'imitation générique — parfois autant, disons, que la pure fiction romanesque. Il suffit peut-être, pour la poésie lyrique, de rappeler un fait de convention thématique aussi caractérisé, et pendant deux bons siècles, que le pétrarquisme. J'en dirais bien autant du romantisme et de ses séquelles.

Le critère de distribution le plus pertinent est sans doute moins générique qu'historique. Le tableau construit ici présente les choses d'une manière synchronique et transhistorique, mais on peut y observer quelques traits d'évolution, de mutations, d'apparitions et de disparitions, d'investissements diachroniquement privilégiés : ici ou là, selon les époques et les pays, quelques lumières s'allument et s'éteignent, ou clignotent d'une manière parfois significative : l'Histoire, alors, débarque où on ne l'attendait pas. La parodie, par exemple, est sans doute de tous les temps, mais le travestissement semble avoir attendu le XVIIe siècle. La charge précède apparemment le pastiche, mais ne se constitue en genre professionnel qu'à la fin du XIXe siècle. L'antiroman naît avec le *Quichotte*. La continuation est évidemment une pratique plus ancienne et classique que moderne. La transposition, et peut-être plus généralement l'hypertextualité, répond sans doute davantage à une attitude esthétique à la fois classique et moderne, avec une éclipse relative — au moins en France — pendant la première moitié, romantique et réaliste, du XIXe siècle [1] ; mais un certain esprit du XVIIIe se survit manifestement chez des auteurs comme Nodier, Janin, Mérimée, Stendhal, et même souvent Balzac, et nous avons vu resurgir sous le Second Empire une attitude de badinage culturel dont la postérité n'est pas éteinte. Par-dessus l'époque du sérieux romantico-réaliste, l'hypertextualité est évidemment, l'œuvre de John Barth m'a donné l'occasion de le dire, un des traits par lesquels une certaine modernité, ou postmodernité, renoue avec une tradition « prémoderne » : *Torniamo all'antico...* Les noms, entre autres, de Proust, Joyce, Mann, Borges, Nabokov, Calvino, Queneau, Barth, l'illustrent assez bien, j'espère. Mais nul ne prétendra pour autant que toute notre modernité est hypertextuelle : le Nouveau Roman français, par exemple, l'est parfois, mais d'une manière qui lui est sans doute contingente ; sa modernité passe par d'autres voies, mais qui elles aussi se définissent volontiers, on le sait, par opposition au « père » réaliste (« Balzac » a bon dos) et invocation à quelques oncles ou ancêtres privilégiés — souvent les mêmes qui fournissent à d'autres leurs hypotextes de référence.

---

1. Une semblable éclipse (ou phase de latence ?) est observée (et quelque peu exagérée) par R. Alter dans son étude du « self-conscious novel » (*Partial Magic*, University of California, 1975). La *même* éclipse, à vrai dire : car la « conscience de soi » qu'il analyse par exemple dans *Don Quichotte, Jacques le fataliste* ou *Feu pâle* a évidemment beaucoup à voir avec l'hypertextualité. Cette hyperconscience, négociée en traitement ludique, de ses propres artifices et conventions est en même temps hyperconscience de sa relation à un genre et à une tradition.

449

On ne prétendra pas davantage réduire à l'hypertextualité toutes les formes de transtextualité, dont certaines nous occuperont peut-être demain, ou après-demain. Je ne reviendrai pas sur la distinction trop évidente avec la métatextualité, qui n'est jamais en principe de l'ordre de la fiction narrative ou dramatique, alors que l'hypertexte est presque toujours fictionnel, fiction dérivée d'une autre fiction, ou d'un récit d'événement réel. C'est une donnée de fait, d'ailleurs, et non de droit : l'hypertexte peut être non-fictionnel, en particulier lorsqu'il dérive d'une œuvre elle-même non-fictionnelle. Un pastiche de Kant ou une versification de la *Critique de la raison pure* serait à coup sûr un hypertexte non-fictionnel. Le métatexte, lui, est non-fictionnel par essence. D'autre part, nous l'avons constamment observé, l'hypertexte a toujours peu ou prou valeur de métatexte : le pastiche ou la charge sont toujours de la « critique en acte », *Vendredi* est évidemment (entre autres) un commentaire de *Robinson Crusoé*. L'hypertexte est donc à bien des égards, en termes aristotéliciens, plus puissant que le métatexte : plus libre de ses allures, il le déborde sans réciproque.

De l'opposition déjà marquée entre hypertextualité et intertextualité, je ne veux insister ici que sur ce point, limité mais décisif : contrairement à l'intertextualité telle que la décrit bien Riffaterre, le recours à l'hypotexte n'est jamais indispensable à la simple intelligence de l'hypertexte. Tout hypertexte, fût-ce un pastiche, peut, sans « agrammaticalité » perceptible [1], se lire pour lui-même, et comporte une signification autonome, et donc, d'une certaine manière, suffisante. Mais suffisante ne signifie pas exhaustive. Il y a dans tout hypertexte une *ambiguïté* que Riffaterre refuse à la lecture intertextuelle, qu'il définit plus volontiers par un effet de « syllepse ». Cette ambiguïté tient précisément au fait qu'un hypertexte peut à la fois se lire pour lui-même, et dans sa relation à son hypotexte. Le pastiche de Flaubert par Proust est un texte « grammaticalement » (sémantiquement) autonome. Mais, en même temps, nul ne peut prétendre en avoir épuisé la fonction tant qu'il n'y a pas perçu et savouré l'imitation du style de Flaubert. Bien évidemment, cette ambiguïté a ses degrés : la lecture d'*Ulysse* se passe mieux de la référence à l'*Odyssée* qu'un pastiche de la référence à son modèle, et l'on trouvera entre ces deux pôles toutes les nuances que l'on voudra ; l'hypertextualité est plus ou moins

---

1. Peut-être faut-il préciser : sans agrammaticalité intérieure au texte. Mais les indices paratextuels sont souvent là pour en imposer une : encore une fois, tout irait bien avec *Ulysse* lu comme tranche de vie dublinoise, n'était ce titre qui résiste à une telle intégration.

obligatoire, plus ou moins facultative selon les hypertextes. Mais il reste que sa méconnaissance ampute toujours l'hypertexte d'une dimension réelle, et nous avons souvent observé avec quel soin les auteurs se prémunissaient, au moins par voie d'indices paratextuels, contre une telle déperdition de sens, ou de valeur esthétique. « Toute la beauté de cette pièce, disait Boileau du *Chapelain décoiffé,* consiste au rapport qu'elle a avec cette autre (*le Cid*). » Toute la beauté, ce serait souvent trop dire — mais une part, toujours, y consiste, et tient légitimement à s'y faire voir.

L'hypertexte *gagne* donc toujours — même si ce gain peut être jugé, comme on dit de certaines grandeurs, négatif — à la perception de son être hypertextuel. Ce qui est « beauté » pour les uns peut être « laideur » pour les autres, mais cela, du moins, n'est pas quantité négligeable. Il me reste donc peut-être à dire, pour finir, et pour justifier in extremis mon « choix d'objet », le type dé mérite (de « beauté ») que je trouve à l'ambiguïté hypertextuelle, sans dissimuler que je vais faire état de valorisations toutes subjectives.

L'hypertextualité, à sa manière, relève du *bricolage.* C'est un terme dont la connotation est généralement péjorative, mais auquel certaines analyses de Lévi-Strauss ont donné quelques lettres de noblesse. Je n'y reviens pas. Disons seulement que l'art de « faire du neuf avec du vieux » a l'avantage de produire des objets plus complexes et plus savoureux que les produits « faits exprès » : une fonction nouvelle se superpose et s'enchevêtre à une structure ancienne, et la dissonance entre ces deux éléments coprésents donne sa saveur à l'ensemble. Les visiteurs de l'ancienne conserverie de San Francisco, de la Faculté des Lettre d'Aarhus ou du théâtre de la Criée à Marseille l'ont sans doute éprouvé pour leur plaisir ou déplaisir, et chacun sait au moins ce que Picasso faisait d'une selle et d'un guidon de bicyclette.

Cette duplicité d'objet, dans l'ordre des relations textuelles, peut se figurer par la vieille image du *palimpseste.* où l'on voit, sur le même parchemin, un texte se superposer à un autre qu'il ne dissimule pas tout à fait, mais qu'il laisse voir par transparence. Pastiche et parodie, a-t-on dit justement, « désignent la littérature comme palimpseste[1] » : ceci doit s'entendre plus généralement de tout hypertexte, comme Borges le disait déjà du rapport entre le

---

1. R. Amossy et E. Rosen, « La dame aux catleyas », *Littérature* 14, mai 1974.

texte et ses avant-textes[1]. L'hypertexte nous invite à une lecture relationnelle dont la saveur, perverse autant qu'on voudra, se condense assez bien dans cet adjectif inédit qu'inventa naguère Philippe Lejeune : lecture *palimpsestueuse*. Ou, pour glisser d'une perversité à une autre : si l'on aime vraiment les textes, on doit bien souhaiter, de temps en temps, en aimer (au moins) deux à la fois.

Cette lecture relationnelle (lire deux ou plusieurs textes *en fonction* l'un de l'autre) est sans doute l'occasion d'exercer ce que j'appellerai, usant d'un vocabulaire démodé, un *structuralisme ouvert*. Car il y a, dans ce domaine, deux structuralismes, l'un de la clôture du texte et du déchiffrement des structures internes : c'est par exemple celui de la fameuse analyse des *Chats* par Jakobson et Lévi-Strauss. L'autre structuralisme, c'est par exemple celui des *Mythologiques,* où l'on voit comment un texte (un mythe) peut — si l'on veut bien l'y aider — « en lire un autre ». Cette référence, peut-être impudente, se passe de développement et de commentaire.

Mais le plaisir de l'hypertexte est aussi un *jeu*. La porosité des cloisons entre les régimes tient surtout à la force de contagion, dans cet aspect de la production littéraire, du régime ludique. À la limite, aucune forme d'hypertextualité ne va sans une part de jeu, consubstantielle à la pratique du remploi de structures existantes : au fond, le bricolage, quelle qu'en soit l'urgence, est toujours un jeu, en ce sens au moins qu'il traite et utilise un objet d'une manière imprévue, non programmée, et donc « indue » — le vrai jeu comporte toujours une part de perversion. De même, traiter et utiliser un (hypo)texte à des fins extérieures à son programme initial est une façon d'en jouer et de s'en jouer. La ludicité manifeste de la parodie ou du pastiche, par exemple, contamine donc les pratiques en principe moins purement ludiques du travestissement, de la charge, de la forgerie, de la transposition, et cette contamination fait une grande part de leur prix. Elle aussi, bien sûr, a ses degrés, et l'on ne trouvera pas dans des œuvres comme celles de Racine, de Goethe, d'O'Neill, d'Anouilh, de Sartre ou de Tournier une teneur ludique comparable à celle d'un Cervantes, d'un Giraudoux, d'un Thomas Mann ou d'un Calvino. Il y a des hypertextes plus légers que d'autres, et je n'ai pas besoin de préciser où vont globalement mes préférences — préférences dont je ne ferais pas état si je ne supposais obscurément qu'elles ont partie liée avec l'essence, ou,

---

1. « Je pense qu'il est juste de voir dans le *Quichotte* " final " une sorte de palimpseste, dans lequel doivent transparaître les traces — légères mais non indéchiffrables — de l'écriture " préalable " de notre ami » (*Fictions,* p. 71 ; il s'agit évidemment de notre ami, et confrère, Pierre Ménard).

comme disaient les classiques, la « perfection » du genre. Ce n'est pas pour autant que la ludicité soit ici (même pour moi) une valeur absolue : les textes « purement ludiques » dans leur propos ne sont pas toujours les plus captivants, ni même les plus amusants. Les jeux prémédités et organisés sont parfois (on y retombe dans le « fait exprès ») de mortels pensums, et les meilleures plaisanteries sont souvent involontaires. L'hypertexte à son mieux est un mixte indéfinissable, et imprévisible dans le détail, de sérieux et de jeu (lucidité et ludicité), d'accomplissement intellectuel et de divertissement. Cela, bien sûr et je l'ai dit, s'appelle l'humour, mais il ne faut pas abuser de ce terme, qui presque inévitablement tue ce qu'il épingle : l'humour officiel est une contradiction dans les termes.

J'entends bien — il faudrait être sourd — l'objection que ne manque pas de soulever cette apologie, même partielle, de la littérature au second degré : cette littérature « livresque », qui prend appui sur d'autres livres, serait l'instrument, ou le lieu, d'une perte de contact avec la « vraie » réalité, qui n'est pas dans les livres. La réponse est simple : comme nous l'avons déjà éprouvé, l'un n'empêche pas l'autre, et *Andromaque* ou *Docteur Faustus* ne sont pas plus loin du réel qu'*Illusions perdues* ou *Madame Bovary*. Mais l'humanité, qui découvre sans cesse du sens, ne peut toujours inventer de nouvelles formes, et il lui faut bien parfois investir de sens nouveaux des formes anciennes. « La quantité de fables et de métaphores dont est capable l'imagination des hommes est limitée, mais ce petit nombre d'inventions peut être tout à tous, comme l'Apôtre. » Encore faut-il *s'en occuper,* et l'hypertextualité a pour elle ce mérite spécifique de relancer constamment les œuvres anciennes dans un nouveau circuit de sens. La mémoire, dit-on, est « révolutionnaire » — à condition sans doute qu'on la féconde, et qu'elle ne se contente pas de *commémorer.* « La littérature est inépuisable pour la raison suffisante qu'un seul livre l'est[1]. » Ce livre, il ne faut pas seulement le relire, mais le récrire, fût-ce, comme Ménard, littéralement. Ainsi s'accomplit l'utopie borgésienne d'une Littérature en transfusion perpétuelle — perfusion transtextuelle —, constamment présente à elle-même dans sa totalité et comme Totalité, dont tous les auteurs ne font qu'un, et dont tous les livres sont un vaste Livre, un seul Livre infini. L'hypertextualité n'est qu'un des noms de cette incessante circulation des textes sans quoi la littérature ne vaudrait pas une heure de peine. Et quand je dis une heure...

1. Borges encore (bien sûr), *Enquêtes,* p. 307 et 244.

*... à Thelonious,
qui s'y entendait,
17 février 1982.*

INDEX DES NOMS

Post-scriptum du 13 avril 1983

Je profite d'une réimpression pour réparer ici quelques erreurs ou omissions particulièrement fâcheuses :

— J'aurais dû, p. 11, mentionner, quoique évident, le modèle du terme *hypotexte* (et, partant, de son symétrique *hypertexte*) : c'est l'*hypogramme* de Saussure — qui n'alla pas, toutefois, jusqu'à forger *hypergramme*.

— Les deux parodies du sonnet d'Arvers citées p. 41 et 42 sont, me signale Daniel Bilous, de Maurice Donnay et de Louis Aigouin. On les trouve, avec quelque cent trente autres, dans le recueil de O'Followell : *le Sonnet d'Arvers et ses Pastiches* (sic), Humbert et fils, 1948.

— P. 47 : aux dernières nouvelles, le cassis lui-même viendrait à manquer.

— P. 53 : autres variations sur l'inépuisable incipit : « Longtemps je me suis couché par écrit » (Perros) ; « Longtemps je me suis caché de bonheur » (Sollers).

— P. 177-178 : le livre de Bruce Morrissette a bien été traduit en français : *la Bataille Rimbaud*, Nizet, 1959. Cette bévue en dit long sur la qualité de mon « érudition ».

— Enfin, je découvre un peu tard les *Nouvelles Aventures et Mésaventures de Lazarillo de Tormes,* de Camilo Jose Cela (trad. fr. Gallimard, 1963), qui se présentent par leur titre comme une continuation, mais qui sont en fait (comme *les Nouvelles Souffrances du jeune W.*) une transposition, dont le héros n'est pas le vrai Lazarillo, mais un homonyme et émule moderne. Comme la transposition historique est très discrète et le style quelque peu archaïsant, l'œuvre hésite constamment entre les statuts de la transformation et de l'imitation : d'où, comme dans les parodies mixtes du xviiie siècle, déception par manque de contraste, sans compter que ce nouveau Lazarillo n'est pas assez fripon pour faire un picaro. C'est, à ma connaissance actuelle, l'hypertexte le plus exactement hybride, et dont l'indécision fait le mieux percevoir, *a contrario* et par son échec, la différence des deux types.

— La parodie du sonnet d'Arvers citée p. 41 est de Maurice Donnay et la suivante de Louis Aigouin. Voir Robert W. Lowe, « Le sonnet d'Arvers et ses pasticheurs », *French Review*, octobre 1969.

TABLE

Les indications portées ici après les numéros de chapitres ne sont
pas des titres, mais seulement des points de repère pour ceux qui ne
peuvent s'en passer, mais ne trouveront guère à s'y repérer.

IMP. BUSSIÈRE À SAINT-AMAND (2-91)
D. L. 1ᵉʳ TRIM. 1982. Nᵒ 6116-4 (399)